LE DESSOUS DES CARTES

« Les événements ne sont que l'écume des choses, ce qui m'intéresse, c'est la mer. »

Paul Valéry, *Regards sur le monde actuel,* 1931.

Coordination générale
Laurène L'Allinec
Frank Tétart

Suivi de production
Isabelle Brahiti
assistée de Pascale Pitot

Merci à : Claire Aubret, Pierre-Jean Canac, Anne Criou, Philippe De Beukelaer, Alain Jomier, Anne Morin, Natacha Nisic, Jean-Loïc Portron, Frédéric Ramade, Pascal Sottovia.

Et à : Alcidio Martins, Delphine Roy, Jeanne Vivet.

Fonds cartographique : Oxford Cartographers
OS Ordnance Survey®

Responsable éditorial
Jean-Vincent Bacquart
Direction artistique
Valérie Gautier
Maquette
Bernard Pierre
Corrections
David MacDougall

Fabrication
Sandrine Pavy
Photogravure
Charente-Photogravure

4, rue du Texel – 75014 Paris

JEAN-CHRISTOPHE VICTOR
VIRGINIE RAISSON • FRANK TÉTART

LE DESSOUS DES CARTES

Atlas géopolitique

CARTOGRAPHIE : FRÉDÉRIC LERNOUD

Sommaire

itinéraires géopolitiques

Itinéraires européens

Itinéraires américains

Itinéraires orientaux

Itinéraires asiatiques

Itinéraires africains

Le monde qui vient

Logiques de guerre

Un développement peu durable

DE LA TÉLÉVISION, DE LA RENCONTRE ET DE LA FIDÉLITÉ

Cet atlas est directement inspiré d'un magazine de télévision, *Le Dessous des Cartes*, créé lors de la fondation d'Arte. Cette volonté d'analyse et d'explication des événements internationaux par l'histoire et la géographie a débuté dans un contexte riche en matière de changements géopolitiques. La fin du monde bipolaire, celle de l'Union soviétique, la réunification de l'Allemagne, l'éclatement de la Yougoslavie, le réchauffement du climat, autant de basculements ayant contribué à rendre plus fluide la pensée dans le domaine de la géographie politique.

Mais pour *lire* le monde, peut-on appliquer une grille de sciences humaines à l'aide de ce médium important qu'est la télévision ? La question a trouvé une partie de sa réponse, semaine après semaine, et en ne cherchant pas à donner toutes les réponses, mais à se poser au moins les bonnes questions.
Il y avait – et il y a – cependant quatre minimum requis :
– Arte est une télévision *volontaire*. Née d'un traité franco-allemand, elle est la seule chaîne bi-nationale au monde, elle est donc à ce titre politique et européenne. C'est bien dans cette démarche qu'a pu s'inscrire *Le Dessous des Cartes*, créé à l'initiative d'André Harris, alors directeur des programmes, dans la plus totale liberté, et dans la durée ;
– inspiré par les travaux des historiens français Georges Duby et allemand Arno Peters, cette première utilisation de la carte à la télévision imposait la sobriété, mais demandait de prendre des libertés – projection, échelle, légende – avec cet instrument de représentation du monde. La possibilité du mouvement et la souplesse d'utilisation de l'outil favorisaient la pédagogie, l'inventivité des graphistes-cartographes et des réalisateurs pour « mettre en scène » les cartes permettaient la créativité formelle ;
– « On croit faire un voyage, mais c'est le voyage qui vous fait », écrivait Nicolas Bouvier. Ces histoires géopolitiques n'auraient pu être contées sans de nombreux voyages, mais aussi sans les travaux de géographes et de scientifiques rencontrés au fil de ces voyages. Merci à Pierre Gentelle, à Gérard Dorel, à Jean Rieucau, à Frédéric Lasserre, à mon ami Dominique Raynaud ;
– enfin, une telle exploration du monde se nourrit de doutes, d'inventions et d'influences. À des époques différentes, sous des formes diverses, quelques proches ont contribué à façonner une pensée indépendante. Paul-Émile Victor, pour la confiance en soi laissée en héritage, et la capacité de résister aux pensées uniques, Claude Lanzmann, pour une certaine éducation politique, Olivier Dollfus et Georges Condominas, pour le regard ethnographique et le respect qui l'accompagne, Gérard Chaliand, pour le poids des questions militaires et de la marche à pied dans les affaires du monde, Virginie Raisson et Michel Foucher, pour la rigueur et l'inventivité intellectuelles.
À tous, avec ma reconnaissance.

Jean-Christophe Victor

de l'unité du monde

En moins d'une heure, le 11 septembre 2001, le monde entier assiste en temps réel à l'effondrement des tours du World Trade Center sur lesquelles deux avions viennent de s'écraser. Mais, aussi précises qu'aient pu être ces images, que comprend-on alors de ce qui vient de se passer ?

C'est paradoxalement au moment où la planète a fini de se libérer des carcans de la guerre froide, au moment où l'information circule plus librement mais aussi plus facilement grâce aux nouvelles technologies, que l'image se brouille, que le monde devient incompréhensible. Il faudrait désormais savoir conjuguer ensemble et au même moment les événements, nombreux, complexes, quand ils se déroulent jour après jour, comprendre la relation qu'ils entretiennent entre eux, déchiffrer l'information qu'ils émettent, connaître la perception qu'en ont les opinions publiques, et enfin évaluer les mécanismes dont on dispose pour les faire évoluer.

Paradoxe d'une époque « bouffie d'images » – l'expression est du géographe suisse Claude Raffestin –, où, sous l'effet de la peur et de l'émotion qu'elles suscitent, le public perd son sens critique, parfois sa capacité de raisonner, souvent celle de faire les liens.

Intelligence, du latin *inter ligere* : discerner, démêler. C'est l'ambition de cet atlas qui tente de donner du sens aux événements, de chercher l'intelligence des faits, de classer l'immense savoir dont chacun dispose sur le « devisement » du monde, comme l'écrivait Marco Polo.

Faire les liens, dans le temps et dans l'espace

Ni dans l'espace ni dans le temps, les événements ne surviennent au hasard. Comme l'exemple du 11 septembre 2001 nous le rappelle, leur importance ne se mesure vraiment qu'à l'aune de ce qui les précède, et de ce qui les suivra. Il n'y a donc pas d'urgence à tout savoir. D'autant moins que découplées de leur contexte, les « nouvelles » que l'on reçoit du monde finissent par atomiser la compréhension qu'on en a. L'histoire et la géographie, elles, permettent de leur redonner une cohérence. Par son relief, ses accidents, ses évolutions, la géographie exerce une contrainte sur les hommes et leurs activités, et réciproquement. Tout événement se trouve influencé par le lieu où il se déroule, et influence à son tour l'action individuelle ou collective. D'où l'importance des cartes qui permettent à la fois de mesurer ce lien à l'espace et de le restituer.

De la même façon, l'histoire précède toujours, explique souvent, et détermine parfois. Car nous sommes tous héritiers d'un patrimoine où se mêlent idées, croyances et représentations qui influencent nos décisions et impriment nos actes. Voila pourquoi l'effort d'explication comme l'effort de prospective exigent de replacer le fait dans sa continuité historique afin de repérer les tendances longues, économiques, stratégiques, environnementales, démographiques, géopolitiques, religieuses, sociales.

Exemple : un article révèle qu'un « nouveau » litige juridique oppose les gouvernements canadien et américain à propos du statut des eaux côtières au nord du Canada. Pour le Canada, ces eaux sont sous souveraineté canadienne ; pour les États-Unis, il s'agit d'eaux internationales. La convention de Montego Bay sur le droit de la mer, elle, ne les départage pas. Or, au même moment, un second article indique que les campagnes d'exploration minière dans le territoire nord-canadien ont connu une nette augmentation. Et parallèlement, on apprend que les cargos qui naviguent dans cette région seront soumis à de nouveaux tarifs d'assurance à partir de 2010. La coïncidence est-elle fortuite ?

En fait, c'est la conséquence du réchauffement climatique dans cette région arctique qui aide à faire le lien entre les trois événements (voir pages 240-243). Car la hausse attendue de la température moyenne de 2° C sur les cinquante prochaines années entraîne la fonte partielle de la banquise arctique – sur son épaisseur et le calendrier de sa formation –, devant ainsi permettre aux navires à coque renforcée de se déplacer plus librement dans cette région polaire.

Entrer dans la logique de l'autre

Ni l'histoire ni la géographie ne sont des sciences exactes. Les phénomènes ne peuvent être vérifiés, et certainement pas dupliqués. Les perceptions qu'on en a, les représentations qu'on en donne dépendent toujours de l'endroit où l'on se trouve et du moment où l'on se place. Elles ne peuvent donc suffire à l'analyse qui exige de savoir se mettre à la place de l'autre, historiquement, géographiquement, politiquement, pour saisir son raisonnement, sa logique. Ainsi, tandis que nos cartes situent l'Europe au centre du monde, les planisphères chinois y mettent la Chine – *Zhongguo* en chinois, ce qui signifie « empire du milieu », « pays du centre ». De la même façon, il est impossible de saisir la dimension stratégique de la guerre froide sans placer le pôle Nord au centre de la carte (voir pages 236-239) qui alors aide au constat que les États-Unis et l'URSS sont géographiquement des voisins immédiats.

Le cas de l'État iranien est intéressant à étudier (voir pages 104-107) : du point de vue américain ou européen, les programmes que développe probablement l'Iran pour se doter d'une capacité d'enrichissement de l'uranium à des fins militaires sont inquiétants, voire menaçants à l'échelle du Moyen-Orient. Voila pourquoi la diplomatie américaine range cet État parmi les États « voyous », tandis que, de son côté, la diplomatie européenne tente de négocier des arrangements de sécurité.

Du point de vue des Iraniens, la perspective est évidemment différente car ils se souviennent qu'ils ont été en partie occupés par l'Union soviétique en 1941, que leur gouvernement fut renversé en 1953 avec l'aide de la CIA, que leur territoire fut l'objet d'incursions de commandos américains qui, en 1979, tentaient de récupérer des otages américains, que le pays fut attaqué par l'Irak en septembre 1980, et qu'il se perçoit maintenant encerclé par la présence de troupes américaines déployées presque légalement dans les pays frontaliers. Par conséquent, pour l'Iran, la question qui se pose est bien celle de la sécurité nationale de l'État.

C'est en évitant la vision européano-centriste, voire occidentalo-centriste, et en se plaçant dans celle des Iraniens qu'Américains et Européens peuvent sortir de la logique qui consiste à désigner l'Iran comme « coupable géopolitique ». Ils parviendront ainsi peut-être à trouver une voie médiane acceptable pour tous parce que compatible avec le point de vue de chacun.

Décider plutôt qu'observer

Que ce soit pour l'aménagement du territoire, son approvisionnement en énergie ou son mode de développement, le décideur se trouve dans la position de devoir arbitrer entre des intérêts et des logiques divergentes, voire même inconciliables. C'est pourquoi il est à la fois éclairant et utile de savoir analyser les options disponibles en quittant la posture de l'expert consultant ou du journaliste, et en adoptant la position du décideur, nettement plus difficile.

Prenons un exemple dans une région située en Afrique de l'Ouest. La question posée aux gouvernements des pays du golfe de Guinée est de savoir quelles seront les priorités du modèle de développement qu'il convient d'adopter pour cette région d'Afrique subsaharienne. Car le golfe de Guinée est un lieu exceptionnel : cinq des huit espèces de tortues marines recensées dans le monde viennent s'y reproduire. C'est donc un lieu à protéger en priorité si l'on veut protéger la biodiversité. Le problème, c'est que la chasse aux tortues fournit aux populations des protéines et des revenus. À cela s'ajoutent de classiques contentieux frontaliers qui divisent les trois États qui ont accès au Golfe – Gabon, Guinée équatoriale et São Tomé et Príncipe – et qui freinent leur coopération. Enfin, il faut aussi savoir que le golfe est riche en hydrocarbures et qu'il représente pour les pays riverains un enjeu économique majeur.

Le cercle semble donc fermé. Que faire ? Satisfaire les besoins des populations en autorisant la chasse aux tortues, ou bien protéger la survie des tortues pour assurer la pérennité de la biodiversité, et éventuellement le développement de l'écotourisme ? Mais comment développer l'écotourisme pour qu'il constitue une source de revenus pour les populations, sans modifier leur mode de vie séculaire, tout en protégeant les tortues ? Finalement, la seule chose qui conduise au consensus, c'est l'extension des champs pétrolifères qui promet un retour sur investissement plus rapide. Oui mais alors... quelle garantie a-t-on que les dividendes de ces forages soient redistribués aux populations riveraines du golfe ?

Ceci n'est pas une allégorie. La question que pose la protection des tortues est globalement celle des arbitrages que nous devons faire si l'on veut prétendre au développement durable... pour tous. Et dans un calendrier économique et humain qui dépasse notre propre génération.

Comprendre plutôt que savoir

L'analyse du *Dessous des Cartes* est donc d'abord le produit d'une démarche méthodologique. Mais elle est aussi le fruit de nombreux « voyages géopolitiques » entrepris dans le cadre de missions d'étude, d'enseignement ou humanitaires.

Voyage à Lhassa, par exemple, au cours duquel l'observation attentive des circulations urbaines et leur superposition aux parcours de pèlerinages permettent de comprendre comment l'administration chinoise modifie la géographie religieuse de la ville afin d'effacer peu a peu l'identité d'un peuple pour qui être tibétain, c'est être bouddhiste (voir pages 132-133).

Voyage au Burkina Faso aussi, où une approche problématisée de ce petit pays géographiquement enclavé au cœur de l'Afrique subsaharienne permet de comprendre comment, en s'ajoutant les uns aux autres, de multiples facteurs finissent par l'enclaver aussi dans la pauvreté (voir pages 146-147). C'est bien le sens de ces voyages et des observations lentes et transversales qu'ils permettent que les « itinéraires géopolitiques » proposés dans la première partie de ce livre tentent de restituer. Européens, américains, orientaux, asiatiques ou africains, chacun de ces itinéraires peut être emprunté séparément. Mais ce n'est que réunis qu'ils donnent de la mesure au monde et à ce qui l'anime. Car chaque pays s'inscrit dans un ensemble à la fois historique, géographique, culturel, voire idéologique.

Cet atlas n'est géographiquement pas exhaustif. Il n'évoque ni l'Afrique australe, ni l'Asie du Sud-Est, ni l'Asie centrale ou encore l'Argentine, tandis qu'il s'arrête sur le Groenland dans l'océan Arctique, ou sur l'île de Diego Garcia dans l'océan Indien. Ce sont des arbitrages qui imposent de ne retenir parmi les itinéraires possibles que quelques-uns d'entre eux, parce qu'ils sont des cas d'études révélateurs des articulations entre individus, sociétés, nations, États, développement humain et économique, des rapports de force et des techniques pour les réduire.
En revanche, le conflit en Tchétchénie dispose ici d'une place importante. Il nous a semblé symptomatique de la tension entre souveraineté nationale et droit des peuples à disposer d'eux-mêmes ; entre la notion théorique du « droit d'ingérence » et sa pratique quand il s'agit de s'ingérer dans les affaires d'une puissance comme la Russie. Symptomatique aussi de l'amalgame que génère le discours des autorités américaine et russe à propos du terrorisme et de l'islamisme.

Le nom donnée à la seconde partie de cet atlas, « Le monde qui vient », fait lui référence au *Monde d'hier* de Stefan Zweig, où peu de temps avant de se suicider, l'auteur décrit l'incroyable confort matériel, moral et intellectuel dans lequel vivent les milieux littéraires, politiques et artistiques européens à la veille de la Première Guerre mondiale qui allait déchirer durablement l'Europe. Où l'on comprend comment la force des certitudes rend aveugle, et comment la confiance qu'on avait alors dans le progrès scientifique ou dans le sens de l'histoire avait fini de persuader les Européens que la paix était éternelle.
Est-il possible que nous soyons aussi aveugles que nos aînés face aux signaux que l'on reçoit du monde ? Ou bien la disparition des « Empires centraux » de cette époque, la mise en place de l'ONU, l'invention de l'Union européenne nous protègent-elles d'un nouveau dérapage nationaliste et guerrier ? C'est la question à laquelle la seconde partie de cet atlas tente de répondre. Réchauffement climatique, « choc des civilisations », pandémies sans précédent, hésitations européennes, développement des intégrismes… tout pourrait en effet indiquer que nous sommes sourds aux alarmes que le monde nous envoie puisque rien ne semble pouvoir nous convaincre d'infléchir notre mode de vie prédateur, notre indifférence au gouffre qui se maintient entre quelques pays et le reste du monde, ou encore notre façon d'instituer nos convictions en valeurs universelles.
Au contraire : comme nos aînés, nous reproduisons à l'identique ces systèmes de « pensée unique » qui poussent à inventer ou à fabriquer des ennemis quand ils ne sont encore qu'à l'état embryonnaire. Ainsi sommes-nous passés d'un ennemi « jaune asiatique » au début du XXe siècle à un ennemi « rouge communiste » au milieu du siècle, à un ennemi « vert islamiste » à l'aube du XXIe ! Étranges Occidentaux que nous sommes, façonnés et fascinés par notre Occident, si sûrs de nous dans le regard que nous portons sur les autres mondes.

C'est donc pour déconstruire les « prêt-à-penser » que ces certitudes fabriquent, que l'atlas propose dans sa deuxième partie quelques réflexions plus conceptuelles sur la santé mondiale, sur la guerre et ses mobiles, ou sur le terrorisme. On s'aperçoit ainsi, en classant les attentats et en les comparant sur plusieurs planisphères, qu'à l'échelle des trois dernières décennies, le terrorisme islamique n'est responsable que d'une petite part d'entre eux (voir pages 166-171). On peut d'ailleurs en profiter pour se demander si le terrorisme – à cette échelle – n'est pas en train de changer le visage de la guerre, dans le lien qui existait entre État, guerre et territoire (voir pages 160-161). Combattant nomade mondial n'offrant pas d'ennemi localisé et identifiable, absence de champ de bataille, pas d'objectif politique et national à négocier : la géographie sert-elle vraiment toujours à faire la guerre ?

La décision politique pour ces domaines peut-elle encore se faire à l'échelle nationale, justement ? Qu'on en juge : OGM, grippe aviaire, pandémie du sida, pluies acides, pollutions marine ou terrestre, réchauffement du climat, migrations, etc., autant de phénomènes économico-politiques qui constituent d'autres faces de la globalisation et qui dépassent les capacités de gestion et de traitement des seuls États. Mondialisés, ces phénomènes ne sont plus « inter nationaux », mais transnationaux. Voila pourquoi nous avons choisi de les représenter ici sur des planisphères placés côte à côte afin de pouvoir les comparer et les analyser. Ensemble, ils montrent que la souveraineté partagée se révèle peut-être plus adaptée pour répondre à ces phénomènes, les virus ou les pollutions ne respectant vraiment pas les frontières des États. La question désormais posée est bien de savoir si le système d'État-nation reste pertinent, et partout, quand il s'agit de gérer la planète.

De l'usage des cartes

Dans *Terre des hommes*, Antoine de Saint-Exupéry parle de son avion comme d'un « outil pour comprendre les vieux problèmes des hommes »... Un peu comme les cartes en somme ! Parce qu'elle donne à voir l'entièreté du monde en un clin d'œil, parce qu'elle réussit l'impossible compromis entre science, art et politique, parce qu'elle parvient à conjuguer la réduction mathématique des mondes, l'expression de phénomènes économiques, sociaux ou géopolitiques, avec la beauté des lignes, des formes, des trames et des teintes, la carte fascine.
Parfois belles, parfois secrètes, souvent complexes et toujours spécifiques, les cartes de cet atlas appellent d'abord la lenteur. À la fois texte, objet et miroir de notre terre en réduction, il faut, pour en saisir le sens, aller de l'une à l'autre, revenir, hésiter. Comparer, superposer ou faire varier les échelles.

Comparer... Prenons la carte des Balkans aux XVIIIe et XIXe siècles, à la zone de contact entre l'Empire austro-hongrois au nord et l'Empire ottoman au sud. On voit là une zone de « confins militaires », un peu comme un triangle dont la pointe semble se diriger vers Vienne, et où l'armée des Habsbourg et celle de la Sublime-Porte se trouvent face à face. Prenons ensuite la carte de la même région à la fin du XXe siècle. On s'aperçoit alors que la pointe du triangle est devenue la frontière entre la Bosnie-Herzégovine et la Croatie, au terme de plus de trois années de guerre, entre 1992 et 1995 (voir pages 24-29).

Superposer... Quand on la regarde seule, la carte des zones de famine, de pénurie et de malnutrition en Afrique depuis vingt ans n'indique pas grand-chose sur les causes des crises alimentaires. En revanche, quand on la superpose à la carte des conflits, on s'aperçoit que la géographie des zones de famine coïncide souvent avec celle des zones de guerre (voir page 204-207). Car c'est l'homme et la guerre qui créent la faim, pas le vent ni l'absence de pluie. Du moins plus aujourd'hui.

Varier les échelles... Sur la carte, l'île de Diego Garcia ressemble d'abord à n'importe quel atoll de l'océan Indien. Et pourtant, sous souveraineté britannique, elle est louée par le Royaume-Uni aux États-Unis depuis 1966, et l'îlot sert aujourd'hui de base aux bombardiers américains qui partent en mission vers l'Afghanistan, l'Irak, le golfe Persique ou même la Somalie. Autrement dit, loin d'être un atoll perdu dans l'océan, le changement d'échelle de carte (voir page 56-59) révèle qu'il est au contraire central dans le dispositif de communication qu'utilisent les flottes militaires américaines entre le Pacifique, l'Asie et l'Afrique.

Du succès des cartes

Dans notre imaginaire comme dans notre quotidien, pour situer ou pour trancher, les cartes jouent leur rôle et remplissent de nombreuses fonctions. Objet depuis longtemps familier pour marcher, pour conduire ou pour enseigner, elles sont désormais un instrument de pilotage, de simulation et même de décision grâce aux logiciels SIG (systèmes d'informations géographiques). Souvent de grande beauté, toujours pédagogiques, elles portent les fantasmes du voyageur et de l'explorateur que l'inconnu attire – *terra incognita*. Elles sont indispensables aux stratèges et aux militaires tant à l'échelle opérationnelle que tactique. Et puis la carte offre cet avantage de ne point exiger de traducteur, ni même d'apprentissage préalable, comme l'exige l'usage de la boussole.
En somme, le monde envoie ses questions, les cartes y répondent.
Comme « l'homme blanc qui ne voit que ce qu'il sait », elles nous donnent l'impression de pouvoir embrasser une réalité que nous *savons*, mais que nous ne *voyons* pas : ce sont les nappes de pétrole et les enjeux qui y sont associés, le passage des détroits et le besoin de contrôle qui en découle, les déplacements de population et les rivalités autour d'une frontière. De tout cela, les cartes se chargent.
Enfin, la carte révèle. Car quand l'histoire s'accélère, la géographie se transforme : on l'a constaté avec l'apparition du réseau TGV en France et en Europe, la fin de l'Union soviétique, l'apparition d'Internet, ou celle des réseaux terroristes mondiaux. Ainsi, voilà quinze ans qu'avec constance, pédagogie et facilité, les cartes permettent au *Dessous des Cartes* de montrer, de raconter et d'expliquer les évolutions du monde depuis la chute du mur de Berlin : mouvements stratégiques, changements géopolitiques, nouveaux tracés de frontière, peuples patrimoines fragilisés, nations et nationalités, religions, flux de la mondialisation et changements climatiques. Les cartes sont des passeurs de savoir.
Cependant, *tout* ne se dit pas avec les cartes, en particulier la « vérité »... surtout quand elle est politique. Car la carte constitue aussi un outil privilégié de manipulation.

Des limites des cartes

Pendant les quatre siècles qui vont des grandes découvertes du XVIe siècle à la colonisation des Amériques, de l'Afrique et de nombreuses parties de l'Asie, la carte est un instrument privilégié des Européens pour s'approprier le monde, et pour entériner leur action : tracés du premier partage du monde que fut en 1494 le traité de Tordesillas entre les couronnes d'Espagne et du Portugal (voir page 68), portulans décrivant les côtes marocaines puis brésiliennes à mesure de la progression des navigateurs lancés par le prince portugais Henri le Navigateur, redécoupages de l'Europe au congrès de Vienne en 1815 à la fin de l'empire napoléonien, ou encore tracés des frontières du continent africain aux congrès de Berlin en 1884-1885, etc.

Le XXe siècle, lui, se présente comme celui de toutes les manipulations cartographiques. On se souvient de l'Allemagne qui, dès 1925, c'est-à-dire seulement six ans après le traité de Versailles, publie une carte montrant « l'encerclement de l'Allemagne par la Grande et la Petite Entente », donnant ainsi l'impression que le pays est assiégé. Une impression que confirment ensuite les cartes éditées par le Parti national-socialiste dès son arrivée au pouvoir en 1933. En fabriquant visuellement un complexe obsidional allemand, les cartes contribuent à valider le concept d'espace vital – rapport population/territoire/ressources – que le pouvoir nazi agite à la fois pour stimuler le nationalisme et pour justifier l'expansionnisme. Songeons aussi au poids de la carte que Russes, Anglais et Américains dessinent à Potsdam et à Yalta avec la victoire en vue sur le nazisme, et qui conduit à diviser l'Europe et les Européens pendant près de cinquante ans.

Est-ce seulement du passé ? On trouve toujours aujourd'hui ce lien très étroit qui associe le territoire, l'avenir politique d'un État et la cartographie, avec le cas actuel d'Israël et des territoires palestiniens. Les cartes présentées pages 98-103 détaillent ce qu'on appelle la Palestine historique, la Palestine « politique », et celle que redessine peut-être le tracé de la barrière de sécurité qui sépare physiquement l'ouest de la Cisjordanie de l'est du territoire israélien. En effet, on peut se demander si cette barrière debout aujourd'hui ou démolie demain n'a pas aussi pour vocation de préfigurer le tracé d'une future frontière pour l'État palestinien. Car dans cette région plus qu'ailleurs, vu les faibles superficies concernées, la carte enseigne que la réalité politique se joue par une inscription de l'État sur le sol. Ainsi, la fixation de la frontière libano-israélienne que permettait le retrait de l'armée israélienne du Sud-Liban au printemps 2000 fut-elle le résultat de quatre mois de travail intense et de négociations ardues, menées parfois au mètre près, arbitrées et validées par les experts géomètres des Nations unies.

Si la carte fixe des limites, elle fige aussi des représentations. C'est bien ce qu'en retiennent certains États qui tentent de forcer le droit international en s'appuyant sur des cartes. En somme, des États « menteurs cartographiques ». Certaines librairies de Santiago du Chili vendent ainsi des cartes qui, en prolongeant le pays jusqu'au pôle Sud, lui attribuent *de facto* une part du « camembert » antarctique. Or le Chili est signataire du traité de Washington de 1959 qui, justement, suspend toute revendication de souveraineté sur le continent glacé ! De la même façon, les cartes éditées au Maroc attribuant le Sahara occidental au royaume chérifien alors que ce vaste territoire décolonisé par l'Espagne en 1976 ne possède pas de statut juridique qui soit internationalement reconnu, le peuple sahraoui réclamant son indépendance ou une large autonomie. Autre exemple encore : des cartes politiques syriennes vues à Damas ou à l'Institut du monde arabe à Paris, qui montrent un bassin méditerranéen d'où les États d'Israël et du Liban ont disparu, sans doute tombés dans la Méditerranée.

La carte est donc objet de manipulations, discrètes ou ostentatoires, volontaires ou non. Prenons le cas politiquement sensible et culturellement passionnant de la représentation cartographique du monde musulman. Que doit-on montrer sur une carte pour représenter l'islam ? Question d'autant plus difficile que les appartenances religieuses ne sont pas des données géographiques comme les rivières ou les reliefs ; ni des données politiques comme les frontières. Les phénomènes culturels ou religieux ne sont pas des *objets* physiquement inscrits dans l'espace. Faut-il alors créer une carte des pays où l'islam est présent ? où il est majoritaire ? où une majorité d'habitants sont nés de parents musulmans ? où les habitants sont croyants ? pratiquants ? où la loi islamique est pratiquée ? Ces hésitations sont d'autant plus pertinentes que la grande civilisation islamique se présente aujourd'hui comme une religion multiple : car si elle s'appuie au départ sur un texte fondateur commun, elle a depuis évolué dans des écoles différentes, sous des formes différentes et s'est divisée en des courants différents (voir pages 90-93). Or, la plupart des « cartes de l'islam » que nous voyons dans les journaux ou même certains atlas ne distinguent pas les chiites des sunnites, les Turcs des Arabes, les zones habitées des zones désertiques, ou encore les pays laïcs des théocraties. D'où ces grandes masses de couleur – toujours vertes ! – où ne sont exprimées ni l'intensité ni la nature du phénomène religieux, ni son empreinte géographique réelle.

En ignorant cette complexité, fort difficile à représenter par ailleurs, la simplification de la carte revient à tronquer la réalité. Elle en donne une représentation où viennent s'engouffrer des thèses généralisantes, culturellement perverses, politiquement dangereuses. Comme celles qui substituent à « l'ennemi » soviétique d'hier un successeur islamiste aujourd'hui.

Guerre mentale, ou plus tard guerre réelle ? À nous de décider. Cet atlas du *Dessous des Cartes* n'apporte pas toutes les réponses. Il veut poser les questions, aider à réfléchir, fournir quelques outils pour agir sur nos représentations du monde.

ITINÉRAIRES GÉOPOLITIQUES

itinéraires

européens
RUSSIE
Kouriles du sud
RUSSIE
BIELORUSSIE
Samara
UKRAINE
URSS
Moldavie
Roumanie
Mer Noire
RUSSIE
BIÉLORUSSIE
POLOGNE
Kiev
UKRAINE
SLOVAQUIE
HONGRIE
MOLDAVIE
Crimée
Sébastopol
ROUMANIE
Mer Noire
Russie
Géopolitique des tubes
Moldavie
Ukraine

UNION EUROPÉENNE

Quelles frontières ?

L'Europe est une des régions du monde les plus favorisées : peu de reliefs, climat tempéré, des terres arables, de nombreux fleuves. Une Europe dont les limites sont évidentes au nord, à l'ouest avec la présence des océans, et au sud avec Gibraltar, la Méditerranée, les détroits turcs. Mais arrivé à l'est, il y a toujours débat : prend-on une limite politique, celle des États ? Une limite ethnolinguistique ? Ou encore, comme l'avait suggéré Tatichtchev, géographe de Pierre Ier de Russie, les montagnes de l'Oural qui mettent un terme à l'Europe, avant la Sibérie ?

Jusqu'où doit s'étendre l'Union européenne ? En fonction de quels critères, voire de quels principes ? S'agit-il d'un projet géographique, démocratique, religieux, politique, ou seulement économique ? Dans ce débat sur l'avenir de l'Europe, les cartes sont utiles pour réfléchir à la notion d'espace, de territoire et de frontière.

Si le terme d'Europe désigne bien au départ un ensemble géographique, on ne trouve pas dans les traités de critères qui précisent les limites de l'Union européenne. L'article 237 du traité de Rome indique bien que « tout État européen peut demander à devenir membre de la Communauté ». Mais tout dépend des limites de l'Europe.

Quelles limites pour l'Europe ?

Des limites proprement géographiques, on en trouve pour l'Europe au nord – l'océan glacial Arctique –, à l'ouest – l'océan Atlantique –, et au sud – les détroits de Gibraltar et les détroits turcs. On se souvient que le Maroc avait fait acte de candidature en 1992, candidature à laquelle on avait opposé sa non-appartenance au « continent » européen. En revanche, une réponse a déjà été donnée pour la région des Balkans, car du point de vue de la géographie, les Balkans sont en Europe.

Qu'en est-il plus à l'est de l'Union ? Est-ce que ce sont le fleuve et les monts de l'Oural qui marquent la limite entre l'Europe et l'Asie, comme le proposait le Russe Tatichtchev, le géographe de Pierre le Grand ? Voilà donc qui exclurait la Russie dont le territoire est plus asiatique qu'européen. Mais pour les États comme l'Ukraine, la Moldavie, la Biélorussie, la question est désormais posée : appartenant géographiquement à l'Europe, pourraient-elles à terme devenir membres de l'Union européenne ?

En somme, si l'on s'en tient au seul critère géographique, tous les pays entre l'Atlantique et l'Oural pourraient prétendre à l'adhésion. Ainsi la Suisse, la Norvège, l'Islande, sans conteste européennes, devraient par leur localisation entrer dans l'Union… pourtant elles ont fait un autre choix.

En sens inverse, la Turquie qui ne détient qu'un petit bout d'Europe avec la Thrace orientale, est officiellement candidate depuis 1986. Les arguments en faveur de son adhésion sont nombreux et ceux qui s'y opposent tout autant. Mais ces débats autour de la candidature turque ont le mérite de soulever la question des frontières de l'Union, et donc aussi de sa nature même.

Il ne faut donc pas chercher l'Union européenne dans sa géographie, mais dans son histoire : l'Union européenne est née de la guerre, de son histoire qui n'a pas cessé

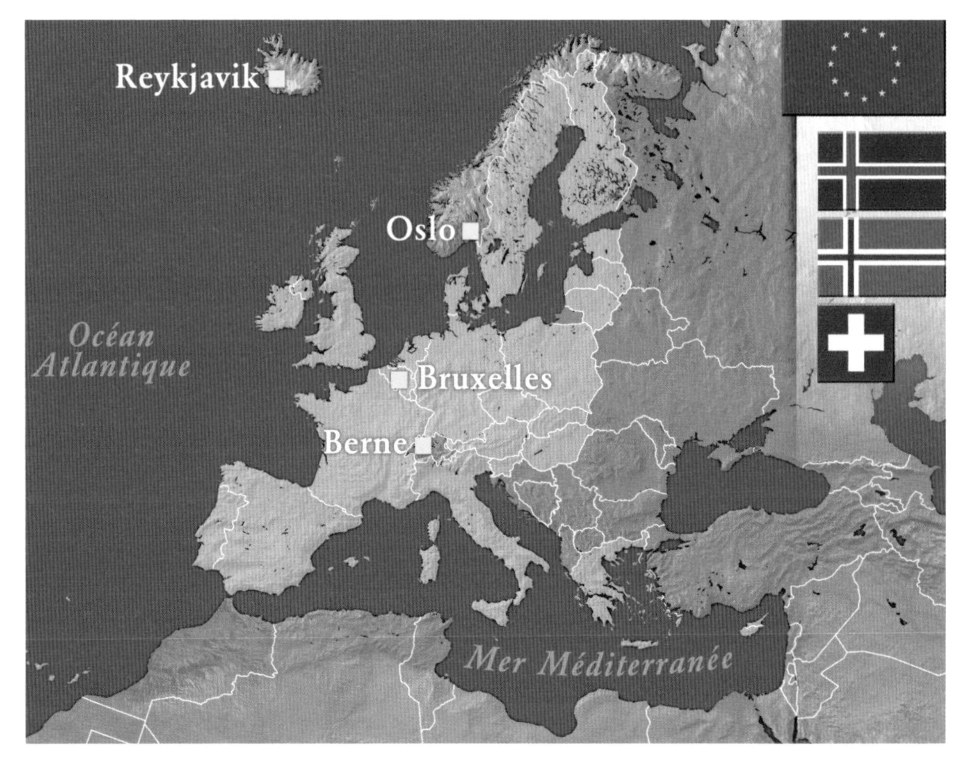

DES ÉTATS EUROPÉENS HORS DE L'UNION

La Norvège, l'Islande et la Suisse pourraient entrer dans l'Union, mais ces États ne le veulent pas. La Norvège a de nombreux accords avec Bruxelles. Elle participe à l'espace Schengen, elle est membre de l'Espace économique européen (EEE) avec l'Islande. Mais les Norvégiens par deux fois ont refusé par référendum d'entrer dans l'Union. Sans doute pour protéger leur style de vie et leurs zones de pêche. Même chose pour l'Islande, plus au nord, dont l'économie dépend largement de la pêche. La Suisse est attachée à sa neutralité, et à son autonomie en matière de politique monétaire, de secret bancaire. Elle préfère profiter d'accords d'association avec l'Union européenne plutôt que d'y adhérer. Sauf que, géographiquement très enclavée dans l'Union européenne, ne risque-t-elle pas à terme de se sentir isolée ? Le pays a eu besoin de cinquante-sept ans pour se décider à adhérer à l'Organisation des Nations unies.

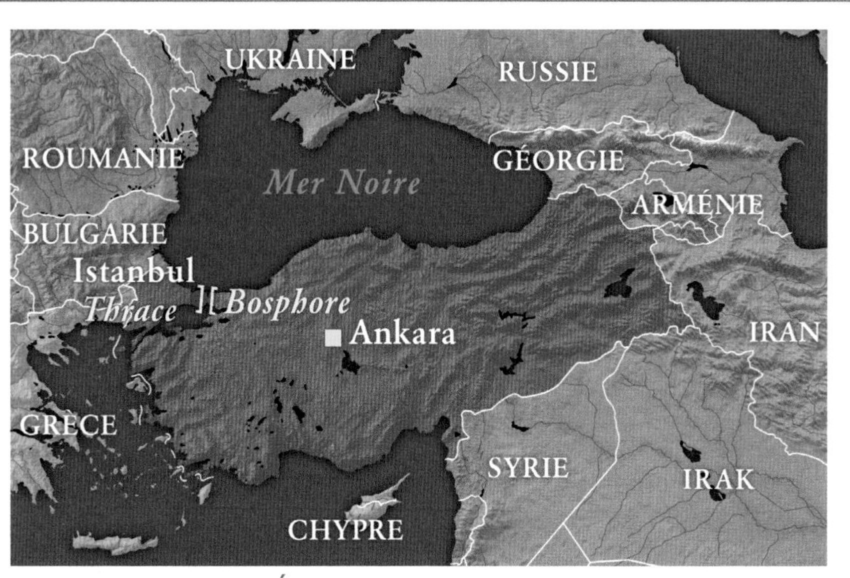

LA TURQUIE, EUROPÉENNE OU ASIATIQUE?

La Turquie est candidate à l'entrée dans l'Union depuis 1986. Un de ses principaux arguments est géographique: la Turquie serait en Europe. Or, hormis la Thrace orientale et Istanbul, 97 % du pays est situé à l'est du Bosphore et la capitale, Ankara, est en Asie.

Pour les États membres de l'Union, la Turquie doit d'abord opérer de nombreuses avancées dans le domaine des droits de l'homme et des minorités. Pour de nombreux Européens, l'hypothèse de voir ce pays rejoindre l'Union inquiète. Son voisinage immédiat est instable; avec 67 millions d'habitants aujourd'hui, la Turquie serait aussi le pays le plus peuplé de l'Union européenne dès 2010. Ensuite, les Turcs sont musulmans à 97 %. Mais la question ne se pose pas exactement ainsi: la Turquie est un État à régime laïc depuis les réformes engagées par Mustafa Kemal en 1923, et l'Union européenne ne prend pas en compte les appartenances religieuses, car l'Union est un projet laïc. Donc une Turquie dans l'Union pourrait justement être utile au rapprochement entre les civilisations.

d'être belliqueuse, militaire. L'Europe offre ainsi une véritable géographie des cimetières, qui ne cesse même pas après la signature du traité de Versailles de 1919, puisqu'on retombe dans la guerre vingt ans plus tard. Problème presque infiniment répété: comment dépasser cette rivalité constante entre les peuples européens, ou plutôt entre leurs dirigeants, qu'ils soient monarques ou élus d'une république?

La construction de l'Union s'est constamment faite *contre* sa propre histoire, *contre* l'Union soviétique, *contre* la concurrence économique mondiale. Et les réponses institutionnelles qui sont données répondent bien au défi géopolitique: n'est-ce pas en définitive l'élargissement qui serait la meilleure politique étrangère de l'Union européenne?

Les défis ne sont pas minces: dans les années qui viennent, il faudra donc résoudre la question de ses contours finaux. Mais aussi celle du vieillissement de la population et de l'absence de dynamisme de sa démographie. Cela soulèvera par là même la question des migrations dont elle a besoin économiquement mais que l'on refuse politiquement. On pourrait ajouter celle de l'utilité d'un gouvernement économique et de la projection de puissance.

Pourquoi tant d'États veulent adhérer à cette Union?

Des zones de libre-échange, tout le monde sait faire. Mais une zone assurant à la fois un niveau de vie élevé, la démocratie et des droits garantis pour l'individu n'est pas si fréquent à travers le monde.

C'est exactement ce qu'offre l'Union européenne, et c'est bien parce qu'elle fabrique un projet de nature politique.

Attention, l'Europe n'est pas une formule magique qui permettrait de tout faire coïncider: l'histoire, les peuples, la géographie, les réseaux énergétiques, la paix et les alliances et tous les rêves d'avenir. L'Union n'a pas pour vocation d'être une zone de libre-échange eurasiatique ni de donner un État à chaque peuple.

L'« invention » de l'Union européenne est un modèle géopolitique qui aide les citoyens – et les États – à réfléchir différemment à l'idée de nation et à la finalité des souverainetés.

Voir également: **MOLDAVIE** (p. 38-41) et **UKRAINE** (p. 42-45).

LA RUSSIE, FUTUR MEMBRE DE L'UNION ?

Le territoire russe s'étend pour les deux tiers en Asie. L'intégrer impliquerait que l'Union européenne devienne une Union eurasiatique, de Brest à Vladivostok, et de changer complètement de projet. La question ne se pose pas aujourd'hui : la Russie n'est pas candidate pour adhérer à l'Union, même si cette dernière fait partie des priorités de sa politique étrangère.

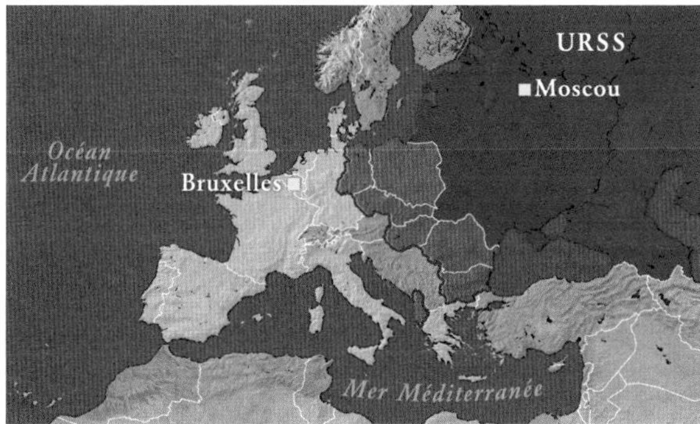

LA FIN DU RIDEAU DE FER

Avec, en 1989, la fin du rideau de fer qui divisait l'Europe en deux systèmes politico-économiques opposés, puis la dissolution de l'URSS en 1991, les pays de l'est de l'Europe sont devenus candidats à l'entrée dans la Communauté européenne. Ils veulent « retourner en Europe », Europe à laquelle ils se sentent appartenir depuis toujours.

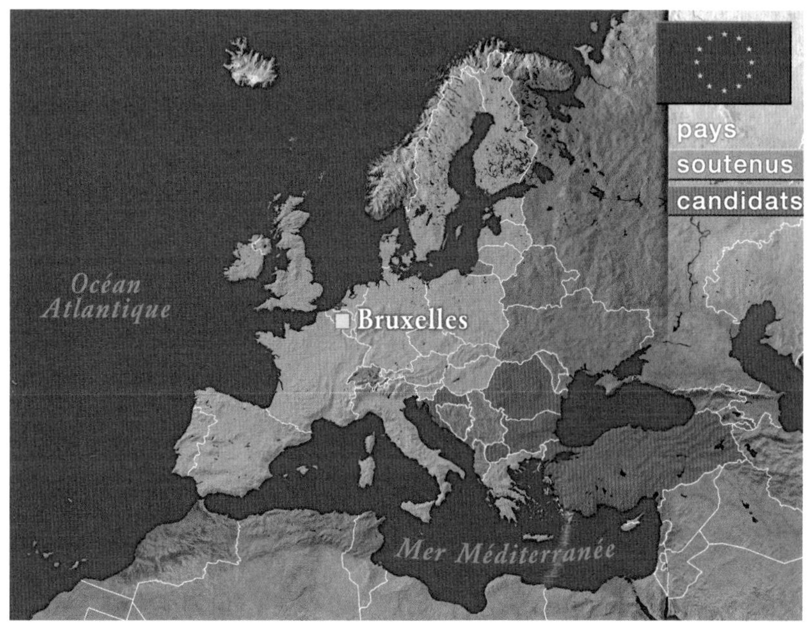

LA RÉGION DES BALKANS

Du strict point de vue de la géographie, les Balkans sont dans l'Europe. Depuis la fin des guerres de Yougoslavie, Bruxelles s'est engagé dans une aide financière importante vers l'Albanie, la Bosnie-Herzégovine, la Croatie, la Serbie-et-Monténégro et la Macédoine. Pour ces pays, la marche vers l'Union dépendra de plusieurs évolutions : économique, institutionnelle, coopération avec le Tribunal pénal international et le respect des minorités. De leur côté, la Roumanie et la Bulgarie doivent entrer en 2007 dans l'Union. Cette adhésion va instaurer une continuité territoriale au sein de l'Union et mettra fin à l'isolement de la Grèce.

KALININGRAD

Séparée depuis 1991 du reste de la Russie par la Lituanie et la Biélorussie devenues indépendantes, la région de Kaliningrad se retrouve depuis le 1er mai 2004 enclavée au sein de l'Union européenne. Le problème du transit entre Kaliningrad et le reste du territoire russe via la Lituanie fut en 2002 une pomme de discorde entre Russes et Européens.

Une « île » russe en Europe

Depuis l'élargissement de l'Union européenne le 1er mai 2004, la nouvelle carte de l'Union révèle l'existence d'un petit territoire enclavé en son sein : la région russe de Kaliningrad. Bruxelles et Moscou sont de plus en plus attentifs à cette situation inédite.

La région russe de Kaliningrad est située au bord de la Baltique, entre la Lituanie et la Pologne. De la taille d'une région française, Kaliningrad, nommée en l'honneur de Kalinine, président du praesidium du Soviet suprême jusqu'en 1946, compte presque un million d'habitants à 78 % d'origine russe. Mais du fait de son ancienne fonction militaire, la population de la région comprend quasiment toutes les nationalités de l'ex-URSS. Cette population se concentre pour moitié dans la capitale régionale éponyme.

Jusqu'à l'éclatement de l'Union soviétique en 1991, Kaliningrad est demeurée *terra incognita* en Europe. Du fait de sa fonction militaire, la région était un territoire fermé aux étrangers comme à la majorité des Soviétiques.

La fin de l'Union soviétique signifie pour cette enclave à la fois une ouverture possible sur l'extérieur, et une séparation géographique d'avec la Russie : Pskov, la ville russe la plus proche, est située à 600 km de là. Moscou est à plus de 1 200 km. En revanche, Copenhague ou Berlin ne sont qu'à 600 km.

Un « Hongkong » balte ?

Dès le début des années 1990, les autorités locales font le pari de l'ouverture, espérant tirer parti de leur position géographique particulière. Une zone économique spéciale est créée en 1993, certains déclarant Kaliningrad futur « Hongkong-sur-Baltique », suffisamment autonome à l'égard de Moscou pour pouvoir se développer économiquement. Mais ces projets, jugés émancipateurs, ne sont pas soutenus par la Russie.

Ce n'est qu'au début des années 2000, alors que se profile l'entrée de la Pologne et de la Lituanie dans l'Union européenne, que Kaliningrad devient sujet de préoccupation pour Bruxelles, tout en suscitant un regain d'intérêt de la part de Moscou.

Concilier Schengen avec la libre circulation des Russes ?

La Lituanie sert désormais de transit routier et ferré pour les habitants de Kaliningrad se rendant en Russie.

Longtemps passive, voire contradictoire, la politique de Moscou vis-à-vis de Kaliningrad se focalise à partir de 2001 sur la question des visas que la Lituanie et la Pologne, en tant que nouveaux membres de l'Union, doivent mettre en place en application des règles de l'espace Schengen. Pour Moscou, cette politique de visas pourrait favoriser les velléités séparatistes dans la région.

Pour Bruxelles, les frontières entre la Pologne et l'enclave d'une part, et la Lituanie et l'enclave d'autre part, deviennent des frontières extérieures de l'Union. Il s'agit donc de protéger « l'enveloppe » européenne.

Les inquiétudes portent sur « l'asymétrie économique » entre la région russe et son voisinage immédiat. Qu'on en juge : le PNB par habitant de Kaliningrad représente un quart de celui des Lituaniens, un huitième de celui des Polonais et un quarantième de la moyenne en Union européenne. Pour Bruxelles, une telle situation ne pourrait que favoriser les trafics : drogue, armes, réseaux de prostitution.

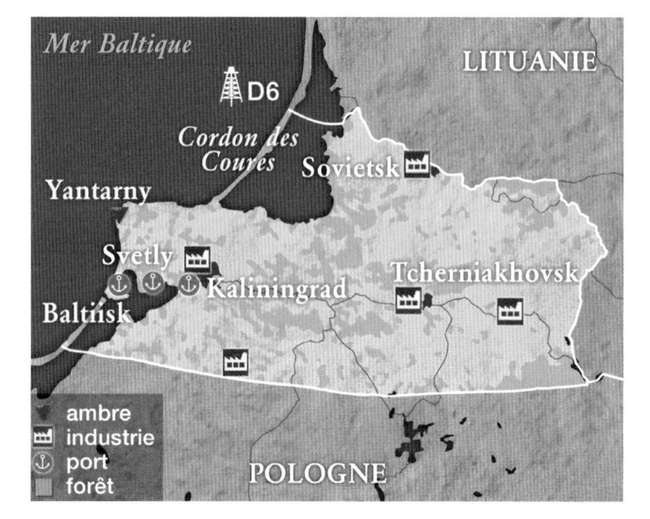

LES ATOUTS DE KALININGRAD

Grâce à son ouverture maritime, la région dispose de la deuxième flotte de pêche de toute la Russie et d'un potentiel touristique le long de ses côtes, dont le parc naturel du Cordon des Coures, classé au patrimoine mondial de l'Unesco. Depuis fin 2003, elle exploite également du pétrole en Baltique. Avec 10 millions de tonnes de réserves prouvées, le gisement D6 devrait permettre à la compagnie Lukoïl de doubler ses revenus, donc aussi ceux de la région, Lukoïl contribuant déjà à 15 % du budget régional. Elle a aussi trois grands ports – Kaliningrad, Svetly et Baltiisk, port militaire dont une partie est aménagée à des fins civiles.

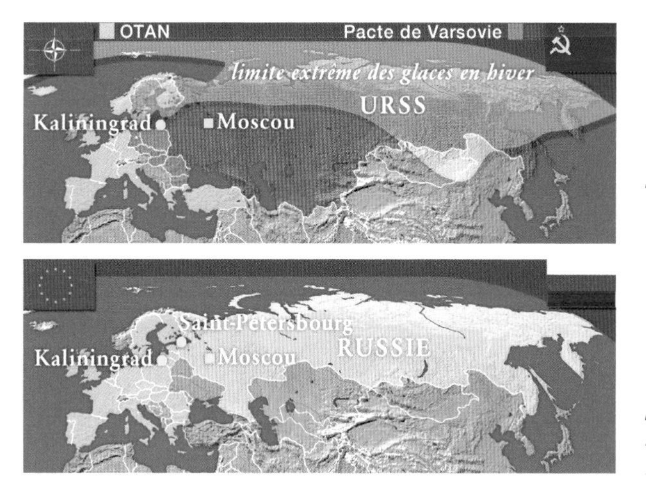

UNE FONCTION STRATÉGIQUE

À l'époque soviétique, l'oblast (région administrative) de Kaliningrad jouait un rôle stratégique important. La Baltique était alors le lieu d'affrontement Est-Ouest, pacte de Varsovie face à l'Otan. Grâce à ses eaux libres de glaces, Kaliningrad abritait à Baltiisk le siège de la flotte de la Baltique. Avec la fin de la guerre froide, son commandement est désormais rattaché à Saint-Pétersbourg, tout comme la région elle-même, qui dépend du district du Nord-Ouest, l'une des sept super-régions créées par le président Poutine en 2000.

À l'échelle de la Russie, Kaliningrad représente à peine 0,1 % de la Fédération.

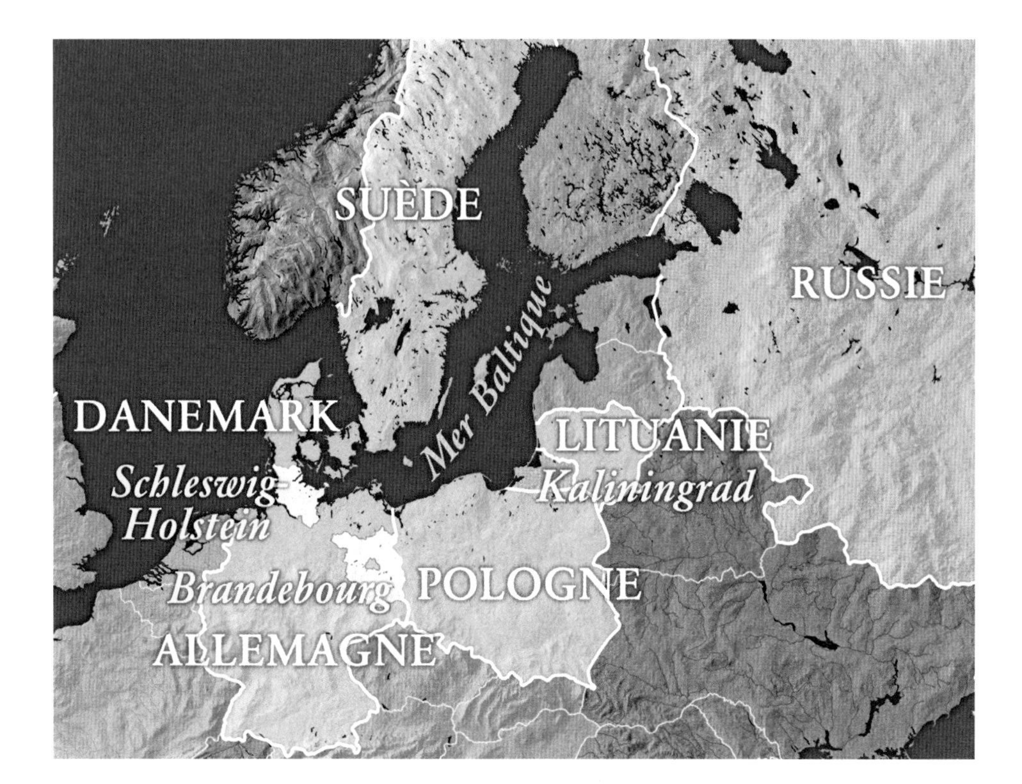

DE NOMBREUX PARTENAIRES ÉCONOMIQUES ET POLITIQUES

Dans l'ensemble, du fait de sensibilités historiques (voir encadré page suivante), l'Allemagne reste en retrait dans la région et favorise plutôt les politiques de coopération de ses Länder, Brandebourg ou Schleswig-Holstein, très liés historiquement à la Prusse-Orientale. Néanmoins, après dix ans d'attente, un consulat allemand a ouvert ses portes à Kaliningrad en février 2004 et BMW a installé une ligne d'assemblage pour ses voitures destinées au marché russe. L'Allemagne est d'ailleurs avec la Pologne et la Lituanie le principal investisseur et partenaire commercial de l'enclave. De leur côté, le Danemark et la Suède mènent à Kaliningrad des politiques de coopération dynamique visant à favoriser la stabilité de la région baltique, dont ils font partie.

Après de nombreuses tergiversations, le gouvernement russe a signé avec Bruxelles, en novembre 2002, un accord sur la mise en place d'un « document de transit facilité ». Il s'agit en fait d'un « visa » qui n'en porte pas le nom, gratuit ou à prix modique pour les entrées multiples, qui permet le passage des habitants de Kaliningrad vers la Russie.
L'élargissement de l'Union à la Pologne et à la Lituanie étant effectif depuis le 1er mai 2004, quelles sont les perspectives pour Kaliningrad ?

L'autonomie jusqu'où ?

Il faut d'abord relativiser les données concernant l'enclave. Depuis la fin de la guerre froide, la région a perdu son importance stratégique. Les effectifs de la flotte russe de la Baltique sont passés de plus de 100 000 hommes en 1991 à moins de 10 000 aujourd'hui.
De la même façon, le calcul de la richesse régionale, en parité de pouvoir d'achat (PPA[1]) et en tenant compte de l'économie informelle (estimée à 60 % du PIB local), montre que le niveau de vie de Kaliningrad est équivalent à 95 % de celui de la Lituanie et à 75 % de celui de la Pologne ; ce qui n'est pas si éloigné.
La région dispose d'ailleurs d'atouts économiques non négligeables : industrie du bois et du papier, de l'électronique (fabrication de téléviseurs, de réfrigérateurs) et de la pêche. En outre, Kaliningrad détient 90 % des réserves mondiales d'ambre et exploite du pétrole en Baltique.
L'élargissement de l'Union européenne peut entraîner des changements positifs pour cette enclave. En s'affranchissant de son image négative, Kaliningrad a toutes les chances de poursuivre son développement économique et de surmonter le handicap de l'enclavement. Le fret maritime y a doublé entre 2002 et 2003 et une « stratégie de développement régional jusqu'à 2010 » a été décidée. Mais il reste à dynamiser les investissements étrangers encore peu importants, malgré la mise en place de la zone économique spéciale. Pour créer cette dynamique, Moscou devra sans doute octroyer une plus grande autonomie économique et institutionnelle.
Mais jusqu'où peut aller le gouvernement russe sans craindre l'apparition d'un séparatisme, alors que le problème tchétchène n'est toujours pas réglé ?

1. Résultat d'une recherche réalisée par l'université Pierre-Mendès-France à Grenoble, en collaboration avec des chercheurs russes, sous la direction du professeur Ivan Samson.

UNE HISTOIRE ALLEMANDE

C'est pour christianiser des tribus baltes (dont celle des Prussiens) qui vivent entre les fleuves Vistule et Niémen, que les chevaliers Teutoniques, un ordre ecclésiastique de moines soldats, prennent pied dans la région au XIIIe siècle. Depuis le nord de la Pologne, ils lancent une véritable croisade, forçant les conversions par la violence et la répression, et progressent par la construction le long des fleuves de forts, comme Thorn, Marienburg, Elbing ou Königsberg, qui vont peu à peu se transformer en villes.

Cet ensemble de terres conquises en quelque cinquante ans est alors organisé en État, qui devient prospère sous l'effet des marchands de la Hanse, lesquels prennent en charge son commerce. Peu à peu, les populations prussiennes se mélangent aux populations allemandes qui s'installent depuis le XIVe siècle dans la région, donnant naissance à une identité « prusso-allemande ».

Au début du XVIe siècle, Königsberg, résidence de l'ordre Teutonique, devient un pôle de diffusion de la Réforme et des idées humanistes, grâce notamment à son université nouvellement fondée. Par héritage, cet État prussien revient en 1618 à la dynastie des Hohenzollern qui règne sur le Brandebourg, scellant sa destinée à celle d'une famille qui fait de son État une puissance européenne, et dont le rôle sera décisif dans l'histoire allemande. C'est en effet de Prusse que partent au XIXe siècle les idées libérales influencées par le philosophe Kant, natif de Königsberg, qui aboutissent à la fin du servage, la liberté du travail, la réforme du système d'éducation ou l'émancipation des Juifs. C'est à Königsberg que débute la libération de l'Allemagne des armées françaises de Napoléon, menant à la victoire en 1813 à Leipzig sur l'empereur des Français. Et en 1871, l'unité allemande est réalisée par la Prusse.

Or après la Première Guerre mondiale, l'Allemagne se retrouve avec un territoire morcelé en deux parties – la Prusse-Orientale étant enclavée au sein du nouvel État polonais reconstitué et séparée du reste du pays par le corridor de Dantzig. Celui-ci sera le prétexte du déclenchement de la Seconde Guerre mondiale, dont la Prusse-Orientale ne se relèvera pas. Conformément aux accords de Yalta (1944) et de Potsdam (1945), elle est placée sous administration soviétique et polonaise. Sa partie nord devient une entité territoriale de l'Union soviétique, sa population est expulsée. Commence alors l'histoire de Kaliningrad.

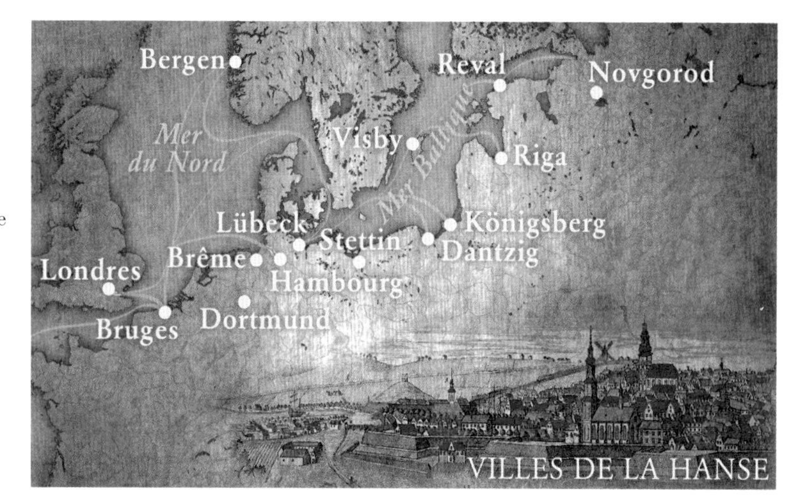

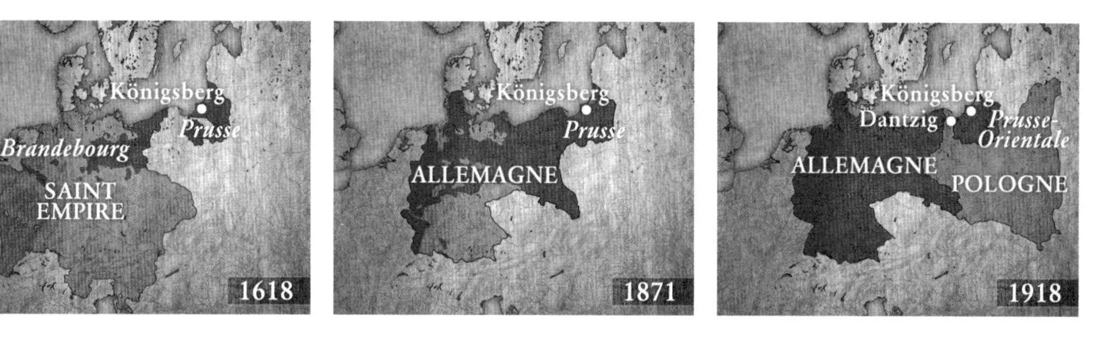

En montrant le « trou » cartographique formé par la région des Balkans, cette carte de l'Europe explique à elle seule le problème posé à l'Union européenne. Pour Bruxelles, la continuité territoriale de l'Union ne s'applique qu'à vingt-quatre de ses membres, la Grèce demeurant « isolée » au sud-est de l'Europe. L'adhésion de la Roumanie et de la Bulgarie en 2007 accentuera plus encore ce trou balkanique. Pour les États récemment indépendants, telles la Macédoine ou la Bosnie, et ceux qui le seront peut-être bientôt, le Kosovo, voire le Monténégro, il n'existe pas d'autre horizon que de faire partie un jour de l'Union. Et ce malgré les énormes problèmes qui devront être résolus auparavant. Voilà pourquoi Bruxelles et les États déjà membres ont intérêt à se donner les moyens – militaires, financiers et institutionnels – pour que cette Europe du Sud-Est tende vers la stabilité. C'est ce qui a décidé Bruxelles en 2003 à accélérer le processus de stabilisation des Balkans, en mettant en place des « partenariats d'intégration européens ».

BALKANS

Entre guerre et Europe

La décennie 1990 fut marquée par la guerre dans les Balkans : 250 000 morts, plusieurs millions de réfugiés, l'éclatement de l'État yougoslave et la fin d'une société multiethnique. Responsables : les partis nationalistes. Dix ans après les accords de Dayton, la région semble apparemment stable. Mais les questions identitaires restent posées, les relations entre communautés s'améliorent peu, l'implication de la communauté internationale reste forte, financièrement, militairement, politiquement, et actuellement sans schéma de sortie crédible.

La Macédoine

En Macédoine, à la suite de l'insurrection du printemps 2001, l'Otan a engagé 3 500 hommes comme force d'interposition entre la guérilla albanaise de l'UCK et l'armée macédonienne. Ces forces ont été remplacées en décembre 2003 par des forces de l'Union, l'opération *Proxima*, placées sous commandement français, et elles contribuent au fonctionnement des institutions du nouvel État. La Macédoine est donc la première opération militaire pour l'Union dans le cadre de sa politique étrangère de sécurité et de défense. En 2005, le nom de « République de Macédoine » avait été reconnu officiellement par cent neuf États, dont la Russie, la Chine et les États-Unis, tandis que les discussions se poursuivaient entre Skopje et Athènes, la Grèce refusant toujours cette appellation pour le nouvel État.

La Bosnie-Herzégovine

En Bosnie-Herzégovine, les Nations unies ont dû mettre en place une administration civile avec un haut représentant qui assume la réalité du pouvoir depuis 1995 à Sarajevo.

12 000 soldats de la SFOR ont été déployés par l'Otan, remplacés par les forces de l'EUFOR en 2004, elles-mêmes complétées par des forces de police sous tutelle de l'Union européenne.

La Bosnie-Herzégovine, transformée en confédération réunissant une Fédération croato-musulmane et une République serbe de Bosnie-Herzégovine, demeure, dix ans après la fin de la guerre, sous surveillance, sous tutelle, et même sous perfusion... Car le budget de l'État est littéralement porté par les institutions internationales. La Bosnie reste le pays le plus pauvre d'Europe, avec 40 % de chômeurs, une économie parallèle qui représente 50 % du PIB, noyautée par les trafics et la mafia. Plus grave, cet État récent est composé de trois peuples qui ne veulent plus vivre ensemble, encadrés par des institutions internationales qui, à un nouveau découpage des frontières ou, pire encore, à une reprise des combats, préfèrent ce *statu quo* insatisfaisant, mais vaguement consensuel.

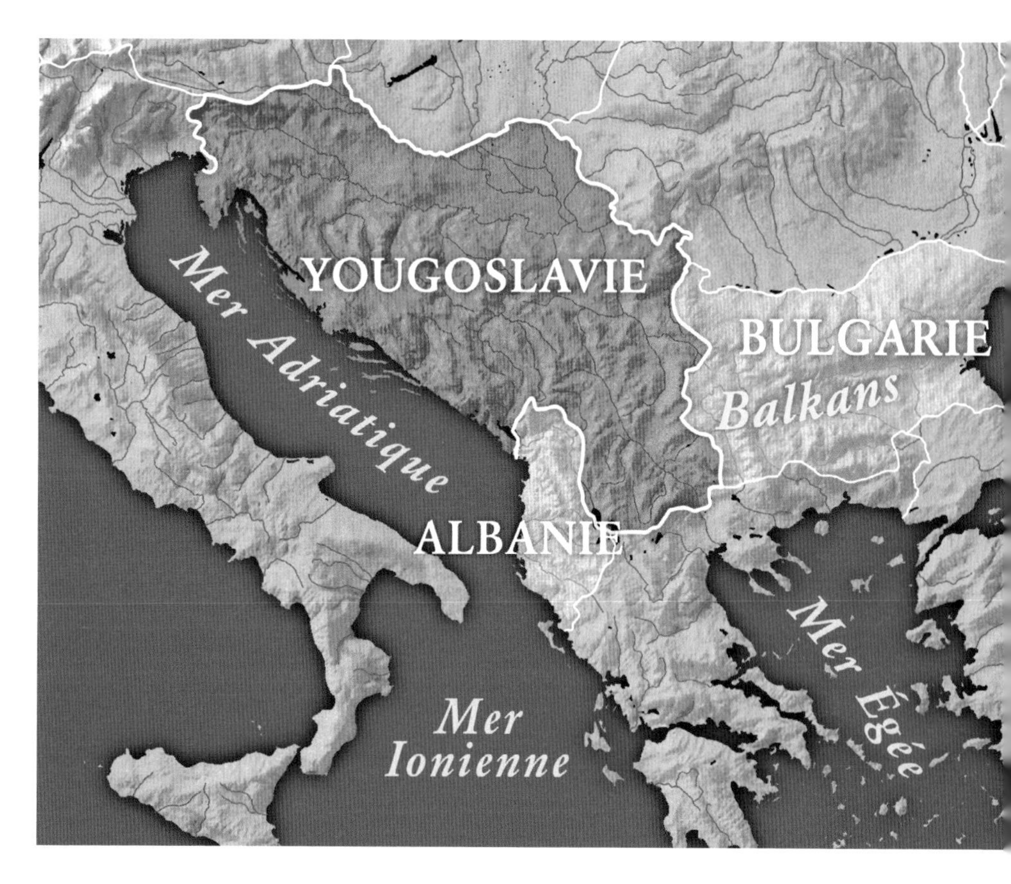

LES BALKANS ET LA YOUGOSLAVIE

La chaîne de montagne des Balkans donne son nom à cette région de l'Europe du Sud-Est. À l'exception de l'Albanie et de la Bulgarie, tous les États de la région ne formaient qu'un seul ensemble étatique entre 1919 et 1991. C'était la Yougoslavie, le « pays des Slaves du Sud ».

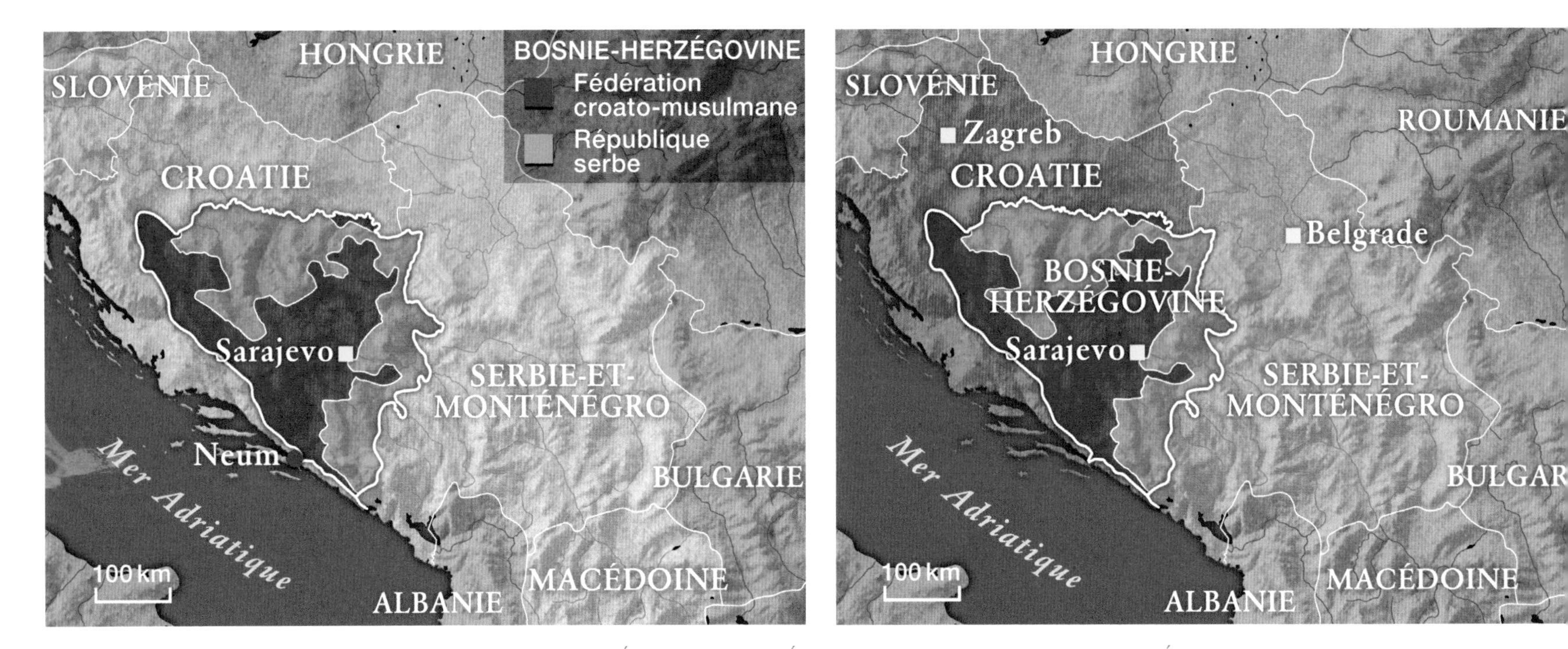

LA BOSNIE-HERZÉGOVINE FRAGMENTÉE

La Bosnie-Herzégovine est presque totalement enclavée au cœur des Balkans puisque seul le port de Neum ouvre le pays sur l'Adriatique. 50 000 km², 4 millions d'habitants, la Bosnie compte 43 % de Bosniaques, 31 % de Serbes, 17 % de Croates. Les accords de Dayton mettent fin en 1995 à la phase militaire de la guerre et créent une confédération de deux entités, une Fédération croato-musulmane qui couvre 51 % du territoire bosniaque, et une République serbe, couvrant 49 % de la Bosnie.

L'IMPOSSIBLE FONCTIONNEMENT DE L'ÉTAT

Pour l'État confédéral de Bosnie-Herzégovine, la politique étrangère, la monnaie et le commerce extérieur sont gérés par la capitale Sarajevo. Mais chacune de ses entités – la Fédération croato-musulmane et la République serbe – a sa propre Constitution, son armée, sa police, et gère directement ses relations extérieures avec ses voisins immédiats. Ce qui fait que d'un côté, la Fédération croato-musulmane entretient des relations privilégiées avec la Croatie, et de l'autre la République serbe fait de même avec la Serbie-et-Monténégro. Ces deux entités ont tendance à se neutraliser au niveau confédéral.

Mais que faire ? Répondre aux aspirations de chaque communauté, c'est-à-dire poursuivre la fragmentation du territoire – en somme, à chaque peuple un État ? Voilà qui est absurde, car cela ne ferait que cautionner l'épuration ethnique menée pendant la guerre par les partis nationalistes. En revanche, confondre *statu quo* avec stabilité ne rendra pas « l'envie d'être ensemble » aux peuples de la Bosnie. Des choix très douloureux devront être faits d'ici la fin de la décennie 2000.

La Serbie-et-Monténégro

Plus au nord, la Serbie-et-Monténégro, depuis la destitution de Milosevic fin 2000, a entrepris des réformes et bénéficie d'aides internationales et de prêts du FMI. Pourtant, la production stagne, l'inflation se maintient autour de 20 %, le chômage est élevé – environ 30 % –, la corruption et les trafics restent importants. C'est peut-être parce qu'il s'attaquait à la criminalité organisée au cœur du système mis en place par Milosevic que le Premier ministre serbe Zoran Djindjic a été assassiné en mars 2003. Malgré la volonté affichée du gouvernement de Belgrade de coopérer avec le Tribunal pénal international (TPI), pour obtenir la signature d'un « accord d'association et de stabilité » avec les autorités de Bruxelles, les criminels de guerre Mladic, Karadzic et Pavkovic n'ont toujours pas été livrés au printemps 2005. Les relations sont donc difficiles avec l'Union européenne, et plus encore avec les deux anciennes provinces autonomes, la Voïvodine et le Kosovo.
Si, en droit, le Kosovo fait toujours partie de la Serbie, dans les faits, des institutions provisoires – notamment la MINUK des Nations unies, la KFOR de l'Otan – sont en place, et la gestion du budget, des impôts, a été transférée aux autorités locales. Pour les Albanais majoritaires au Kosovo, cela indique que l'on avance vers un Kosovo indépendant. Un tel statut sera sans doute décidé en 2006 par les institutions internationales. Ce que précisément redoutent les Serbes qui forment à peine 10 % de la population du Kosovo, et qui préféreraient qu'un re-découpage des frontières permette aux régions où ils sont majoritaires de pouvoir être rattachées à la Serbie.
Dans cette configuration régionale en évolution, on comprend pourquoi l'Union européenne est intervenue pour que le Monténégro reste lié à la Serbie, et renonce à son indépendance : afin d'éviter cette fragmentation à l'infini de la Yougoslavie. Depuis mars 2002, une communauté étatique très lâche a été instituée. Les insti-

LA SERBIE-ET-MONTÉNÉGRO

La Serbie-et-Monténégro est le pays le plus peuplé des Balkans avec 8 millions d'habitants, une superficie de 88 000 km², soit à peu près celle de l'Autriche. Au sein même du territoire de la Serbie, les relations de Belgrade, la capitale, sont difficiles avec la Voïvodine et le Kosovo. La Voïvodine est au nord. Elle est peuplée de vingt-sept nationalités, majoritairement des Serbes, mais aussi des Hongrois, des Croates, des Slovaques, des Roumains, qui réclament le retour du statut d'autonomie dont disposait la province jusqu'à ce que Milosevic y mette fin en 1989. Au sud, le Kosovo est une autre province de la Serbie, peuplée à 90 % d'Albanais. Et depuis l'intervention de l'Otan en 1999, décidée pour mettre fin au massacre des Albanais par l'armée serbe, la province est sous tutelle administrative des Nations unies.

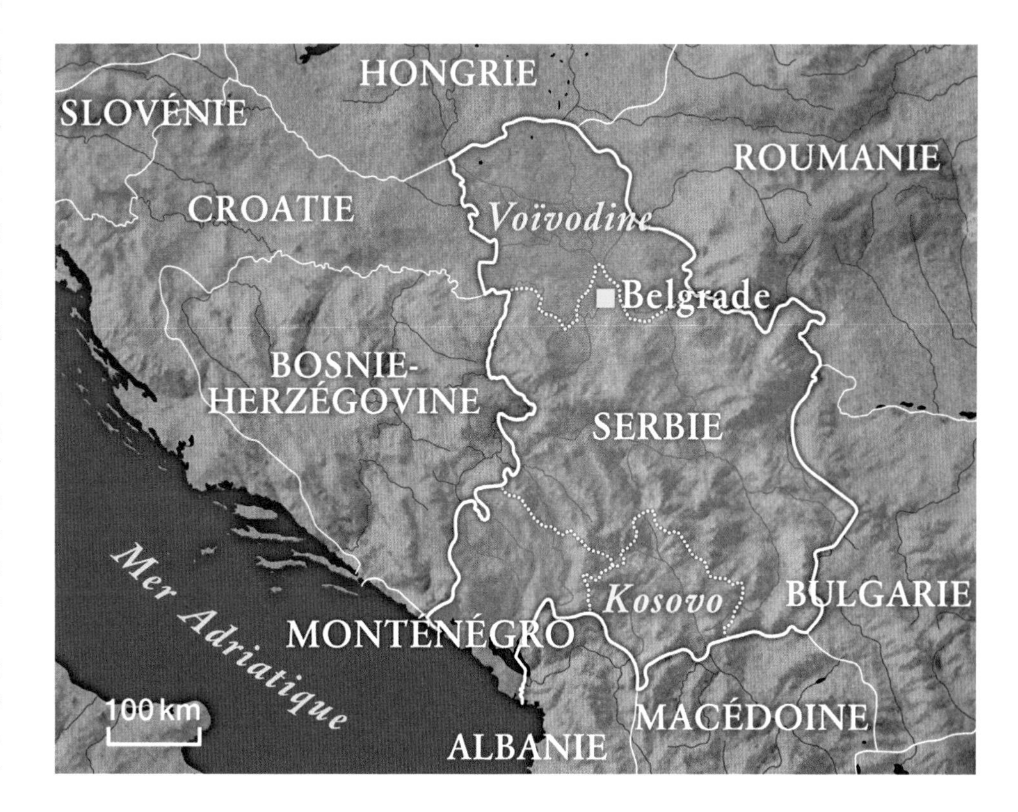

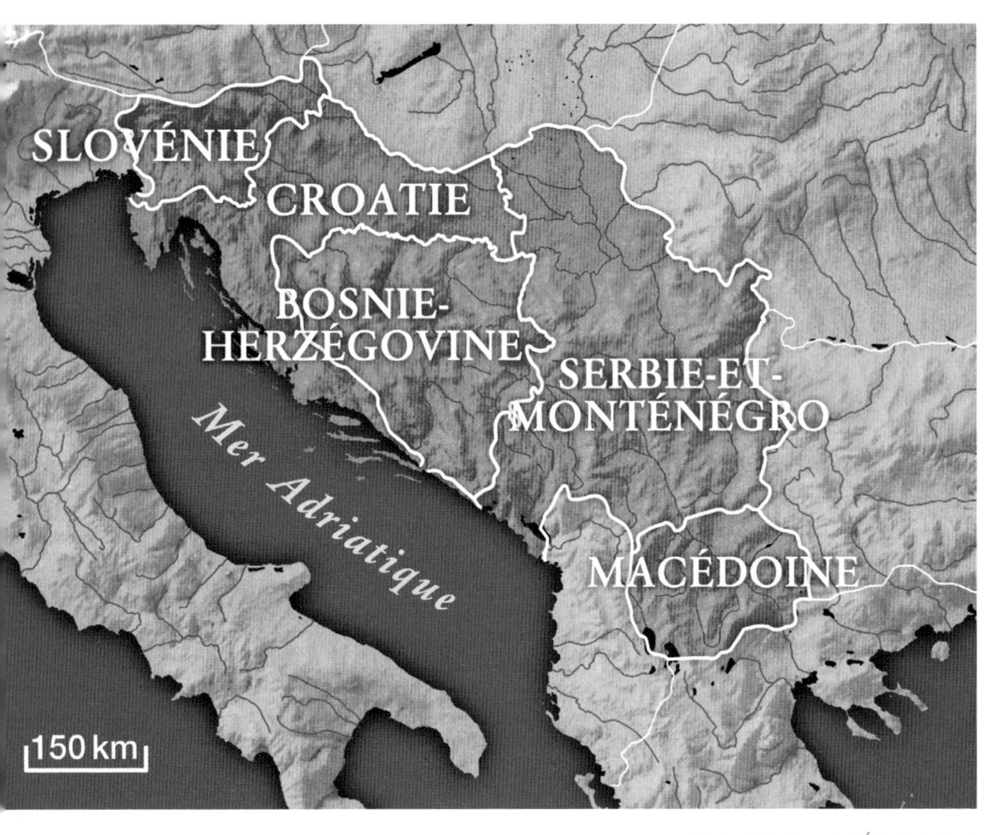

CINQ NOUVELLES RÉPUBLIQUES

Lorsque la Yougoslavie éclate en 1991, entraînant la plupart de ses habitants dans la guerre, cinq nouveaux États sont créés : la Slovénie, la Croatie, la Bosnie-Herzégovine, la Macédoine. Et ce qui reste de la Yougoslavie, la Serbie et le Monténégro qui demeurent liés.

tutions communes serbo-monténégrines se limitent à la politique étrangère, à la défense et à la protection des minorités. Cette union n'est pas définitive puisqu'en 2006, chaque entité aura le droit de la quitter. Et pourtant, aucune modification de frontières (annexion, partage, nouveau tracé) ne sera de nouveau acceptée par la communauté internationale.

Celle-ci va sans doute devoir rester dans les Balkans au moins pendant dix ans, voire plus si l'on veut garantir la stabilité de l'ensemble de cette région. Or, cette stabilité est indispensable, la région étant « coincée » entre trois membres de l'Union européenne : la Grèce au sud, et depuis 2004, la Slovénie et la Hongrie au nord.

Une stabilisation durable ?

Trois problèmes centraux peuvent être résumés ainsi :

– la criminalisation des pays balkaniques avec la présence de mafias et de corruption dans toute la région. On a là la plus forte concentration en Europe de biens volés, de trafic de cigarettes, de drogues, de prostituées, d'organes ;

– l'organisation politique et financière du retour de près d'un million de réfugiés et de personnes déplacées ;

– dans bien des têtes, la dislocation de l'ex-Yougoslavie n'est pas achevée, et pour certains, les armes sont prêtes à resservir. D'où cette question de la fragmentation politique : comment faire en sorte que le Kosovo, le Monténégro, les Serbes de Bosnie, voire même les Albanais de Macédoine, cessent d'être tentés par l'indépendance ?

L'effort de stabilisation mis en œuvre par les Nations unies et l'Union européenne dépasse de loin la seule stabilisation économique : d'où cette volonté de rétablir la coexistence entre les peuples des Balkans. L'Europe ne peut pas, ne doit pas se permettre une autre guerre en Europe du Sud, ni d'ailleurs de nouvelles modifications de frontière. Une des solutions peut venir du cadre institutionnel proposé par l'Union européenne. Sauf que pour ces jeunes États balkaniques qui n'ont jamais été indépendants, il est difficile de sauter l'étape « État-nation », en passant directement du nationalisme au « post-national », qui consiste à céder une part de souveraineté à l'Union européenne. Il est en revanche certain que l'Union européenne n'a pas pour vocation à « offrir » un État à chaque peuple.

AUX PORTES DE L'UNION EUROPÉENNE

Vus de Berlin ou de Paris, les Balkans sont à la périphérie. Vus de Rome ou d'Athènes, ce sont des voisins immédiats. L'Italie est favorable à la poursuite de l'élargissement européen vers les Balkans, car plus de stabilité et de richesse apportées par l'Union impliquent moins d'immigration illégale des Balkans vers l'Italie.
Pour Athènes, le pourcentage des investissements grecs est désormais supérieur dans les pays des Balkans à celui dans les pays de l'Union. Un accord de coopération économique a été signé entre Belgrade et Athènes pour les transports aérien et routier, avec la restauration de la route Salonique-Belgrade via la Macédoine.

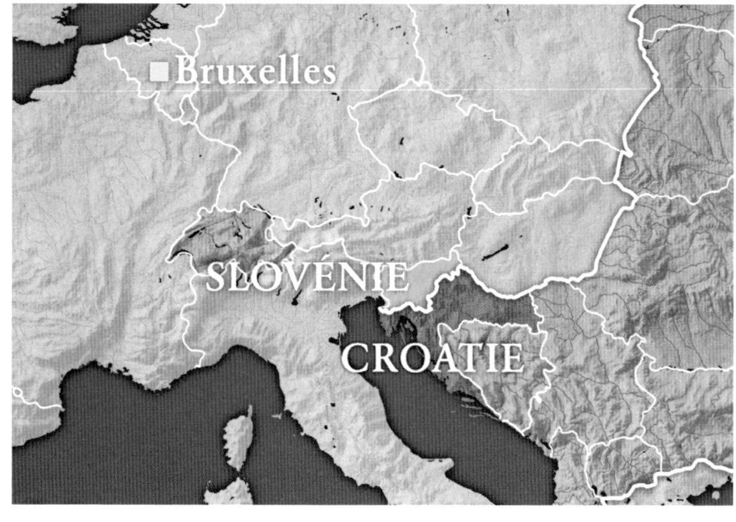

La Slovénie a rejoint l'Union européenne le 1er mai 2004, rapprochant ainsi géographiquement la région des Balkans de l'Europe. La frontière sud de la Slovénie avec la Croatie, qui était une simple limite administrative à l'époque yougoslave, devient l'une des frontières extérieures de l'Union européenne. De son côté, plus au sud, la Croatie, qui réalise plus de la moitié de ses échanges avec l'Union européenne, est depuis février 2003 candidate à l'entrée dans l'Union. La livraison par Zagreb du général Ante Gotovina, considéré par le TPI pour l'ex-Yougoslavie comme criminel de guerre, a permis à la Croatie de se conformer partiellement aux « critères de Copenhague ». Mais le retour de la minorité serbe de Krajina expulsée de Croatie est loin d'être achevé : selon le HCR, 100 000 des 280 000 Serbes de Croatie seraient rentrés. La population croate s'oppose à ce retour des Serbes.

Avec 17 millions de km², la Russie a une superficie presque égale à celle des États-Unis et du Canada réunis. Traversée par onze fuseaux horaires, elle compte 144 millions d'habitants, dont 30 millions ne sont pas russes.

Entre impérialisme et pragmatisme

La Russie est le plus grand État du monde. Ses richesses hydrauliques et minières sont considérables, le pays dispose d'un siège permanent au Conseil de sécurité de l'ONU, son arsenal nucléaire est le deuxième au monde. Pour autant, la Russie est-elle toujours une grande puissance ?

DE L'EMPIRE DES TSARS
À LA FÉDÉRATION DE RUSSIE

À l'exception de la Pologne et de la Finlande, indépendantes en 1917, des îles Kouriles du Sud et de la région de Kaliningrad annexées en 1945, l'enveloppe de la Russie de 1914 est à peu près la même que celle de l'URSS, que nous avons connue jusqu'en 1991. Cette vision impériale explique la volonté de la Russie, depuis la fin de l'Union soviétique, de vouloir se maintenir dans un espace qu'elle a si longtemps contrôlé.

Depuis la dissolution de l'URSS, la Russie se sent responsable de l'ancien espace soviétique qu'elle a dominé et dont elle fut tout à la fois la mère et l'héritière. Aussi a-t-elle cherché à y maintenir des liens économiques et militaires en créant, dès 1991, avec les anciens membres de l'URSS, une Communauté des États indépendants (CEI), à l'exception des trois États baltes.

L'« étranger proche »

Dans cet espace, qu'elle nomme son « proche étranger », la Russie entretient divers intérêts tant économiques que stratégiques. Or sa position dominante au sein de la CEI a vite été perçue comme une volonté de ré-instaurer sa seule autorité. Et pour cause : les contingents militaires de la CEI étant essentiellement russes, ils servent avant tout les intérêts de la Russie. Au début des années 1990, dans le Caucase, Moscou a pris ouvertement parti en faveur des séparatistes arméniens du Haut-Karabakh contre l'Azerbaïdjan, ou pour les sécessionnistes abkhazes contre la Géorgie.

Ce déséquilibre des forces au sein de la CEI a conduit les États membres, dans les années 1990, à chercher de nouvelles alliances et à créer un nouveau rapport de force. L'objectif était alors de trouver de nouveaux débouchés commerciaux hors de la Russie. Ainsi, le Kazakhstan, le Kirghizistan, le Tadjikistan et l'Ouzbékistan ont mis en place l'Organisation de la coopération centrasiatique. Le Turkménistan s'est tourné vers l'Iran voisin ; l'Azerbaïdjan a signé des accords pétroliers avec des compagnies occidentales et a construit de nouvelles voies d'évacuation pour ses

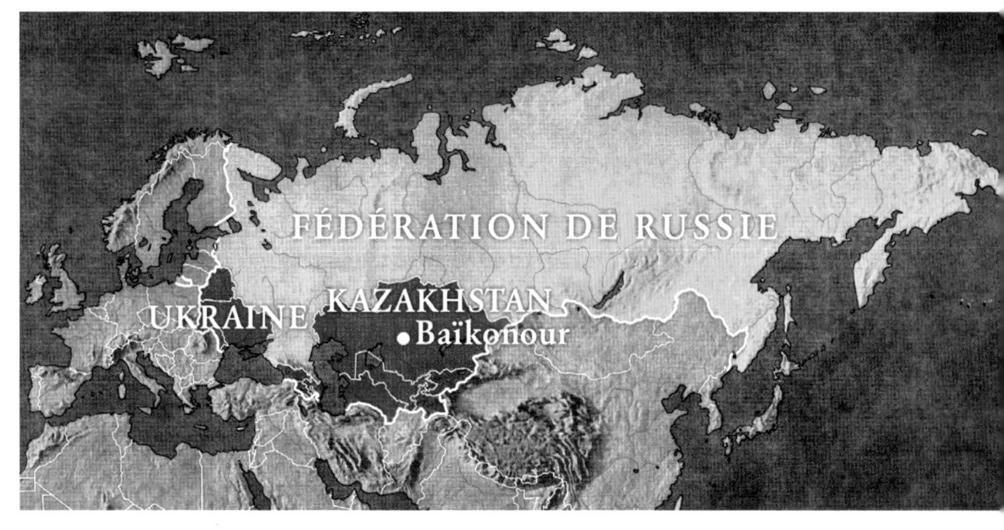

LA CEI

Avec la Communauté des États indépendants (CEI) créée en 1991, la Russie cherchait à préserver ses liens économiques et militaires dans l'espace ex-soviétique. Car au niveau économique, elle dépend de l'Asie centrale pour le coton, de l'Ukraine pour les métaux et les pièces de rechange de l'armement. Au niveau stratégique, sa base spatiale est à Baïkonour au Kazakhstan. Par ailleurs, les Russes représentent, au début des années 1990, 20 % de la population de l'Ukraine, 30 % de la population du Kazakhstan.

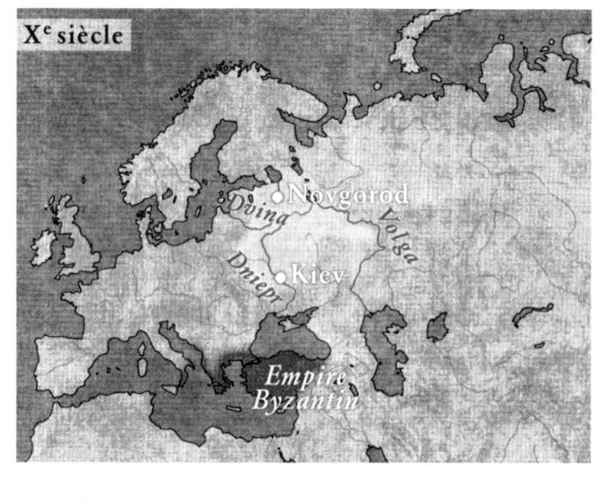

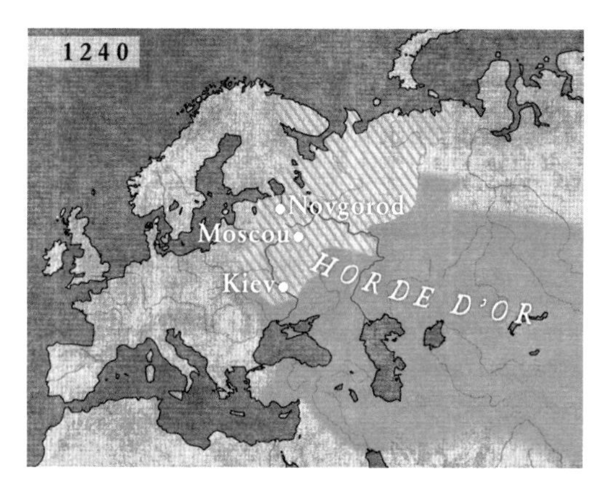

LA FORMATION DU TERRITOIRE RUSSE

C'est au IXe siècle, sous l'impulsion des Varègues, commerçants d'origine scandinave, que les Slaves orientaux se regroupent pour former la principauté de Kiev. Ce premier État slave, organisé autour de voies de commerce fluviales, ouvre le pays aux influences de Byzance et au christianisme auquel adhère le nouvel État à la fin du Xe siècle. La principauté de Kiev est à son apogée en 1054. Mais, trop vaste, elle ne résiste pas, à l'intérieur, aux luttes de succession qui morcellent son territoire, et, à l'extérieur, aux assauts de ceux que les Russes appellent Tatars : les Mongols. À partir de 1240, les principautés russes deviennent vassales du grand khan de la Horde d'Or.

En 1462, sous le règne d'Ivan III (1462-1505), la principauté de Moscou se lance à la reconquête des territoires russes. Victorieuse, elle met fin à la suzeraineté mongole sur la Russie. Commence alors, avec Ivan IV, dit « le Terrible » (1533-1584), le début de l'expansion russe vers l'Asie. Entre 1552 et 1584, il prend Kazan, Astrakhan et le khanat de Sibir aux Mongols, intégrant pour la première fois des peuples non russes et non orthodoxes dans ce qui va devenir un empire.

Avec Pierre le Grand (1682-1725), l'un des premiers Romanov, la Russie s'étend à l'ouest. Pendant plus de vingt ans (1700-1721), le tsar combat la Suède afin d'ouvrir une « fenêtre sur l'Europe » et de faire de son pays une puissance européenne. En 1703, il fonde, sur les rives de la Baltique conquises sur les Suédois, une nouvelle capitale qui porte son nom : Saint-Pétersbourg. Du côté de l'Asie, le tsar poursuit les conquêtes et la colonisation de la Sibérie, ouvrant des relations commerciales avec la Chine des Qing.

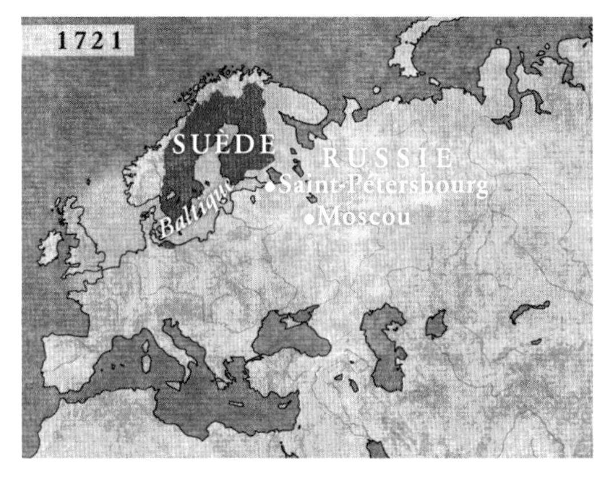

Catherine II (1762-1796), à son tour, élargit les frontières de l'Empire russe : en Europe centrale – par l'annexion d'une partie de la Pologne –, sur la rive nord de la mer Noire, ouvrant un accès direct à la Méditerranée, et dans le Caucase. Enfin, à l'est, le détroit de Béring est franchi, et la Russie se met à explorer l'Amérique, avant de prendre possession de l'Alaska.

Le XIXe siècle est consacré à la formation d'un glacis protégeant les terres russes :

– sur le flanc européen, grâce à l'annexion de la Finlande en 1809 ;

– dans le Caucase, la Russie conquiert, à la suite de la Géorgie et de l'Azerbaïdjan, les régions arméniennes d'Erevan et de Nakhitchevan. Mais les peuples montagnards du Caucase (Ingouches, Tcherkesses, Tchétchènes, etc.) lui opposent une féroce résistance, qui va durer jusqu'en 1864. On devrait dire jusqu'en 2005 !

– en Asie centrale, la Russie prend le contrôle du Kazakhstan à partir de 1816. Le Turkestan est soumis en 1876. En Extrême-Orient, après avoir évincé la Chine de la rive gauche du fleuve Amour, la Russie fonde en 1860 un port sur le Pacifique : Vladivostok, qui signifie en russe « celui qui domine l'Orient ».

Depuis le berceau kiévien, l'absence de relief a sans doute aidé la Russie à s'étendre, souvent jusqu'à atteindre des frontières naturelles (mer de Béring, Caucase, Pamir ou fleuve Amour) pour assurer sa protection. Seule l'Alaska, sans arrière-pays et située à 10 000 km de la capitale, est vendue, en 1867, pour 7 millions de dollars, aux États-Unis d'Amérique.

L'ORTHODOXIE, UN ÉLÉMENT IDENTITAIRE ET POLITIQUE

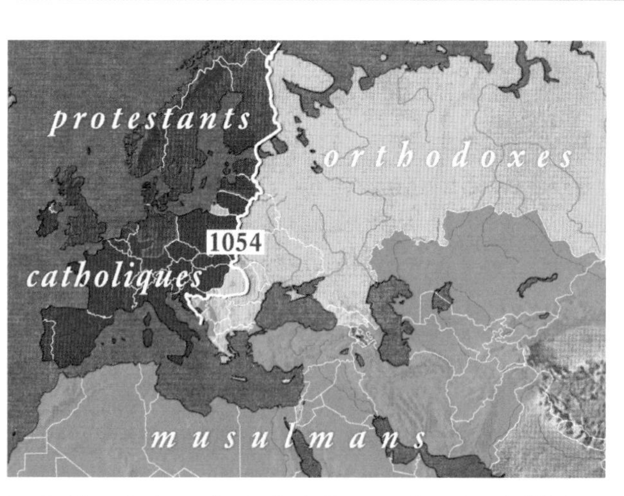

La ligne de partage entre les chrétiens de rite catholique et ceux de rite byzantin est sensiblement la même que celle du schisme, remontant à 1054. Sur les 220 millions de chrétiens orthodoxes dans le monde, plus de la moitié vit en Russie. Depuis le XVIe siècle, Moscou se voit comme la « troisième Rome ». Dieu aurait confié aux Russes la mission de sauver le christianisme, Constantinople étant occupée par les Turcs depuis 1453, et Rome ayant trahi, par le rôle démesuré pris par la papauté et par les désaccords portant sur les questions de doctrine. « Orthodoxe » signifie justement la « doctrine vraie ».

Moscou se considère donc comme détenteur de l'héritage byzantin, et l'histoire de la politique extérieure de la Russie se fonde tant sur le panslavisme que sur la défense de l'orthodoxie. Pourtant, le régime de l'Union soviétique a été particulièrement répressif vis-à-vis de la liberté de culte : entre 1917 et 1987, six cents évêques, quarante mille prêtres, cent vingt mille moines et moniales ont été assassinés. Cette parenthèse de l'intolérance est close. Le pays redécouvre la liberté de culte et l'Église orthodoxe, pouvant à nouveau développer une pensée religieuse, s'estime co-gardienne de la vérité nationale :

– elle manifeste de la méfiance vis-à-vis de l'Occident, le patriarcat s'étant déclaré publiquement contre l'élargissement de l'Otan vers l'est ;

– l'État russe devant jouer un rôle de protecteur de l'Europe face à l'islam, elle soutient ouvertement la guerre en Tchétchénie.

hydrocarbures. À l'ouest, l'Ukraine s'est rapprochée à la fois de l'Otan et de l'Union européenne qu'elle espère intégrer.

Face à cette nouvelle configuration, la Russie a répondu en 1995 par la constitution d'une Union douanière avec la Biélorussie, le Kazakhstan, le Kirghizistan et le Tadjikistan. Et au niveau militaire, par le renouvellement du traité de sécurité collective de la CEI en 1999, mais sans l'Azerbaïdjan, la Géorgie et l'Ouzbékistan. Ensuite, le Kremlin a renforcé ses relations bilatérales, notamment dans le domaine énergétique avec le Kazakhstan.

La lutte contre le terrorisme, alibi et terrain d'entente avec les États-Unis

Les attentats du 11 septembre 2001 ont permis aux États-Unis de prendre pied en Ouzbékistan, au Kirghizistan, au Tadjikistan ou en Géorgie pour combattre les talibans, ce qui accroît la perte d'influence de la Russie dans le Caucase et en Asie centrale. Moscou se voit donc contraint d'accepter le déploiement de forces américaines dans son proche étranger, mais elle l'« échange » contre un soutien américain à sa candidature à l'Organisation mondiale du commerce (OMC) et contre son association au processus d'élargissement de l'Otan à l'Europe centrale et aux pays baltes. De plus, la deuxième intervention en Tchétchénie, lancée durant l'été 1999, a été légitimée par la lutte contre le terrorisme international, devenue dès lors la priorité de la politique étrangère russe.

Ce rapprochement stratégique avec Washington marque une rupture avec l'anti-américanisme traditionnel de la politique extérieure russe et permet à Moscou de redevenir, en partie, un partenaire incontournable sur la scène internationale.

Mais la position « non alignée » de Moscou sur l'intervention américaine en Irak en 2003 et le renforcement autoritaire du pouvoir russe ont mis à mal la « lune de miel » russo-américaine. Le jeu de Moscou est double, le rapprochement avec Washington ne l'ayant nullement empêché de poursuivre ses relations avec l'Irak et la Corée du Nord, ainsi que sa coopération nucléaire avec l'Iran.

L'Union européenne, partenaire « obligé » ?

L'Union européenne est à la fois le premier partenaire commercial, le premier investisseur et le premier fournisseur d'aide à la Russie. Depuis 2003, Bruxelles préconise la mise en place de quatre espaces communs de coopération : « économique », « des libertés, de la justice et de la sécurité », « de sécurité extérieure » et « de la recherche et de l'éducation ». Or l'élargissement de l'Union en 2004 aux portes de la Russie et de son « proche étranger » a créé des tensions entre Bruxelles et Moscou. Pour Moscou, le soutien européen aux « révolutions démocratiques », en Géorgie à la fin 2003 et en Ukraine en décembre 2004, a été perçu comme une ingérence dans sa zone d'influence traditionnelle.

La vision impériale de la Russie n'est pas morte avec l'URSS. La politique étrangère russe reste marquée par la guerre froide et le rapport de force entre puissances. Ce qui explique en partie l'interventionnisme russe dans les élections ukrainiennes, rompant avec le pragmatisme du premier mandat du président Poutine. Car lors de ce second mandat, la politique étrangère russe semble répondre à la politique autoritaire menée à l'intérieur du pays.

Voir également : **KALININGRAD** (p. 20-23), **MOLDAVIE** (p. 38-41), **UKRAINE** (p. 42-45) et **TCHÉCHÉNIE** (p. 176-181).

LA RUSSIE FACE À L'UNION EUROPÉENNE

L'Union européenne est l'une des priorités de la politique étrangère russe. En 2004, 67 % des importations russes viennent de l'Union, qui absorbe 50 % de ses exportations. Bruxelles a ainsi lancé en 2000 un « partenariat énergétique », afin d'augmenter d'ici 2020 ses importations d'hydrocarbures en provenance de Russie. Moscou craint cependant que l'élargissement de 2004 ne contribue à créer un « nouveau mur » en Europe, tout en renâclant à coopérer avec Bruxelles dans leur voisinage commun (Moldavie, Biélorussie, Ukraine). Ce qui a conduit à de fortes tensions entre Bruxelles et Moscou, notamment en 2002 à cause de Kaliningrad, en 2004 au sujet de la Moldavie et de l'Ukraine, en 2005 à cause des fournitures de gaz.

LES RELATIONS SINO-RUSSES

Pendant la décennie 1990, les relations avec le grand voisin chinois se sont améliorées. Des mécanismes réguliers de consultations ont été mis en place depuis juin 2001, le contentieux frontalier sur le fleuve Amour a été réglé ; et des projets de construction de gazoducs et d'oléoducs ont été lancés. Moscou et Pékin ont également créé, avec les pays d'Asie centrale, l'Organisation de coopération de Shanghai pour lutter contre l'islamisme et le terrorisme dans la région. La rivalité idéologique de la seconde moitié du XXe siècle entre la Chine et l'Union soviétique semble donc aujourd'hui dépassée.

GÉOPOLITIQUE DES TUBES

Avec 13 % des réserves mondiales de pétrole et 45 % des réserves de gaz, la Russie est l'un des principaux fournisseurs de produits pétroliers et gaziers au monde. L'aménagement d'infrastructures permettant l'exportation de ses hydrocarbures est donc primordial économiquement, mais il sert aussi à maintenir une influence dans l'espace ex-soviétique.

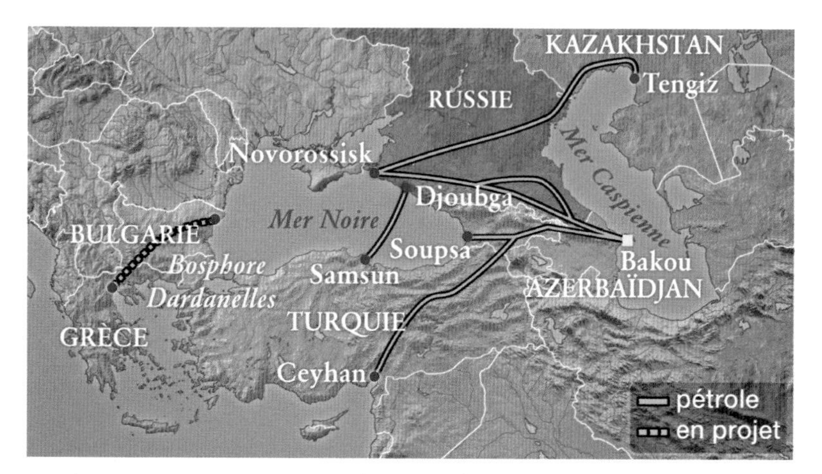

LA RÉGION CAUCASE-MER NOIRE-MÉDITERRANÉE

Dans la région de la Caspienne, la Russie a lancé un programme de réorganisation de ses réseaux, pour faire face à la concurrence des nouveaux États producteurs et de leurs réseaux d'exportation, dont l'oléoduc Bakou-Ceyhan. À cause de la guerre en Tchétchénie, elle a construit une dérivation de l'oléoduc Bakou-Novorossisk et en a augmenté la capacité par la création d'un nouveau terminal, désormais supérieur à l'oléoduc Bakou-Soupsa. Avec le Kazakhstan, elle a signé en 2002 un accord pour quinze ans, permettant l'évacuation du pétrole kazakh par la Russie, via un oléoduc qu'elle a elle-même financé en tant que principal actionnaire. Ces aménagements ont également pour objectif d'éviter la voie de sortie de la mer Noire vers la Méditerranée par les détroits turcs, saturés. Ainsi, un gazoduc sous-marin a été mis en service en octobre 2002, entre Djoubga et Samsun en Turquie. Moscou évoque aussi le projet d'un oléoduc via la Bulgarie et la Grèce. Mais ce projet n'a-t-il pas pour objectif de faire pression sur la Turquie, qui menace de limiter le passage des tankers russes dans les détroits, accusés par Ankara de trop souvent dégazer dans le Bosphore ?

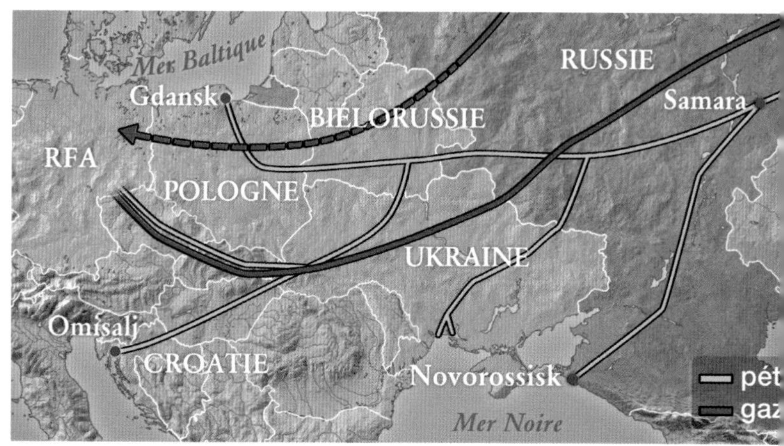

LE TRANSIT VIA L'UKRAINE

90 % des exportations de gaz russe vers l'Europe transitent par l'Ukraine. Or selon Moscou, Kiev aurait pompé illégalement plus de 9 milliards de m³ de gaz par an destiné à l'Europe. Moscou a donc décidé de construire une dérivation de l'oléoduc reliant Samara à Novorossisk, privant ainsi Kiev d'importants droits de passage. La Russie envisage également de construire un gazoduc vers l'Allemagne, via la Biélorussie et la Pologne. Il lui permet non seulement de contourner l'Ukraine, mais surtout de réduire des droits de transit, qui lui coûtent chaque année plus de 600 millions de dollars, et renchérissent au final le prix des hydrocarbures. Grâce au raccordement de l'oléoduc Droujba (« Amitié ») – qui relie la Russie à l'Europe centrale – à l'oléoduc Adria, la Russie peut accéder directement à la Méditerranée depuis 2002 via l'Adriatique.

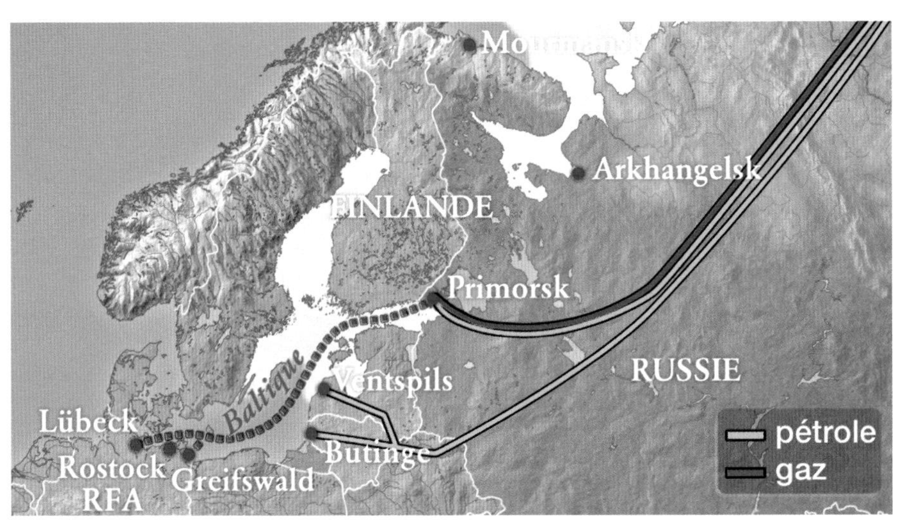

LA VOIE BALTIQUE

L'indépendance des pays baltes a privé la Russie des meilleures installations portuaires, dont Ventspils, principal port pétrolier à l'époque soviétique. Et pourtant, la position géographique de la mer Baltique demeure la porte de sortie logique pour les exportations russes vers l'Union européenne.
La Russie a donc lancé en 2000 le projet « système d'oléoduc baltique » (BTS), qui comprend la construction d'un nouveau port pétrolier à Primorsk et d'un nouvel oléoduc le reliant au riche gisement de Timan Petchora (en Sibérie du Nord). Reste le problème des glaces durant l'hiver, qui rendent ce nouveau port assez peu compétitif.
Ainsi, pour exporter son gaz depuis le nord du pays, les Russes sont en train de construire, avec les Allemands, un gazoduc sous-marin en mer Baltique. Plus au nord, les ports d'Arkhangelsk et de Mourmansk, lequel, grâce au Gulf Stream, est libre de glaces toute l'année, pourraient également servir aux exportations de pétrole.
Cette « route du Nord » est d'ailleurs moins risquée et meilleur marché que celle par la Baltique (7 dollars de moins par tonne transportée). Elle intéresse d'ailleurs les États-Unis, qui cherchent à diversifier l'origine de leurs importations de pétrole, afin de moins dépendre du Moyen-Orient et de l'Arabie saoudite.

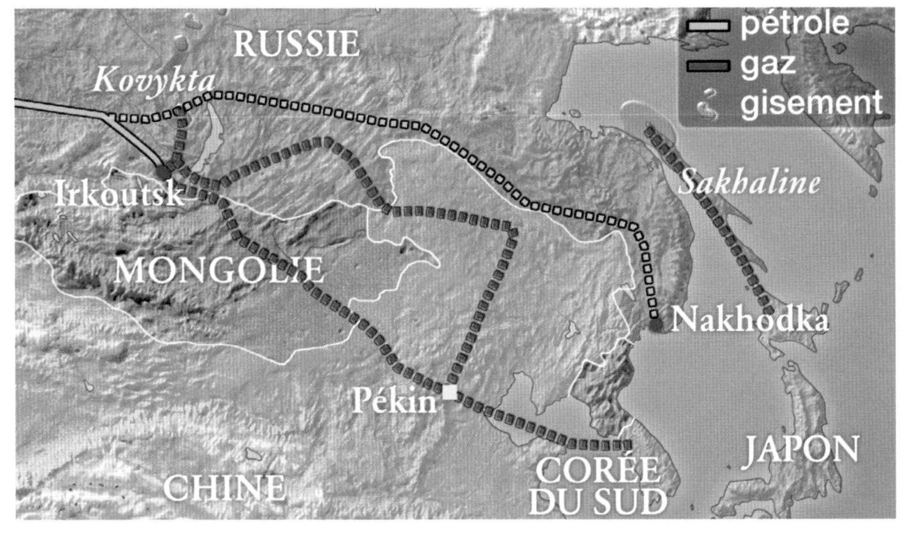

LES MARCHÉS ASIATIQUES

Pour faire face à la forte demande en énergie de l'Asie, et notamment de la Chine, plusieurs projets russes devraient fournir gaz et pétrole sibériens dans cette région.
Un gazoduc est prévu pour approvisionner le nord de la Chine. Il pourrait par la suite être prolongé par mer jusqu'à la Corée du Sud. Le gaz de Sakhaline devrait, lui, être exporté au Japon.
Pour le pétrole, le tracé retenu passe par le port de Nakhodka, car il permet à la Russie de fournir du pétrole par tanker à la Chine, mais aussi au Japon ou à la Corée.
Les tracés plus directs par la Chine ou par la Mongolie semblent donc avoir été abandonnés.
Face à la demande croissante d'hydrocarbures en Asie, en Europe et aux États-Unis, ces réseaux sont devenus pour la Russie un outil autant économique et diplomatique qu'un moyen de pression non militaire, on le voit en Ukraine et en Géorgie.

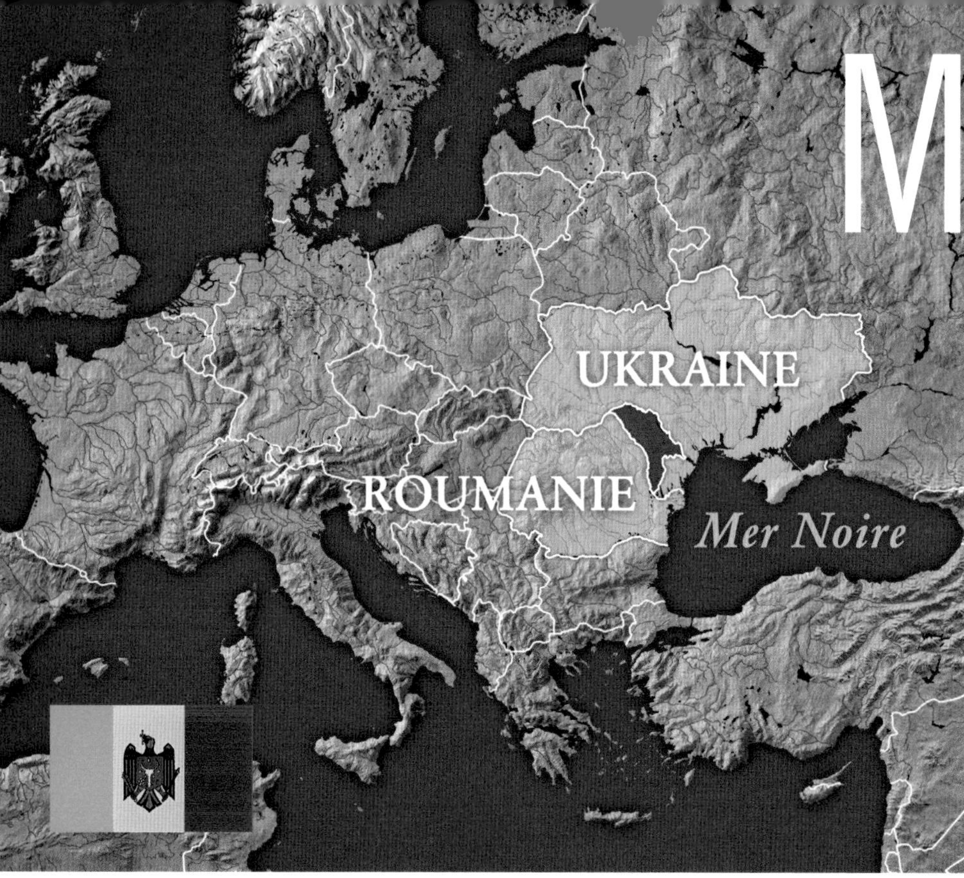

De la taille de la Belgique, la Moldavie est au carrefour du monde slave à l'est, et du monde latin à l'ouest.

MOLDAVIE

Aux confins de l'Europe

Apparue en 1991 sur nos cartes européennes avec l'éclatement de l'Union soviétique, la Moldavie est située aux confins du monde latin et du monde slave. Comment cet État qui fut longtemps roumain, un temps russe, puis soviétique, fonctionne-t-il aujourd'hui ?

La Moldavie est un petit pays de 33 700 km^2 pour 4,5 millions d'habitants. Au lendemain de sa sortie de l'Union soviétique, la diversité de sa population façonnée par une histoire en marge de l'Empire russe conduit à des tensions. Par crainte que les Moldaves roumanophones, majoritaires dans le pays, ne cherchent à s'unir à la Roumanie, les populations russophones autoproclament l'indépendance de la région de Transnistrie, où ils sont majoritaires, afin de protéger leurs intérêts acquis depuis l'époque soviétique.

Or pour la Moldavie, la perte de la Transnistrie signifie la perte de 40 % de sa production industrielle et accentue l'enclavement du pays. Elle prive le pays de la principale voie de sortie de ses exportations, la liaison ferroviaire vers Odessa, Kiev et Moscou traversant la région sécessionniste. En 1992, cette configuration dégénère en conflit ouvert : en fournissant des armes aux russophones, la XIVe armée ex-soviétique, basée à Tiraspol et passée sous commandement russe, leur donne la supériorité militaire. En juillet 1992, la Moldavie se voit contrainte d'accepter les termes de l'accord proposé par Moscou, qui stipule : le maintien de la Transnistrie au sein de la Moldavie, en échange d'un statut d'autonomie, et la possibilité pour les russophones de décider de leur avenir, si la Moldavie venait à s'unir à la Roumanie.

Le problème transnistrien

Mais *de facto*, l'État autoproclamé de Transnistrie continue bien d'exister comme tel, avec un président, un parlement, un drapeau, une monnaie, un hymne et une armée. Quelque deux mille militaires russes y sont toujours stationnés, Moscou retardant sans cesse leur départ alors qu'un retrait définitif avait été fixé pour la fin 2002. Cette présence militaire inquiète bien évidemment la Moldavie, mais aussi l'Ukraine, qui n'apprécie guère de voir des forces militaires russes sur son flanc est, et sur son flanc sud. D'autant que la Transnistrie est une plaque tournante de trafics, qui vont des cigarettes aux armes, en passant par les prostituées ou les organes humains.

Le projet de règlement du conflit par la formation d'une Fédération proposé par Moscou n'ayant pas abouti en 2003, le *statu quo* risque de se maintenir. Du moins aussi longtemps que la Russie souhaitera conserver une influence dans cette région en pleine évolution : la Roumanie a adhéré à l'Otan en 2004, sera membre de l'Union européenne avant 2010, et la « révolution orange » en Ukraine, fin 2004, a constitué un revers pour la Russie.

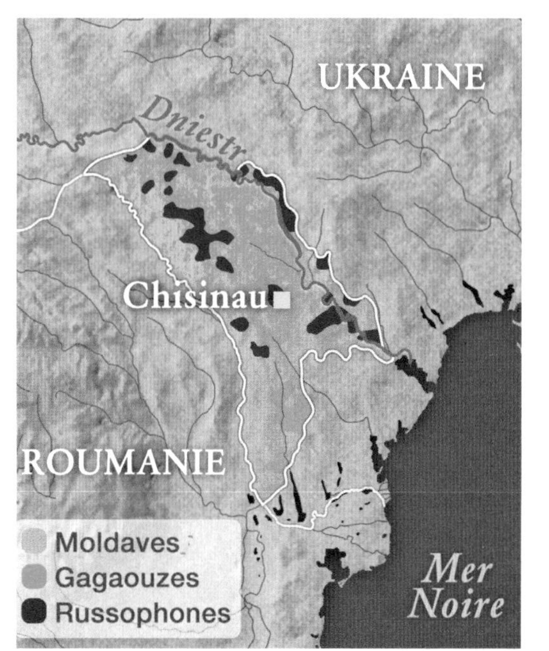

4,5 MILLIONS D'HABITANTS
En Moldavie, 65 % de la population est moldave, les Moldaves parlent roumain et sont chrétiens orthodoxes ; 27 % est russophone, ce sont des Russes et des Ukrainiens. Ils vivent à Chisinau, la capitale, et à l'est du Dniestr, où ils sont majoritaires. Enfin, au sud-ouest du pays, vit un peuple turcophone, de religion orthodoxe, qui n'est ni roumain, ni slave : les Gagaouzes (3 %). On compte également une minorité bulgare et une communauté juive.

TRANSNISTRIENS ET GAGAOUZES
Au lendemain de l'indépendance de la Moldavie en août 1991, les populations russophones autoproclament indépendante la région de Transnistrie, où ils sont majoritaires. Ils craignent en effet de devenir minoritaires dans une Moldavie qui pourrait décider de passer sous souveraineté roumaine, et cherchent ainsi à protéger leurs intérêts acquis à l'époque soviétique.
De leur côté, les Gagaouzes inquiets de la montée du nationalisme moldave ont proclamé l'autonomie des régions où ils sont majoritaires, au sud-ouest de la Moldavie. Celle-ci leur est finalement reconnue par le Parlement moldave en 1994.

EN MARGE DE DEUX ENSEMBLES GÉOPOLITIQUES

Il n'est pas simple pour la Moldavie de trouver sa place dans la région :
– entre ses deux grands voisins que sont la Roumanie et l'Ukraine ;
– et deux grands ensembles géopolitiques, la Communauté des États indépendants (CEI) à l'est, dominée par la Russie, et l'Union européenne à l'ouest. D'autant que la Moldavie reste dépendante économiquement de la Russie, géographiquement de l'Ukraine du fait de son enclavement, et historiquement tournée vers la Roumanie.

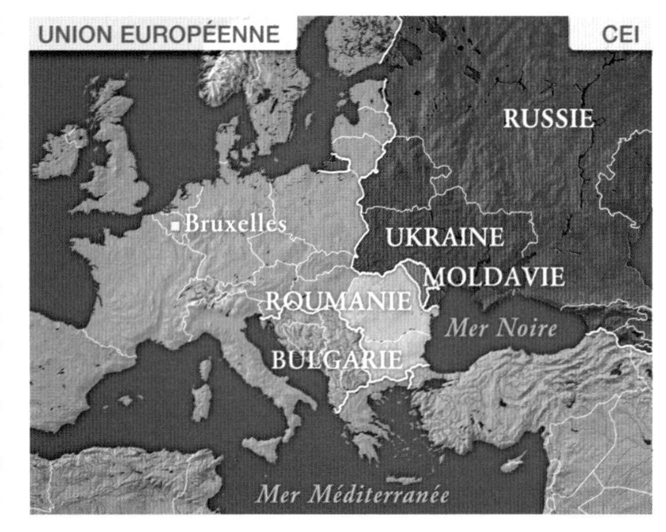

L'ACCÈS AU DANUBE

Contre les 7 kilomètres de la route ukrainienne Odessa-Izmail qui passaient par le territoire moldave, la Moldavie a obtenu en 2001 de l'Ukraine une bande de 430 mètres de large, le long du Danube, près de la ville de Giurgiulesti. Ce qui lui permet désormais d'accéder directement au Danube et ainsi à la mer Noire. Un terminal pétrolier est en construction le long du fleuve, pour sortir de la dépendance énergétique de la Russie.

Quo vadis Moldavia ?

Quinze ans après son indépendance, l'État moldave, à l'intérieur, n'est toujours pas souverain sur l'ensemble de son territoire ; et à l'extérieur, il trouve avec difficulté une place régionale. Du fait de son enclavement, la Moldavie est géographiquement dépendante de l'Ukraine, car la majorité de son commerce transite par Odessa : le traité de frontières signé en 2001 entre les deux pays a permis à la Moldavie d'accéder directement au Danube et de là, à la mer Noire. Elle est aussi dépendante économiquement de la Russie : 98 % de ses hydrocarbures viennent de Russie, et 50 % de ses exportations – notamment du vin, des fruits et du tabac – vont vers Moscou.
Côté ouest, les Moldaves se sentent proches de leurs voisins roumains, avec lesquels ils partagent une longue histoire. Leur drapeau reprend les couleurs de la Roumanie et leur langue officielle est le roumain, bien que certains l'appellent *moldave*. Ce qui suscite justement l'incompréhension chez les Roumains qui considèrent les Moldaves comme des Roumains. En outre, la décision prise par Chisinau, en octobre 2002, de permettre à ses citoyens de prendre la nationalité roumaine répond à une réalité géopolitique. Avec l'entrée prochaine de la Roumanie dans l'Union européenne, la Moldavie va se retrouver frontalière de l'Union. Or comme les Roumains en tant que futurs membres peuvent d'ores et déjà se rendre sans visa dans l'espace Schengen pour une période de trois mois, les Moldaves munis d'un passeport roumain peuvent ainsi bénéficier de cette liberté de circulation au sein de l'Union européenne.

Désir d'Europe

Près d'un million de Moldaves, dont près de 90 % sans statut légal, sont déjà partis travailler à l'étranger, pouvant ainsi augmenter leur niveau de vie. En retour, cette émigration a injecté quelque 200 millions de dollars dans l'économie nationale en 2002, contribuant à la croissance économique de la Moldavie, pays le plus pauvre d'Europe après l'Albanie. Dans le cadre du processus d'élargissement de l'Europe, les Roumains renforcent le contrôle de leur frontière orientale sur le fleuve Prout, future limite extérieure de l'Union européenne, alors que de leur côté, les Moldaves aspirent, du fait de leur « latinité », à rejoindre un jour l'Union européenne.

Voir également : UNION EUROPÉENNE (p. 16-19), RUSSIE (p. 30-35) et UKRAINE (p. 42-45).

DE LA PRINCIPAUTÉ À L'INDÉPENDANCE

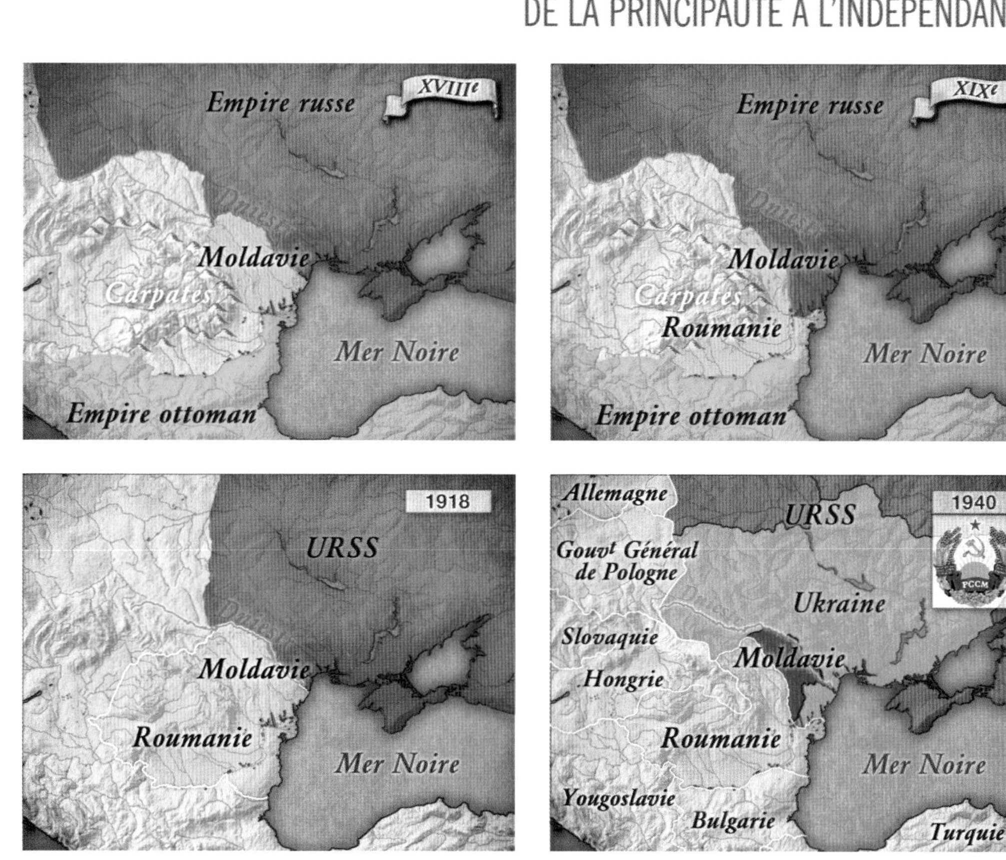

Fondée au XIVe siècle par Bogdan Ier entre les Carpates et le Dniestr, la première principauté de Moldavie devient vassale de l'Empire ottoman au XVe siècle, avant de jouer un rôle de tampon entre son suzerain et la Russie impériale, qui prend pied sur les rives de la mer Noire à la fin du XVIIIe siècle. Ainsi, au XIXe siècle, la principauté moldave est divisée entre la Russie et la Roumanie devenue indépendante des Ottomans en 1878. Or, au sortir de la Première Guerre mondiale, la partie russe de la Moldavie – dénommée Bessarabie par les Russes – est rattachée à la Roumanie, permettant de réunifier l'ancienne principauté moldave au sein de l'État roumain. Dès 1940, pourtant, Staline fait réoccuper la Bessarabie, conformément au protocole secret du pacte germano-soviétique. Une république socialiste soviétique de Moldavie est alors créée, par la réunion de la Bessarabie et de la région de Transnistrie, tandis que la partie sud de la Bessarabie est attribuée à l'Ukraine soviétique, privant la Moldavie d'un accès à la mer. C'est dans cette enveloppe territoriale que la Moldavie soviétique devient indépendante en 1991.

Avec une superficie de 603 000 km², l'Ukraine est le plus grand pays européen, si l'on ne prend pas en compte la Russie. Elle compte 48 millions d'habitants.

UKRAINE

Retour en Europe ?

En Ukraine, la « révolution orange » de fin 2004 a révélé une crise d'identité, à laquelle la dissolution de l'Union soviétique et la recomposition des rapports de force européens soumettent le pays depuis son indépendance.

Même si la région de Kiev a vu naître le premier État slave en 882 – connu sous le nom de Rus –, l'Ukraine n'a jamais été un État indépendant avant le XXe siècle. Aussi, conséquence de l'éclatement de l'Union soviétique, la souveraineté de l'Ukraine, acquise en 1991, est en fait une première. Se pose alors pour ce nouvel État européen la question de l'équilibre de ses relations entre la Russie, qui l'a dominée pendant près de trois siècles, et l'Union européenne et l'Otan, perçues comme plus aptes à garantir indépendance et stabilité du pays.

Le grand frère russe

Économiquement, l'Ukraine est dépendante de la Russie. Son grand voisin est un important investisseur et son premier partenaire commercial. Kiev profite d'ailleurs de la bonne santé économique de la Russie, qui se répercute par une forte croissance de l'économie ukrainienne depuis 2000. La Russie est également le principal fournisseur énergétique de l'Ukraine. Par conséquent, Moscou fixe le plus souvent les règles du jeu dans ce secteur stratégique, modifiant par exemple le prix du gaz en janvier 2006 de manière unilatérale. Mais en sens inverse, l'Ukraine dispose du plus dense réseau d'oléoducs et de gazoducs en Europe, dont dépend à son tour la Russie, puisque 90 % du gaz russe vendu en Europe y transite.

Pour ces raisons, l'indépendance de l'Ukraine en 1991 a été perçue par la Russie comme la perte d'une région stratégique, tant pour ses intérêts économiques que militaires, la privant d'un accès direct à l'Europe centrale et surtout d'une longue façade sur la mer Noire. Enfin, symboliquement, cette indépendance la sépare de son berceau national : Kiev est la « mère des villes russes », où est né le premier État slave, dont Moscou se considère l'héritier depuis le XIVe siècle. L'Ukraine est d'ailleurs appelée par les Russes « Petite Russie ».

PIVOT GÉOPOLITIQUE ?

Située au contact entre deux grands ensembles géopolitiques – l'Union européenne à l'ouest et la Russie à l'est –, l'Ukraine est au carrefour de grands axes routiers, ferroviaires et de transport d'hydrocarbures, ce qui la place en même temps dans une position stratégique et une position de dépendance.

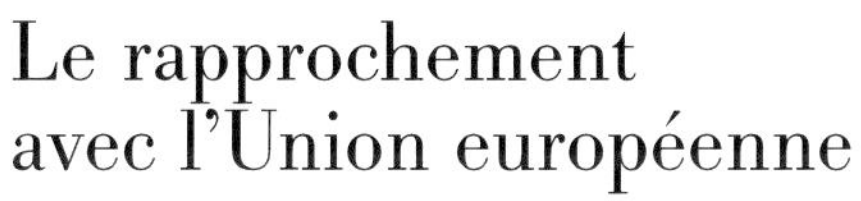

Le rapprochement avec l'Union européenne

Avec l'Union européenne, les relations remontent à la signature d'un accord de coopération et de partenariat en 1994.

Après cinq ans de négociations, l'Union européenne a obtenu la fermeture de Tchernobyl en 2000. Mais la sécurité des deux nouveaux réacteurs remplaçant l'ancienne centrale, que l'Ukraine a construits à Khmelnytskyï et Rivne, a été jugée tout à fait insuffisante par Bruxelles. Ce dossier nucléaire a donc profondément altéré les relations entre Kiev et l'Union européenne. D'autant qu'au même moment, le président ukrainien Koutchma, dont le régime était devenu autoritaire, fut soupçonné d'avoir vendu des radars à l'Irak, malgré l'embargo des Nations unies, avant d'être suspecté en 2002 du meurtre d'un journaliste d'opposition.

L'élargissement de l'Union européenne à la Hongrie et à la Pologne, en 2004, c'est-à-dire aux frontières occidentales de l'Ukraine, a permis de relancer les relations entre Bruxelles et Kiev, que le nouveau pouvoir devrait maintenant resserrer.

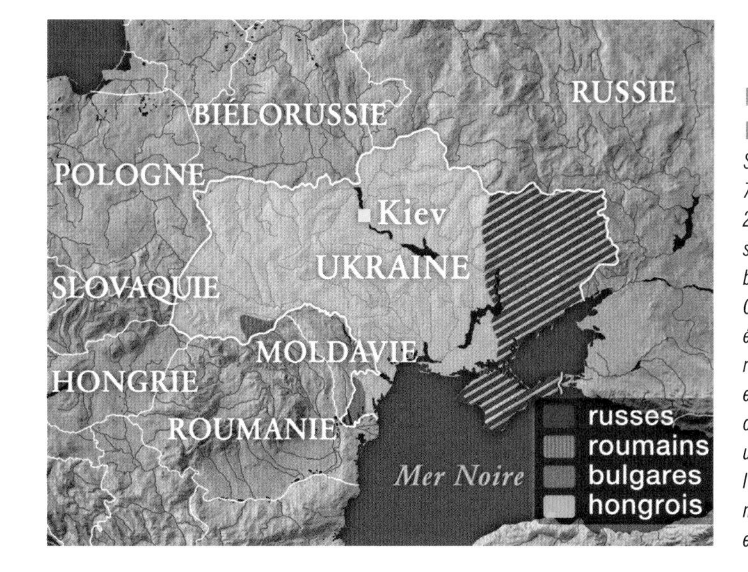

LES POPULATIONS DE L'UKRAINE

Sur 48 millions d'habitants, 73 % sont d'origine ukrainienne, 22 % d'origine russe et 5 % sont roumains, bulgares, biélorusses, hongrois, tatars. Ce legs de l'histoire se retrouve également dans la pratique religieuse : l'ouest de l'Ukraine est plutôt de tradition catholique de rite byzantin – c'est l'Église uniate –, tournée vers l'Europe ; l'est est plutôt orthodoxe, majoritairement russophone et tourné vers la Russie.

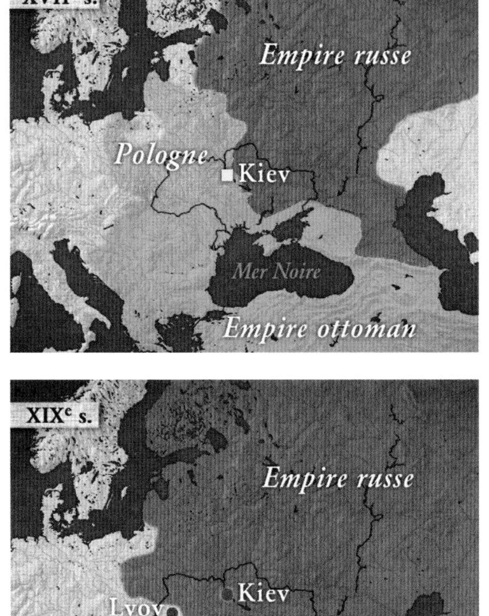

CONFINS D'EMPIRES

Le mot Ukraine est dérivé d'un mot russe qui signifie la « marche », les « confins ».

Et de fait, l'Ukraine est depuis le XIVe siècle une zone de confins : d'abord entre Polonais et Mongols, puis entre la Pologne et les Empires ottoman et russe qui prennent pied dans la région.

Pendant plus de trois cents ans, la majeure partie du territoire ukrainien fait partie de l'empire des tsars, avant de devenir une partie de l'Union soviétique.

Seule l'extrémité occidentale du pays, c'est-à-dire la région de Lvov (Lviv), restera sous contrôle polonais ou autrichien sous le nom de Galicie, et ne sera rattachée à l'Ukraine soviétique qu'à la fin de la Seconde Guerre mondiale.

Entre Otan et États-Unis

Le rapprochement de l'Ukraine avec l'Otan est avant tout le résultat de la politique des États-Unis, pour qui l'Ukraine est « un pivot géopolitique » – l'expression est de Brzezinski, ancien chef du Conseil de sécurité nationale du président Carter. Il faut voir là une stratégie d'ensemble, consistant à détacher un à un de la Russie les États qui formaient auparavant l'URSS avec elle. L'Ukraine a ainsi signé avec l'Alliance atlantique, en 1997, une charte qui lui permet de participer à la nouvelle architecture de sécurité européenne, sans l'intégrer pour autant.

Les États-Unis ont également favorisé, par de nombreux crédits et investissements, la libéralisation économique du pays, et participé à sa dénucléarisation entre 1991 et 1995. Or l'affaire des radars vendus à l'Irak est venue mettre à mal les liens avec les Américains. Il a fallu attendre l'intervention américaine en Irak en 2003 pour voir l'amorce d'un réchauffement avec Washington, concrétisé par l'envoi d'un contingent de dix-huit cents soldats ukrainiens en Irak. Mais c'est probablement l'élection de Viktor Iouchtchenko fin 2004 qui prélude au véritable rapprochement avec les États-Unis, et une future adhésion du pays à l'Otan.

D'ailleurs, si les États-Unis n'ont pas directement contribué à la victoire du nouveau président ukrainien, on a remarqué à Kiev, sur la place de l'Indépendance, l'organisation étudiante Pora. Forte de quinze mille personnes, elle a manifesté tous les jours à partir du 21 novembre. Comme en Géorgie fin 2003, elle était conseillée par des étudiants serbes du mouvement Otpor, qui ont aidé au renversement de Milosevic en Serbie, grâce à des fonds américains de la Fondation Soros, de Usaid ou de Freedom House.

Si cette élection marque un tournant pro-européen pour le pays, l'Ukraine ne peut, et n'a aucun intérêt, à tourner le dos à la Russie, du fait de sa position géographique et de sa dépendance vis-à-vis de son voisin de l'est. D'ailleurs, la première visite à l'étranger faite par le nouveau président ukrainien a été au président russe Vladimir Poutine.

Les Ukrainiens, en votant pour Viktor Iouchtchenko, ont avant tout exprimé le choix d'une société plus démocratique, d'un régime non autoritaire et moins corrompu.

Voir également : **UNION EUROPÉENNE** (p. 16-19), **RUSSIE** (p. 30-35) et **MOLDAVIE** (p. 38-41).

VERS L'ADHÉSION À L'UE ?

Depuis 1994, l'Ukraine entretient des relations avec l'Union européenne. Celle-ci est devenue le principal bailleur de fonds de l'Ukraine et la principale destination des exportations ukrainiennes depuis l'adhésion des huit nouveaux membres d'Europe centrale en 2004. Le tournant pro-européen de son nouveau président pourrait d'ailleurs la conduire à l'adhésion.

LES CONTENTIEUX AVEC LA RUSSIE

Pour Moscou, l'indépendance de l'Ukraine signifie la perte d'une région stratégique, ce qui a occasionné deux contentieux au début des années 1990 :

– le premier concerne le partage de la flotte soviétique de la mer Noire, basée à Sébastopol. Après de difficiles négociations, Kiev a accepté de louer à la Russie, pour une durée de vingt ans, une partie du port de Sébastopol, ainsi que plusieurs autres installations militaires ;

– le deuxième concerne la Crimée. Cette région, offerte à l'Ukraine par Khrouchtchev en 1954, est revendiquée par la Russie, car elle est peuplée à 67 % de Russes. Kiev s'est donc engagé à la transformer en une « république autonome dans le cadre de l'État ukrainien », pour calmer les revendications russes.

LA DÉPENDANCE ÉNERGÉTIQUE

Pour ses exportations énergétiques vers l'Union européenne, la Russie dépend des oléoducs et des gazoducs (35 000 km) qui parcourent l'Ukraine. Mais elle impose souvent ses propres règles : elle a ainsi exigé de Kiev que l'oléoduc Odessa-Brody serve à exporter le pétrole russe vers la Méditerranée, plutôt que d'évacuer le pétrole kazakh ou azerbaïdjanais, comme le prévoyait initialement le gouvernement ukrainien. Elle change également sans négociations le prix du gaz fourni.

itinéraires

ÉTATS-UNIS

INDE

Diego Garcia

Panamá City

Océan Pacifique

COLOMBIE

Politique étrangère des États-Unis

Diego Garcia

Canal de Panamá

américains

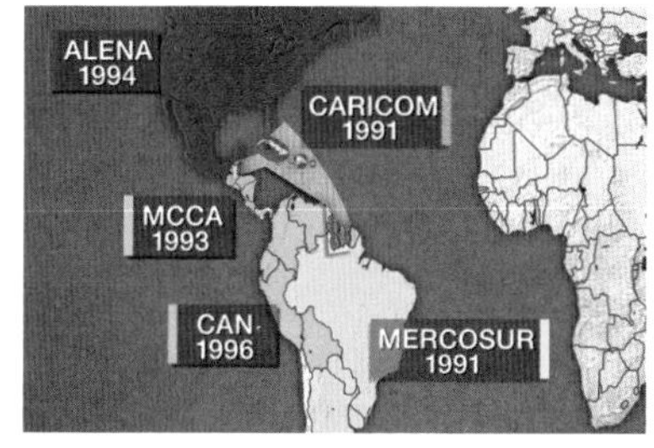

ZLEA

Brésil

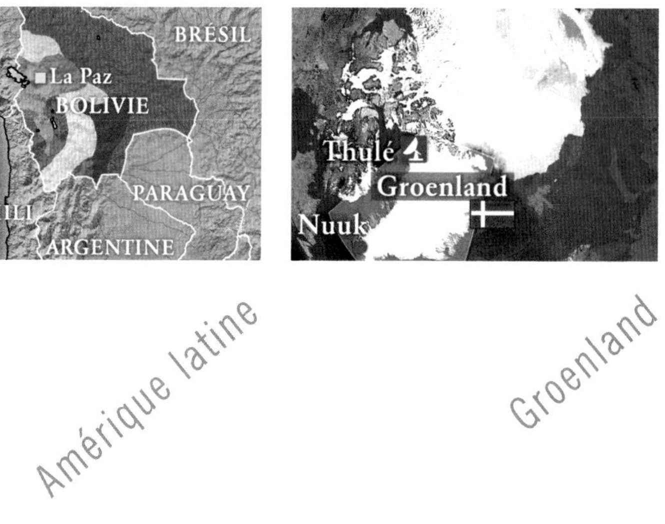

Amérique latine

Groenland

Seuls les grands fleuves et les barrières montagneuses altèrent la géométrie du découpage administratif des États-Unis. Ce sont en effet les lignes des méridiens et des parallèles qui ont été le plus souvent choisis pour dessiner les frontières entre les États. Tracer les frontières internes selon le principe d'égalité et non selon le terrain qui imposerait des « frontières naturelles » permettait d'accroître les chances de répartition égale des richesses du sol et du sous-sol.

POLITIQUE

Peut-on réfléchir, à l'aide de cartes, à la politique étrangère des États-Unis ? Tenter l'exercice suppose de faire appel à une histoire américaine relativement courte, deux cent cinquante ans, mais en s'appuyant sur une géographie large, puisque mondiale.

L'Amérique, peuplée depuis des milliers d'années par les nations indiennes, voit arriver en 1607 de l'Atlantique des marchands de la Compagnie de Virginie, puis en 1620 des pèlerins qui débarquent du navire *Mayflower*. Ces premiers colons viennent d'Angleterre, fuyant l'intolérance de l'Église anglicane.

Ces « Américains », nés de l'Europe, vont développer le long de la côte atlantique treize « colonies de la Couronne britannique », qui avec un flux constant d'immigrants venant d'Irlande, d'Écosse, de Hollande, de Suède, atteignent trois millions d'habitants en 1776.

En proclamant unilatéralement leur indépendance, ces premiers Américains déclarent de ce fait une guerre à la couronne d'Angleterre. La paix, signée en 1783 avec Londres, permet alors ce qu'on a appelé la « conquête de l'Ouest », une triple guerre contre la nature, les monarchies européennes et les nations indiennes.

ÉTRANGÈRE DES ÉTATS-UNIS

De l'est à l'ouest

Les tribus indiennes vivant en Amérique sont divisées. Sans pouvoir centralisé, elles ont rarement formé des coalitions anti-blancs. Et leurs territoires vont peu à peu se réduire à mesure de la progression des Américains.

Les États-Unis acquièrent ainsi par traité, par achat ou par la guerre, toutes les terres permettant de former un territoire continu allant de l'est à l'ouest – de l'Atlantique au Pacifique – et du nord au sud – des Grands Lacs au Rio Grande – en moins d'un siècle, le XIXe. C'est cela sans doute que les Américains considèrent comme « leur destinée manifeste ».

En 1890, le territoire des États-Unis d'Amérique est formé. Il a fallu chasser les Indiens de leurs terres, mais également les Européens : les Anglais, les Français, puis les Espagnols de leurs colonies nord-américaines. « L'Amérique aux Américains. » C'est le fondement de la doctrine du président Monroe au début du XIXe siècle.

À cet égard, 1898 est une date charnière, celle de la dernière guerre que les Américains mènent contre une puissance européenne. L'Espagne vaincue cède aux États-Unis la souveraineté qu'elle détenait :

– sur les Philippines et l'île de Guam dans le Pacifique ;

– sur Porto Rico et Cuba, dans les Caraïbes.

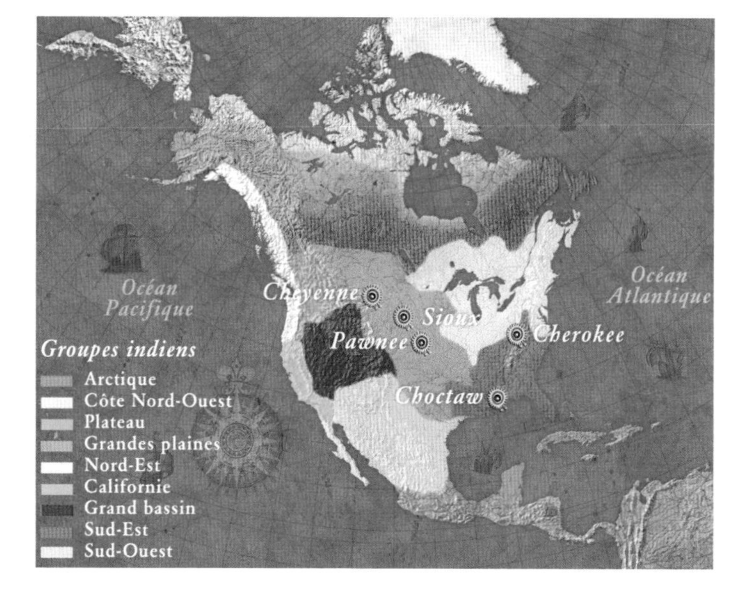

TERRE DES SIOUX, DES CHEYENNES...

L'Amérique est peuplée depuis des milliers d'années par les nations indiennes, dont on voit ici les principales localisations sur le territoire.

LA FORMATION DU TERRITOIRE AMÉRICAIN

Trois grandes acquisitions vont assurer la continuité territoriale du futur État américain.

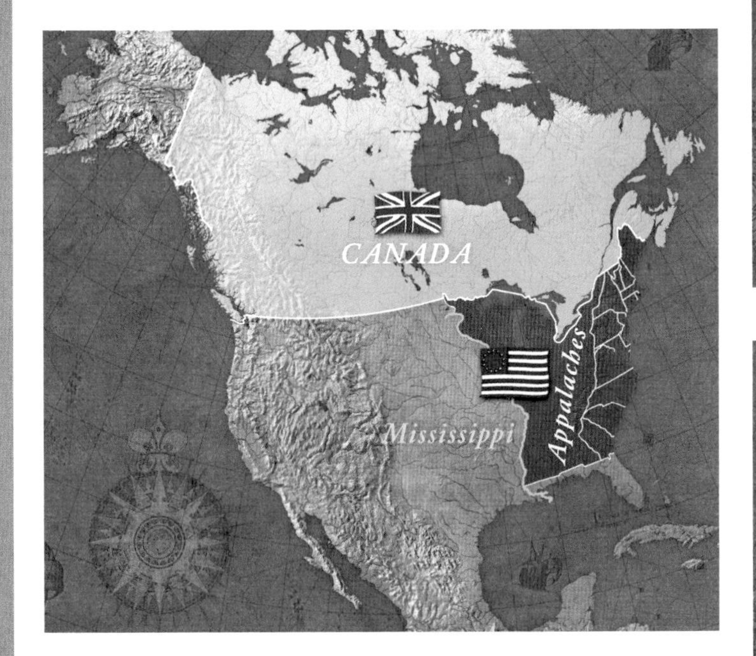

Après le traité anglo-américain de Versailles de 1783, un territoire entre la chaîne des Appalaches et le Mississippi s'ajoute aux treize États d'origine. En échange, Londres obtient l'absence de revendication américaine sur les possessions britanniques au nord. Ce sera le futur Canada.

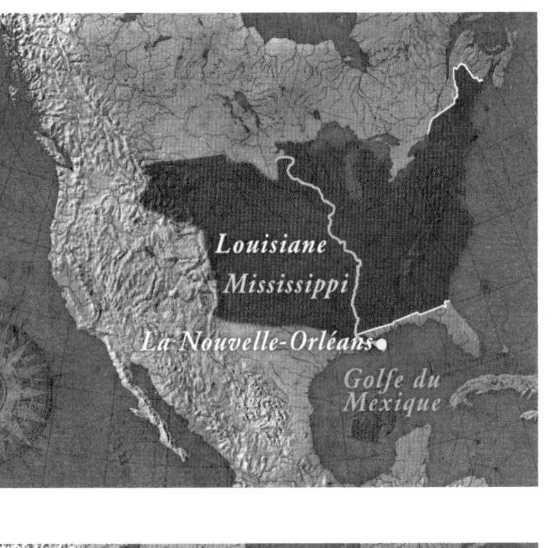

Un vaste territoire est ensuite acquis, aux contours mal connus, mal cartographiés, appelé Louisiane, du nom du roi de France, Louis XIV. Les Américains l'achètent à la France de Napoléon Ier en 1803. Ce territoire est une avancée commerciale majeure pour le gouvernement américain, car il débouche sur le delta du Mississippi et le port de La Nouvelle-Orléans, donc sur le golfe du Mexique.

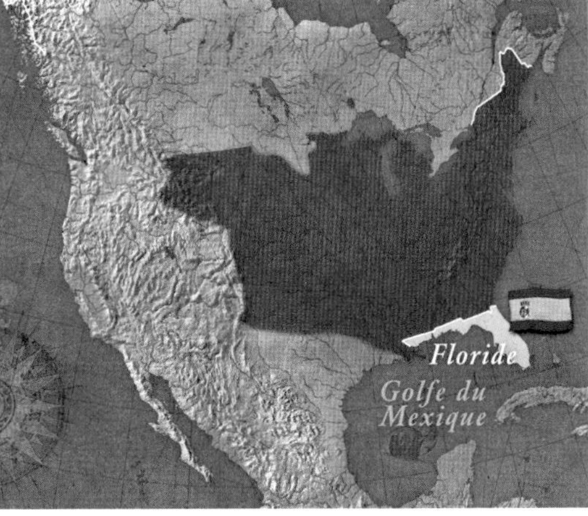

En 1819, les États-Unis obtiennent par le traité Adams-Onis la cession de la Floride espagnole, ce qui ouvre alors la totalité du golfe du Mexique au commerce américain. L'océan Pacifique est atteint en soixante-dix ans.

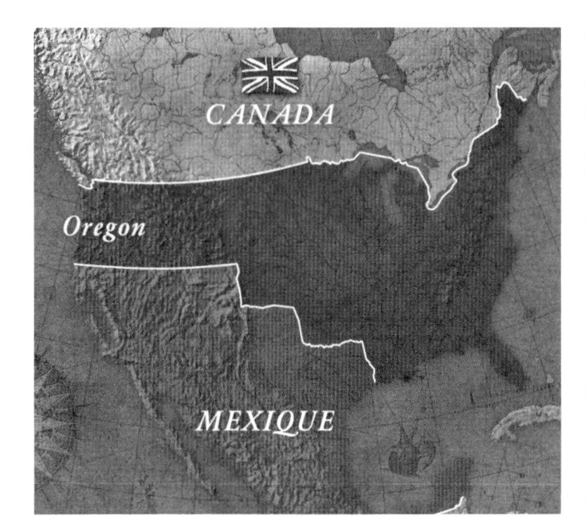

Après l'acquisition de l'Oregon, la rivalité entre Anglais et Américains s'achève, mais elle commence avec l'Amérique hispanique. Car au sud se trouve la république indépendante du Texas, fondée en 1835, au terme de la révolte des colons texans contre le dictateur mexicain Santa Anna. Le président démocrate, James Polk, accepte d'annexer le Texas en 1845, ce qui provoque la guerre entre les États-Unis et le Mexique.

Les Américains, vainqueurs en 1848, négocient en position de force avec le gouvernement mexicain l'achat d'un énorme territoire, qui formera ensuite les États de Californie, du Nevada, de l'Utah, de l'Arizona, une partie du Colorado et le Nouveau-Mexique. Le Mexique, indépendant depuis 1821, perd alors 40 % de son territoire. Et pour les États-Unis, c'est une troisième grande acquisition dans la formation de leur territoire.

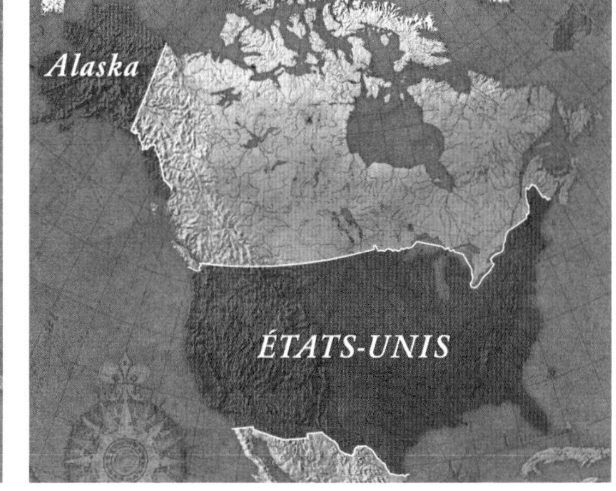

L'accord avec la Russie pour l'achat de l'Alaska est conclu le 30 mars 1867, pour 7 millions de dollars de l'époque. On peut d'ailleurs réfléchir aux conséquences pour les États-Unis si l'Alaska avait été soviétique pendant la guerre froide...

Et l'on remarque qu'après cette victoire sur l'Espagne s'engage au Congrès américain une réflexion sur le statut à donner à ces territoires conquis. Chaque individu, dès qu'il vit sous le drapeau américain, doit avoir les droits garantis par la Constitution. Sauf qu'à Cuba et à Porto Rico, ces territoires ne deviennent pas américains, car leurs populations sont alors perçues comme « non assimilables ». Les États-Unis deviennent eux aussi une puissance coloniale.

L'Amérique hors les murs

L'une des premières interventions américaines, loin du territoire récemment formé, consiste à envoyer en 1853 un navire de guerre le long des côtes japonaises pour contraindre Tokyo à ouvrir ses ports au commerce international. Cette pression militaire exprime à la fois la volonté américaine de commercer librement avec le Japon et la Chine, mais aussi celle d'un pays qui passe d'une vision continentale à une vision maritime. Car les interventions qui vont suivre sur l'atoll Johnston en 1858, aux îles Midway en 1867, aux îles Samoa en 1878, à Hawaii en 1898, cherchent à s'assurer par des influences politiques, ou simplement des traités bilatéraux, l'accès à des escales qui fournissent du charbon aux navires américains.

Avec le changement de siècle vient un changement de problématique et d'échelle. La logique des interventions extérieures américaines pour le XXe siècle se fonde sur les intérêts commerciaux, la suprématie stratégique, la défense des valeurs démocratiques, du moins dans le discours. Et c'est la Première Guerre mondiale qui va contraindre les États-Unis à acquérir cette dimension internationale. Car malgré les promesses de neutralité du président Wilson, deux facteurs entraînent le Congrès américain dans le conflit en Europe : soutenir le Royaume-Uni, les intérêts commerciaux et financiers américains étant majeurs dans ce pays, et faire respecter internationalement la liberté de navigation.

La décision allemande de couler tout navire allié croisant au large des côtes anglaises est une menace prise très au sérieux à Washington, après le torpillage du paquebot *Lusitania* à bord duquel se trouvaient plusieurs centaines d'Américains. Le Congrès déclare la guerre à l'Allemagne le 6 avril 1917. Les États-Unis mobilisent 4 millions d'hommes, en envoient la moitié en Europe sous les ordres du général Pershing, et en perdent quelque 100 000. Cette intervention implique définitivement les États-Unis dans les affaires internationales.

LES ÉTATS-UNIS DANS LA SECONDE GUERRE MONDIALE

À partir de 1942, 12 millions de personnes sont mobilisées, les deux tiers formant l'arrière, l'autre tiers partant au combat. Le calcul américain était d'empêcher l'avènement d'une grande puissance maritime en Asie, le Japon, et d'une grande puissance non démocratique en Europe, l'Allemagne nazie. Afin d'atteindre ces objectifs, 300 000 Américains y laissent la vie. Pour la démocratie en Europe, rappelons-le tout de même.

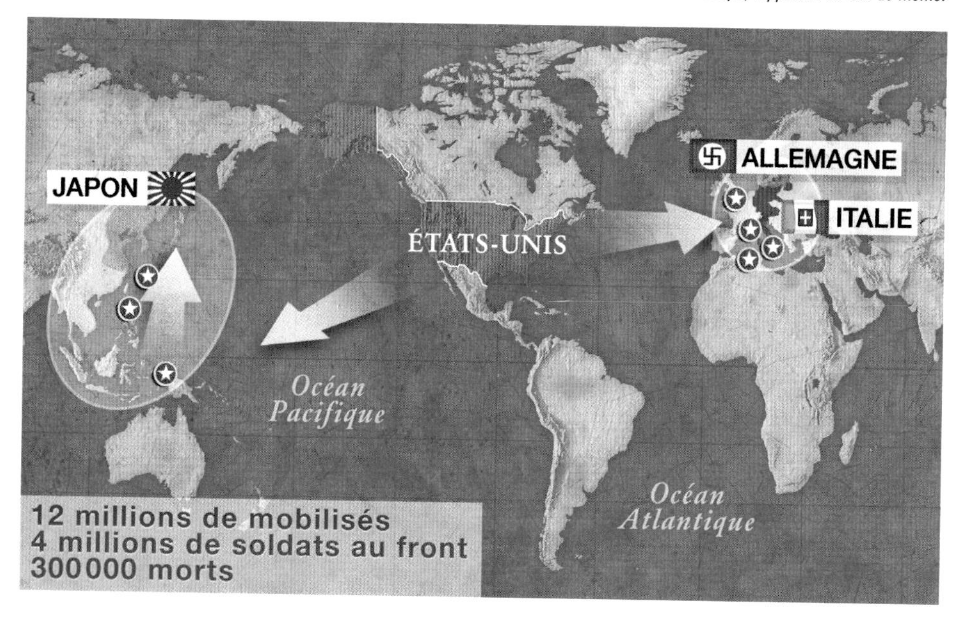

À peine vingt ans plus tard, la Seconde Guerre mondiale impose la deuxième grande intervention extérieure des États-Unis.
C'est en 1937 que le Congrès américain perçoit « la montée des périls » avec Hitler à la chancellerie allemande et la montée de l'antisémitisme qui en est la conséquence. Mais c'est avec l'attaque japonaise contre la base américaine de Pearl Harbour, le 6 décembre 1941, que les États-Unis sont contraints d'entrer dans la guerre.
Or, à la victoire de 1945, les États-Unis se retrouvent face à ce qu'ils avaient combattu : une puissance continentale, non démocratique, c'est-à-dire l'Union soviétique. La guerre froide entre Washington et Moscou est longue : 1947-1991. Le monde est alors divisé en deux blocs idéologiques, économiques et stratégiques.
Et pendant cette période, les interventions américaines sont indirectes face à l'adversaire, puisque si l'on se fait la guerre, ce n'est pas frontalement, mais par allié interposé. Tout de même : les interventions en Corée et au Viêt Nam coûtent la vie respectivement à près de 30 000 et 60 000 Américains ; tout est lu en fonction de l'anticommunisme, ce qui conduit à de profondes erreurs d'analyse et de perspective. On est bien placé aujourd'hui pour le savoir. Enfin, le régime économique de la libre entreprise l'emporte largement sur l'économie planifiée.

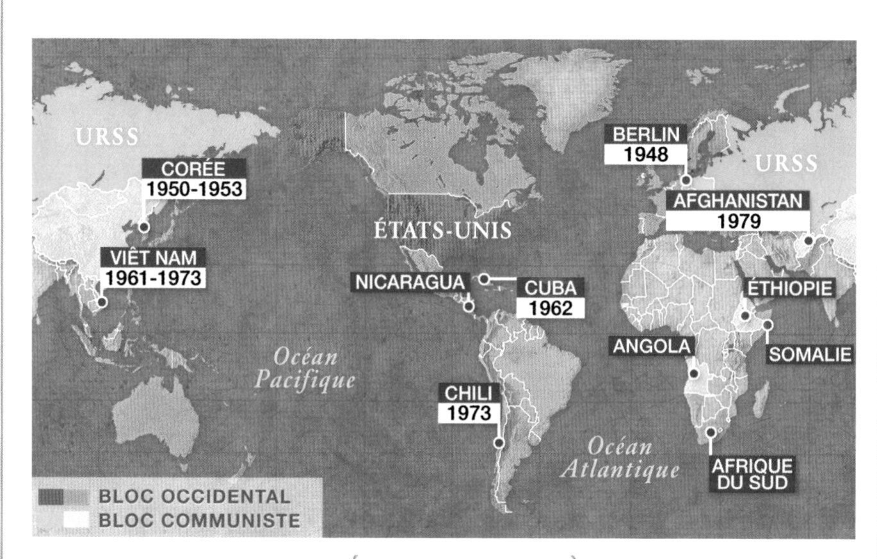

LES INTERVENTIONS AMÉRICAINES FACE À L'URSS

Pendant la guerre froide, la guerre se joue par allié interposé :
– à Berlin, lors du blocus de 1948 ;
– en Corée, entre 1950 et 1953 ;
– à Cuba, lors de la crise des missiles de 1962 ;
– au Viêt Nam, entre 1961 et 1973 ;
– en Amérique latine pour empêcher toute implantation ou survie des régimes socialistes : au Chili, soutien au coup d'État de Pinochet contre Allende, en septembre 1973 ; au Nicaragua, soutien aux « contras », qui mènent une guérilla contre le gouvernement sandiniste dans les années 1980 ;
– en Somalie ; en Éthiopie ; soutien à Savimbi en Angola ; au régime d'apartheid de Pretoria, en Afrique du Sud ;
– et enfin soutien à la résistance afghane pour contrer l'invasion soviétique de 1979. Ce soutien se retournera contre les intérêts américains.

Vers un nouvel ordre mondial ?

La fin de l'Union soviétique indique la fin d'une certaine menace, donc la fin d'un certain type d'interventions. À partir de 1991, lectures et cartes doivent donc être différentes.
La guerre du Golfe de 1990-1991, c'est-à-dire l'intervention de la coalition arabo-occidentale conduite par Washington contre l'Irak, est peu liée au franchissement de frontière d'un pays par un autre, mais plutôt à la tentative de Bagdad de préempter 9 % des réserves mondiales de pétrole détenues par le Koweït.
Les États-Unis parlent alors d'un « nouvel ordre mondial », mais ils échouent militairement et politiquement en Somalie, et l'administration Clinton refuse ensuite d'intervenir en Bosnie ou au Kosovo. Le besoin de lutter contre l'idée de purification ethnique qui renaît dans les Balkans n'apparaîtra que tardivement pour Washington, uniquement avec des avions, et ce seront ceux de l'Otan. Les intérêts américains n'étaient pas là clairement identifiés pendant la présidence démocrate, et pourtant, on était au cœur même d'enjeux démocratiques.

LA GUERRE DE SÉCESSION

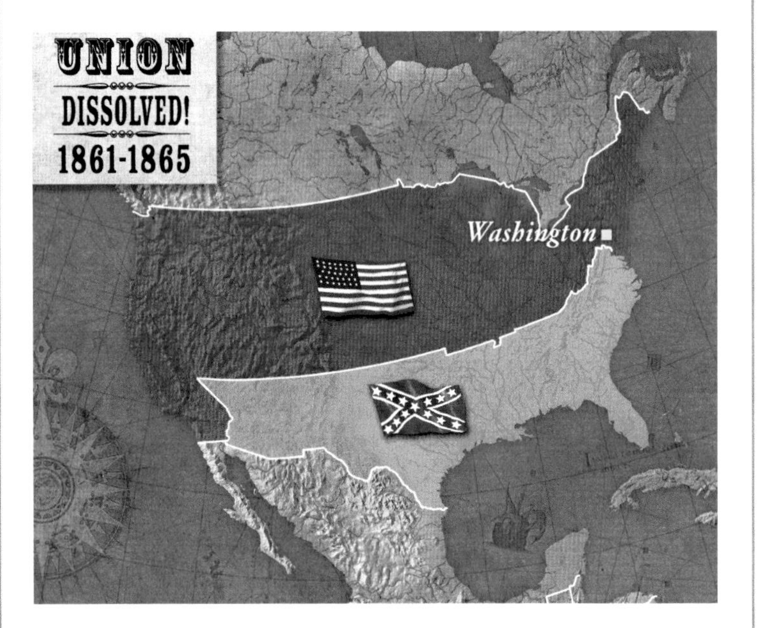

Les espaces étant immenses, et les États-Unis formés rapidement, le risque existait d'une extension excessive du territoire ou de sa partition. Il s'en est d'ailleurs fallu de peu.
La guerre de Sécession a ravagé le pays entre 1861 et 1865. Elle opposait les États du Sud confédérés, voulant faire sécession car favorables au libre-échange et au maintien de l'esclavage comme source de main-d'œuvre, aux États du Nord, dits États de l'Union, favorables au protectionnisme et à l'abolition de l'esclavage.

La fin de l'invulnérabilité

Les États-Unis, pays jeune, ont eu la chance de ne connaître que quatre fois la guerre sur leur sol :
– guerre contre les Anglais, lorsque les treize colonies fondatrices déclarent leur indépendance en 1776 ;
– destruction de Washington par l'armée britannique, en 1814 ;
– guerre de Sécession de 1861 à 1865 opposant les États fédérés du Nord aux États esclavagistes du Sud, c'est une guerre civile ;
– et enfin, le 11 septembre 2001, lors d'une attaque ressentie par les Américains comme un acte de guerre car sur leur sol même.
D'où cette perception nouvelle des citoyens américains : celle d'être attaqués, et celle d'être vulnérables.
Intérêts commerciaux, suprématie stratégique, lutte pour les valeurs démocratiques, d'ailleurs souvent vues comme la lutte du bien contre le mal ; le XXIe siècle donne-t-il une continuité à ces grands mobiles d'intervention du XXe siècle ?
Dans toute culture militaire, pour répondre à une attaque, il faut identifier l'agresseur, puis le localiser. Si on regarde une carte du monde post-11 septembre, on se trouve devant un cas de figure où l'ennemi n'est pas localisable, il ne s'agit pas d'un État, ni même d'une armée, on est dans un schéma stratégique nouveau dans lequel on livre une guerre où l'ennemi n'a pas de territoire. Ou bien plusieurs.
La nouveauté est que la géographie ne sert plus à faire la guerre. Quelle réponse, sur quel champ de bataille puisqu'il n'y a ni champ, ni bataille, ni négociation ?

La stratégie américaine…

La stratégie américaine est faite d'attaque et de défense, c'est-à-dire d'interventionnisme et d'isolationnisme. Ce qui est assez classique dans la politique américaine et recoupe les mobiles d'intervention du XXe siècle.
La première réponse au 11 septembre porte la guerre en Afghanistan, là où se trouve l'agresseur présumé, un Saoudien nommé Oussama Ben Laden, bien connu de la CIA qui l'a formé dans les années 1980 à se battre contre les Soviétiques. Si l'opération en Afghanistan est un succès politique avec la chute des talibans puis

l'installation d'un régime ami à Kaboul, elle est en revanche un semi-échec sur le plan militaire puisque ni le mollah Omar, ni Ben Laden n'ont été retrouvés. Et les talibans restés sur place demeurent une menace permanente pour le pays.
Ensuite, les États-Unis voulant identifier les menaces potentielles, ont déclaré qu'il existait dans le monde un « axe du mal » constitué par la Corée du Nord, l'Iran, l'Irak – on note que le Pakistan, pays allié, n'est jamais nommé. Ces pays auraient des moyens de destruction massifs, et des intentions politiques belliqueuses. Mais contrairement à l'« empire du mal » dont parlait le président Reagan à propos de l'Union soviétique, et plus encore, contrairement à l'Axe formé pendant la Seconde Guerre mondiale par l'Allemagne nazie, l'Italie fasciste et le Japon militariste, les pays de l'« axe du mal » n'ont pas de coordination stratégique ni d'objectifs convergents. Ils ne forment pas de coalition organisée.
Pour répondre à ce risque d'attaque nucléaire, ou chimique, les États-Unis tentent de réaliser le vieux rêve de l'invulnérabilité, en construisant un « bouclier antimissile » : c'est la deuxième caractéristique de leur politique étrangère, l'isolationnisme.

… et ses limites

Mais on touche là aux limites de la stratégie américaine : face aux armes blanches et au sacrifice des terroristes, le bouclier antimissile est de peu d'utilité. Car il n'existe pas de solution technologique ou militaire aux recherches d'identités. Il faut pour y répondre analyser leurs origines, leurs mécanismes, leurs moteurs. Certains sont financiers, d'autres politiques, et souvent même psychologiques.
Mais comme ce fut le cas pendant le long conflit avec l'URSS et le bloc de l'Est, les États-Unis reprennent au XXIe siècle un concept stratégique qui consiste à repolariser le monde : il y a ceux qui coopèrent avec les États-Unis dans leur lutte contre le terrorisme, et les autres. Il n'y a pas de voie médiane, car pour les États-Unis, il n'y a strictement rien à comprendre face aux attentats du 11 septembre 2001.

Voir également : DIEGO GARCIA (p. 56-59), CANAL DE PANAMÁ (p. 60-63), ZLEA (p. 64-65), GROENLAND (p. 74-75) et LE MOYEN-ORIENT SOUS INFLUENCE (p. 78-81).

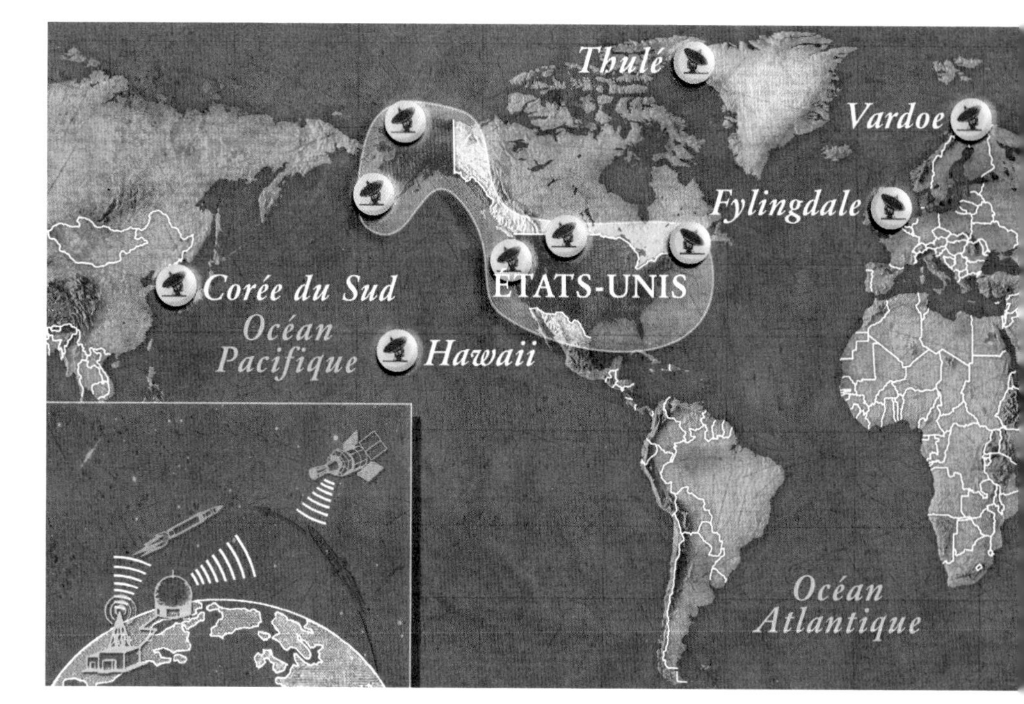

LE BOUCLIER ANTIMISSILE

Pour parer à une attaque nucléaire ou chimique, les États-Unis construisent un bouclier antimissile, suite technologique et politique de la « guerre des étoiles », lancée dans les années 1980. Il s'agit d'intercepter en vol les missiles lancés vers le territoire américain. Et vers ce territoire uniquement.

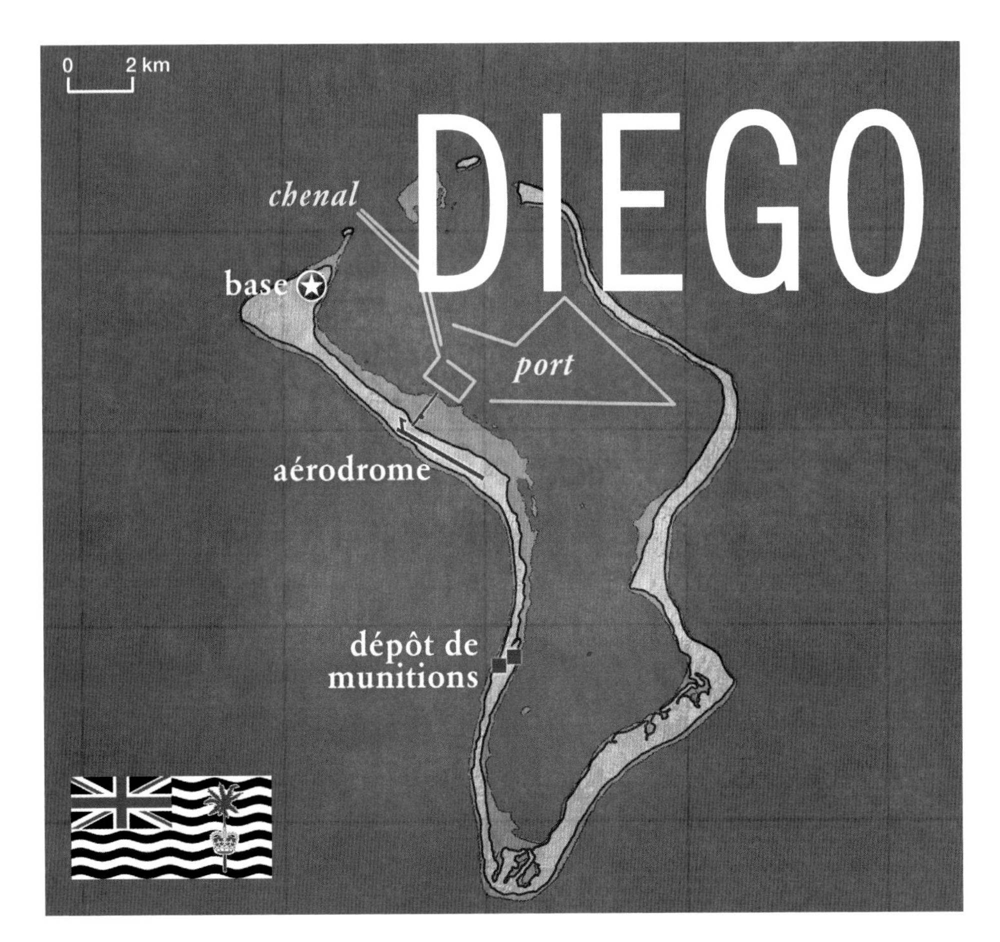

DIEGO GARCIA
L'île porte-avions

La géologie de l'atoll fait de Diego Garcia un port naturel protégé, puisque le lagon n'est accessible que par le nord. Avec une profondeur de 31 m et une largeur maximale de 10 km, le lagon peut accueillir navires de surface et sous-marins nucléaires. La base militaire en tant que telle est située à l'entrée du lagon. Plus au sud, une piste d'aviation suffisamment longue a été construite pour accueillir les B52 et les avions de transport, de même que des dépôts de munitions conventionnelles ont été aménagés. Enfin, Diego Garcia accueille le Centre de surveillance de l'espace (GEODSS). Au total, environ 3 500 personnes – militaires et civils – travaillent à Diego Garcia pour l'armée américaine, plus une cinquantaine de Britanniques chargés de l'administration civile, l'île étant toujours officiellement sous souveraineté anglaise.

Comment Diego Garcia, minuscule île au milieu de l'océan Indien, joue-t-elle un rôle majeur dans l'application de la stratégie militaire des États-Unis?

L'île de Diego Garcia est la plus vaste des îles de l'archipel des Chagos. Découverte au début du XVIe siècle par des Portugais en route pour les Indes, elle est alors déserte. Pourtant, l'origine de son nom est contestée : porte-t-elle le nom de son découvreur, Diego García, dont on ne trouve pourtant pas trace de navigation dans l'océan Indien? Ou celui de ses deux découvreurs, le navigateur Diego et le capitaine García? S'agit-il de l'erreur d'un cartographe? Personne ne le sait, et des Portugais, l'île ne va finalement conserver que le nom. En effet, la France, qui est déjà présente plus au sud dans les îles de France et Bourbon, les actuelles îles Maurice et de la Réunion, revendique Diego Garcia au XVIIIe siècle. Comme cette île est isolée, elle va d'abord servir de léproserie, avant que ne soit exploitée la noix de coco. En 1814, Diego Garcia, tout comme l'île Maurice, devient britannique.

De l'escale à la base militaire

Par sa position géographique, Diego Garcia est située sur la route maritime qu'empruntent les pétroliers entre le Moyen-Orient et l'Amérique du Nord, puisque leur tonnage interdit leur passage par le canal de Suez. Aussi, lors de la crise de Suez en 1956, la fermeture du canal fait prendre conscience aux États-Unis de l'importance de cette route par le Moyen-Orient. Afin de s'assurer la liberté de circulation sur les mers, les Américains se mettent en quête, dans les années 1960, d'un point d'appui dans cette région. Les Britanniques vont alors détacher de leur colonie mauricienne l'archipel des Chagos, pour former en 1965 le British Indian Ocean Territory.

Par l'accord du 30 décembre 1966, les États-Unis obtiennent un bail d'une durée de cinquante ans, renouvelable vingt ans, pour établir sur cet atoll de Diego Garcia une base d'écoute et de communication. En échange, les Américains offrent au Royaume-Uni des fusées Polaris à très bas prix.

Mais c'est la guerre froide qui véritablement change le rôle de Diego Garcia. Face à l'accroissement de la présence navale soviétique dans l'océan Indien, Washington, avec l'accord de Londres, décide la construction d'une base américaine à Diego Garcia, qui deviendra peu à peu un complexe aéronaval ultramoderne, capable d'accueillir des porte-avions. Tous les habitants de l'archipel des Chagos, environ 1400 personnes, descendants d'esclaves africains, sont tout simplement expulsés de l'archipel vers les Seychelles et l'île Maurice nouvellement indépendante. Or le dédommagement financier accordé au gouvernement mauricien pour leur installation ne vient qu'au compte-goutte, et les Chagossiens, majoritairement analphabètes et ne parlant que le créole, finissent en grande majorité dans les bidonvilles de Port Louis, la capitale mauricienne.

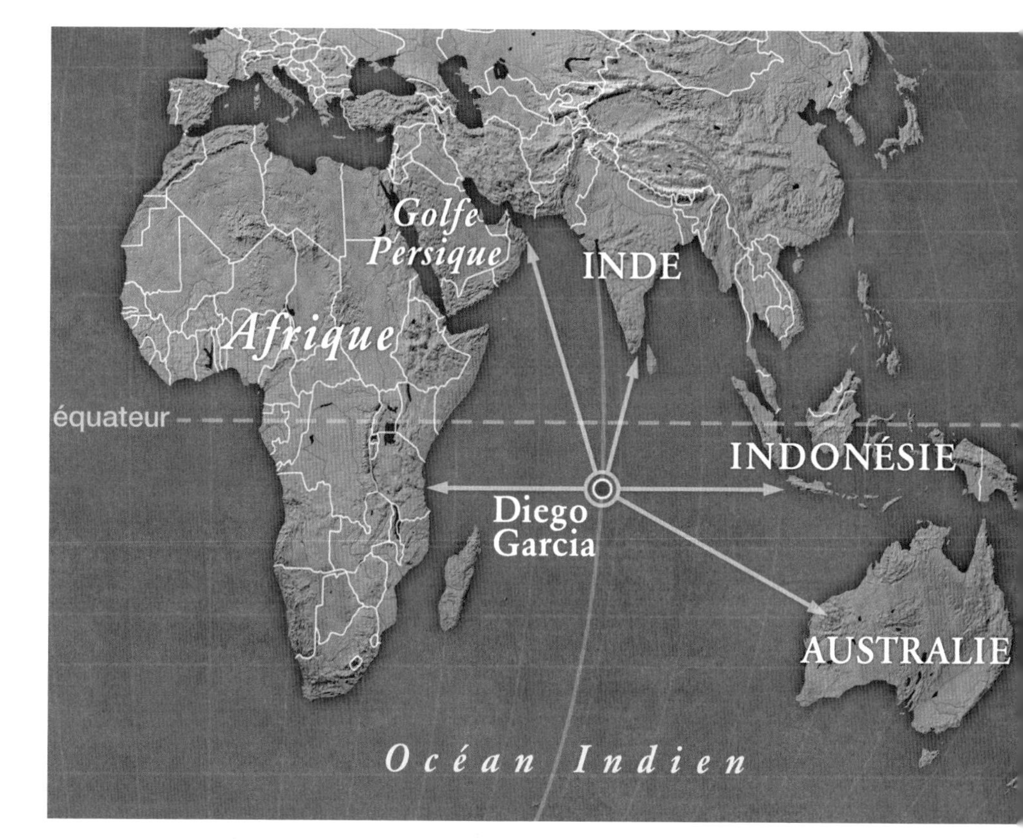

AU CENTRE DE L'OCÉAN INDIEN

L'île est située à moins de 2000 km de l'Inde, à 3500 km de l'Afrique et de l'Indonésie, à 4500 km du golfe Persique et à 5000 km des côtes occidentales de l'Australie. Cette position tout à fait centrale confère à Diego Garcia une importance considérable.

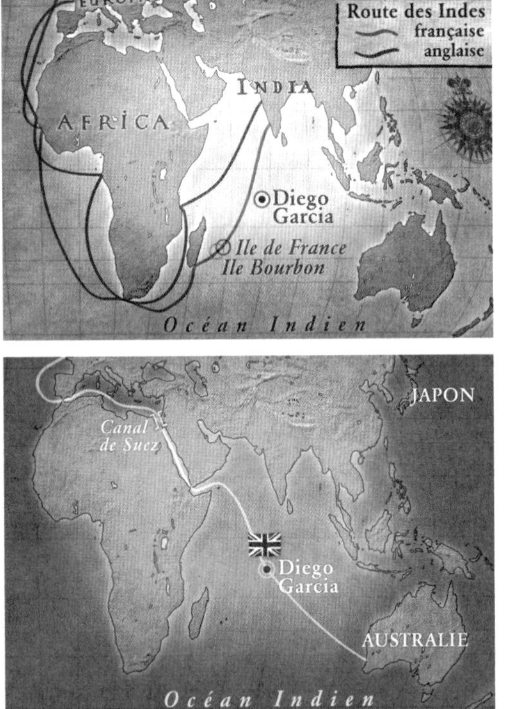

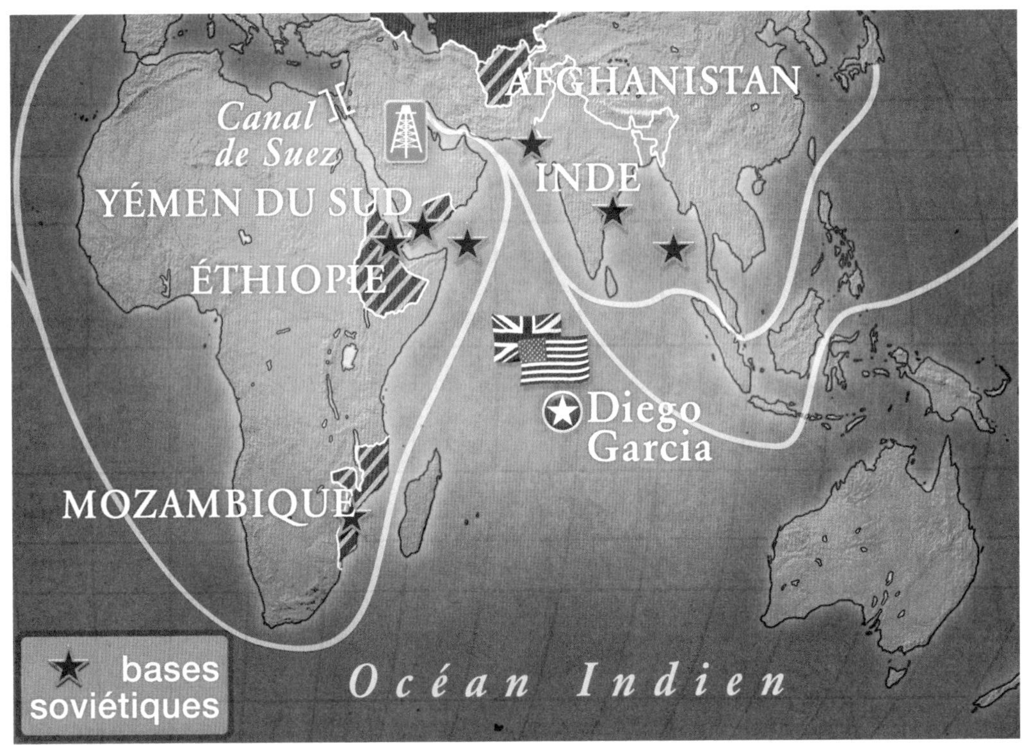

DE LA ROUTE DES INDES À LA DOMINATION AMÉRICAINE

Point d'appui sur la route des Indes, l'île est disputée par les Français et les Anglais au XVIIIe siècle. Devenue britannique en 1814, elle sert, après l'ouverture du canal de Suez à la fin du XIXe siècle, de port de ravitaillement en charbon pour les vapeurs qui font route depuis la Grande-Bretagne vers l'Australie, avant qu'une base y soit installée par la Royal Air Force pendant la Seconde Guerre mondiale, pour tenir à l'écart la marine japonaise. Mais ce sont les États-Unis qui vont, après-guerre, s'intéresser de très près à ce minuscule territoire, car l'île permet de surveiller les routes d'approvisionnement en pétrole du Moyen-Orient et de faire face pendant la guerre froide à l'accroissement de la présence navale soviétique dans l'océan Indien. L'accord « d'amitié et de coopération » indo-soviétique en 1971 permet en effet à la marine russe de prendre des points d'appui dans les ports d'Okha, de Visakhapatnam et de Port Blair, dans les îles Andaman. L'URSS a également des facilités navales au Yémen du Sud, et son influence se renforce dans les années 1970, avec la mise en place de régimes pro-soviétiques au Mozambique en 1975, en Éthiopie en 1976, et bien sûr l'invasion de l'Afghanistan en 1979.

Une position stratégique pour Washington

Une fois achevée, la base de Diego Garcia remplit deux fonctions dans la stratégie de défense américaine. La première vise à compenser pour Washington la perte dans la région de l'allié iranien après la révolution islamique en 1979. La seconde est de garantir l'accès au pétrole du Moyen-Orient. Et de fait, par sa position centrale, les États-Unis peuvent depuis Diego Garcia intervenir dans tous les recoins de cette partie du monde et se rendre en moins de quatre jours de navire en Inde ou dans le détroit de Malacca, en cinq à six jours dans le golfe Persique ou sur la côte ouest de l'Australie et en sept jours au cap de Bonne-Espérance. Alors que la guerre froide est terminée depuis 1991, Diego Garcia a pourtant gagné en importance au sein du système militaire américain. En 1991, pendant la guerre du Golfe, l'île est le pivot des raids contre l'Irak au cours de l'opération « Tempête du désert ». C'est de l'île en effet que partent les avions américains, et c'est là qu'ils viennent se ravitailler. D'où le nom de « super-porte-avions » donné à Diego Garcia par les Américains. Après les attentats du 11 septembre 2001, lors de la guerre lancée contre le régime des talibans, l'île n'est qu'à six heures de vol de l'Afghanistan pour les B52 qui partent pilonner les caches des combattants d'al-Qaida. On le déduit, les États-Unis ne sont pas prêts à renoncer à leur unique base dans l'océan Indien. D'autant qu'il n'y a plus d'habitants. Les États-Unis les ont fait expulser au moment de la construction de leur base, car ils craignaient qu'ils puissent subir l'influence communiste.

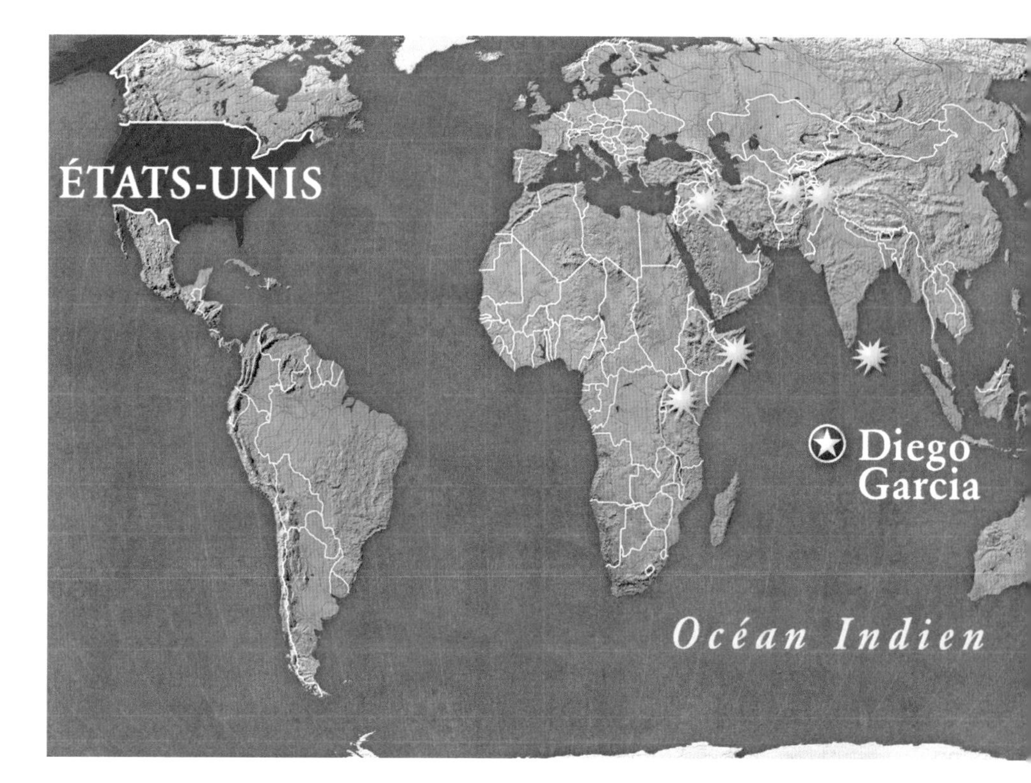

AU CŒUR DE LA STRATÉGIE AMÉRICAINE
Dans le dispositif général américain, et notamment dans le cadre de la lutte contre le terrorisme, Diego Garcia est devenu un point essentiel dans une région qui reste instable en Irak, en Afghanistan et au Cachemire, ainsi que de manière plus globale au Sri Lanka, en Somalie, voire même en Iran.

Que sont devenus les Chagossiens ?

Les 8 500 descendants des Chagossiens qui ont trouvé refuge à l'île Maurice ont porté plainte contre le Royaume-Uni et ont obtenu gain de cause en 2000. La Haute Cour de justice du Royaume-Uni a jugé illégale l'expulsion de ces populations, qui ont obtenu la pleine citoyenneté britannique, donc européenne, ainsi qu'une compensation financière et le droit au retour. Une plainte a été déposée contre le gouvernement des États-Unis, lequel va bien logiquement s'opposer, du moins tant que cette base servira si bien ses intérêts stratégiques. Le bail expire en 2016.

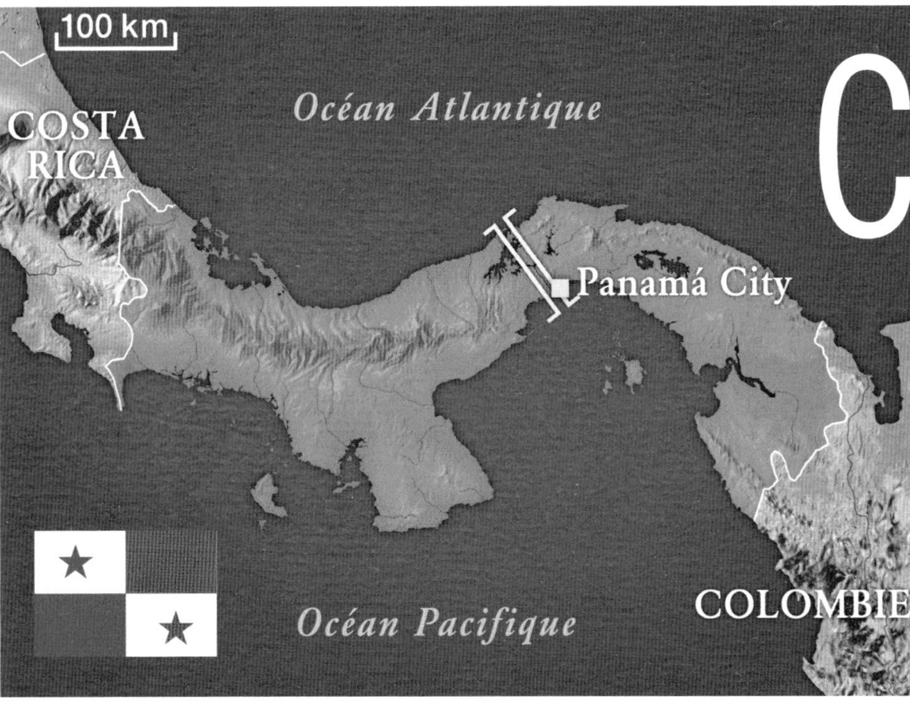

Pour le Panamá, la restitution du canal en 1999 est comme un passage à l'âge adulte du pays, succédant aux tutelles espagnole, colombienne et américaine.

CANAL DE

Considérée pendant près d'un siècle comme une voie d'eau intérieure américaine, le canal de Panamá est repassé le 31 décembre 1999 sous souveraineté panaméenne.

Le canal de Panamá a été percé au début du XXe siècle dans la partie la plus étroite de l'isthme centraméricain, afin de permettre un passage entre les océans Atlantique et Pacifique. Bien que situé sur le territoire de l'État de Panamá, le canal est resté près de cent ans sous souveraineté nord-américaine, coupant le pays en son milieu, et souvent ressenti par les Panaméens comme une « blessure ». Le traité de restitution a été signé en 1977 entre les dirigeants panaméen Torrijos et américain Carter.

Une restitution sous contrôle

Or Washington, en signant ce traité, a conservé un droit de regard sur le canal, à savoir priorité de passage pour l'US Navy et « droit d'intervention », si la sécurité ou le fonctionnement du canal se trouvaient menacés de l'intérieur ou de l'extérieur. Néanmoins, le retrait de la zone du canal a imposé pour les États-Unis un redéploiement stratégique.

En juillet 1999, le commandement sud des forces américaines a été transféré de Panamá à Porto Rico et Miami. Et ce sont désormais les bases aériennes de Manta, en Équateur, et d'Aruba, aux Antilles néerlandaises, qui sont utilisées pour la surveillance aérienne des narcotrafiquants, très présents dans la Colombie voisine.

Une voie d'eau américaine

PANAMÁ

La fin de la « blessure » : entre nationalisme et enjeux économiques

Pour le Panamá, la restitution du canal signifie à la fois émancipation politique – après des siècles de tutelles espagnole et américaine – et enjeux économiques. Ce petit pays d'environ 77 000 km² cherche à tirer profit de sa position ouvrant sur deux océans pour se transformer en une plate-forme de distribution des marchandises pour l'ensemble de l'Amérique latine. Jusqu'en 1999, les navires – 14 000 par an en moyenne – traversaient le canal sans toucher terre, sauf si leur destination finale était la zone franche de Colón. Les ports de Cristobál et Balboa, à chaque extrémité du canal, étaient sous le contrôle des États-Unis, qui ne voulaient pas les développer, afin d'éviter de concurrencer leurs ports situés plus au nord.

Dès 1995, un premier port privé a pu être ouvert côté atlantique, capable d'accueillir plus de 800 000 conteneurs par an, soit presque autant que le port de Miami. En 1996, une compagnie de Hongkong a pris la gestion des ports de Balboa et Cristobál, et une société taïwanaise a obtenu en 1997 la concession d'un port de conteneurs à proximité de la zone franche de Colón.

Il faut savoir que la Chine est le troisième utilisateur du canal après les États-Unis et le Japon.

L'enjeu de l'élargissement du canal

Le canal est aujourd'hui la première ressource économique de l'isthme, en contribuant à 10 % des revenus du pays. Il a réalisé en 2003 ses meilleurs résultats en 90 ans d'existence, contredisant ainsi les craintes émises en 1999 concernant les capacités de la république de Panamá à en assurer la gestion.

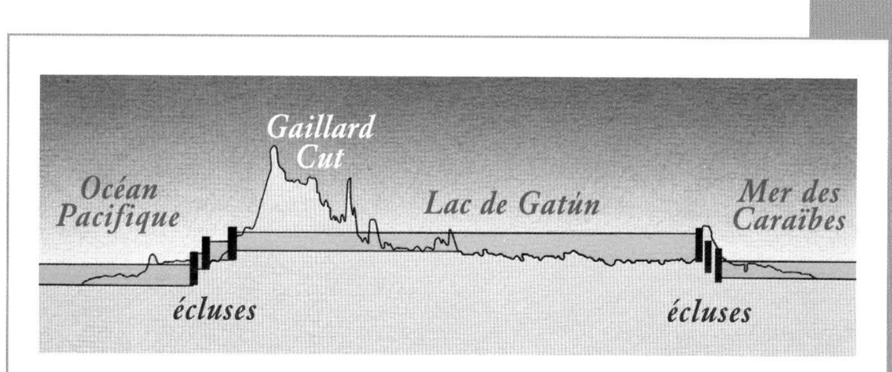

LE FONCTIONNEMENT DU CANAL

Il faut environ 8 à 9 heures pour traverser les 80 km du canal, et en moyenne une douzaine d'heures d'attente à l'entrée. En partant de la côte atlantique, un navire passe les écluses de Gatún, qui l'amène 26 mètres plus haut, dans les eaux du lac artificiel du même nom. Le navire poursuit alors sa course jusqu'au village de Gamboa, au centre du canal. Après le passage Gaillard, le bateau passe l'écluse de Pedro Miguel, pour redescendre de 10 mètres, puis celle de Miraflores pour retrouver enfin le niveau de l'océan Pacifique, 16 mètres plus bas. Avec un droit de passage d'environ 2,60 dollars par tonneau transporté, un navire moyen paye à peu près 35 000 euros la traversée, ce qui revient jusqu'à dix fois moins cher que le passage par le cap Horn.

DU TRANSPORT À DOS DE MULETS AU CANAL INTEROCÉANIQUE

L'idée d'ouvrir un canal à travers l'isthme remonte à la colonisation espagnole au XVIe siècle. Mais le projet est rapidement abandonné par l'Espagne qui redoute que des navires non espagnols aient accès à ses colonies. Pour sa part, le roi Philippe II considère que « l'homme ne doit pas séparer ce que Dieu a uni ».
Il faut dire que l'étroitesse de l'isthme favorise le transport de marchandises à dos de mulets, entre les côtes atlantique et pacifique. Or la piraterie dans les Caraïbes va peu à peu freiner ces échanges et faire préférer aux navigateurs des routes vers le Pacifique plus longues, mais plus sûres, par le détroit de Magellan ou le cap Horn.
C'est finalement la ruée vers l'or au XIXe siècle qui relance les échanges via Panamá. Car l'isthme offre aux pionniers, qui partent en Californie, une route plus sûre que la traversée des grandes plaines de l'Ouest américain. Après la construction d'une voie de chemin de fer en 1855, le projet de percement d'un canal est de nouveau évoqué. Le Français Ferdinand de Lesseps, qui a déjà construit le canal de Suez, tente l'aventure, mais après un scandale financier retentissant, ce sont les États-Unis qui se chargent de sa construction. Au cours de la guerre de 1898 contre l'Espagne, ils ont pris conscience de l'importance stratégique d'un canal qui leur permettrait de faire passer leur flotte d'un océan à l'autre. Aussi, les États-Unis soutiennent la création d'un Panamá indépendant le 4 novembre 1903, dont ils obtiennent en échange la cession à perpétuité d'une zone de 16 km de large autour du futur canal. Son percement commence en 1904, le canal est inauguré, dix ans plus tard, en 1914.

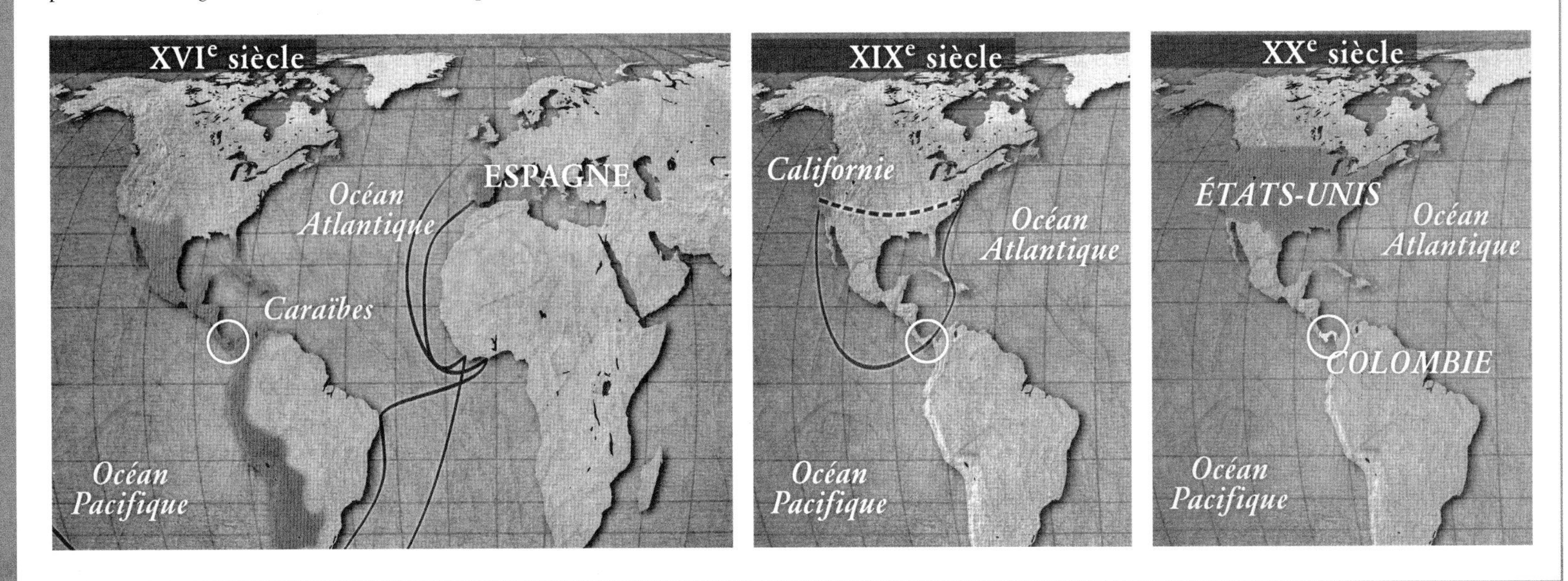

Or le canal est pratiquement saturé. L'accroissement du gabarit des navires, l'augmentation du trafic, en particulier de et vers la Chine, rend nécessaire son élargissement. La réalisation de nouvelles écluses, dont le coût des travaux s'élèveraient entre 7 et 9 milliards de dollars, est donc un enjeu majeur pour le pays, qui craint de ne pouvoir mettre en place des tarifs suffisamment élevés pour rentabiliser ces investissements face à la concurrence des routes maritimes qui contournent le continent sud-américain.

Un pays pauvre

Le Panamá est la deuxième zone franche au monde après Hongkong, un centre bancaire international ; et par le jeu des pavillons de complaisance, le pays dispose de la plus grande flotte commerciale mondiale.

Grâce au canal, le revenu par tête pour les habitants du Panamá est le plus élevé d'Amérique centrale. Et pourtant, le pays détient le record mondial des écarts de richesse : 40 % des 3,1 millions de Panaméens vivent en dessous du seuil de pauvreté. La restitution du canal au Panamá n'a pas permis le rééquilibrage entre la capitale, qui concentre 80 % de l'activité économique, et le reste du pays, plutôt rural : bananes, canne à sucre, café, pêche continuent d'employer près d'un quart de la population active.

L'élection de mai 2004 a porté à la présidence du pays Martín Torrijos, du Parti révolutionnaire démocratique (gauche), fils de l'ancien dictateur Omar Torrijos. Il a promis un « nouveau pacte social » et l'élimination de la corruption, ce qui semble nécessaire dans un pays socialement fragile, très inégalitaire, et qui demeure une plaque tournante pour le trafic de drogue et le blanchiment des narcodollars.

L'autre défi à relever porte sur les investissements qu'il conviendra de faire pour augmenter la capacité de traitement du canal, voire son doublement, comme cela est envisagé depuis plusieurs années.

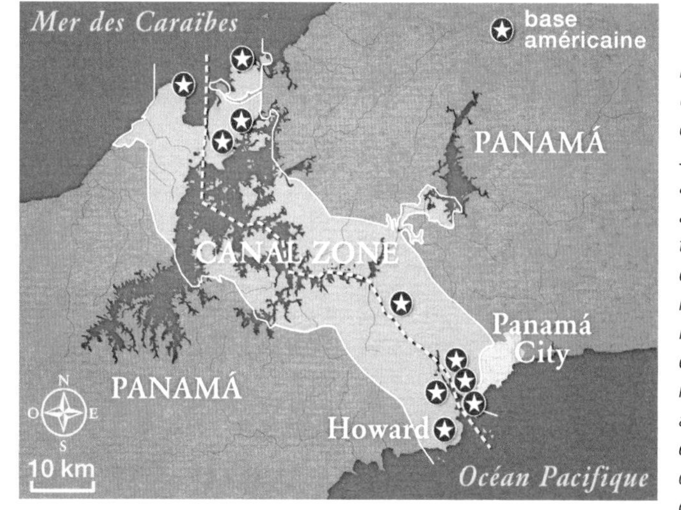

UN POINT NÉVRALGIQUE POUR LES ÉTATS-UNIS

La Canal Zone, concédée aux États-Unis en 1903 de part et d'autre du canal, coupait le Panamá en deux. Jusqu'en 1999, dix bases militaires américaines y étaient positionnées, avec quelque 10 000 soldats. Ces troupes assuraient la sécurité du canal, mais elles avaient aussi un rôle plus régional, avec la base Howard, siège du quartier général du commandement sud qui conduisait les programmes militaires américains dans la région. Ce qui explique aussi une telle concentration militaire, c'est que le canal est perçu par les États-Unis comme une voie d'eau intérieure. En effet, en 1996, sur les 14 000 navires qui franchissaient le canal, 60 % naviguaient pour le compte d'intérêts américains, principalement entre la côte est et l'Asie.

LES PLUS IMPORTANTS CANAUX DU MONDE

CANAUX (par année de construction)	TRAFIC (en millions de tonnes, 2003)	TRAFIC (en nombre de navires)	LONGUEUR (en kilomètres)
Suez, Égypte (1869)	456	15 000	195
Kiel, Allemagne (1895)	72,3	39 797	99
Panamá (1914)	189,5	14 000	80
Saint-Laurent, Canada/États-Unis (1959)	40,87	4 400	293

Voir également : POLITIQUE ÉTRANGÈRE DES ÉTAT-UNIS (p. 48-55), CHINE, LE PAYS SOUS LE CIEL (p. 120-131) et LES MERS EN DANGER (p. 220-225).

ZLEA DE L'ALASKA À LA TERRE DE FEU

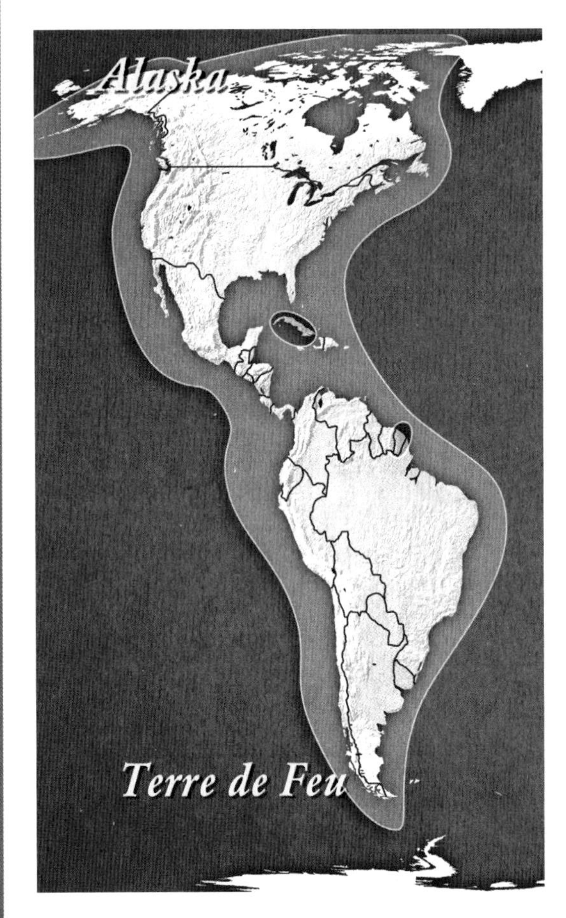

L'intégration régionale touche aujourd'hui les quatre coins de la planète, y compris les Amériques, qui cherchent à constituer la plus grande zone de libre échange au monde.

Ce projet lancé par les États-Unis, dans les années 1990, comprend tous les États américains, à l'exception de Cuba, toujours sous embargo américain, du fait du régime castriste. Or, sa mise en œuvre suscite plusieurs interrogations.

Une zone très déséquilibrée

Le Brésil, poids lourd du continent sud-américain, représente aujourd'hui 7 % du PIB de la zone, alors que les États-Unis à eux seuls en représentent 75 %. La zone associe donc des pays très riches, au nord, à des pays en développement dans la partie sud, où 80 millions de personnes vivent en dessous du seuil de pauvreté. Or l'expérience récente de l'Accord de libre-échange nord-américain (ALENA), mis en place en 1994 entre le Canada, les États-Unis et le Mexique, a montré que ce type d'accord pouvait dynamiser les échanges entre les partenaires, et entraîner pour le plus pauvre d'entre eux, le Mexique, un coût social et économique important.

Une interrogation: le dossier agricole

L'agriculture est un secteur vital pour les pays d'Amérique latine, qui cherchent à accéder largement au marché nord-américain. Or, les États-Unis dans un Farm Bill de mai 2002 ont augmenté les crédits à l'exportation pour leurs agriculteurs, et envisagent d'imposer leurs règles sanitaires aux produits agricoles sud-américains, ce qui est une façon d'en disqualifier une partie et de protéger de fait l'accès au marché des États-Unis. Une telle hypothèse réduirait les avantages de la ZLEA pour les pays du Sud.

Des pays politiquement non stables:

– en Haïti, début 2004, une crise politique a provoqué le départ du président Aristide;
– au Venezuela, l'instabilité règne depuis l'élection de Hugo Chávez;
– en Colombie, le trafic de drogue, la guérilla des FARC et les milices entretiennent un climat de violence et d'instabilité;
– en Bolivie et en Équateur, les gouvernants ont été renversés sous la pression des populations d'origine indienne.

Au final, on trouve d'un côté des pays favorables à la ZLEA, parce que très liés économiquement aux États-Unis: les membres de l'ALENA, ou le Chili, qui a signé en 2003 un accord de libre-échange avec Washington. Certains États d'Amérique centrale ou des Caraïbes attendent également de cette zone de libre-échange un accès facilité au marché américain. De l'autre côté, on trouve les pays du Mercosur – Brésil, Argentine, Paraguay, Uruguay – qui sont moins dépendants économiquement des États-Unis. Leurs exportations vers le marché nord-américain sont sous la barre des 20 % de leurs exportations totales, et ils considèrent la nouvelle zone de libre-échange plus comme une menace, pouvant conduire à la disparition du Mercosur, qu'une opportunité de croissance. Ces pays cherchent donc à faire contrepoids à la ZLEA, en favorisant la mise en place d'une « Communauté sud-américaine des nations ». Lancée en décembre 2004, elle regroupe les principaux blocs régionaux de l'Amérique du Sud. Le Mercosur se rapproche également de l'Union européenne, dans le cadre d'un accord de libre-échange.

Face à ces positions divergentes, va-t-on vers la mise en place d'une zone de libre-échange des Amériques « à la carte » ? À moins que la Chine, devenue en 2002 le deuxième partenaire commercial des États-Unis en détrônant le Mexique, ne contribue à réconcilier tous les futurs membres, et à faire de la ZLEA un moyen d'expansion du commerce interaméricain face à la concurrence chinoise.

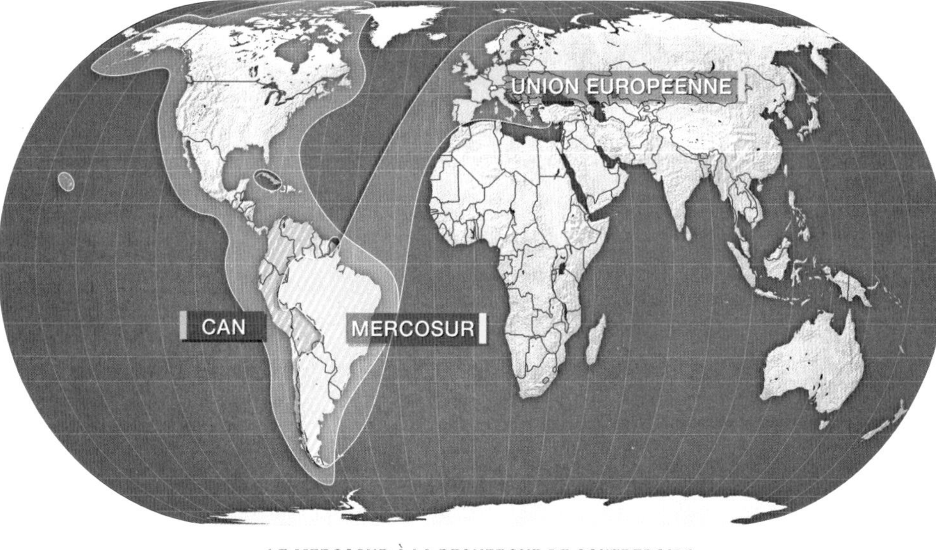

LE MERCOSUR À LA RECHERCHE DE CONTREPOIDS

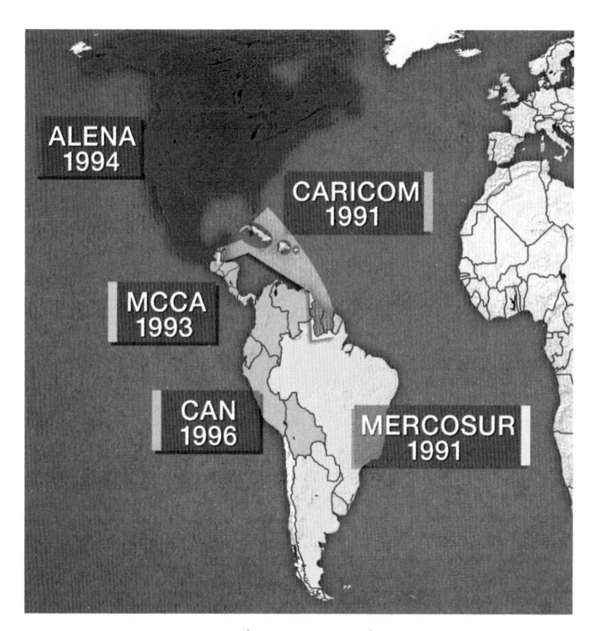

LE RENOUVEAU DES INTÉGRATIONS RÉGIONALES DANS LES AMÉRIQUES PENDANT LES ANNÉES 1990

Créé en 1991 entre les pays du cône sud, le Marché commun du sud (Mercosur) a pour objectif une union douanière, sur le modèle de l'Union européenne. En 1996, les États membres du Pacte andin s'engagent dans une intégration plus poussée, en créant la Communauté andine des nations (CAN). En Amérique centrale, le retour à la paix après une décennie de guerres civiles réactive en 1993 le Marché commun centraméricain (MCCA). Dans les îles Caraïbes, le Marché commun de la Caraïbe (CARICOM) a adopté en 1991 un tarif extérieur commun. Au nord, l'Accord de libre-échange nord-américain (ALENA) est lancé le 1er janvier 1994 entre États-Unis, Canada et Mexique.

Voir également : POLITIQUE ÉTRANGÈRE DES ÉTAT-UNIS (p. 48-55), BRÉSIL (p. 66-69) et CHINE, LE PAYS SOUS LE CIEL (p. 120-131).

Plus grand État d'Amérique latine, le Brésil est le cinquième pays au monde en superficie et en population. Son drapeau résume le pays : le fond vert symbolise la forêt amazonienne, le losange jaune, les richesses minières, les étoiles sur la sphère bleue correspondent au nombre d'États de la fédération brésilienne. Enfin, au centre du drapeau, la devise nationale « Ordre et Progrès » rappelle l'influence du positivisme d'Auguste Comte sur l'idéal républicain brésilien.

Nouvelle puissance du Sud

Première puissance économique d'Amérique du Sud, le Brésil renforce depuis quelques années sa place sur la scène internationale. Depuis l'arrivée au pouvoir du président Luiz Inácio Lula da Silva en 2003, la politique étrangère brésilienne est envisagée comme un outil de développement et de lutte contre la pauvreté, cette dernière demeurant le premier défi à relever pour le pays.

Le Brésil est un État-continent : 8,5 millions de km^2 de vastes richesses forestières et minières, 178 millions d'habitants. Or malgré ces potentialités, le pays est traversé par plusieurs déséquilibres qui pèsent sur la poursuite de son développement.

Trois déséquilibres

Le *premier* est géographique : 80 % des Brésiliens vivent sur la frange littorale, où se concentrent la majorité des villes et les grandes agglomérations tels São Paulo, Rio de Janeiro ou Recife.

Le *deuxième* déséquilibre est économique. Le développement du Brésil s'est fait historiquement région par région, presque produit par produit, et aujourd'hui le territoire brésilien est découpé en cinq grandes régions :

– première région à avoir été mise en valeur par les colons portugais, le Nordeste reste dominé par les *fazendas*, qui sont de grandes plantations de canne à sucre, de cacao ou de coton. Ce qui laisse la majorité de la population agricole sans propriété sur la terre et pousse les paysans à migrer vers les villes. Le président Lula s'est promis de résoudre cette question agraire en « libérant » des terres pour 400 000 familles, en quatre ans ;

– le grand pôle d'attraction du pays, c'est le Sudeste, avec les mégapoles de São Paulo, Belo Horizonte et Rio de Janeiro. La région réalise à elle seule 70 % de la production industrielle brésilienne (sidérurgie, automobile, aéronautique, armement, textile et agroalimentaire) et la majorité du secteur tertiaire du pays. Elle est prolongée par la région Sud, deuxième grande région économique du Brésil. Par sa situation, elle bénéficie des retombées économiques du Mercosur, ce Marché commun du Sud mis en place en 1995 par le Brésil avec ses voisins argentin, uruguayen et paraguayen ;

– la région du Centre-Ouest est une zone d'élevage intensif, en passe de devenir une importante zone agricole, avec la culture du soja. Le Brésil en est le deuxième producteur au monde. Cette région marque un espace de transition entre l'hyperactivité littorale et l'immensité forestière de l'Amazonie dans la région Nord. Pour les Brésiliens, l'Amazonie représente un « espace pionnier », mis en valeur économiquement depuis le début des années 1970. L'idée, pour les dirigeants brésiliens, était d'utiliser une partie de cet espace alors perçu comme « vide » pour résoudre la question agraire en incitant la main-d'œuvre pauvre du Nordeste à s'y installer.

Car le *troisième* déséquilibre du Brésil, ce sont les inégalités sociales.

DES DÉSÉQUILIBRES INTERNES

Le pays s'articule autour de grands espaces au développement contrasté. La région du Sudeste, prolongée par la région Sud, concentre les trois quarts de la production industrielle et du secteur des services du Brésil. Elle s'oppose à la région du Nordeste, où 1 % des propriétaires terriens détiennent 45 % des terres, et les régions du Centre-Ouest et du Nord, fronts pionniers agricoles et forestiers.

UNE NATION MULTICULTURELLE

Malgré la grande diversité de population et les inégalités sociales, les Brésiliens se reconnaissent dans un patrimoine culturel commun et forment une nation soudée. La population brésilienne comprend les descendants des premiers occupants amérindiens, des esclaves africains, et des Européens (Portugais, Espagnols, Italiens ou Allemands), ainsi que des métis. 80 % des Brésiliens vivent dans les grandes agglomérations du littoral. La construction des villes à l'intérieur du territoire – tels Belo Horizonte en 1897, Goiânia en 1937, Brasília en 1960 –, n'a pas atténué cette concentration littorale.

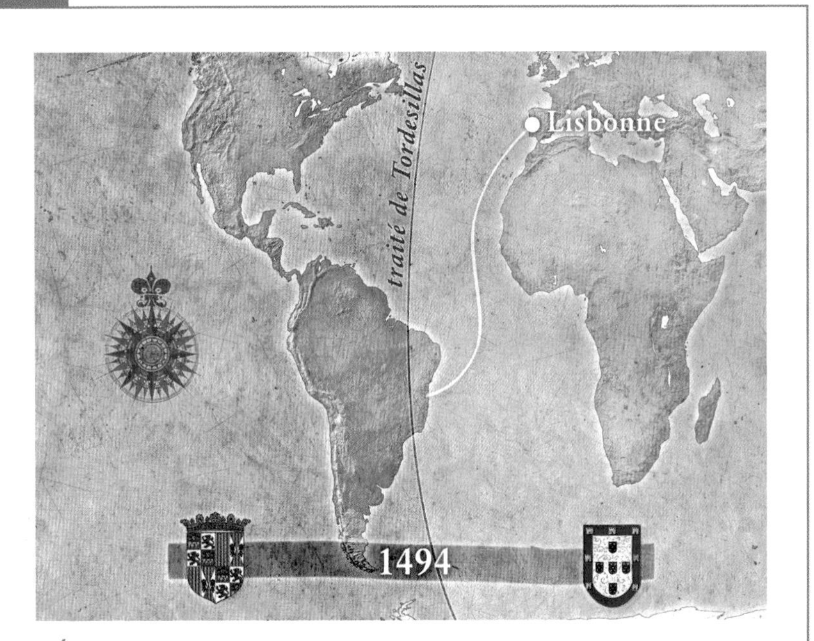

DÉCOUVERT PAR HASARD…

Parti sur les traces de Vasco de Gama pour une deuxième expédition vers les Indes, le navigateur portugais Pedro Álvares Cabral est entraîné par des courants vers le sud-ouest et touche ainsi – un peu par hasard – le 22 avril 1500 les côtes de ce qui deviendra le Brésil.

Bien qu'habitée par quelque 5 millions d'Amérindiens, Cabral prend possession de cette nouvelle terre au nom du Portugal, se conformant ainsi au traité de Tordesillas qui trace depuis 1494 les zones d'influence respectives de l'Espagne et du Portugal dans le « Nouveau Monde ».

Voir également : ZLEA (p. 64-65) et LA TERRE EN SURSIS (p. 214-219).

Le Brésil est l'un des pays les plus inégalitaires au monde : 10 % des plus riches concentrent 46 % des revenus, alors que 30 % des Brésiliens ont moins de deux dollars par jour pour vivre. Depuis son élection, Lula s'efforce de relever ce défi de la pauvreté par la mise en place de programmes sociaux, et en s'engageant de façon plus marquée sur la scène internationale. Le Brésil espère ainsi obtenir des règles commerciales plus justes et adaptées à un pays en développement, en s'attaquant avant toute chose au protectionnisme.

Une diplomatie active

À l'échelle de l'Amérique du Sud, le Brésil favorise l'intégration régionale et le libre-échange : le Mercosur devrait établir une union douanière d'ici 2006, consolider ses institutions, dont le modèle reste l'Union européenne, et s'élargir à l'ensemble du continent sud-américain.

Dans le cadre des négociations commerciales internationales, la diplomatie du Brésil est devenue plus offensive. Le pays a joué un rôle clé pour réduire la portée de la Zone de libre-échange des Amériques (ZLEA), mise en place à l'échelle du continent. Au cours des négociations de l'OMC pour la libéralisation des échanges à Cancún en septembre 2003, le Brésil a pris la tête d'un groupe d'une vingtaine de pays en développement – dont l'Inde, la Chine et l'Afrique du Sud – pour faire bloc et demander la suppression des subventions aux exportations agricoles pratiquées par l'Union européenne et les États-Unis.

Cette initiative brésilienne a marqué la volonté du pays de créer des solidarités entre pays en développement et de promouvoir la coopération Sud-Sud. Elle s'est concrétisée par la mise en place d'un forum de dialogue avec l'Afrique du Sud et l'Inde, visant à faciliter les rencontres régulières, les échanges commerciaux entre les trois pays, ainsi que la réforme du Conseil de sécurité de l'ONU pour que les pays du Sud y soient mieux représentés. Cette coopération Sud-Sud se traduit aussi par le développement de relations avec l'Afrique ou le Moyen-Orient, comme en témoignent les voyages du président brésilien dans la région en 2003 et 2004.

En s'efforçant de faire coïncider action nationale et initiatives internationales, le Brésil du président Lula cherche à s'affirmer sur la scène régionale et mondiale. Par cette diplomatie tous azimuts, ne s'agit-il pas d'obtenir un siège permanent au Conseil de sécurité des Nations unies afin d'y représenter, enfin, le « Sud » ?

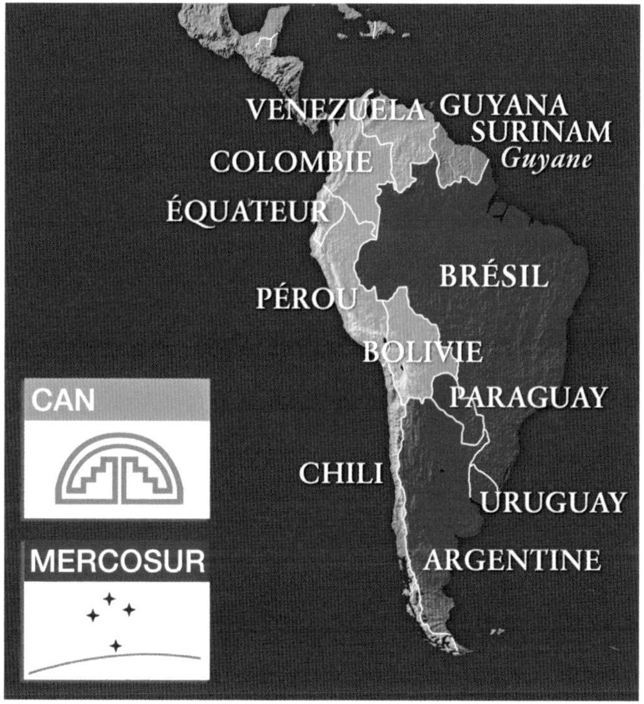

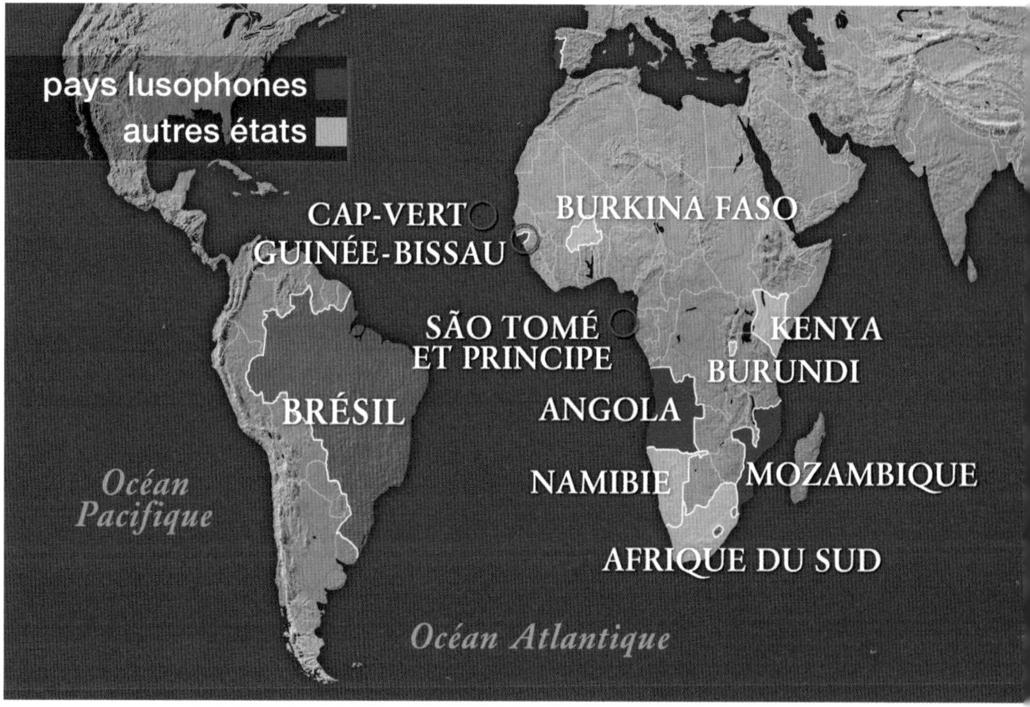

L'ACTEUR CENTRAL DU CONTINENT SUD-AMÉRICAIN

Le Brésil partage une frontière avec tous les États du continent sud-américain, à l'exception du Chili et de l'Équateur. Il est donc favorable au renforcement du Mercosur (Mercosul en portugais), dont il est l'un des membres fondateurs. Le Pérou, la Bolivie, le Chili et le Venezuela en sont déjà devenus membres associés. Et en décembre 2004, un accord a été signé entre le Mercosur et la Communauté andine des nations (CAN). Le but est de développer les liens et les infrastructures continentales.

Par sa position centrale au continent, le Brésil joue aussi le rôle de médiateur dans le règlement de crises régionales, comme entre la Colombie et le Venezuela, suite à l'intrusion de la guérilla des FARC sur le territoire vénézuélien.

L'AFRIQUE, AU CŒUR DE LA DIPLOMATIE BRÉSILIENNE

L'intérêt du Brésil pour l'Afrique s'appuie évidemment sur son histoire : plus de la moitié des 178 millions de Brésiliens sont des descendants d'esclaves « importés » dès le XVIe siècle pour travailler sur les plantations de sucre et de café. Mais la politique africaine du Brésil n'en reste pas moins fondée sur des intérêts politiques et économiques. Le pétrole de l'Angola ou de São Tomé et Príncipe en fait partie. Après le succès de son propre programme, le Brésil investit aussi dans la construction d'usines pharmaceutiques pour fabriquer des médicaments génériques anti-rétroviraux pour les malades du sida.

La politique africaine de Brasília s'adresse avant tout aux pays lusophones, qui font partie des priorités de la diplomatie brésilienne, mais elle s'ouvre de plus en plus à d'autres États africains, comme le montre le projet de lutte contre le sida.

À l'échelle des États d'Amérique latine, la répartition des populations indiennes est variable. Elles représentent plus de 60 % de la population totale du Guatemala et de la Bolivie, entre 40 et 50 % en Équateur et au Pérou, mais moins de 20 % en Amérique centrale ou au Chili. Dans un pays de 100 millions d'habitants comme le Mexique, cela correspond tout de même à 13 millions d'Indiens.

AMÉRIQUE

Le retour des peuples indigènes

Le continent sud-américain compte 525 millions d'habitants. 44 millions, soit moins de 10 %, sont indiens. Les ancêtres de ces peuples indigènes ont été décimés par les conquistadors espagnols et portugais. Mais leurs descendants font aujourd'hui entendre leurs différences : ils affirment des revendications politiques quitte à déstabiliser les pouvoirs en place.

LATINE

L'ORIGINE ASIATIQUE DES INDIENS

Au cours de la dernière période glaciaire, il y a 40 000 à 10 000 ans, le niveau des océans étant d'au moins 50 mètres en dessous du niveau contemporain, l'actuel détroit de Béring est une bande de terre reliant la Sibérie à l'Alaska. Des peuples en provenance d'Asie le franchissent et « colonisent » cet immense continent vide. Nomades vivant de chasse et de pêche, ils trouvent sur ces terres vierges un abondant gibier composé notamment de bisons et de mammouths. Ils passent en Amérique du Sud par l'isthme de Panamá, et auraient atteint la Terre de Feu aux alentours de 10 000 avant Jésus-Christ.

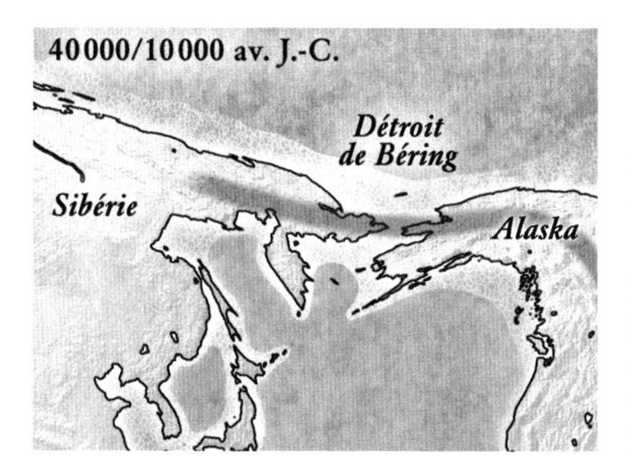

La sédentarisation des populations donne naissance à plusieurs grands empires : ceux des Mayas (entre les IIIe et Xe siècles) et des Aztèques (entre les XIVe et XVIe siècles) en Amérique centrale, des Incas dans les Andes (entre les XIVe et XVIe siècles).
C'est Christophe Colomb qui, en débarquant en 1492 sur l'île de Guanahani (aujourd'hui les Bahamas), croit découvrir les Indes et nomme donc ces populations « les Indiens ». À l'échelle du continent, ils étaient selon toute vraisemblance plus de 50 millions, soit à peu près autant que la population européenne de l'époque, évaluée à 67 millions d'habitants. Cent cinquante ans plus tard, ils ne sont plus que 4,5 millions, exterminés par les conquistadors et les maladies importées d'Europe.

LA DIVERSITÉ INDIENNE

Les Indiens d'Amérique latine se répartissent en quatre grands groupes ethnolinguistiques. Le groupe quechua*, dans les Andes, est le plus important, avec 15 millions de locuteurs, suivi par le groupe* aymara*, implanté autour du lac Titicaca, qui compte 2 millions de personnes. En Amérique centrale, les* Quiché *sont environ 1 million, et les* Nahua *1,5 million. À côté de ces quatre groupes, des milliers de peuples comptent moins d'un million de personnes.*

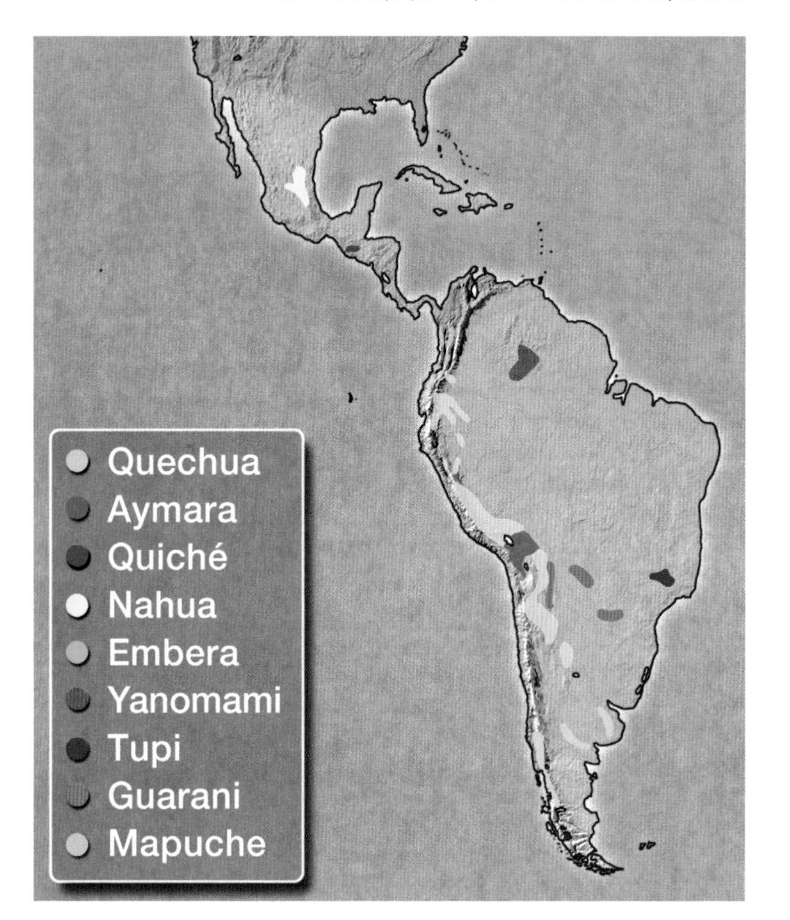

Sortir de la marginalité

En Amérique latine, il existe une corrélation inverse entre pigmentation de la peau et niveau de revenus. Les Indiens en sont les premières victimes. Mais lorsque en 1992, l'Amérique a commémoré le 500e anniversaire de sa découverte par les Européens, les Indiens ont alors rappelé qu'ils formaient les peuples d'origine de ce continent, et ont commencé à se mobiliser.

Le 1er janvier 1994, jour même de l'entrée du Mexique dans l'Association de libre-échange nord-américain (ALENA), qu'il forme avec les États-Unis et le Canada, les Indiens de l'État du Chiapas, dans le sud du pays, ont décidé de se révolter pour protester contre les inégalités qui les touchent : 23 % des habitants du Chiapas meurent de maladies infectieuses contre 12 % seulement dans le reste du pays, le taux de scolarisation est trois fois moins important dans leur État que dans le reste du Mexique, 30 % y sont analphabètes, contre 12 % au niveau national.

Le mouvement zapatiste – Armée zapatiste de libération nationale (EZLN) – est devenu le héraut de l'anti-libéralisme, contribuant ainsi à la naissance du mouvement alter-mondialiste.

Plusieurs évolutions sociales et politiques favorables aux Indiens ont été rendues possibles avec la fin des dictatures en Amérique latine : les nouvelles constitutions de Bolivie, d'Équateur, de Colombie ou du Pérou reconnaissent le caractère pluriethnique ou multiculturel de leurs nations, faisant des Indiens des citoyens à part entière.

Au Paraguay, la langue guarani est devenue langue officielle en 1992 au même titre que l'espagnol, si bien qu'aujourd'hui 90 % de la population paraguayenne le parle ou le comprend. Pour cette nation très métissée, la langue indienne devient de ce fait un facteur d'identité nationale et d'intégration.

Une affirmation politique

En Équateur, un parti indien a vu le jour en 1996. Il s'est appelé Pachakutik, ce qui signifie « le retour des beaux jours » en langue quechua, mais ce nom désigne surtout l'une des grandes figures de l'histoire inca. Ce parti a aujourd'hui six députés à l'Assemblée nationale (qui en compte cent), et dirige cinq des vingt-deux gouvernorats du pays et plusieurs municipalités. Afin d'augmenter les performances scolaires des enfants indiens, l'enseignement en langue quechua se développe depuis

1988, et un manuel d'histoire pour les enfants de 8-12 ans est en cours de réalisation dans cette langue. À côté de cette représentation politique officielle, des dizaines de milliers d'Indiens, alliés à des officiers dissidents, ont poussé par deux fois, en 1997 et 2000, le président équatorien à démissionner. En 2004, ils ont demandé la démission du président Lucio Gutiérrez qu'ils avaient pourtant contribué à faire élire, se sentant trahis par ses choix politiques.

Même si, au Pérou, il n'existe pas de parti indien comme en Équateur, les Indiens y sont de plus en plus actifs dans la politique locale. Depuis 1996, dans la région d'Ayacucho, dix maires parlent quechua et six ont un prénom quechua. Le président Alejandro Toledo, élu en 2001, est d'origine indienne.

En Bolivie, les Indiens sont devenus une véritable force politique d'opposition, ce qui est à vrai dire peu surprenant dans un pays indien à plus de 70 %. Sauf qu'aujourd'hui, les revendications indiennes sont susceptibles de déstabiliser le pays. En octobre 2003, ce sont les populations indigènes et en particulier les Aymara qui ont renversé le président démocratiquement élu, Gonzalo Sánchez de Lozada. Début 2005, les plus radicaux des Indiens réclament la division territoriale du pays entre les trois ethnies dominantes, Aymara, Quechua et Guarani, risquant de fragiliser l'unité nationale. Fin 2005, Evo Morales est élu président de la République, le premier Aymara dans l'histoire du pays à accéder à cette charge.

Un enjeu de stabilité pour les États

L'émancipation politique des Indiens est certes une indication de l'approfondissement de la démocratie en Amérique latine. Mais les droits collectifs des Indiens pourraient s'opposer aux règles de l'État de droit, au risque d'affaiblir les mécanismes démocratiques dans des États encore relativement pauvres, ou fragilisés par le narcotrafic, comme au Pérou et en Bolivie. Les revendications politiques des Indiens pourraient alors susciter de la violence. C'est peut-être la raison pour laquelle les États d'Amérique latine sont aujourd'hui réticents à concéder de nouveaux droits aux populations indiennes.

À moins que certains ne se souviennent des paroles du leader aymara Túpac Amaru, lors de son exécution par les Espagnols en 1781 : « Je reviendrai et je serai alors des millions. » Ce jour serait-il arrivé ?

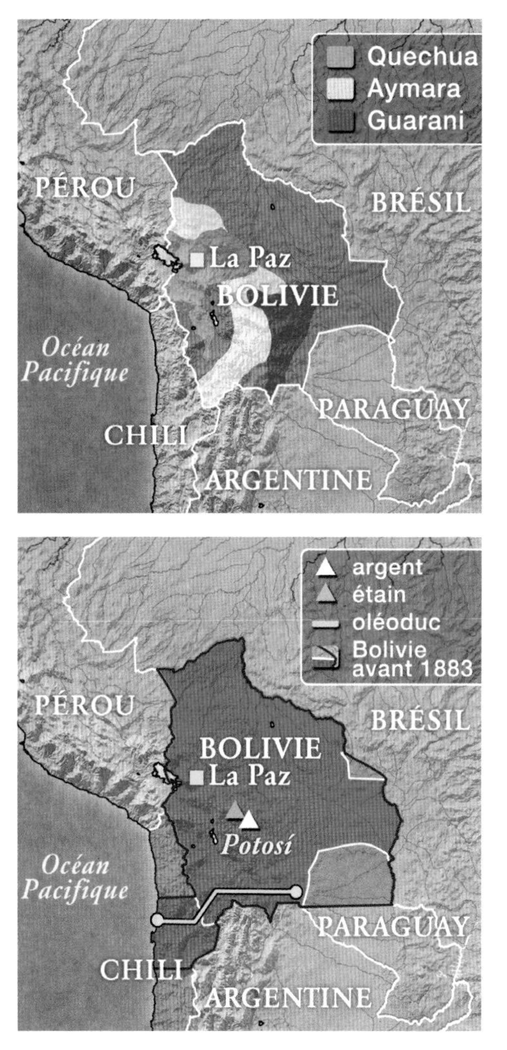

LE CAS BOLIVIEN

En Bolivie, presque les trois quarts des 8,5 millions d'habitants sont d'origine indienne, avant tout quechua (majoritaires), aymara et guarani. À l'automne 2003, ce sont eux qui ont chassé du pouvoir le président Sánchez de Lozada. Ils lui reprochaient de vouloir exporter du gaz naturel bolivien via le Chili vers la Californie. Dépossédés des meilleures terres au cours de la colonisation espagnole, soumis aux travaux forcés et à de lourds impôts, les Indiens n'ont jamais profité des richesses de leur pays, ces fameuses mines d'argent et d'étain du Potosí. Ils se sentent, dès lors, de nouveau lésés par ce projet de gazoduc. Ils manifestent contre ce président, symbole du libéralisme nord-américain ; sans compter que le passage d'un gazoduc par le Chili leur rappelle la guerre du Pacifique de 1883, pendant laquelle la Bolivie a perdu son accès à l'océan Pacifique.

GROENLAND

LA CIVILISATION DU PHOQUE

Comment cette île isolée et glacée peut-elle s'inscrire dans le monde d'aujourd'hui, avec ses richesses potentielles, une identité très particulière, mais si peu d'hommes pour les défendre?

Le Groenland est la plus grande île du monde, elle baigne dans l'océan glacial Arctique, lui même couvert d'une banquise qui double de surface en hiver. Sa superficie est de 2,2 millions de km², et 57 000 habitants vivent le long de ses côtes, dont 50 000 Inuits et près de 7 000 Européens. 57 000 habitants, c'est très peu pour gérer un pays. Lorsque le Groenland, colonie du Danemark, devient un département danois en 1953, Copenhague instaure l'égalité pour tous les citoyens. Avec cette entrée dans « la civilisation obligatoire », le pire et le meilleur vont apparaître. Le meilleur: une politique de santé publique, le développement des communications pour des populations extrêmement isolées. Le pire: l'alcool, la perte de l'activité traditionnelle de la chasse, une violence qui n'est plus ritualisée par le chaman.

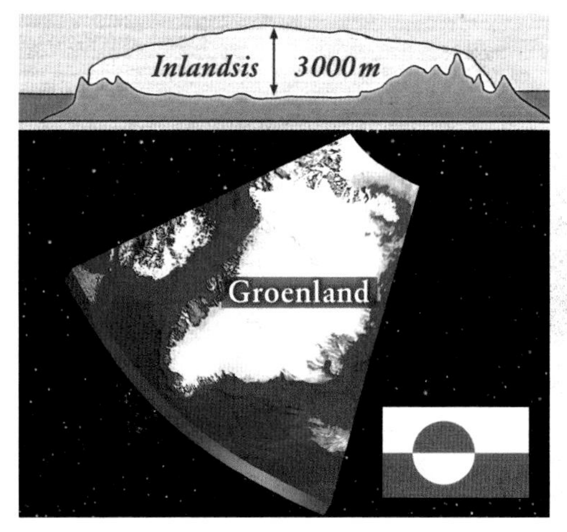

LE « TOIT » DE LA TERRE

Le Groenland, par sa position la plus au nord de notre globe terrestre, présente un intérêt stratégique. Dans le cadre de la doctrine dite du bouclier antimissile, les États-Unis s'appuient sur un réseau mondial de radars, dont celui qui existe déjà sur la base américaine de Thulé, au nord-est du Groenland. Or, le gouvernement groenlandais ne veut pas à nouveau, comme à l'époque de la guerre froide, jouer les zones tampons entre États-Unis et Russie, les vieux « Esquimaux » se souvenant que leurs parents ont été expulsés de Thulé en 1951, pour que le Pentagone puisse construire une base, et ce avec l'accord du Danemark. Pour toutes ces raisons, le gouvernement du Groenland souhaite avoir son mot à dire sur cette question du bouclier antimissile. Or le Danemark détient la souveraineté pour les traités internationaux. Ce différend soulève la question des relations constitutionnelles entre le Danemark et le Groenland.

LA CALOTTE GLACIAIRE : 9 % DE L'EAU DOUCE DU MONDE

Le Groenland est recouvert d'une couche de glace permanente, formée il y a quelque trois millions d'années, qu'on appelle la calotte glaciaire, ou inlandsis en danois. Cette glace peut avoir 3000 mètres d'épaisseur, elle renferme à elle seule 9 % de l'eau douce du monde, et autorise des recherches approfondies en glaciologie. La technique du carottage permet d'étudier une glace âgée de quelque cent mille ans, et de comparer ainsi la composition de l'air de cette époque avec celle d'aujourd'hui, révélant l'histoire de notre climat sur une période très longue.

Les conséquences de cette modernité ont modifié totalement le fragile équilibre qui prévalait depuis des siècles entre les Inuits et leur environnement. Le budget du Groenland est couvert à 60 % par le Danemark, le reste venant d'un peu de tourisme, et surtout des exportations de la pêche. L'île est depuis 1979 une province autonome du Danemark, avec Nuuk pour capitale, le gouvernement groenlandais désigné par un Parlement élu prenant seul ses décisions dans les domaines de la santé, de la fiscalité, de l'éducation, des transports et de la pêche, tandis que le Danemark reste souverain pour la politique extérieure, la monnaie et les questions de défense. Dans ce cadre institutionnel, les Groenlandais aspirent à plus de souveraineté, voire, pour certains, à l'indépendance. Sauf que pour être politiquement indépendant du Danemark, il faut l'être économiquement, ce qui n'est pas le cas du Groenland. Il y a peut-être du pétrole, que cherchent les compagnies pétrolières dans le détroit de Davis. Il y a beaucoup d'eau douce : le Groenland est en mesure de répondre à la demande mondiale grandissante. Il y a actuellement des négociations en cours. Mais pour les futurs gouvernements groenlandais, il y aura des choix difficiles à faire, car l'île, culturellement arctique, est politiquement européenne et géographiquement américaine.

Voir également : POLITIQUE ÉTRANGÈRE DES ÉTATS-UNIS (p. 48-55).

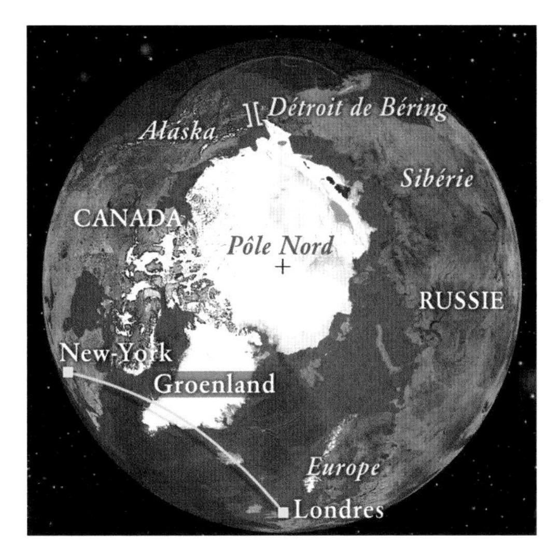

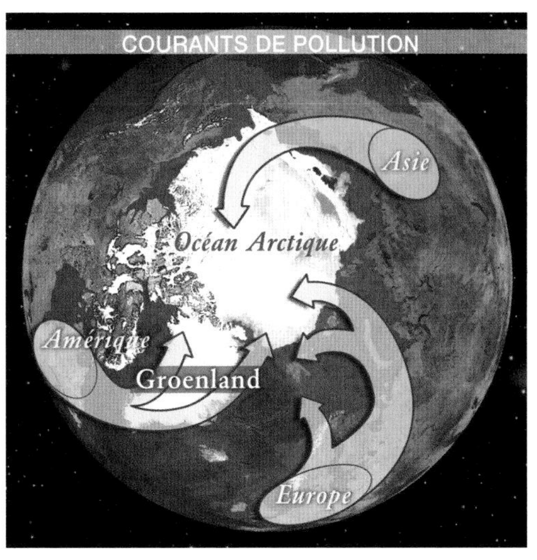

ENTRE EUROPE ET AMÉRIQUE

Voir l'hémisphère Nord, en projection polaire, montre bien qu'il n'y a pas de continent arctique, et que le Groenland est en fait très central : le trajet aérien le plus direct entre Londres et New York passe précisément par là, les deux villes étant chacune situées à 3 000 km du sud du Groenland. Le Groenland a été peuplé par quatre migrations successives, venues d'Asie, en passant par le détroit de Béring lorsqu'on pouvait le franchir à pied, puis par le nord du continent américain. La première, venue il y a onze mille ans de Sibérie orientale, était sans doute un groupe de Tchouktches chasseurs à la poursuite des hordes de rennes. Ils ont formé une civilisation que les archéologues ont appelée « Indépendance ». Vient ensuite la civilisation Saqqaq ; puis celle de Dorset. Enfin la dernière, civilisation de Thulé, a donné les ancêtres directs des Inuits d'aujourd'hui. En survivant à ce climat impossible, ces hommes ont développé bien plus qu'une culture technique, une vraie civilisation, appelée civilisation du phoque. L'homme y vivait en harmonie physique et mentale avec un environnement pourtant sans douceur, enseignant patience et humilité. Une culture où les hommes, les animaux et la nature font « un ».

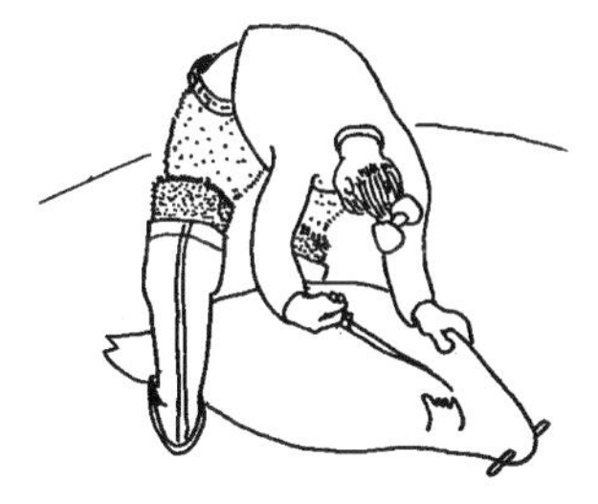

UN DRAP BLANC SOUS LE CIEL

L'analyse des carottes de glace indique que la pollution, portée par les vents et venant des zones industrielles européennes, américaines et asiatiques, vient se redéposer sur la calotte glaciaire, tendue un peu comme un drap blanc sous le ciel. Le Groenland fournit, pour la planète, un laboratoire d'observation précieux et unique pour mettre en œuvre des dispositifs de protection.

itinéraires
SYRIE
LIBAN
IRAK
ISRAËL
Golan
Gaza
Cisjordanie
JORDANIE
Golfe Persique
Riyad
Mer Rouge
Océan Indien
Le Moyen-Orient sous influence
Pétrole
Arabie saoudite

orientaux

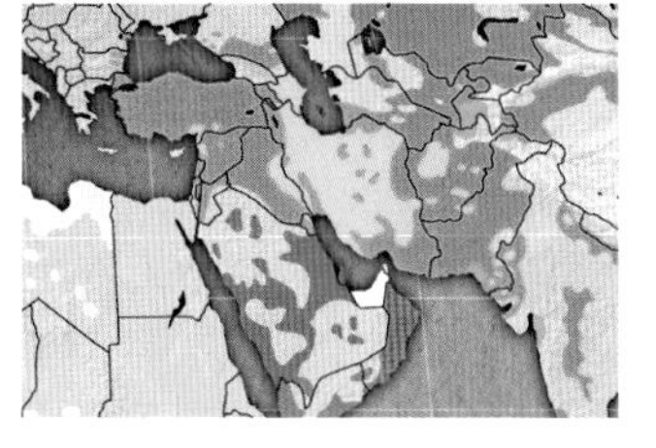

Islam

Égypte

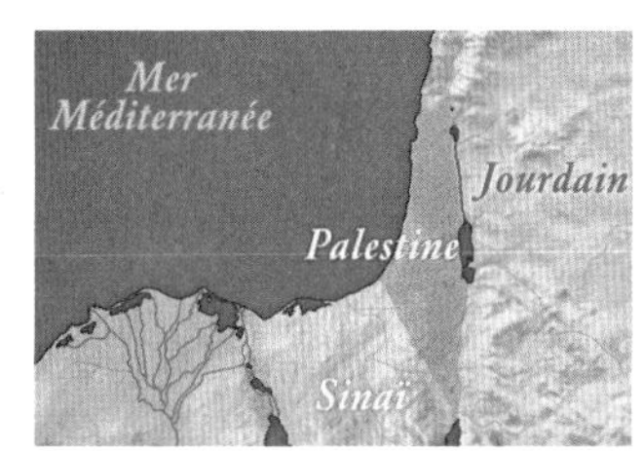

Territoires de la Palestine

Iran

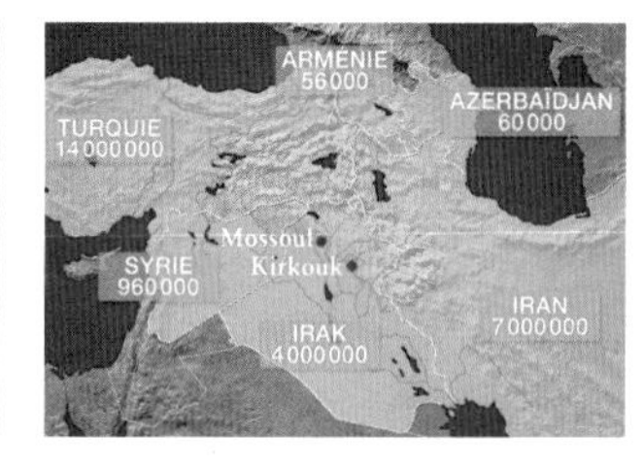

Les Kurdes

LE MOYEN-ORIENT

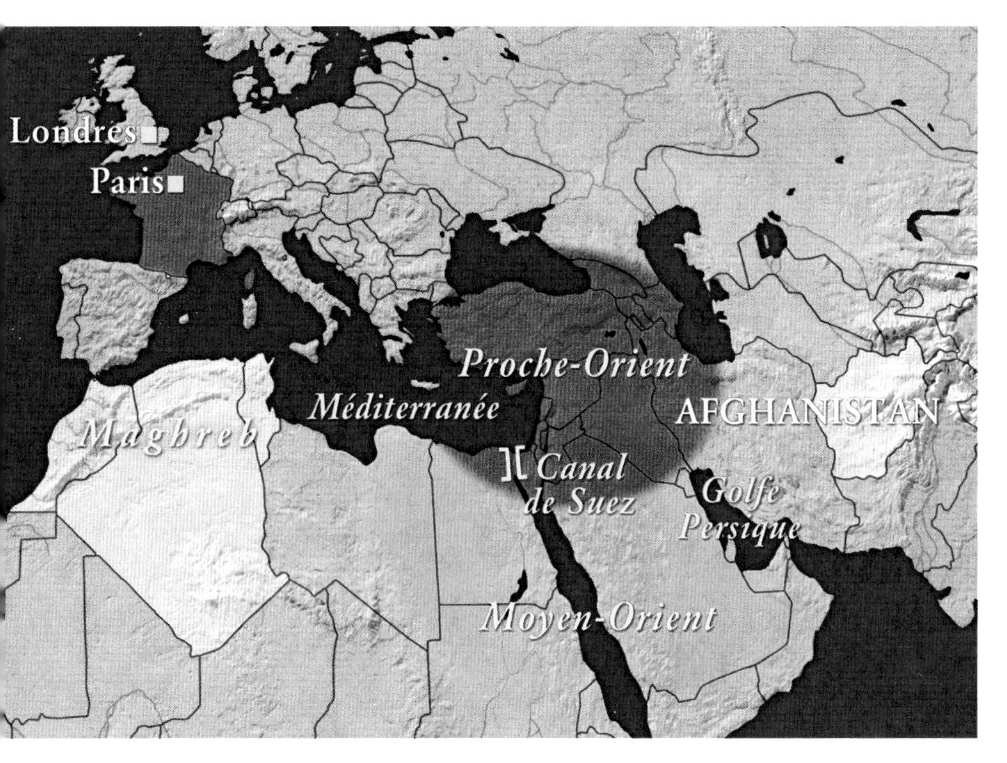

Dans la tradition géographique française du XIXe *siècle, le Proche-Orient est l'Orient le plus proche, par opposition à celui, extrême, de l'Asie. Cette définition exclut dès le départ les trois pays du Maghreb. Géographes et juristes britanniques parlaient eux de* Near East*, par opposition au* Far East*. Mais avec l'ouverture du canal de Suez en 1869, et le déplacement vers des problématiques pétrolières dans le golfe Persique, les Anglais évoquent un* Middle East*, le Moyen-Orient. À la fin du* XXe *siècle, un nouveau déplacement de problématique lié au développement d'un islamisme radical pousse à l'inclusion dans cette zone de l'Afghanistan. Pour certains stratèges, le Moyen-Orient va désormais jusqu'aux rives de l'Indus.*

Le Moyen-Orient doit-il se définir par l'espace géographique ? le climat ? les peuples ? la religion ? les régimes politiques ? De la chute des Ottomans en 1919 à la chute de la dictature en Irak en 2003, de Hassan al-Banna à Oussama Ben Laden, le Moyen-Orient peut en effet être défini comme un espace sous influence. Les cartes et l'approche sur la longue durée permettent de comprendre ces « influences ».

Les Ottomans

L'Empire ottoman a tenu le Moyen-Orient arabe sous son influence politique, administrative et souvent militaire pendant quatre cents ans, de 1516 jusqu'en 1919. Ce sont des facteurs proprement géopolitiques et extérieurs qui vont mettre fin à cette influence ottomane :

– le canal de Suez est ouvert en 1869 avec des capitaux français, puis britanniques. Il y a dès lors une volonté de contrôle de cet axe commercial essentiel pour les puissances occidentales ;

– le besoin de pouvoir accéder aux détroits des Dardanelles et du Bosphore, face à la constante poussée russe vers la Méditerranée ;

– enfin, le choix de la « Sublime-Porte » de s'allier à l'Allemagne lors du premier conflit mondial.

SOUS INFLUENCE

Londres et Paris

L'Empire ottoman est démantelé en 1919. Paris et Londres vont à leur tour exercer une influence sur le Moyen-Orient. Dotées de *mandats* par la Société des Nations, les deux grandes puissances de l'époque vont tracer les frontières pour prendre en compte, outre leurs intérêts coloniaux, la présence des importantes nappes de pétrole découvertes dans la région. Les hydrocarbures constituent en tant que tels une troisième influence, qui s'exerce sur la région à partir de l'entre-deux-guerres.

Le pétrole et le gaz

La révolution qu'entraîne l'utilisation du pétrole dans les besoins énergétiques et industriels mondiaux conduit à introduire un nouvel acteur, les États-Unis d'Amérique.

Les compagnies pétrolières américaines prennent un grand nombre de participations dès les années 1930 dans l'Iraq Petroleum Company, et la Standard Oil Company of California obtient 50 % des droits d'exploitation de l'Arabie saoudite. Cette influence américaine va s'accroître après 1945, en mêlant intérêts pétroliers et calculs stratégiques – ce qui est d'ailleurs à peu près la même chose –, et ce en s'appuyant sur trois alliés régionaux : l'Arabie saoudite, l'Iran et Israël.

Israël

Fondé en 1948, Israël est un État récent au Moyen-Orient. Mais peut-on parler d'une « influence » d'Israël sur son environnement géopolitique ? Les conséquences de la création de cet État sont, à de multiples titres, perçues comme défavorables par les adversaires de l'État hébreu : Israël et ses voisins se sont livré quatre guerres, toutes perdues par les armées arabes. Cette présence forme donc comme une

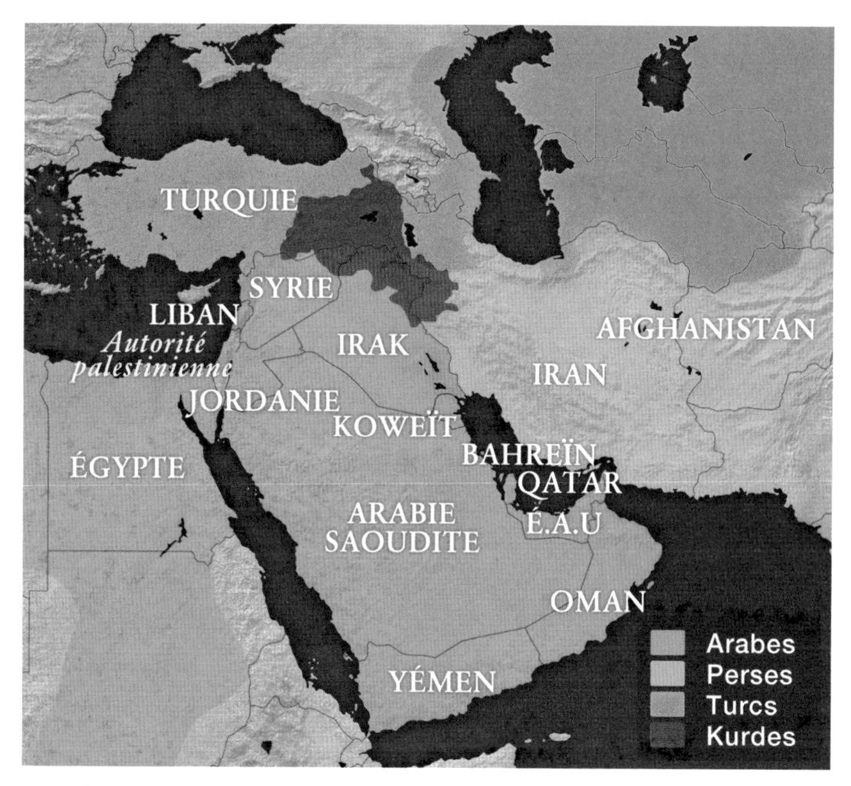

UNE GÉOGRAPHIE HUMAINE

Le Moyen-Orient est une région à climat désertique ou semi-désertique, disposant de peu d'eau. Il est habité en majorité par les peuples arabes ou arabisés, et par des Perses, des Turcs et des Kurdes, tous influencés par la civilisation islamique. Ces peuples sont pour la très grande majorité de confession musulmane sunnite et chiite, ces deux courants se divisant entre de nombreux rites et pratiques.

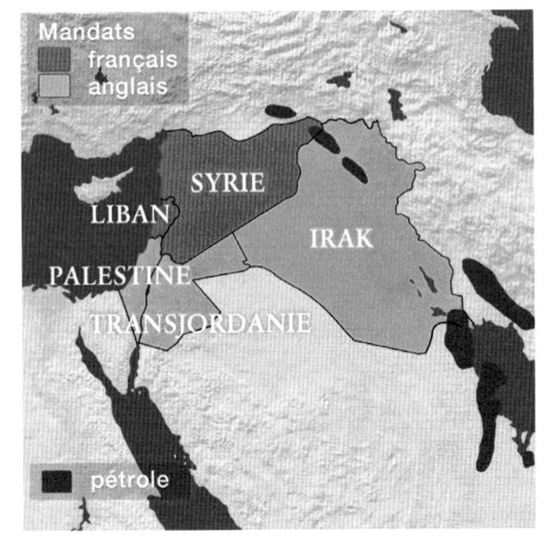

LES RESSOURCES PÉTROLIÈRES

Les réserves d'hydrocarbure présentes au Moyen-Orient constituent une autre forme d'influence qui s'exerce sur cette région. Elle renferme à elle seule 64 % des réserves mondiales de pétrole. L'utilisation de cette énergie fossile, qui en moins d'un siècle, et à l'échelle mondiale, se substitue peu à peu au charbon, va créer une grande dépendance des États consommateurs, et par conséquent de constantes tentatives de contrôle sur les États producteurs.

LES MANDATS

La Première Guerre mondiale entraînant la fin de l'Empire ottoman, le Moyen-Orient passe alors sous la tutelle de la France, gardienne traditionnelle des Lieux saints, qui prend le contrôle de la Syrie et du Liban, et du Royaume-Uni, qui prend le contrôle de la Transjordanie, de la Palestine et de l'Irak. Cette influence se voit confirmée par la Société des Nations – la SDN –, qui confie un mandat à Londres et à Paris.

ISRAËL AU PROCHE-ORIENT

Depuis sa fondation dans cette région en 1948, l'État hébreu se sent menacé par son voisinage immédiat. L'inverse est aussi vrai : Israël est perçu comme un ennemi, comme une « épée occidentale au cœur du monde arabe », d'autant qu'il y a eu quatre guerres israélo-arabes : 1948, 1956, 1967 et 1973, toutes perdues par les armées arabes. Israël est appuyé inconditionnellement par les États-Unis, d'où sa supériorité militaire régionale. Enfin, économiquement l'État hébreu, bien plus que les autres États de la région, est un acteur dans la mondialisation – son commerce se fait surtout vers l'Union européenne et les États-Unis.

influence « par la négative », même si l'Égypte en 1979 est le premier État arabe – et le seul avec la Jordanie – à signer un traité de paix avec Israël, précisément sous l'influence diplomatique et financière directe des États-Unis.
L'année 1979 est importante en termes de basculement d'alliances : la révolution chiite à Téhéran est un revers stratégique pour les Américains, mais aussi pour les Arabes sunnites. Elle entraîne le deuxième choc pétrolier, lourd de conséquences pour les économies occidentales. En décembre de la même année, l'invasion de l'Afghanistan par l'Union soviétique accroît l'influence de Moscou, déjà très forte auprès des Palestiniens, des régimes syrien et irakien.

Les États-Unis

L'influence américaine dans la région se renforce à l'occasion de quatre conflits distincts et séparés dans le temps :
– en septembre 1980, l'Irak déclare la guerre à l'Iran, le régime de Saddam Hussein se voulant comme un triple rempart : de l'arabisme moderne contre le retour à un régime religieux, du sunnisme contre le chiisme, et des Arabes contre les Perses. Il est soutenu militairement par les États-Unis, mais aussi par la France et de nombreux États arabes ;
– lors de l'invasion du Koweït en août 1990, c'est la confirmation de la sortie politique de l'Union soviétique et la formation d'une coalition, pour ne pas laisser à l'Irak le contrôle de 9 % des réserves mondiales de pétrole présentes au Koweït. Mais cette coalition conduite par les États-Unis est *arabo-occidentale*, et c'est là une nouvelle humiliation pour les populations arabes qui voient les intérêts d'État et la valeur du baril de pétrole prendre plus d'importance que le soutien à un autre État arabe ;
– l'intervention américaine en Afghanistan est une réponse aux attentats du 11 septembre 2001 contre New York et Washington. Elle permet dans la foulée d'installer à Kaboul un régime pro-américain ;
– en lançant une opération militaire de grande envergure contre le régime irakien en mars 2003, les États-Unis cherchent à poursuivre leur politique d'influence régionale, mais cette fois directement par la guerre. Car il s'agit de prolonger le « contrat » pétrolier avec la région, même si les « contrats » politiques avec les régimes arabes ont été rompus depuis le 11 septembre 2001.

LE GRAND MOYEN-ORIENT

Depuis les accords de Camp David de 1979, vingt ans de soutien des États-Unis aux régimes arabes autoritaires ont laissé le temps à ces États de se figer dans l'immobilisme, de créer des frustrations économiques, démocratiques, sociales, creusant le lit d'un courant de l'islam utile socialement, organisé politiquement.
D'où cette idée américaine d'un « grand Moyen-Orient » qui s'adresse à vingt-deux États d'une zone qui va du Maghreb à l'est du Moyen-Orient, autant d'États qui se voient proposer de se convertir au libre marché, mais aussi à la démocratie. Ce plan américain n'est sans doute pas très « agréable » pour les dirigeants du monde arabe, de même que les accords d'Helsinki ne furent pas très « agréables » aux dirigeants soviétiques. Ce sont du moins les *objectifs* affichés.
On peut cependant s'interroger sur les *moyens* : la politique pratiquée et les comportements de certains GI font que l'Irak est venu remplacer l'Afghanistan comme nouveau « terrain de recrutement » des terroristes.

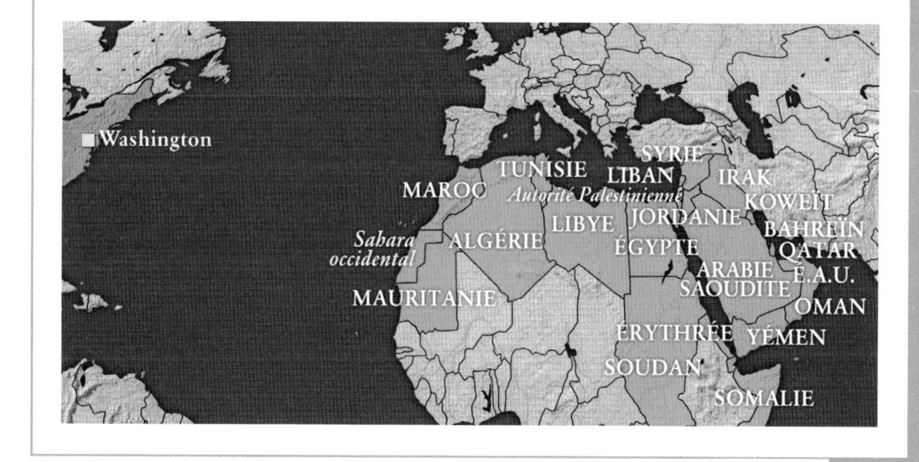

Voir également : POLITIQUE ÉTRANGÈRE DES ÉTATS-UNIS (p. 48-55), DIEGO GARCIA (p. 56-59), PÉTROLE (p. 82-85), ARABIE SAOUDITE (p. 86-89), ISLAM (p. 90-93) et TERRITOIRES DE LA PALESTINE (p. 98-103).

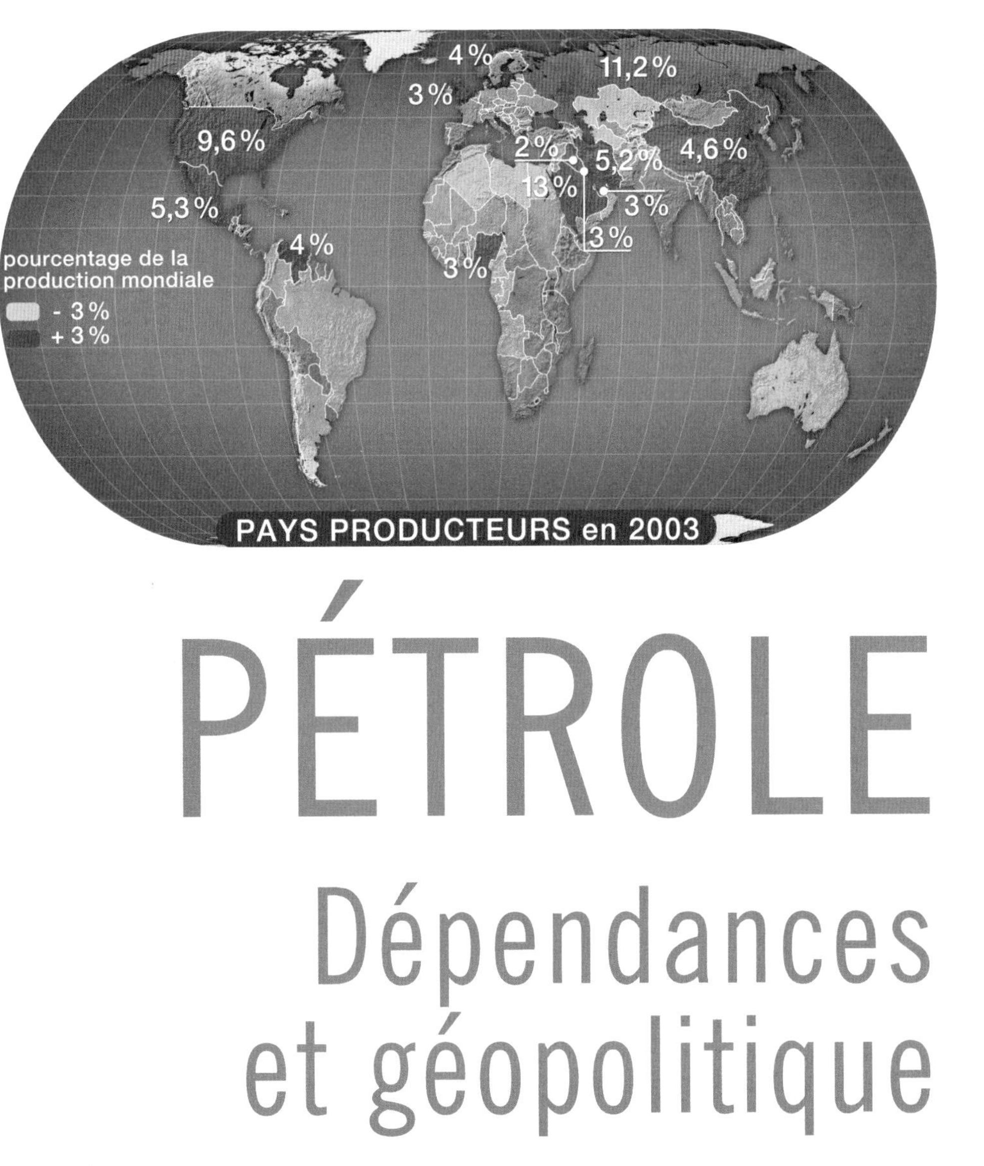

Les pays producteurs de pétrole sont bien répartis dans le monde, et pourtant, leur niveau de production est variable. La Russie (11,2 % de la production mondiale en 2003) est au coude-à-coude avec l'Arabie saoudite (13 %), mais elle est loin de disposer du même niveau de réserves.

PÉTROLE

Dépendances et géopolitique

En 2005, 5 % du pétrole extrait est utilisé pour fabriquer de l'électricité dans les pays industrialisés (OCDE), contre 54 % pour les transports (voitures, avions, etc.). La dépendance des États consommateurs vis-à-vis du pétrole n'est donc plus énergétique, mais directement liée à nos modes de vie. Par ailleurs, les tensions géopolitiques, mais aussi la demande croissante des pays émergents, telle la Chine ou l'Inde, contribuent à la hausse des cours.

Le pétrole est une huile, issue de la décomposition de substances végétales et animales emprisonnées dans de la roche plus ou moins poreuse. On trouve les gisements de cette huile un peu partout dans le monde, sur terre et sous la mer, et c'est d'ailleurs en mer que la prospection pétrolière – l'« offshore » – est la plus importante. On fore de plus en plus profond, jusqu'à 2 000 mètres, et les zones les plus prometteuses sont situées dans le golfe du Mexique, le long des côtes du Brésil et de celles du golfe de Guinée.

Mais il convient en fait de raisonner en termes de réserves. On peut ainsi mieux comprendre les mobiles de la guerre du Golfe de 1991 au Koweït. L'intervention occidentale – ou plutôt arabo-occidentale – sous mandat des Nations unies cherchait avant tout à interdire que les 9 % des réserves de pétrole koweïtiennes ne passent sous contrôle de l'Irak, qui en détenait déjà 10 %.

Du pétrole, pour combien de temps ?

Il n'y a en principe pas de risques de pénuries avant 2030-2040, et on pourrait d'ailleurs continuer à trouver des nappes, même lorsque nous n'en aurons plus besoin. Comme s'amusait à le dire l'ancien ministre du Pétrole saoudien, Cheikh Yamani : « L'âge de pierre n'a pas pris fin par manque de pierres. » Néanmoins, entre 1950 et 1973, la consommation de pétrole a été multipliée par six dans le monde, et elle devrait rester soutenue les trente prochaines années. Certes, depuis le choc pétrolier de 1973, sa consommation a baissé dans les pays occidentaux, le gaz ou le nucléaire s'étant partiellement substitués au pétrole pour la production d'électricité. Mais cette consommation est en pleine expansion dans les pays émergents, notamment l'Inde, l'Asie du Sud-Est, et surtout la Chine, qui pourrait absorber à elle seule jusqu'à 20 % de la production mondiale d'ici 2030, pour 5 % en 2005.

Le pétrole reste donc une source d'énergie indispensable au développement économique et aux transports. Placé sur un marché totalement libéralisé, son prix est en principe fixé par le strict jeu de l'offre et de la demande. Avec d'un côté les pays producteurs, dont les pays de l'Organisation des pays exportateurs de pétrole (OPEP), et de l'autre les grands pays consommateurs, avec en tête les États-Unis, le Japon, l'Union européenne et maintenant la Chine. Mais ce sont en fait le principal producteur, l'OPEP, et le premier consommateur, les États-Unis, qui sont les grands régulateurs du marché mondial du pétrole. Les pays de l'OPEP cherchent à maintenir des prix stables, entre 22 et 28 dollars le baril, afin d'assurer leur rente pétrolière. En échange de quoi, les États-Unis assurent la sécurité de l'approvisionnement. Mais il y a d'autres mécanismes de régulation.

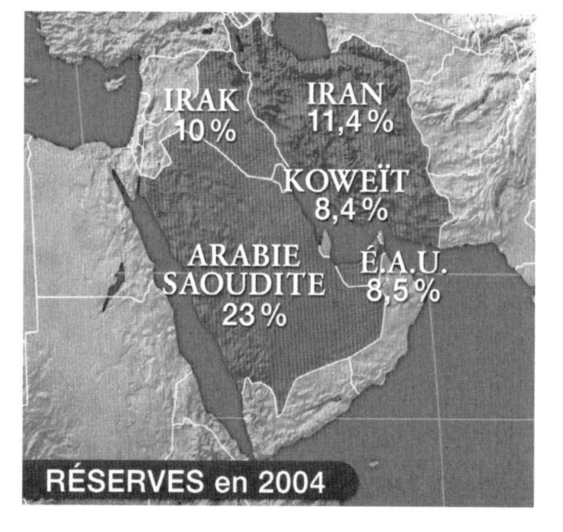

DES RÉSERVES CONCENTRÉES AU MOYEN-ORIENT (2004)

Près de 64 % des réserves mondiales sont au Moyen-Orient. Une telle concentration donne à cette région un poids stratégique, car les États de cette zone peuvent « jouer » sur l'offre, comme l'ont montré les chocs pétroliers de 1973 et 1979. Mais là comme ailleurs, ces réserves ne sont ni stables, ni éternelles, puisqu'elles fluctuent en fonction des explorations, de l'exploitation, des techniques de forage et même de raffinage.

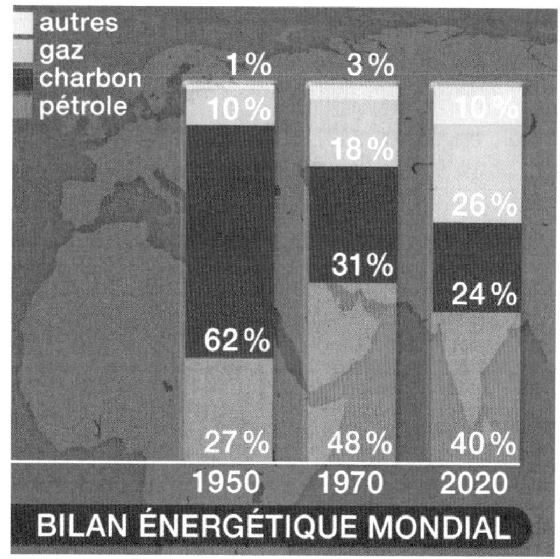

LA PREMIÈRE SOURCE D'ÉNERGIE AU MONDE

C'est en 1970 que le pétrole est devenu la première source d'énergie au monde, avec 48 % de la consommation mondiale. Les prévisions pour 2020 indiquent son maintien comme source d'énergie dominante avec près de 40 %, la Chine absorbant à elle seule 14 % de la production mondiale.

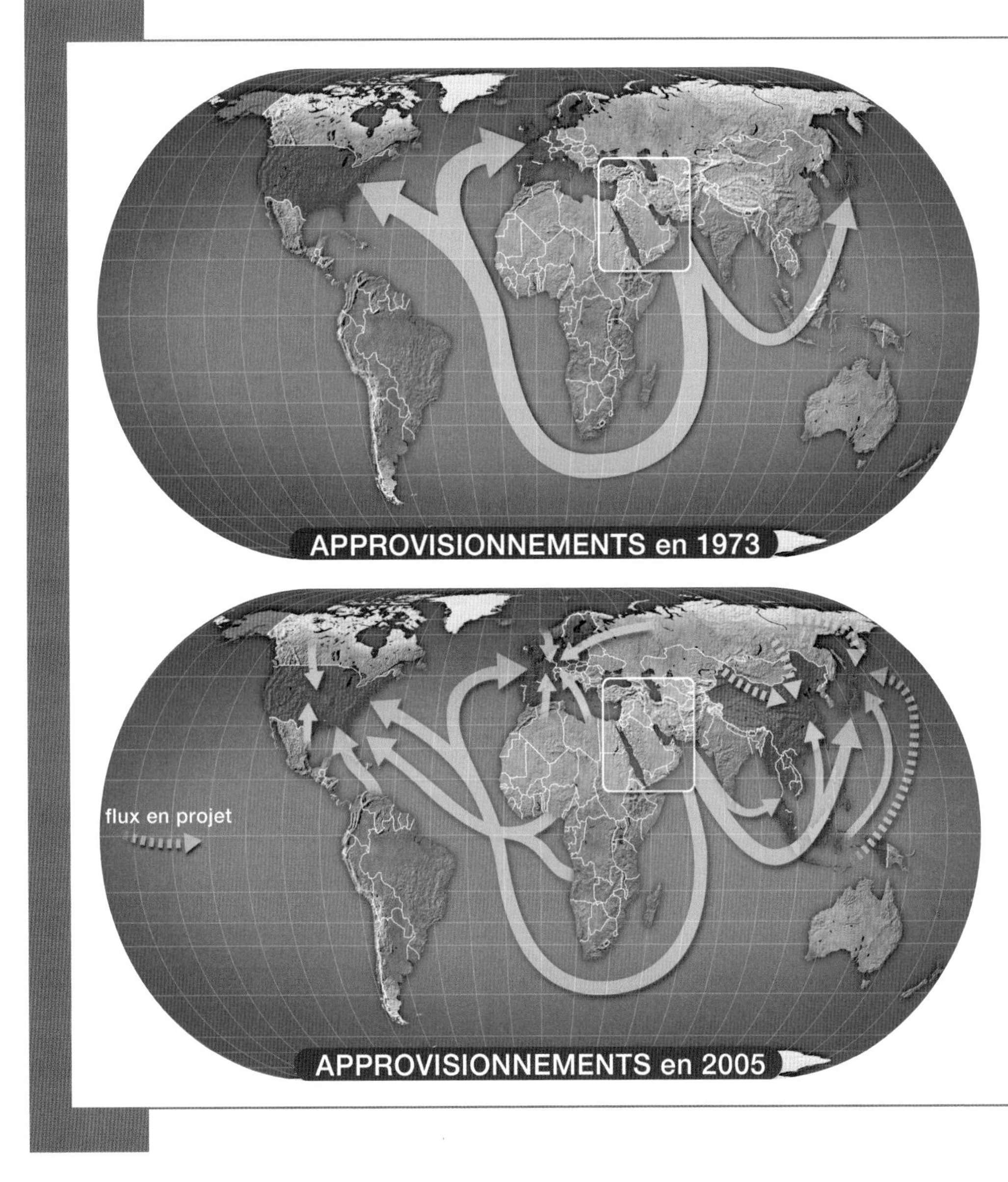

LE MARCHÉ PÉTROLIER DE 1973 À 2005

L'évolution des approvisionnements en pétrole révèle que le Moyen-Orient, principal fournisseur dans les années 1970 des grands consommateurs que sont les États-Unis, l'Europe occidentale et le Japon, a depuis le début des années 2000 son principal marché en Asie, dont la Chine, devenue deuxième consommateur mondial en 2004.
On remarque d'autre part une importante diversification de l'approvisionnement des États-Unis et de l'Europe, qui se fournissent de plus en plus chez leurs voisins immédiats (Venezuela, Mexique), mais également dans le golfe de Guinée.

Les nouveaux régulateurs

Depuis quelques années, plusieurs autres facteurs influent sur les cours et l'évolution de ce marché :

– les pays producteurs non membres de l'OPEP, dont la Russie, le Mexique ou la Norvège, exportent de plus en plus de pétrole. Ils représentaient, en 2003, 60 % de la production mondiale ;

– la très forte demande chinoise avait mal été anticipée, autant par la Chine que par les producteurs ;

– enfin, des tensions internationales ont poussé les prix du baril à la hausse : l'intervention anglo-américaine en Irak (2003), la politique de Hugo Chávez au Venezuela, ou la tension née des incertitudes sur le programme nucléaire de l'Iran, qui détient la deuxième réserve pétrolière du monde ;

– à cela s'ajoutent les questions d'environnement. Tant dans les phases d'exploration, d'exploitation, du transport ou de la consommation, le pétrole peut menacer l'environnement. Ou souvent il l'agresse frontalement : il est, par exemple, directement responsable de 40 % des émissions de gaz carbonique dans le monde. Or le Sénat des États-Unis – premier pays émetteur de CO_2 – ne veut pas ratifier le protocole de Kyoto visant à limiter ces émissions de gaz à effet de serre.

Vers les énergies renouvelables

Seules les prises de conscience des opinions publiques mondiales ajoutées à des cours élevés peuvent aider à la mise en place d'énergies de substitution. D'ailleurs, les grandes compagnies pétrolières investissent désormais dans les énergies renouvelables, comme Royal Dutch Shell dans l'énergie éolienne. On peut aussi évoquer pour les générations à venir la pile à hydrogène, les usines marémotrices, ou les biocarburants obtenus à partir de végétaux comme l'éthanol, qui font déjà rouler 4,5 millions de véhicules au Brésil. Il convient de toute évidence de changer peu à peu nos mentalités, puis nos habitudes, de les traduire dans les enseignements donnés dans les écoles, afin de faire évoluer nos modes de vie et extraire peu à peu nos raisonnements économiques de la dépendance pétrolière.

Voir également : POLITIQUE ÉTRANGÈRE DES ÉTATS-UNIS (p. 48-55), ARABIE SAOUDITE (p. 86-89), CHINE, LE PAYS SOUS LE CIEL (p. 120-131) et LES MERS EN DANGER (p. 220-225).

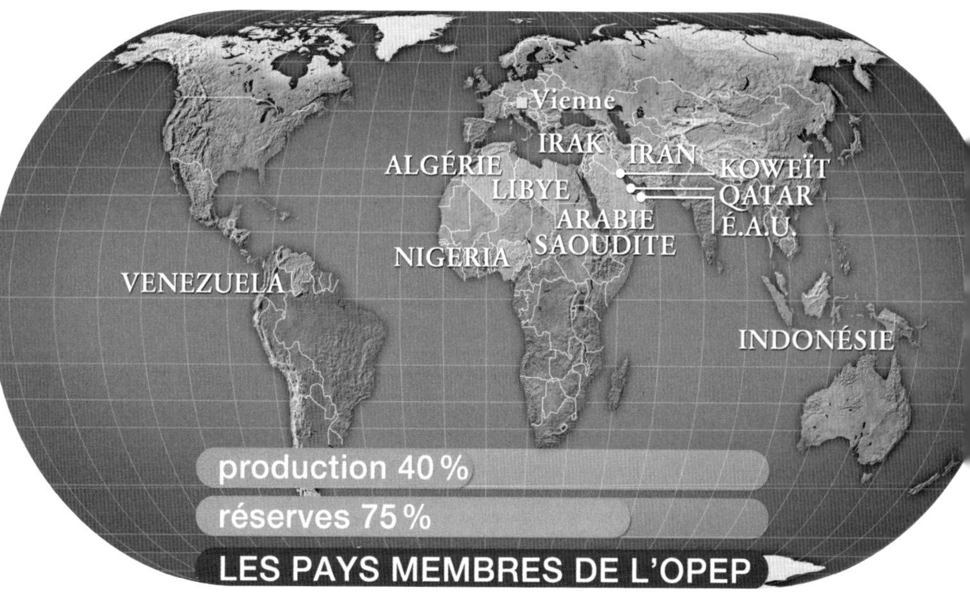

L'OPEP

L'Organisation des pays exportateurs de pétrole (OPEP), créée en 1960 à l'initiative du Venezuela, a son siège à Vienne en Autriche. Elle comprend aujourd'hui onze membres, qui contrôlent quelque 40 % de la production mondiale de pétrole et détiennent à eux seuls 75 % des réserves. L'OPEP joue donc un rôle central sur la scène internationale pour la fixation des prix du pétrole. Il s'agit de coordonner la politique de production de ses membres, de l'ajuster à la consommation, pour augmenter les marges bénéficiaires, tout en amortissant leurs investissements. Ou bien, dans le cas précis de l'Arabie saoudite, de combler, lorsque c'est nécessaire, son déficit budgétaire.

ARABIE SAOUDITE

Une pétromonarchie

L'Arabie saoudite est située au cœur de la péninsule arabique, une zone désertique de plus de 3 millions de km² entrecoupée de steppes, d'oasis – telle Riyad – et de la barrière montagneuse du Hedjaz, qui offre au sud-ouest un climat arrosé propice à l'agriculture. Le drapeau saoudien rappelle le caractère indissociable du politique et du religieux : sur un fond vert, couleur de l'islam, est inscrite la profession de foi musulmane « il n'y d'autre Dieu que Dieu, et Mahomet est Son prophète », au-dessus d'un sabre, évoquant la conquête guerrière d'Ibn Séoud pour unifier le pays.

Le royaume d'Arabie saoudite a été créé en 1932. Une grande part de la légitimité de cet État est fondée sur l'islam, dont il contrôle les principaux lieux saints. Et sur le pétrole, dont il concentre à lui seul le quart des réserves mondiales.

Seul État au monde à porter le nom de sa famille régnante, l'Arabie saoudite s'est constituée autour d'une sorte de pacte social et politique. Le pays vit sous un régime de monarchie absolue, la contestation politique y est impossible et la majorité des postes clés de l'État saoudien est occupée par les membres de la dynastie al-Saoud, soit quelque quatre mille deux cents princes du sang.
Un État providence, mis en place grâce aux recettes pétrolières, offre protection, éducation et santé à ses citoyens. En échange, la monarchie saoudienne a pu asseoir son pouvoir face aux autres tribus bédouines qui composent la société du pays, et s'assurer de sa pérennité.

Pétrole et islam, piliers du régime

Si le pétrole est le premier instrument de légitimation du pouvoir des Saoud, le deuxième instrument est l'islam. Les Saoud sont les gardiens des lieux saints musulmans de La Mecque et de Médine. L'Arabie saoudite, telle une mosquée, se revendique dans son entier comme un espace sacré (*Haram al-Sharif*), donc « officiellement interdit » aux non-musulmans. L'islam, tout comme le pétrole, donne également à l'Arabie saoudite une légitimité internationale.

L'UNIFICATION DE LA PÉNINSULE ARABIQUE PAR LES SAOUD

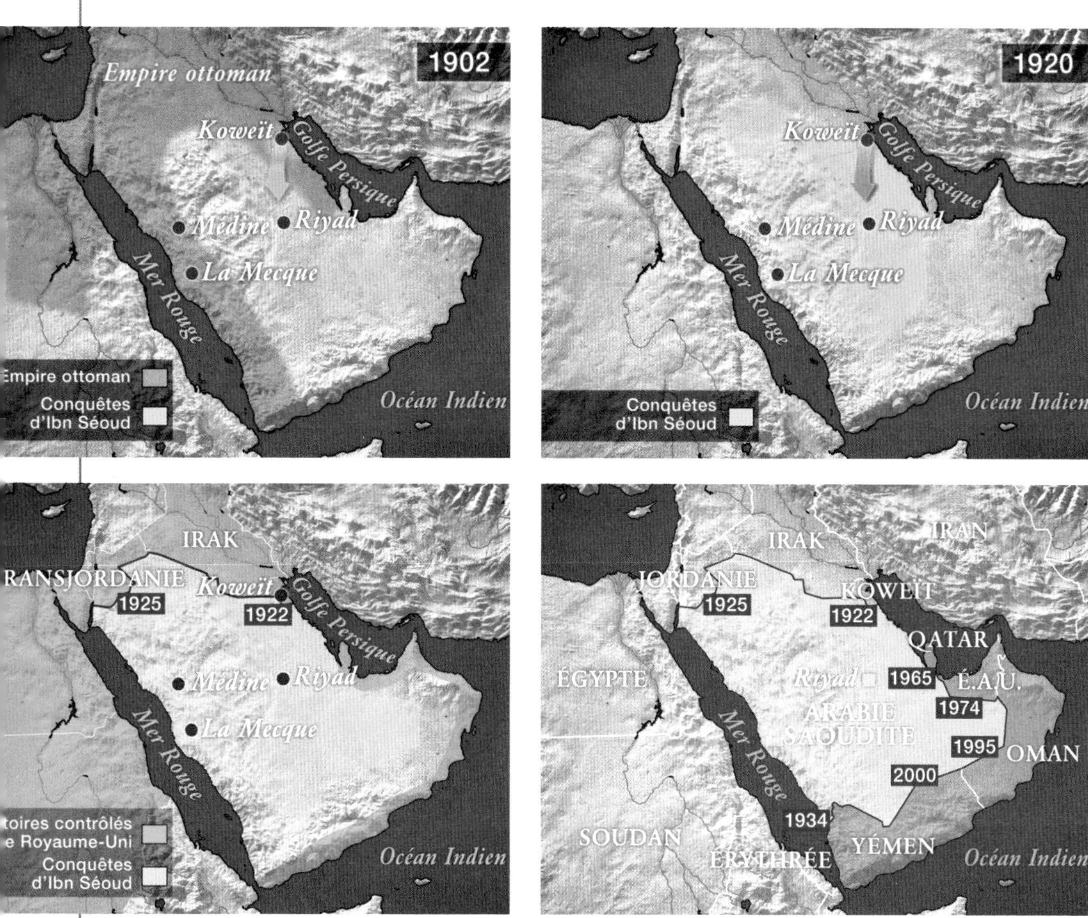

L'unification de la péninsule arabique commence en 1902, lorsque Abd al-Aziz III, connu sous le nom d'Ibn Séoud, alors âgé de vingt et un ans, prend aux Turcs la ville de Riyad avec une quarantaine d'hommes. Il reprend le flambeau de ses ancêtres qui, au début du XIXe siècle, face à la puissance ottomano-égyptienne de Méhémet-Ali, avaient échoué dans leur projet de conquête de la péninsule. Portés par le wahhabisme, doctrine religieuse puritaine de l'islam sunnite, Ibn Séoud et ses guerriers expulsent en 1913 les Ottomans du Hasa, conquièrent en 1920 la moitié du territoire attribué à l'émir du Koweït, puis l'Arabie du Nord. En 1924 et 1925, ils prennent possession du désert du Rub al-Khali et des villes saintes du Hedjaz. Ils en chassent les Hachémites, dynastie rivale, dont les Anglais préfèrent s'éloigner pour faire alliance avec Ibn Séoud. Les Britanniques peuvent ainsi protéger leurs intérêts : stratégiques d'abord, le long de la « route des Indes », pétroliers ensuite, dans leurs protectorats du golfe Persique, d'Irak et de Transjordanie. En échange de cette alliance, Ibn Séoud accepte le principe d'une frontière avec ces nouveaux États. Elles seront d'ailleurs longtemps les seules frontières reconnues par l'État saoudien proclamé en 1932.
Car la frontière n'est qu'une ligne imaginaire qui ne doit en rien gêner les déplacements des nomades et Bédouins dans le désert, mais qui favorise aussi les ambitions conquérantes d'Ibn Séoud.

LE PÉTROLE, UNE ARME ÉCONOMIQUE ET POLITIQUE

Les recettes du pétrole ont favorisé la construction d'un État disposant d'infrastructures développées, d'un système de protection sociale, et de villes qui ont sédentarisé les populations nomades. Aujourd'hui, 85 % de la population saoudienne vit en ville. Mais le regroupement des populations n'est-il pas aussi le moyen pour la monarchie de mieux les contrôler?

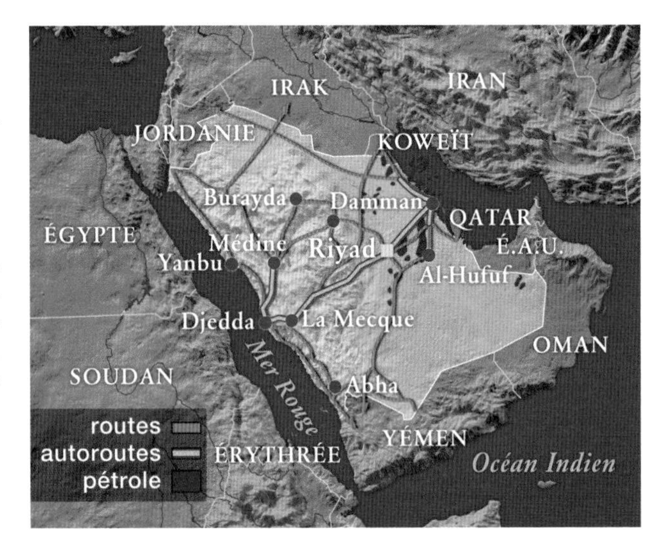

DE L'OR NOIR POUR DE L'OR BLEU

Le pétrole a apporté à l'Arabie saoudite des ressources financières qui lui ont permis de mettre en place une agriculture irriguée. Grâce à la construction de stations de pompage et d'usines de déssalinisation, le pays est proche de l'autosuffisance alimentaire et a pu devenir exportateur de blé. Sauf que le prix de revient de la tonne de céréales est six fois supérieur aux cours mondiaux. Pour cultiver ces zones désertiques, plus de quinze heures d'arrosage par jour sont nécessaires, contribuant à la surexploitation des nappes phréatiques.

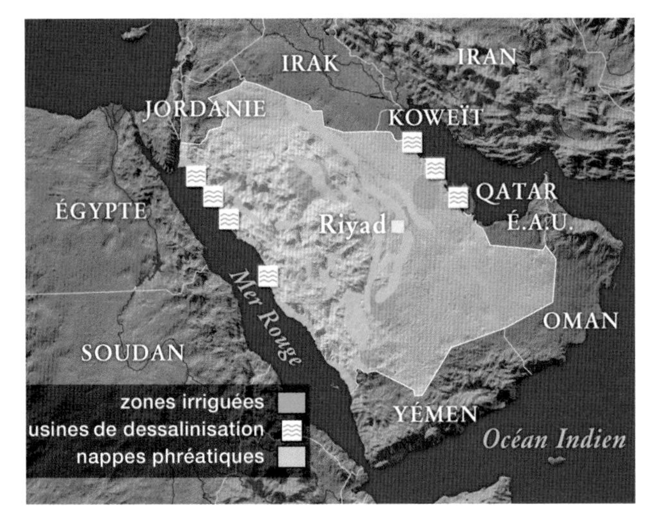

Une légitimité internationale

Chaque année, près de 1,5 million de musulmans étrangers se rendent en pèlerinage à La Mecque. Gardienne des villes saintes, l'Arabie saoudite dispose d'un important prestige au sein du monde musulman, elle se veut «leader» de l'islam sunnite face notamment à l'Iran chiite; elle a initié en 1969 l'Organisation de la conférence islamique, et finance, à travers la Ligue islamique mondiale, les mouvements de guérillas sunnites (aux Philippines, Nigeria, Bosnie ou Tchétchénie).

Le contrôle des premières réserves mondiales de pétrole permet à l'Arabie saoudite de jouer un rôle primordial dans le fonctionnement de l'économie internationale. Elle participe à la fixation des prix du baril, en tant que membre fondateur de l'Organisation des pays exportateurs de pétrole (OPEP), mais plus encore en tant que premier exportateur mondial de brut: elle est le principal fournisseur de l'Union européenne, du Japon et des États-Unis.

Ainsi, entre les États-Unis – premier consommateur au monde – et l'Arabie saoudite – premier exportateur – se sont nouées des relations particulières. En échange d'un accès au pétrole garanti, l'Arabie saoudite a contracté en 1951 un accord de défense avec les États-Unis pour protéger cette richesse pétrolière et assurer la sécurité du royaume. Or depuis les attentats du 11 septembre 2001, dans lesquels une majorité de ressortissants saoudiens étaient impliqués, dont Oussama Ben Laden, la fiabilité de l'allié saoudien a été remise en cause par Washington.

Le centre de commandement pour l'ensemble des forces américaines au Moyen-Orient a été transféré d'Arabie saoudite vers le Qatar, et la Ve flotte a pris Bahreïn comme siège de son quartier général. À moyen terme, il ne devrait plus y avoir dans le royaume qu'une présence américaine limitée à quelques centaines d'hommes, pour entretenir des installations aériennes potentiellement utiles.

Un pays vulnérable

Le pétrole assure 70 % des revenus du pays, soit 45 % du produit national brut (PIB), ce qui induit évidemment une forte dépendance et accroît la vulnérabilité du pays.

Premièrement, le développement de l'industrie saoudienne s'appuie depuis les années 1950 sur une main-d'œuvre étrangère, avant tout originaire des pays arabes et du sous-continent indien. Cette main-d'œuvre représente 25 % de la population saoudienne et près de 70 % de la population active. Mais la montée du chômage – plus de 20 % de la population active en 2004 – et l'arrivée sur le marché de l'emploi de diplômés saoudiens font mesurer la fragilité du modèle de développement de l'Arabie saoudite.

Deuxièmement, alors que les Saoudiens sont majoritairement sunnites wahhabites, une importante communauté chiite vit dans l'est du pays, c'est-à-dire la région pétrolière. Or justement, près de 40 % des chiites travaillent dans ce secteur stratégique des hydrocarbures. Une telle proportion peut représenter un risque pour le pays, l'Iran presque voisin et majoritairement chiite disposant d'une certaine capacité d'influence.

Outre l'Iran chiite à l'est – voisinage potentiellement instable –, l'Arabie saoudite est frontalière au nord avec l'Irak, où la transition après l'intervention américaine est incertaine ; et elle fait frontière avec le Yémen au sud et Bahreïn à l'est, États qui ont récemment fait le « choix démocratique ». Une orientation politique perçue comme une menace pour la pérennité du royaume saoudien.

Le pouvoir absolu détenu par la monarchie, s'ajoutant à l'application de la loi islamique *(charia)*, favorise la discrimination tout à la fois des opposants politiques, de la minorité chiite, des femmes, entraînant fréquemment persécutions et violations des droits humains.

Dans un pays où 50 % de la population a moins de vingt ans, les réformes représentent un véritable défi pour les autorités saoudiennes. Les élections – premières de l'histoire du royaume – tenues en 2005 au niveau municipal ont sans doute amorcé une évolution, mais notons qu'elles n'ont pas été ouvertes à la moitié de la population saoudienne : les femmes.

La principale menace pour le royaume réside pour le moment dans le facteur terroriste : venant après « l'Occident », l'Arabie saoudite est la deuxième cible de Ben Laden, qui dénonce les compromissions de la dynastie des Saoud avec des « infidèles », les Américains.

Voir également : POLITIQUE ÉTRANGÈRE DES ÉTATS-UNIS (p. 48-55), PÉTROLE (p. 82-85) et ISLAM (p. 90-93).

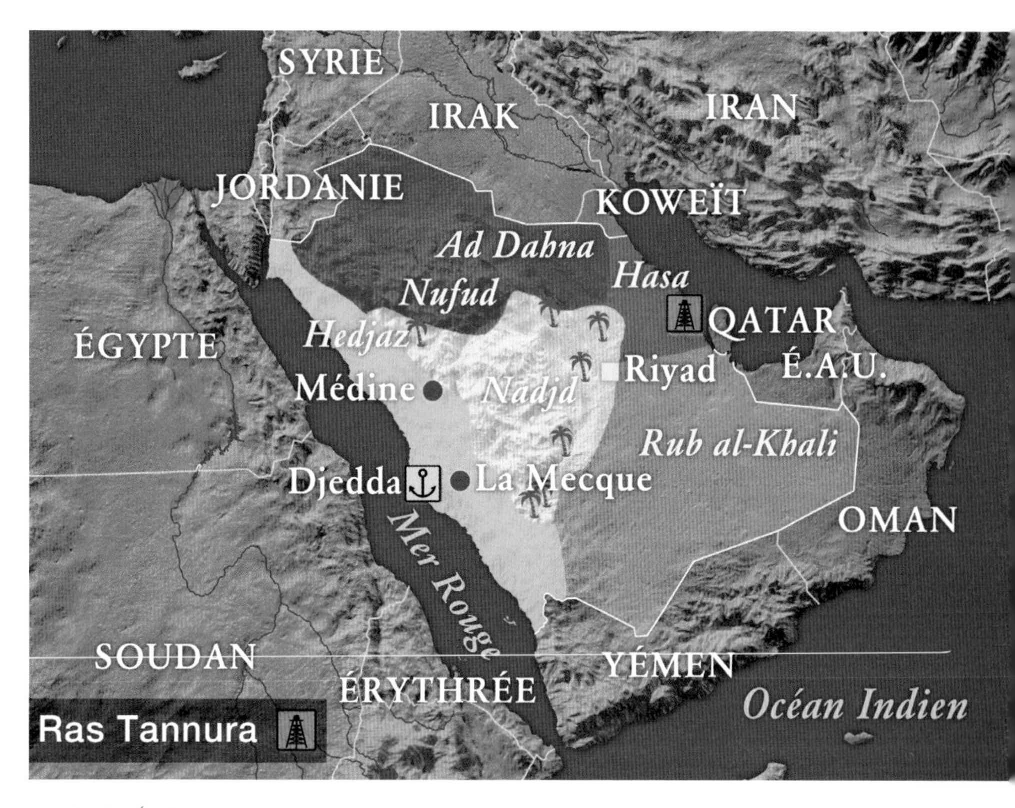

LES CINQ RÉGIONS D'ARABIE SAOUDITE

Au centre du pays, la région du Nadjd, qui signifie « plateau » en arabe, est peu élevée et traversée d'oueds et d'oasis, dont Riyad, la capitale. C'est le berceau historique de la dynastie des Saoud. Cette région est bordée au nord par les déserts du Nufud et d'Ad Dahna, où vivent des populations nomades, et au sud par l'immense « quart vide », Rub al-Khali en arabe. À l'ouest, s'étend le long de la mer Rouge la région montagneuse du Hedjaz. Grâce au port de Djedda, la région est très commerçante et forme le principal accès pour les pèlerins musulmans aux villes saintes de La Mecque et de Médine. La région du Hasa à l'est est le centre économique saoudien, grâce au pétrole. À Ras Tannura, la plus grande raffinerie au monde a été construite afin d'exploiter le gisement d'al-Ghawar et ses nappes de 250 km de long.

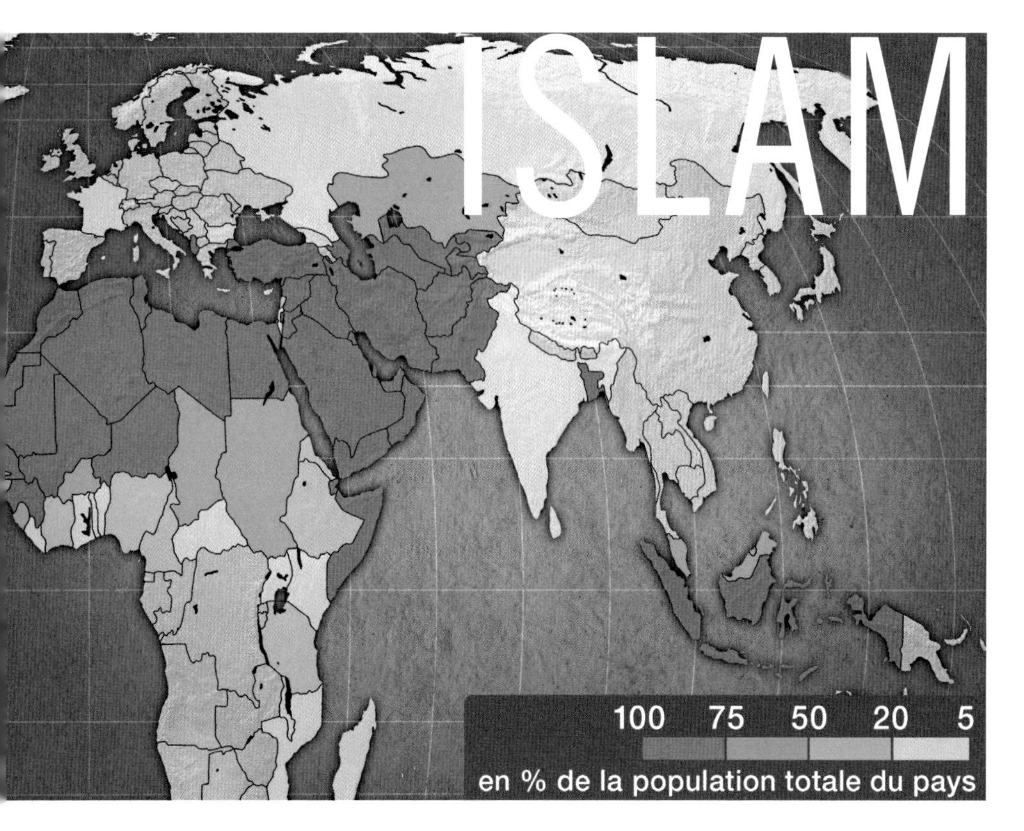

LES MUSULMANS DANS LE MONDE

Cette carte de la population musulmane dans le monde est la représentation cartographique de l'islam la plus fréquente. Car à défaut de pouvoir inscrire les croyances religieuses dans l'espace, elle permet de répartir les États en fonction du pourcentage de musulmans dans chacun d'entre eux. Ce faisant, elle associe dans une même couleur des réalités parfois profondément différentes d'une région à l'autre. Ainsi, dans des pays de pratique assidue comme l'Arabie saoudite, l'islam s'apparente à un mode de vie. En Indonésie ou dans les Balkans, en revanche, il apparaît d'abord comme un héritage culturel commun.

Des cartes trop simples ?

Peut-on tout expliquer avec les cartes ? Les pouvoirs, les représentations, les religions ? L'islam est-il cartographiable ? À moins que les cartes ne soient en elles-mêmes des instruments de pouvoir et de manipulation…

L'islam statistique

Comme toute autre religion, l'islam n'est pas un phénomène géographique. Il est donc difficile à cartographier. C'est pourquoi on choisit le plus souvent de le représenter à partir du pourcentage de musulmans recensés dans chaque pays. Il s'agit là d'une information uniforme et relative, qui appelle donc aussitôt plusieurs remarques.

La carte est élaborée à partir de statistiques nationales. Or la méthode et la fiabilité des recueils de données peuvent varier beaucoup d'un pays à l'autre. C'est le cas de la Chine où, selon les sources, la population musulmane oscille entre 20 et 160 millions de personnes. Une différence importante puisque dans un cas ce vaste pays apparaît sur la carte du « monde musulman » et dans l'autre non. On voit bien ainsi que l'inscription d'un État dans une catégorie ou l'autre de la carte dépend des seuils de pourcentage fixés par l'échelle de couleurs. Autrement dit, on peut induire

des représentations sensiblement différentes à partir d'une même réalité, simplement en changeant les seuils de répartition des couleurs. Or, quand il s'agit de sujets aussi délicats que les appartenances religieuses, l'enjeu n'est pas négligeable.
Bien que l'islam soit né dans la péninsule arabique, près de 80 % des musulmans dans le monde ne sont pas arabes. Or la carte, de nature statistique, n'aide pas à faire les distinctions entre les peuples. En faisant correspondre l'intensité des couleurs à la proportion de musulmans dans chaque pays, le nuancier induit *de facto* un classement entre eux, avec des pays qui seraient « très » musulmans, comme les pays arabes, mais aussi le Bangladesh ou le Pakistan ; et puis d'autres « moins » musulmans, comme l'Inde en couleur plus pâle. Or aujourd'hui, l'Inde et le Pakistan comptent environ le même nombre de musulmans, soit à peu près 120 millions. À l'aune des tensions entre les deux pays, la précision est politiquement importante. À l'aune de leur histoire, elle devient même sensible car l'un des principes fondateurs du Pakistan en 1947 était justement de rassembler les musulmans du sous-continent dans un même État.

L'islam politique

Quand on représente l'Organisation de la conférence islamique (OCI) par l'aire géographique de ses États membres, celle-ci apparaît – sur la carte – comme une institution mondialement importante, donc *a priori* puissante. Or cette étendue géographique est justement l'expression de ses handicaps : car si l'on compare cette carte à celle des populations musulmanes dans le monde, on s'aperçoit que l'OCI regroupe des pays où l'islam est ultramajoritaire comme l'Iran ou l'Algérie, et d'autres comme le Mozambique et l'Ouganda où il reste une religion minoritaire. Dès lors, on se demande comment l'islam pourrait constituer un dénominateur commun assez fort pour donner une cohésion et un poids politique mondial à une organisation dont il est le seul critère d'appartenance.
Cette question – que ne pose pas la carte seule – est d'autant plus fondée au regard de l'hétérogénéité économique et culturelle des membres de l'OCI. Car quels intérêts pourraient bien défendre de façon convergente des pays de richesse, de développement et de régime politique aussi différents que la Sierra Leone et l'Arabie saoudite ?

L'ORGANISATION DE LA CONFÉRENCE ISLAMIQUE : « L'ISLAM POLITIQUE »
Basée à Djedda, l'OCI constitue à l'échelle mondiale la seule organisation confessionnelle dont les membres signataires sont des États. Elle a pour mission de sauvegarder les lieux saints de l'islam, de soutenir le peuple palestinien et, avec la Banque islamique de développement, de promouvoir la coopération des pays musulmans dans les domaines économiques, sociaux, culturels et scientifiques. (Ne figurent pas sur cette carte le Surinam et la Guyana.)

L'ISLAM JURIDIQUE

Cette carte répartit les pays membres de l'OCI en fonction de la place qu'ils accordent à l'islam dans leur système juridique.
Elle fait apparaître :
– en vert foncé, les pays qui appliquent la loi islamique *(charia)* de manière stricte, y compris ses châtiments corporels ;
– en plus clair, ceux qui ne l'appliquent que pour les naissances, les mariages ou les droits de succession ;
– et en vert très clair, les pays séculiers ou laïcs.
Sur cinquante-sept membres de l'OCI, seulement cinq d'entre eux appliquent le droit islamique de manière stricte. On peut cependant se demander comment ils gèrent la contradiction entre une interprétation rigide des textes de l'islam et les conventions internationales signées par ces mêmes États en matière de droits humains.

Enfin, la carte de l'OCI représente bien incomplètement les musulmans dans le monde, puisque un quart d'entre eux vivent dans les pays non membres de l'Organisation comme l'Inde, la Chine, la Russie, les États européens ou d'Amérique, soit des régimes parfaitement laïcs.
En somme, si on peut retenir de la carte de l'OCI que l'islam est fondateur de solidarités spécifiques, l'analyse critique de cette carte révèle qu'il ne suffit pas à fonder un projet politique mondial.

La géographie de l'islam

En répartissant les régions à dominance islamique en fonction des courants et des écoles auxquels elles se rattachent, la carte des « empreintes » de l'islam fait aussitôt apparaître la grande diversité de cette religion. Diversité de courant entre chiites et sunnites, mais aussi d'écoles : malékite ou chafiite en Afrique, hanbalite ou kharidjite dans la péninsule arabique, etc. Or qu'il s'agisse de l'organisation en clergé ou de la consommation de l'alcool, à chaque école ses représentations, ses obligations et ses interprétations du droit et de la tradition musulmans.
En exprimant cette diversité par le choix des couleurs, la carte permet de rappeler qu'à partir d'un texte fondateur commun, l'islam a évolué dans des régions géographiquement et culturellement très variées : il est imprégné de maraboutisme en Afrique, institué en règle de vie dans les pays du golfe Persique, syncrétique en Indonésie, etc. Donc contrairement à ce qu'induisent les cartes de population, la géographie rappelle qu'il y a un islam et un Coran, mais des cultures, des croyances et des traditions musulmanes.

Finalement, cette analyse critique de la cartographie du monde de l'islam souligne que même quand elles sont sérieuses, les cartes sont porteuses d'erreurs d'interprétation, de représentations et donc de manipulations. Car les cartes sont muettes, elles ne « disent » rien ; en revanche on peut leur faire dire n'importe quoi…

LES « EMPREINTES » DE L'ISLAM

Alors que la carte de la population musulmane dans le monde raisonne à l'échelle des États, cette représentation de l'islam conjugue la diversité de ses courants et celle des territoires où il est implanté. Statistiquement moins précise à l'échelle de chaque pays, elle évite cependant d'amalgamer dans une même couleur des populations de culture, de tradition mais aussi de latitudes différentes. En restaurant les discontinuités et en ne retenant que les zones habitées, elle modifie sensiblement le spectre géographique de l'islam auquel les cartes démographiques et statistiques nous ont habitués.

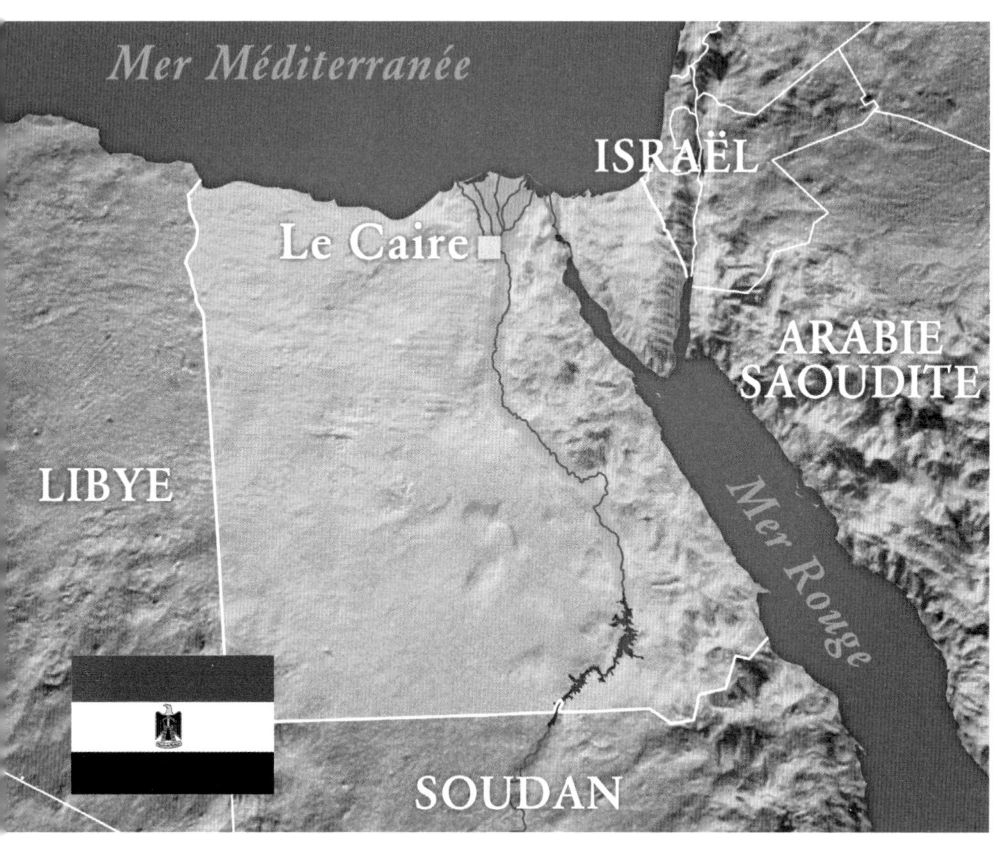

La population égyptienne s'est formée au fil des siècles d'apports divers : chamitiques, nubiens, sémites et libyens. Elle est aujourd'hui à 99 % d'origine arabe. Les Égyptiens sont aujourd'hui dans leur grande majorité musulmans sunnites. La minorité chrétienne des coptes représenterait entre 10 % et 20 % de la population totale du pays, mais ces chiffres sont incertains, du fait des fortes discriminations dont elle est victime.

ÉGYPTE

Le pays aux quatre rentes

L'Égypte est un pays clé au Moyen-Orient en général, et dans le monde arabe en particulier. Or ce pays est fragile, car le maintien du président Hosni Moubarak, en fonction depuis 1981, se fait au nom de la stabilité politique, ce qui renforce les frustrations et le rôle des mouvements « sociaux islamistes ». En outre, le pays est dépendant économiquement de quatre « rentes ».

UN « DON DU NIL »

L'Égypte est totalement structurée par le Nil. Population et zones agricoles se superposent de part et d'autre du fleuve, la présence de l'eau ayant contribué au développement de l'irrigation et de l'agriculture. Au sud du pays a été construit, avec l'aide soviétique entre 1960 et 1970, le barrage d'Assouan qui forme une immense retenue d'eau, le lac Nasser contenant deux fois la crue annuelle du fleuve. Ce barrage hydroélectrique a permis l'augmentation du nombre des récoltes céréalières et fruitières, mais entraîne au nord une forte augmentation de la salinité, ce qui perturbe l'agriculture dans le triangle du delta.

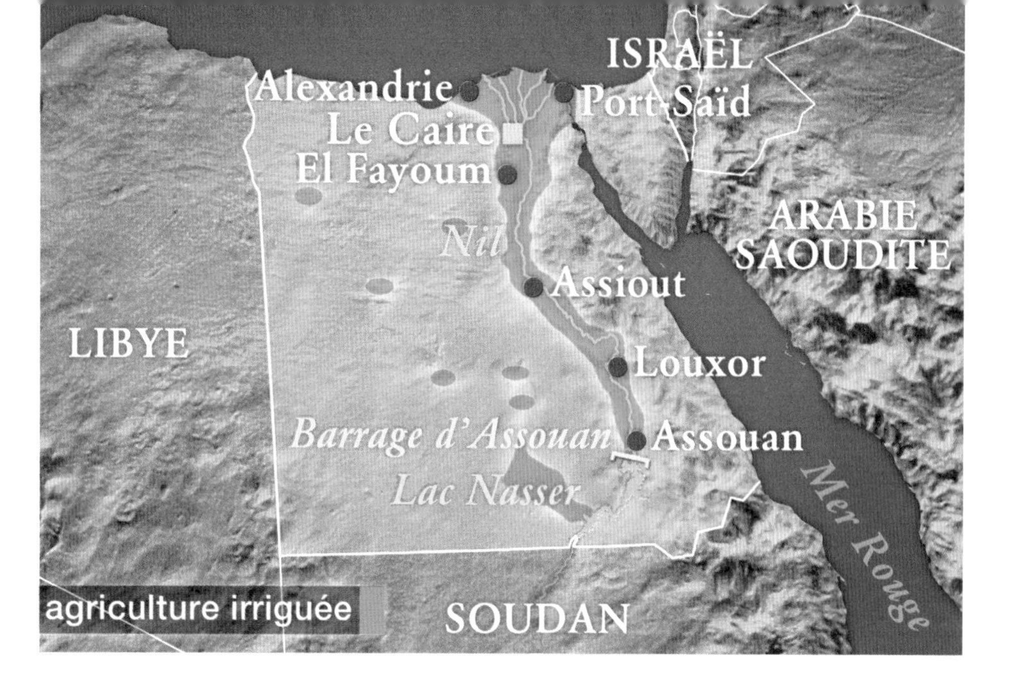

L'histoire, première rente

Organisée autour du Nil, l'Égypte est l'un des plus vieux États au monde, sur un territoire proche de celui que nous connaissons aujourd'hui. Son histoire, continue depuis 3200 avant l'ère chrétienne, a laissé un ensemble archéologique et cosmogonique parmi les plus riches au monde. Ses temples, pyramides et ruines ont une fonction de témoignage. Ils ont aussi une fonction économique, car ces vestiges attirent chaque année des millions de touristes. Cette rentrée de devises constitue la première rente de l'Égypte, même si elle est fragilisée par les attentats qui ont visé des touristes en 1997 et en 2004.

Le Nil, deuxième rente

L'Égypte est un « don du Nil », selon l'historien grec Hérodote. Telle une oasis qui traverse un désert sur toute sa longueur, le fleuve structure ce pays d'un million de km^2. La présence de l'eau a permis le développement de l'irrigation, donc de l'agriculture ; ces trois éléments jouant un rôle d'aimant pour les 70 millions d'Égyptiens qui se concentrent essentiellement dans le delta du Nil. Alexandrie à l'ouest, Le Caire, capitale du pays et plus grande ville d'Afrique avec ses 16 millions d'habitants au centre, Port-Saïd à l'est forment les trois pointes du triangle du delta.

UN PASSÉ, SOURCE DE RICHESSES

La civilisation égyptienne est l'une des rares civilisations à former une continuité entre la période néolithique et ce qu'on appelle l'histoire. L'Égypte pharaonique commence en 3200 avant l'ère chrétienne et va durer jusqu'à l'époque du Christ, où elle passe alors sous diverses influences étrangères : romaine, arabe, turque et finalement anglaise.

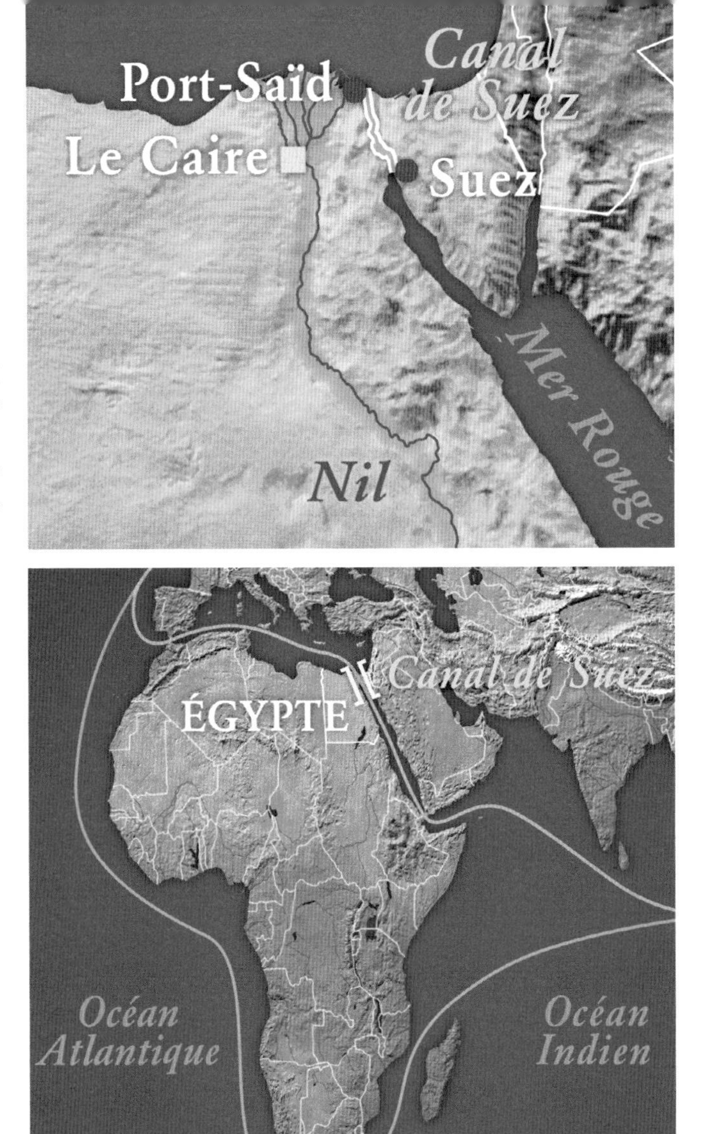

LE CANAL DE SUEZ

Ce passage maritime artificiel entre l'Europe et l'Asie est d'une importance majeure, puisqu'il évite aux navires le contournement du continent africain.

Le canal de Suez, troisième rente

Le canal de Suez, voie d'eau artificielle sans écluse et longue de 162,5 km, entre mer Rouge et mer Méditerranée, est d'une importance majeure pour l'ensemble des pays du monde. Conçu par l'ingénieur français Ferdinand de Lesseps et achevé en 1869, c'est le trajet maritime le plus court entre l'Europe et l'Asie, évitant aux navires le contournement de l'Afrique par le cap de Bonne-Espérance.

Pour l'Égypte, l'importance du canal est aussi financière. Avec un trafic moyen de 40 navires par jour, le canal, nationalisé par le président Nasser en 1955, rapporte quelque 2 milliards de dollars en droits de passage par an, formant ainsi la troisième rente permanente du pays.

Une position « stratégique », quatrième rente

La quatrième rente est liée à la position géographique de l'Égypte.

L'Égypte, voisin direct d'Israël, a été le premier pays arabe à signer des accords de paix avec l'État hébreu à Camp David en 1979. En échange, et depuis 1980, les États-Unis versent chaque année au budget égyptien plus de deux milliards de dollars d'aide. Quant à Israël, il est le premier bénéficiaire au monde de l'aide directe américaine avec un versement annuel de trois milliards de dollars en moyenne.

Mais cet alignement du Caire sur les positions des États-Unis est généralement peu apprécié par la population égyptienne, en particulier lorsque Washington décide d'entrer en guerre contre l'Irak. Dans ce cas précis, contester la politique américaine est une façon pour les Égyptiens de contester le régime du président Moubarak en place au Caire depuis plus de vingt ans.

Le grand écart égyptien

La société civile égyptienne pense en effet en fonction des règles et des croyances d'un pays musulman, mais son expression politique n'est pas libre alors que ce pays avait été le premier à ouvrir le débat avec Hassan el-Banna qui fonda, en 1928, la confrérie des Frères musulmans. Cela conduit aujourd'hui les islamistes égyptiens à lutter contre le pouvoir au travers d'attentats, prenant pour cible des intellectuels égyptiens ou des touristes, comme à Louxor en 1997 ou à Taba en 2004.

Face à la violence islamiste, le pouvoir répond par la répression, il élargit la compétence des organes de sécurité, ce qui débouche sur le cycle politique connu : action-répression-action. Depuis l'assassinat du président égyptien Anouar el-Sadate en 1981, l'état d'urgence n'a jamais été levé dans le pays.

L'écart est donc grand, aujourd'hui en Égypte, entre la société civile et le régime politique. Il est immense entre la société rêvée par les Égyptiens et la société réelle où ils vivent. Il n'y a sans doute pas de perspective de prise du pouvoir par les islamistes en Égypte, mais on trouve des franges radicales désespérées, qui s'expriment par le biais du terrorisme afin d'obtenir le maximum de visibilité.

Les Égyptiens dans leur majorité, et pas seulement la mouvance islamiste, expriment un rejet du pouvoir corrompu et « agenouillé » devant les États-Unis. Et d'ailleurs, bien que le régime soit toujours pro-américain et en paix avec Israël, les relations entre Le Caire et Washington sont plus difficiles depuis les attentats du 11 septembre 2001.

L'Égypte fait ainsi le grand écart, mais pour combien de temps ?

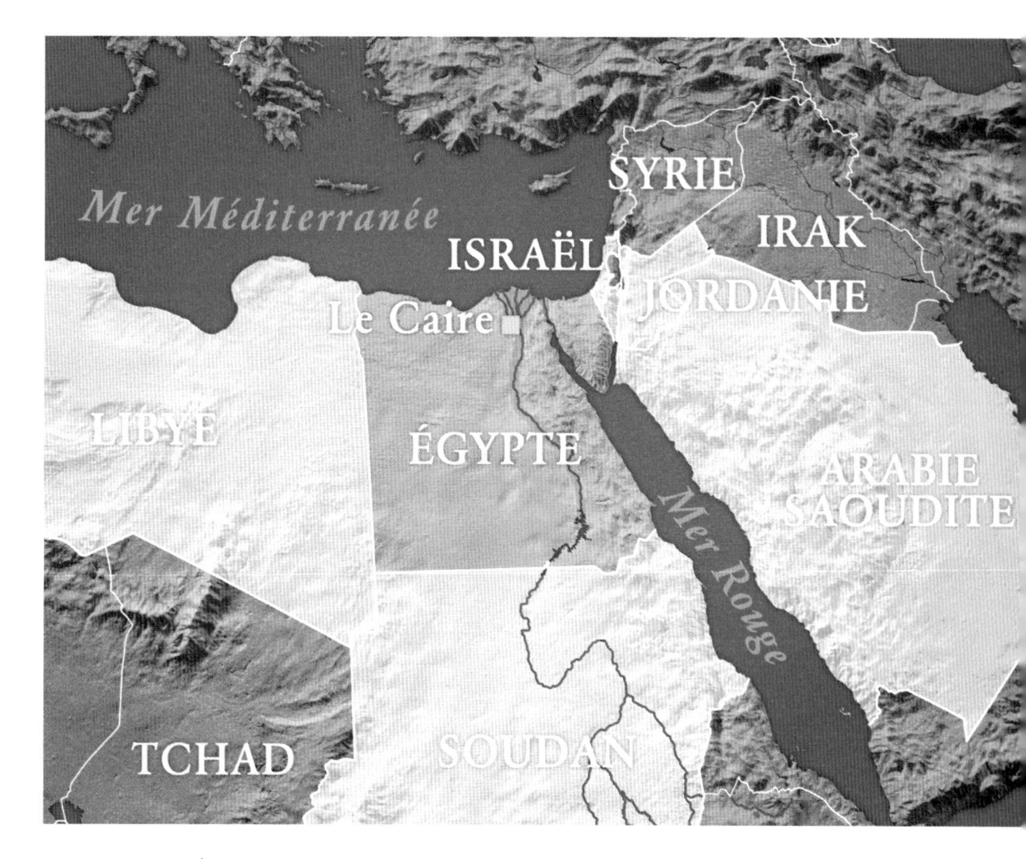

UNE POSITION GÉOGRAPHIQUE PIVOT

L'Égypte est un pays central, avec une position géographique pivot entre Maghreb et Machrek et avec la diplomatie qui en découle. Elle a pour voisins la Libye à l'ouest, le Soudan au sud. Sur son flanc est on trouve au-delà du désert du Sinaï ou de la mer Rouge la Jordanie, l'Arabie saoudite et Israël.

Voir également : POLITIQUE ÉTRANGÈRE DES ÉTATS-UNIS (p. 48-55), PÉTROLE (p. 82-85) et TERRITOIRES DE LA PALESTINE (p. 98-103).

TERRITOIRES

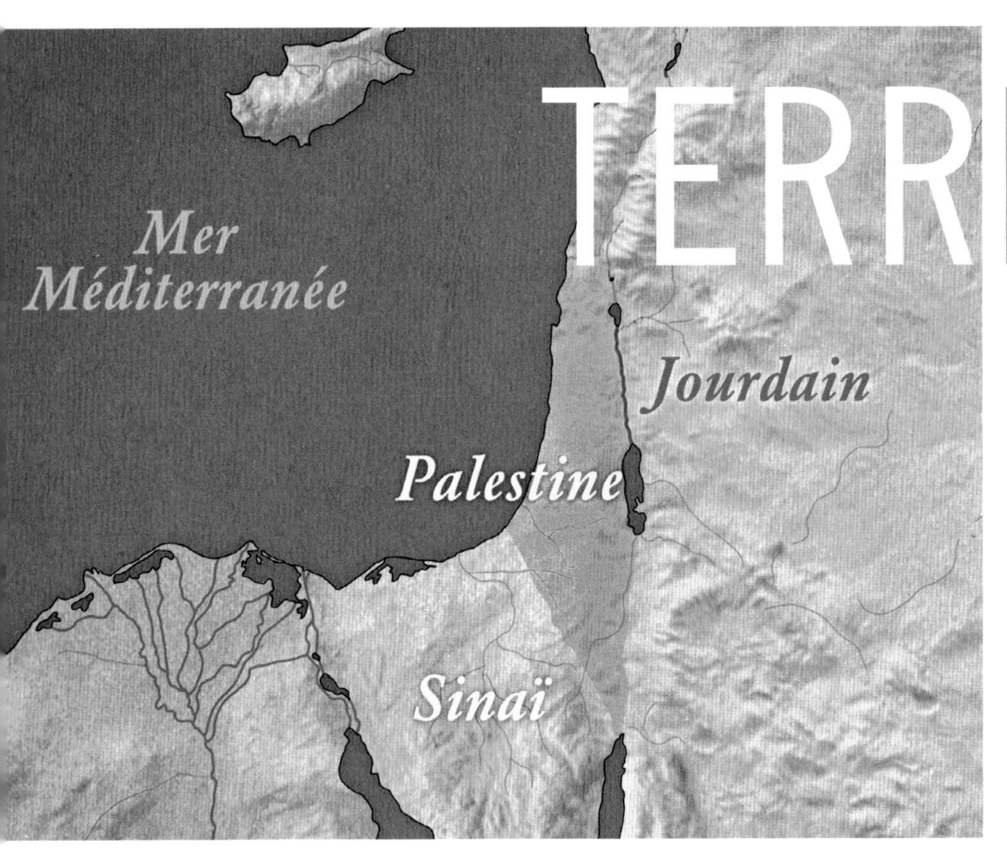

Historiquement, la Palestine est connue pour être bornée à l'ouest par la Méditerranée, à l'est par le fossé de la vallée du Jourdain, au sud par le désert du Sinaï. Mais hormis quelques références dans l'Ancien Testament, son bornage nord est plus difficile à fixer puisqu'il n'y a ni limite de peuplement, ni frontière naturelle, ni bien sûr frontière politique. Cette position le long de la Méditerranée a fait de la Palestine l'unique passage terrestre entre l'Europe, l'Asie et l'Afrique.

Le « partage de la Palestine » n'a pas eu lieu au XXe siècle. Est-ce une option réaliste pour la première décennie du XXIe siècle ? Plusieurs considérations doivent être prises en compte pour mesurer les chances de voir naître un État palestinien. Considérations extérieures, comme l'aval de la diplomatie américaine. Considérations intérieures, c'est-à-dire les plans politiques et économiques des gouvernements israéliens élus. Considérations de sécurité, puisque les attentats suicides augmentent le niveau de la politique sécuritaire d'Israël. Considérations géographiques enfin, car décréter la naissance d'un État, voire sa légalité, n'indique en rien qu'il soit viable économiquement, ni en termes d'aménagement du territoire.

DE LA PALESTINE

Dans quel État ?

Le plan de partage des Nations unies proposait en 1947 de diviser le territoire de la Palestine entre un État hébreu et un État arabe. Ce plan, même largement modifié, verra-t-il le jour quelque soixante ans plus tard ? Gaza, Cisjordanie, voire même Jérusalem-Est, revendiquée comme capitale d'un État palestinien à venir, sont les entités territoriales devant passer sous souveraineté palestinienne.

Gaza et Cisjordanie, futur État palestinien ?

Gaza est une bande de terre rectangulaire à climat semi-aride, sans ressources minières, où habitent près de 1,3 million de Palestiniens. Le taux de fécondité y est l'un des plus élevés au monde – 7,8 enfants par femme.

L'économie est avant tout agricole, mais elle dépend aussi beaucoup d'Israël, la main-d'œuvre palestinienne s'y rendant chaque jour pour aller travailler dans la construction ou les services. Les frontières externes de Gaza sont contrôlées par Israël, et le territoire est régulièrement bouclé. Dès lors, plus de sorties, donc plus de travail, donc plus de revenus pour les travailleurs palestiniens.

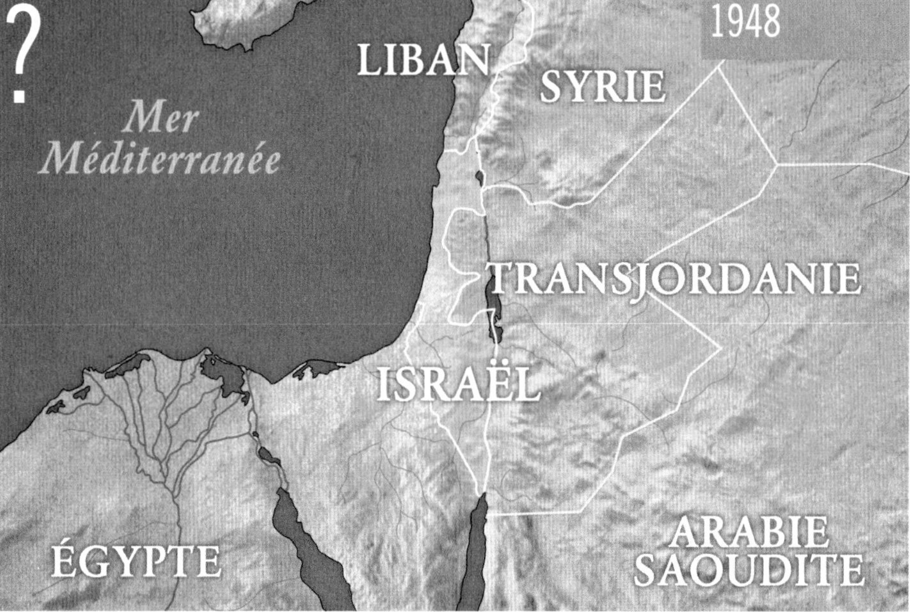

LA RÉGION AU DÉBUT DU XXe SIÈCLE

Au terme de la domination ottomane, après la fin de la Première Guerre mondiale, la Palestine passe sous mandat britannique en juillet 1922. L'entité juridique disparaît en 1948 avec la création de l'État d'Israël : la Palestine cesse d'exister, alors qu'apparaît la « question palestinienne ». Le peuple palestinien naît par l'exil, au moment où prend fin celui du peuple juif.

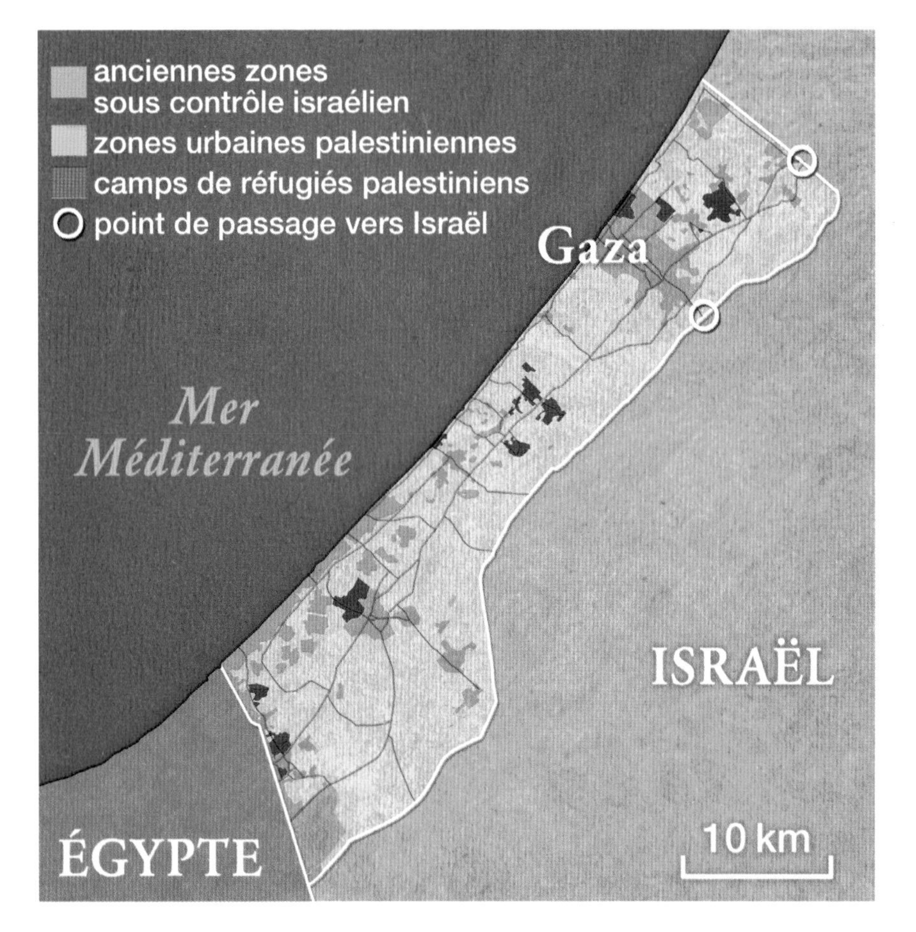

LA BANDE DE GAZA

Gaza, bande de terre de 8 à 12 km de large sur 40 km de long, soit 360 km², est une terre agricole ouvrant sur la Méditerranée où vivaient environ 7 000 colons juifs, expulsés en août 2005, et 1,3 million de Palestiniens. La majorité d'entre eux sont des réfugiés de l'intérieur venus lors de la création d'Israël en 1948, répartis en huit camps de réfugiés. Près de la moitié ont moins de vingt ans, une population très scolarisée grâce à l'UNRWA, l'Agence des Nations unies pour la Palestine, mais avec un taux de chômage élevé. Les frontières externes de Gaza sont contrôlées par Israël, un barbelé électrifié a été construit tout autour.

Là vivaient aussi environ 7 000 colons juifs, l'armée israélienne assurant leur sécurité dans les vingt et une colonies réparties dans la bande de Gaza. Le gouvernement Sharon a décidé de démanteler ces colonies, décision votée par la Knesset en octobre 2004, approuvée par la diplomatie américaine. Le démantèlement s'est réalisé en août 2005, sans incident notoire.

La Cisjordanie s'étend sur 5 800 km², soit la taille moyenne d'un département français, avec des activités dans l'agriculture, l'industrie, les services. La Cisjordanie était passée sous contrôle israélien après la guerre des Six-Jours, en juin 1967, et depuis cette année-là, se sont implantées des colonies de peuplement, autour de cent quarante en juin 2001.

En Cisjordanie vivent environ 2,5 millions de Palestiniens et 236 000 colons juifs. Le processus d'Oslo qui prévoyait la restitution progressive du territoire à l'Autorité palestinienne découpait celui-ci en trois zones à statuts différents (voir carte p. 101). Or, non seulement ce découpage n'a jamais fonctionné, mais à l'ouest, le long de la « ligne verte » qui fait frontière entre Israël et la Cisjordanie, se construit une barrière visant à séparer physiquement les territoires palestiniens de l'État hébreu.

Un mur de sécurité ?

Comment faut-il nommer cette barrière ? Une clôture de sécurité ? un mur de séparation ? un mur de l'apartheid ? une frontière intérimaire ? Les cartes aident à localiser cette barrière et à en comprendre le tracé, les mobiles et les conséquences. Les militaires israéliens ayant observé qu'aucun terroriste n'avait pu prendre la bande de Gaza comme base arrière pour une attaque suicide – son enveloppe extérieure est contrôlée par Tsahal (voir carte ci-contre) – , la barrière construite à l'ouest de la Cisjordanie doit avoir une fonction identique : empêcher toute infiltration terroriste vers le territoire d'Israël. La Knesset approuve en juillet 2002 le projet préparé par le précédent gouvernement travailliste, et vote le budget pour construire une telle barrière.

Du point de vue israélien, face aux incursions d'hommes et de femmes commettant des attentats suicides, la première fonction d'un État est d'assurer la sécurité physique de ses citoyens.

Mais du point de vue palestinien, la barrière, qui n'aurait qu'une fonction de sécurité, inscrit inévitablement un tracé dans le sol, pouvant préfigurer des frontières futures et mettant de toute façon en œuvre les projets du mouvement des colons.

Il s'agit d'un gros chantier de travaux publics, dont le coût est proche du million d'euros par kilomètre linéaire. Le projet achevé pourrait revenir à près d'un milliard de dollars. On peut donc douter que l'arrangement soit vraiment provisoire.

La construction du mur est en cours. L'ensemble a une emprise au sol d'une cinquantaine de mètres de large, toujours prise côté palestinien, se composant d'un fossé, puis d'un chemin de patrouille, puis au centre d'une barrière thermo-sensible, enfin d'une bande de sable pour que les traces de pas puissent être visibles. À certains endroits, la barrière prend la forme d'un mur de béton, de près de 8 m de haut, visant à empêcher les tirs des *snipers*, soit à peu près 8 km de mur de béton sur les 200 km existant en 2005.

Le tracé de la barrière pénètre dans le territoire palestinien, et fait passer 22 000 colons côté Israël, soit environ 15 % des colonies présentes en Cisjordanie. À terme, la barrière devrait s'enfoncer derrière les grosses colonies d'Ariel et d'Emmanuel, placées très loin en territoire cisjordanien. Cette phase de la construction est suspendue compte tenu de l'opposition des États-Unis. Ainsi, si ce tracé est réalisé, les analystes estiment que 11,6 % du territoire de la Cisjordanie passera côté Israël... avec 80 % des colonies qui s'y trouvent.

Trois tronçons du « mur de sécurité » ont été construits, au nord, à l'est et au sud de Jérusalem, soit 50 km de clôture électrique, de fils barbelés, de routes militaires, qui séparent Jérusalem de Ramallah au nord, de Bethléem au sud, de Abou Dis à l'est. Lorsque le mur sera achevé, il isolera les quelques 200 000 Palestiniens vivant à Jérusalem-Est de leur arrière-pays, la Cisjordanie. Il s'agit officiellement de protéger Jérusalem des attaques terroristes. Les Palestiniens pensent qu'un mur de séparation, une fois construit entre Jérusalem et la Cisjordanie, rendra impossible la constitution de Jérusalem-Est en capitale du futur État palestinien.

Les parents de cette clôture sont le terrorisme d'un côté et l'incapacité à trouver une solution politique de l'autre. La construction est critiquée par la droite religieuse israélienne, pour qui un tel tracé préfigure les frontières de l'État palestinien et risque de lui laisser bien plus de terre que les Palestiniens ne sont en mesure de le prétendre, et par les mouvements pacifistes, tels que « La Paix maintenant », qui

LA CISJORDANIE

Selon les accords d'Oslo (1993), la Cisjordanie doit revenir aux Palestiniens selon trois statuts différenciés : A, B, C. L'ONG israélienne Betselem estime que pendant la durée même du processus d'Oslo, Israël a fait construire là 11 200 logements, qui ont accueilli 78 500 colons de plus. Pour Israël, la Cisjordanie remplit de multiples « fonctions » : de réservoir de main-d'œuvre arabe, d'espace pour accueillir les nouveaux immigrants juifs, et les 40 km de large, en moyenne, de la Judée et de la Samarie fournissent une profondeur stratégique dont l'État hébreu ne dispose pas pour sa défense.

UNE BARRIÈRE DE SÉCURITÉ

Au nord de la Cisjordanie, la barrière de sécurité part vers le Jourdain. Vers le sud, elle part de Jérusalem en suivant a « ligne verte ». À partir de la localité de Oum al-Fam, la barrière ne suit plus la ligne verte. Elle s'enfonce à l'intérieur de la Cisjordanie pour venir séparer trois colonies juives des territoires palestiniens. Ce tracé vient ainsi coincer une dizaine de villages palestiniens – 5200 personnes – entre ce nouveau mur à l'est et la ligne verte à l'ouest. Les villageois ne pouvaient pas aller en Israël en franchissant la ligne verte, maintenant, ils ne peuvent plus aller chez eux en Cisjordanie, comme bloqués dans une zone de non-droit. Plus au sud, pour que les deux colonies de Alfe Menashe et Zufin se retrouvent côté Israël, le bourg de Qalqiliya – 40 000 habitants ! – est entouré par trois remparts de béton construits au nord, à l'ouest et au sud du bourg.

estiment que dresser une telle barrière enlève toute chance de négociation de paix. On peut aussi penser exactement le contraire : la barrière est une mesure d'auto-défense qui vise à garder les terroristes dehors, pour que les pourparlers de paix ne soient pas pris en otage.

Le territoire au cœur du conflit

Pour Israël, les avantages d'un désengagement de Gaza semblent supérieurs au prix moral et financier à payer pour assurer l'évacuation des 7 000 colons qui y vivent. Car la bande de Gaza a perdu de sa valeur stratégique face à l'Égypte, elle représente une valeur de négociation avec les Palestiniens, et un poids financier pour l'armée dans son rôle de protection des colons.

La configuration est différente pour la Cisjordanie. Ce territoire conserve sa valeur symbolique – il reste pour l'*Eretz Israël* les terres de Judée et de Samarie – et ses atouts stratégiques : le nombre et l'importance des colonies rendent bien plus difficile tout démantèlement. Enfin, ceux en charge de réfléchir à la sécurité d'Israël laisseront peut-être ce territoire passer sous souveraineté palestinienne, mais ils n'autoriseront pas sa militarisation.

Un minimum de prospective porte à penser que la solution politique est sans doute la création d'un État palestinien. Mais cette éventuelle souveraineté à venir ne redonnera pas comme par miracle de continuité territoriale à la Cisjordanie, et n'effacera pas le mur. La séparation des communautés, qui tourne le dos au processus d'Oslo, a aussi pour fonction d'anticiper l'écart démographique qui grandit entre Juifs et Palestiniens.

Voir également : **LE MOYEN-ORIENT SOUS INFLUENCE** (p. 78-81) et **TERRORISME** (p. 166-171).

JÉRUSALEM : UNE VILLE, DEUX CAPITALES ?

La ville de Jérusalem est le point de fixation des identités et des rivalités entre Israéliens et Palestiniens. Pour les Israéliens, la conquête de 1967 a permis la réunification de la capitale « une, indivisible et éternelle » d'Israël. Pour les Palestiniens, il s'agit de faire de Jérusalem-Est – al-Qods en arabe – la capitale d'un futur État palestinien.

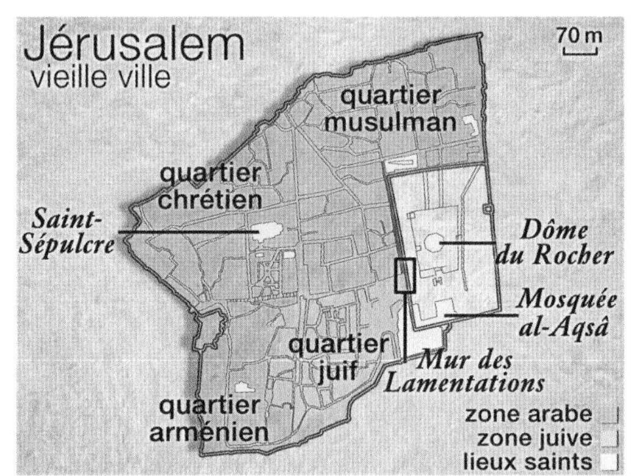

LA VIEILLE VILLE

Jérusalem est la ville des trois religions monothéistes, et c'est là une réalité inscrite dans son sol. La vielle ville est traditionnellement découpée en quatre quartiers : le quartier juif, donnant sur le mur des Lamentations, le quartier arménien, le quartier chrétien, avec le Saint-Sépulcre où aurait été enterré le Christ, et le quartier arabo-musulman, donnant sur l'esplanade des mosquées, avec le Dôme du Rocher et la mosquée al-Aqsa, compris dans la partie arabe de la vieille ville.

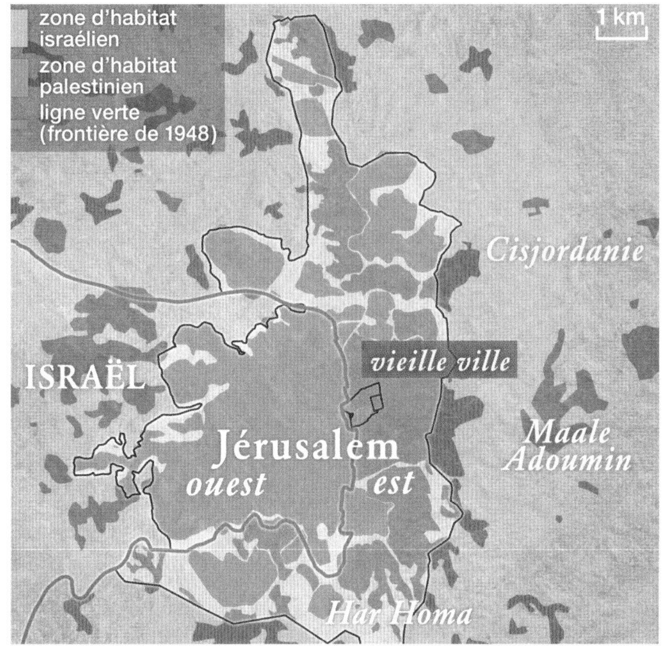

AU CŒUR DES RIVALITÉS

Presque au centre de la municipalité de Jérusalem, on repère la vieille ville avec son enceinte ottomane. Mais ce qui n'est pas visible, c'est que la ville a comme deux parties côte à côte, sans pour autant de frontière matérielle qui les sépare :
– d'une part, Jérusalem-Ouest, proclamée capitale d'Israël en 1980 et peuplée majoritairement d'Israéliens ;
– d'autre part, Jérusalem-Est, peuplée en majorité de Palestiniens et comprenant la vieille ville, conquise par Israël en 1967 avec la Cisjordanie attenante et rattachée à la municipalité de Jérusalem.
Ces conquêtes territoriales ont été condamnées par la résolution 242 des Nations unies. Mais elles ont donné à Israël comme une profondeur stratégique, voire immobilière face aux Palestiniens. La carte aide à visualiser les colonies de peuplement – ou « implantations » comme on les appelle en Israël – construites à Jérusalem-Est, au milieu de zones d'habitat palestinien, à partir des années 1970.
On a notamment Har Homa, depuis les années 1990, auquel s'ajoutent les nouvelles implantations en Cisjordanie, notamment Maale Adoumim, ainsi que les projets d'extension.
Ces implantations israéliennes à Jérusalem-Est et en Cisjordanie accueillent des volontaires, des nouveaux migrants venus de Russie, d'Ukraine, mais aussi des militants ultra-orthodoxes venus d'Éthiopie, les uns et les autres pouvant bénéficier d'aides gouvernementales, dont des prêts à faible taux, voire à taux nul. Prévus pour s'interrompre pendant le processus d'Oslo à partir de 1993, ces chantiers de nouveaux quartiers se sont en fait poursuivis, dessinant, par le positionnement des implantations, une géographie immobilière, routière, et révélant une stratégie territoriale précise.

IRAN

Quelle sécurité nationale ?

L'Iran est central dans la problématique du Moyen-Orient, par sa géographie bien sûr, mais aussi par son histoire (cartes 1, 2, 3 et 4). Mais pour Téhéran, la configuration géopolitique de ce pays a totalement changé depuis 2001 (cartes 5, 6 et encadré).

1. *L'Iran est au carrefour des mondes arabe, turc et indien.*

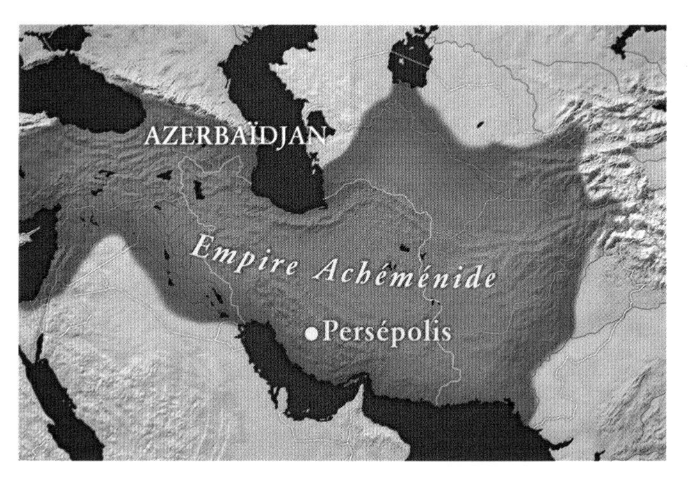

2. L'EMPIRE PERSE

L'Iran, c'est l'ancienne Perse : vieille civilisation majeure, vieil État, vraie nation. La carte de l'Empire achéménide montre l'Iran à son apogée vers 500 avant notre ère, sous le règne de Darius. Iran veut dire « pays des Aryens », ce qui en sanskrit signifie « noble ». Les Aryens sont des populations indo-européennes venues s'établir sur le plateau iranien vers le IIe millénaire avant Jésus-Christ, et sont les ancêtres des Perses.

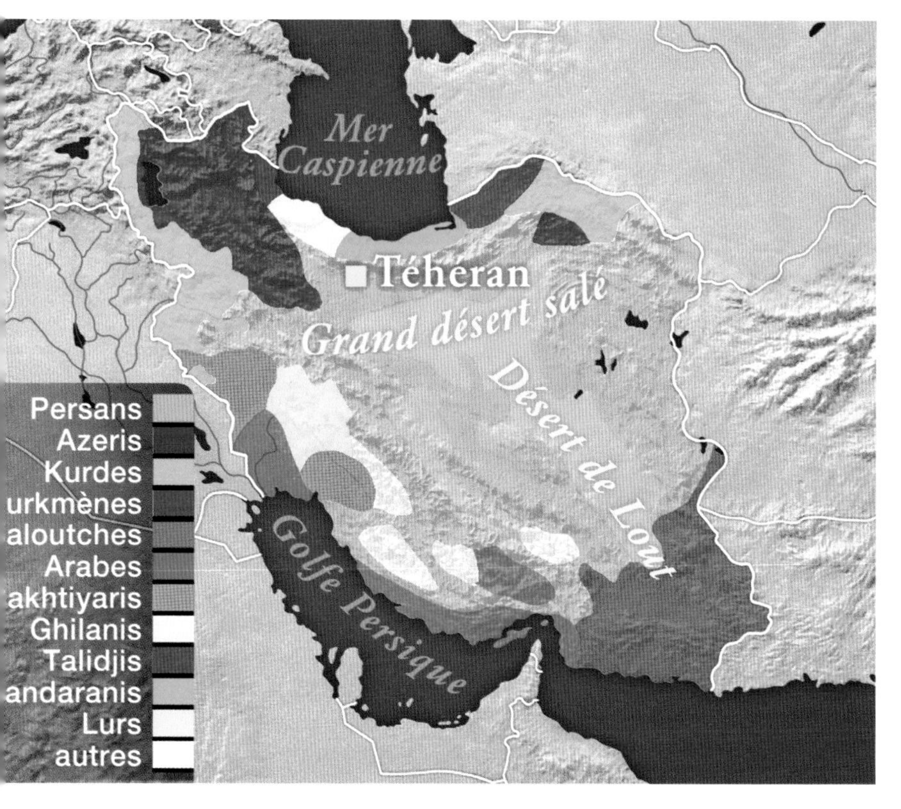

3. L'IRAN, PAYS MULTIETHNIQUE

Le monde perse fait jonction entre le monde arabe, le monde turc et le monde indien, ce qui se traduit par la composition de la population. Sur 70 millions d'habitants, près de la moitié sont des Persans vivant autour des déserts centraux, les minorités habitant plutôt en périphérie : Azéris, Kurdes, Turkmènes, Baloutches, Arabes, Bakhtiyaris… L'Iran a une superficie de 1,6 million km^2.

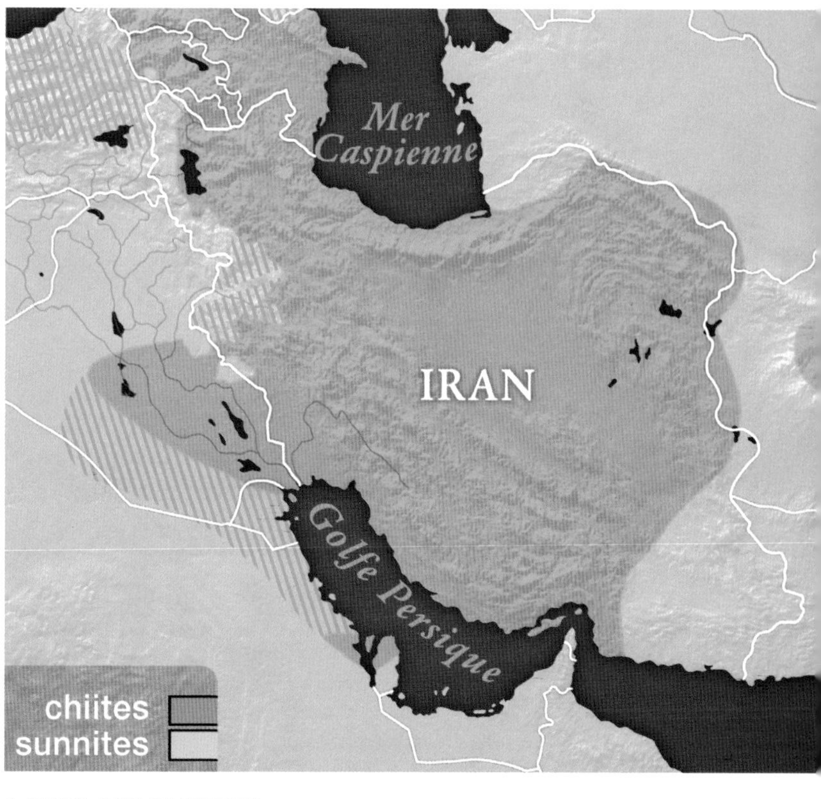

4. L'IRAN, PAYS DU CHIISME

La quasi-totalité des Iraniens sont musulmans chiites, et l'Iran regroupe à lui seul près de la moitié des chiites dans le monde. Mais dans le monde, 90 % des musulmans sont sunnites.

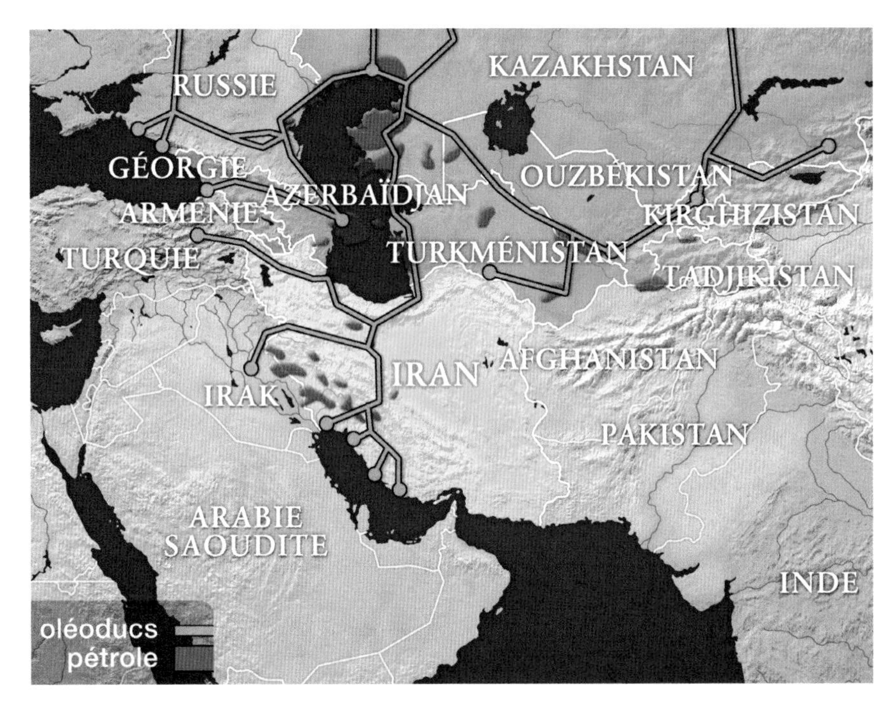

5. UNE RÉGION EN ÉVOLUTION GÉOPOLITIQUE

L'Iran détient 11,1 % des réserves mondiales prouvées en pétrole et 14 % des réserves en gaz. Avec la fin de l'URSS, le pays voit au nord l'apparition d'États qui deviennent indépendants dans le Caucase et en Asie centrale. Ces nouveaux États sont dotés de grandes ressources en hydrocarbures, et les routes d'évacuation de ces richesses minières sont des enjeux majeurs. La position géographique de l'Iran lui offre la possibilité de tenir un rôle de premier plan dans l'évacuation de ces hydrocarbures venant de la partie est de la mer Caspienne et du Turkménistan. Cela, afin d'offrir une route alternative à la Russie pour désenclaver les États d'Asie centrale.
Mais le projet iranien de devenir le « corridor » principal pour l'exportation du gaz et du pétrole de la Caspienne est bloqué par les États-Unis. En 1996, une loi du Congrès américain, dite loi Amato, a interdit aux compagnies étrangères tout investissement en Iran au-delà de 40 millions de dollars sous peine de sanction américaine.

6. L'ENCERCLEMENT AMÉRICAIN

Depuis novembre 2001, avec la traque des réseaux al-Qaida, Téhéran constate l'installation de facilités militaires américaines au Tadjikistan, au Kirghizistan, en Ouzbékistan et en Afghanistan, où il y a à Kaboul un gouvernement central mis en place par les États-Unis.Cette présence complète au sud les bases américaines dans le Golfe ; au sud-est, au Pakistan ; à l'ouest, en Turquie ; et depuis 2003 en Irak.
L'Iran se perçoit encerclé par des États proches des intérêts américains. Comment la sécurité nationale de l'Iran peut-elle être assurée ?

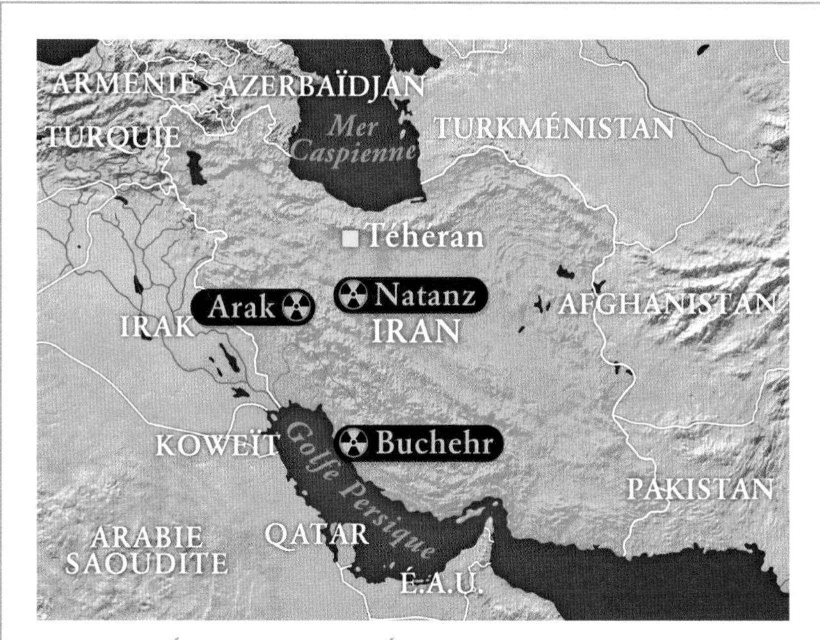

LA PROBLÉMATIQUE NUCLÉAIRE, OU QUELLE MARGE DE MANŒUVRE POUR L'IRAN?

L'Iran est signataire du traité sur la non-prolifération des armes nucléaires (TNP), ratifié en 1970. Cela engage le pays à ne pas développer de nucléaire militaire et à ouvrir ses installations aux inspections de l'Agence de l'énergie atomique de Vienne, l'Iran ayant acheté une centrale nucléaire à la Russie installée à Buchehr.

Pourtant, un site non déclaré a été repéré dans le pays, l'usine de Natanz, qui produira de l'uranium enrichi servant de combustible aux centrales nucléaires. Elle assurera donc l'indépendance énergétique de la centrale de Buchehr. Mais pourquoi l'usine de Natanz a-t-elle de si gigantesques proportions?
Pourquoi la construction de cette usine a-t-elle commencée en secret? Pour produire plus d'uranium enrichi, et rendre ainsi plus faciles les détournements à des fins militaires?
Le deuxième site préoccupant est celui d'Arak, à 150 km au sud de Téhéran. Là, l'Iran produit de l'eau lourde, c'est-à-dire de l'eau ordinaire enrichie en isotope deutérium de l'hydrogène, utilisé comme modératrice dans certains réacteurs nucléaires, ou bien dans le cycle de fabrication des bombes.
Alors pourquoi construire une usine de production d'eau lourde, alors que l'usine de Buchehr n'en a pas besoin? À quoi l'usine d'Arak doit-elle servir?

Téhéran a décidé en janvier 2006 de ne pas se conformer aux injonctions de l'AIEA, de l'Union européenne et des États-Unis. Stratégiquement, il peut exister une certaine rationalité de l'Iran à vouloir se doter de l'atome militaire pour sa propre sécurité nationale. D'abord, comme le montre la carte 6, le pays peut se percevoir comme encerclé par les facilités militaires américaines en place dans la région.
Ensuite, la prolifération semble dans la région plus la règle que l'exception: Israël, Pakistan, Inde.
Enfin, l'évolution des stratégies militaires est radicalement modifiée dès lors que les États-Unis ont appliqué le concept de « guerre préventive ».
La crise iranienne sera résolue avant la fin du deuxième mandat Bush, car les États-Unis peuvent accepter un Iran non démocratique, mais pas proliférateur. Ou bien un Iran nucléaire et démocratique. Sûrement pas un Iran non démocratique... et nucléaire.

Voir également: **LE MOYEN-ORIENT SOUS INFLUENCE** (p. 78-81) et **PROLIFÉRATION NUCLÉAIRE** (p. 172-175).

LES KURDES NATION SANS ÉTAT

Les Kurdes sont un peuple du Moyen-Orient auquel l'histoire n'a jamais offert cette coïncidence entre nation, territoire et État. Divisé entre plusieurs États du Moyen-Orient, comment évolue-t-il depuis l'intervention anglo-américaine en Irak ?

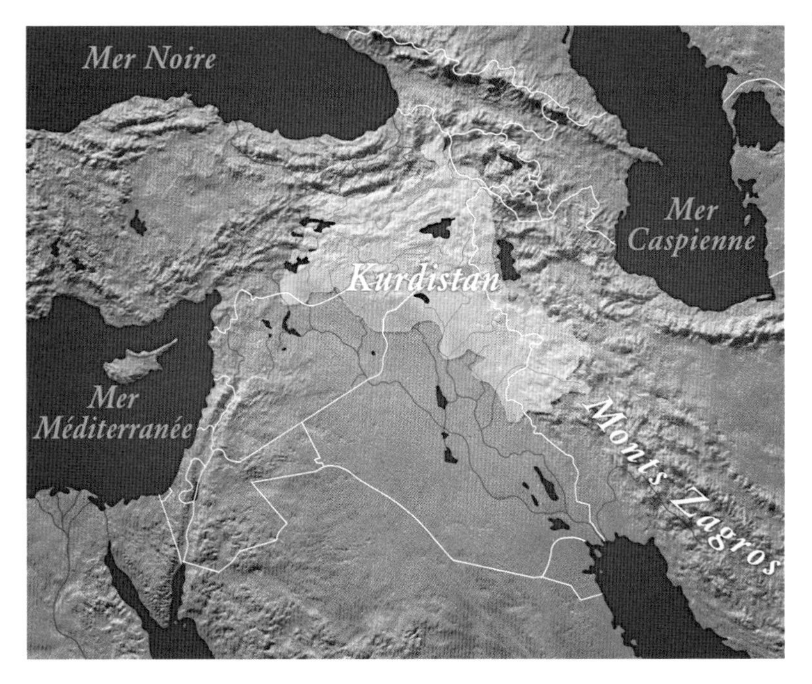

UN PEUPLE SANS ÉTAT

L'espace du peuplement kurde s'étend sur une superficie d'environ 530 000 km², soit à peu près la taille de la France. Ni Arabes, ni Turcs, les Kurdes descendent des Mèdes, un peuple qui vivait vers le IXe siècle av. J.-C. près des monts Zagros. Les Kurdes sont musulmans, majoritairement sunnites. Ils parlent une langue proche du persan et ils seraient, selon les sources, entre 25 et 33 millions. À titre de comparaison, les Palestiniens, autre peuple sans État, sont environ 8 millions, y compris les Palestiniens de la diaspora.

UNE NATION, SIX ÉTATS

Successivement dominés par les Arabes, les Mongols, les Perses, puis à partir du XVIe siècle par les Ottomans, les Kurdes se voient promettre un État indépendant au lendemain de la Première Guerre mondiale. Or, malgré les assurances données par le leader turc Mustafa Kemal – d'ailleurs inscrites dans le traité de Sèvres de 1920 – un Kurdistan indépendant, ni même autonome, ne verra jamais le jour.
Au Nord, un État turc unitaire est formé.
Au Sud, les intérêts britannique et français écartent cette perspective, puisque la région de Mossoul et de Kirkouk, riche en pétrole, est intégrée au mandat britannique sur l'Irak, coupant ainsi en deux parties un éventuel Kurdistan indépendant.
Les Kurdes vivent aujourd'hui dans six États et en diaspora. Ils sont dans chacun de ces États des minorités avec des statuts variant en fonction de leurs Constitutions et du respect accordé à la personne humaine.

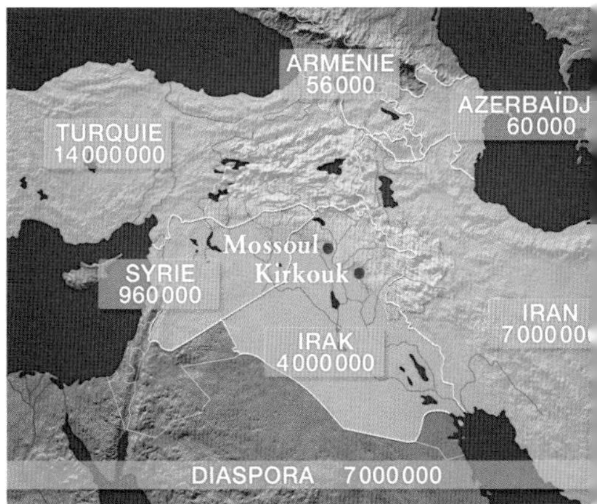

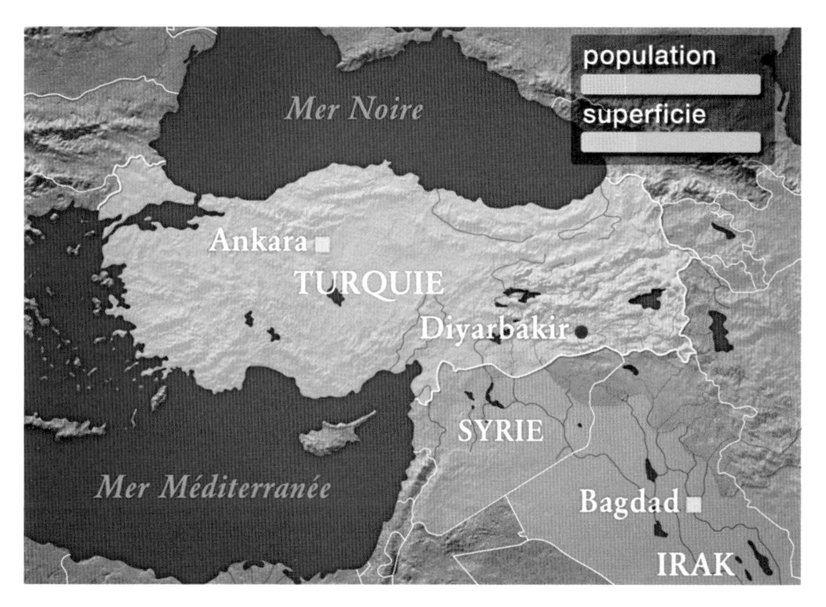

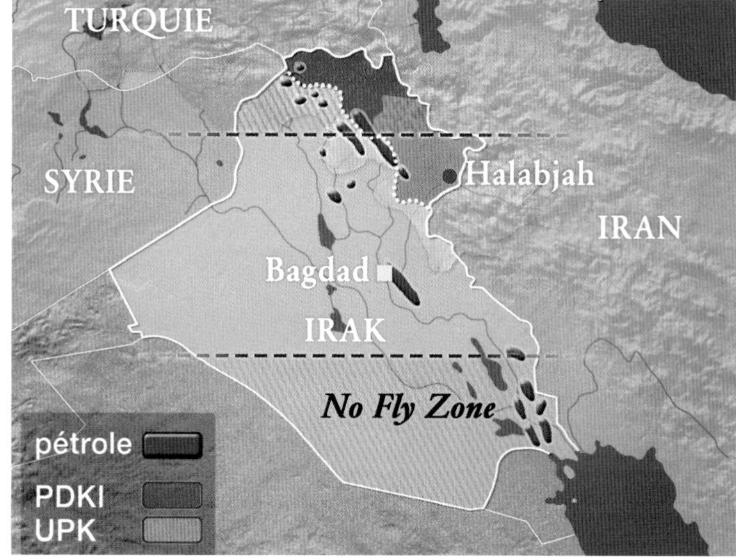

PRESQUE LA MOITIÉ DU PEUPLE KURDE EN TURQUIE

14 millions de Kurdes vivent en Turquie. Ce qui signifie qu'un habitant de Turquie sur cinq est kurde et que 30 % de la superficie du territoire turc est kurde. La Turquie a longtemps eu une politique de négation à l'égard des Kurdes : désignés comme « Turcs des montagnes », ils n'ont dans ce pays ni le statut de minorité, ni le droit d'utiliser leur langue. Face au mouvement de guérilla kurde du PKK – Parti des travailleurs du Kurdistan – qui se développe à la fin des années 1970, le gouvernement turc répond par la répression militaire, les arrestations arbitraires, les déplacements forcés. Trois millions de Kurdes ont quitté leur région d'origine depuis 1990. Ce n'est qu'en 2002, et sous la pression de l'Union européenne, que le Parlement d'Ankara procède à des réformes : l'état d'urgence en vigueur dans la région depuis 1987 est levé, l'usage de la langue kurde (notamment à la télévision) ainsi que son apprentissage dans les écoles sont autorisés. Enfin, grâce à l'abolition de la peine de mort, le chef du PKK Abdullah Öcalan, arrêté en 1999, n'a pas été exécuté. Or depuis l'intervention américaine en Irak en 2003, la Turquie redoute qu'un Kurdistan autonome en Irak ne donne des idées aux Kurdes de Turquie, ou bien qu'il ne serve de base de repli aux mouvements de guérilla autonomistes kurdes. Une crainte également partagée par l'Iran voisin, pluriethnique, où vivent 7 millions de Kurdes.

LES KURDES D'IRAK, DE LA RÉPRESSION À L'AUTONOMIE

En Irak, les 4 millions de Kurdes ont payé un lourd tribut au régime dictatorial de Saddam Hussein. Les Kurdes sont victimes d'expulsions, d'exécutions sommaires. En 1988, 5 000 d'entre eux succombent, dans la ville de Halabjah, aux armes chimiques qu'utilisent contre eux les troupes de Saddam Hussein. Aussi, à la fin de la guerre du Golfe de 1991, une grande partie du Kurdistan irakien est soustraite à l'autorité administrative de Bagdad. Une force alliée (Américains, Britanniques et Français) maintient des patrouilles aériennes au nord du 36e parallèle (No Fly Zone) pour protéger les Kurdes des incursions de l'armée irakienne. Mais aussi – mais d'abord ? – pour protéger les puits de pétrole situés en zone kurde. Dans ce Kurdistan autonome, les partis kurdes irakiens, PDKI et UPK, se partagent le pouvoir. Favorables à la guerre américaine contre le régime irakien, ils cherchent depuis 2003 à maintenir l'autonomie politique et économique dont ils jouissent depuis une dizaine d'années, en prônant la mise en place d'un État fédéral en Irak. Le président irakien élu début 2005 est un Kurde, ce qui marque déjà un tournant.

Voir également : LE MOYEN-ORIENT SOUS INFLUENCE (p. 78-81) et IRAN (p. 104-107).

itinéraires

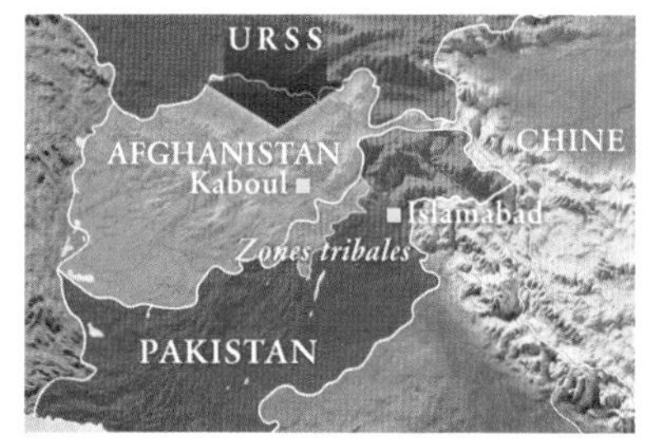

Pakistan

Inde

Chine, le pays sous le ciel

Lhassa

Les territoires du Japon

De part et d'autre de la vallée de l'Indus viennent se rencontrer plusieurs ensembles : le monde musulman et le monde hindou, le monde perse et le monde indien, le monde tribal à l'ouest et le système des castes à l'est de l'Indus. C'est au Pakistan qu'est née la « civilisation de l'Indus » qui a donné son nom à l'Inde, en 2300 avant notre ère, avec la ville de Mohenjo-Daro dont on peut encore admirer les ruines aujourd'hui au Pakistan.

Le grand écart PAKISTAN

Comment la partition en 1947 du sous-continent indien, mal préparée par le Royaume-Uni et mal achevée par les États nés de l'Empire britannique des Indes, a-t-elle des conséquences directes, soixante ans plus tard, sur la prolifération nucléaire régionale et sur le terrorisme ? Il convient d'étudier les enchaînements et le rôle joué par les différents acteurs.

Un État pour les musulmans

L'idée de créer un foyer national pour les musulmans du sous-continent indien date de 1930 et vient du poète Muhammad Iqbal. Elle a été portée par Muhammad Ali Jinnah jusqu'à la création de l'État du Pakistan, lors de la partition de l'Inde en 1947. Le pays est alors constitué de deux parties séparées l'une de l'autre par 2 000 km de territoire indien :

– à l'est de l'Inde, le Pakistan oriental (l'actuel Bangladesh) recouvre la partie est de la province du Bengale, peuplée de musulmans ;

– à l'ouest, le Pakistan occidental hérite notamment des provinces du Pendjab, du Cachemire, du Sind, du Baloutchistan, ce qui explique le terme de « Pakistan » : « P » pour Pendjab, « K » pour Kashmir, « S » pour Sind, et « -stan » pour Baloutchistan. *Pakistan* signifie en ourdou « le pays des purs ».

L'engrenage nucléaire

Dès la formation du pays en 1947, le Pakistan connaît – et perd – trois guerres contre son voisin indien : en 1949 et 1965, sur la question du Cachemire que les deux pays se disputent (voir encadré), et en 1971, lorsque le Pakistan oriental fait sécession et obtient le soutien de l'Inde. Le nouvel État prend alors le nom de Bangladesh.

Cet échec militaire pakistanais face à l'Inde conduit le pays à se lancer dans un programme nucléaire, l'Inde ayant elle-même déjà mis en route un programme nucléaire militaire, suite à sa propre défaite contre la Chine, lors de la courte guerre de 1962 dans l'est du Cachemire. C'est donc ce succès militaire chinois qui engendre la nucléarisation de l'Inde, nucléarisation qui provoque elle-même le démarrage de la « bombe islamique pakistanaise ».

LE VOISINAGE POLITIQUE

Les frontières du Pakistan sont issues de la colonisation britannique et de la partition de l'Empire des Indes. À l'ouest, elles coupent les populations Pathans (pachtounes) et baloutches, qui vivent de part et d'autre de la frontière avec l'Afghanistan et l'Iran. Au nord-est, la frontière n'est toujours pas fixée au Cachemire, qui est l'objet d'un contentieux avec l'Inde depuis 1947. Au nord, du fait de la rivalité avec l'Inde, la Chine est devenue un allié stratégique du Pakistan. Enfin au sud, le pays s'ouvre sur la mer d'Oman, au nord de l'océan Indien.

UN ÉTAT FÉDÉRAL

Le Pakistan est une fédération, comprenant quatre provinces (Pendjab, Sind, Baloutchistan, Province de la frontière du Nord-Ouest) et le district fédéral d'Islamabad, la capitale. S'y ajoutent une partie du Cachemire et les zones tribales sous administration fédérale, où vivent majoritairement les Pathans. Le pays a une superficie de 800 000 km². Les 154 millions d'habitants sont principalement installés dans la vallée de l'Indus. L'économie du pays est avant tout agricole (blé, coton, riz dans le Pendjab) et tend à couvrir les besoins alimentaires d'une population en augmentation de près de 3 % par an.

LE PAKISTAN PENDANT LA GUERRE FROIDE

Le Pakistan est un vieil allié des Américains. Le pays sert donc de base arrière pour la résistance afghane face aux Soviétiques. Les liens sont étroits entre l'ISI – les services secrets pakistanais – et la CIA. L'agence américaine prend appui sur les « zones tribales » pour venir financer et armer les mouvements résistants islamistes radicaux afghans, arabes, y compris saoudiens. Notamment Oussama Ben Laden au milieu des années 1980.

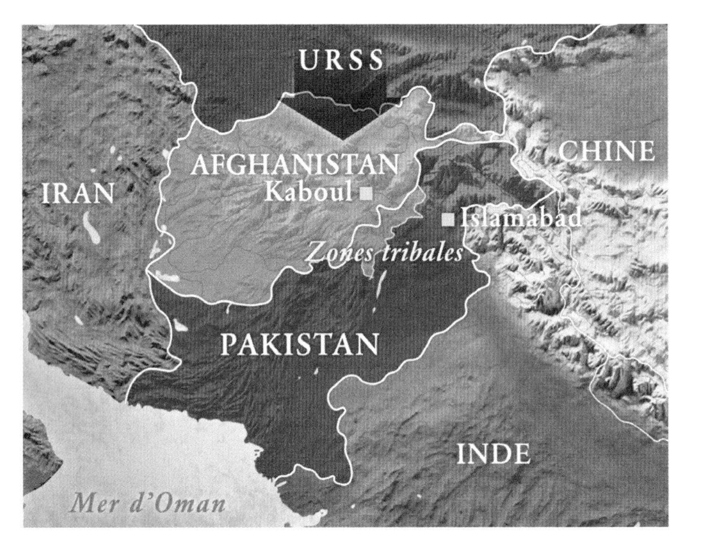

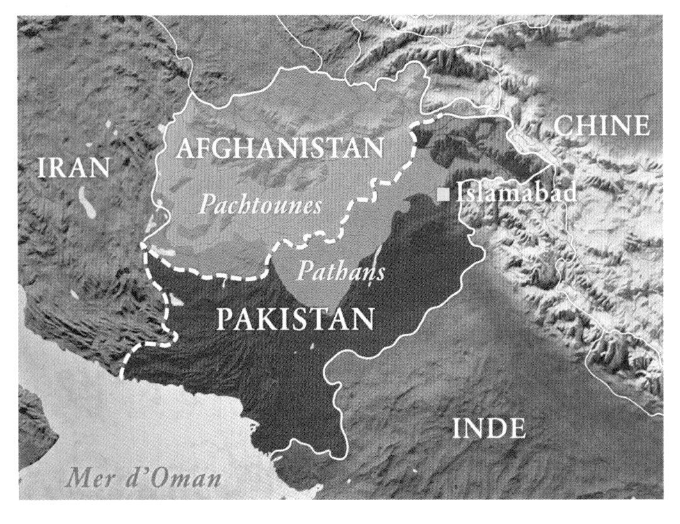

PATHANS ET PACHTOUNES

Pathans pakistanais et Pachtounes afghans forment un même peuple d'environ 26 millions d'individus ; ce peuple fut divisé entre deux États par le tracé d'un haut fonctionnaire britannique, sir Mortimer Durand, en 1893.

Deux autres facteurs aident à comprendre cet engrenage :

– d'abord, en 1979, lors de l'invasion de l'Afghanistan par l'Union soviétique, le Pakistan accueille deux à trois millions de réfugiés afghans, le long de sa frontière occidentale. Ce sont surtout des Pachtounes qui forment, avec les Pathans pakistanais, un seul et même peuple (voir carte ci-contre) ; ils sont accueillis, les premières années, avec la générosité de l'évidence. En cette période de guerre froide, le Pakistan, vieil allié américain, sert de base arrière à toutes les résistances afghanes : modérée, royaliste, musulmane, radicale ;

– ensuite, après le retrait soviétique en 1989, puis au terme de la guerre entre les factions afghanes, Islamabad s'emploie à mettre en place à Kaboul un « régime ami », formé d'islamistes radicaux venant des tribus pachtounes, appelés les talibans – les « étudiants du Livre ». Le calcul pakistanais a en effet toujours été de pouvoir disposer, par une alliance avec Kaboul, d'une profondeur stratégique face à l'ennemi indien en cas de guerre.

Le paradoxe pakistanais

Le Pakistan a donc soutenu la résistance afghane la plus radicale, permis la formation militaire d'un certain Ben Laden dans les années 1980 – avec l'aide de la CIA –, et « formé » le gouvernement taliban. Aujourd'hui, il continue de soutenir le terrorisme au Cachemire. Il est entré dans le club des puissances nucléaires, en procédant à son premier essai en 1998, et a probablement exporté cette technologie vers la Corée du Nord et l'Iran.

Pourtant, après les attentats du 11 septembre 2001, le Pakistan s'est retrouvé en quarante-huit heures l'allié des États-Unis dans la traque d'al-Qaida en Afghanistan, mais aussi au Cachemire, le régime militaire en place à Islamabad ayant fait le choix de soutenir Washington. Cette contradiction n'est-elle pas également américaine, dans la mesure où c'est au Pakistan que se trouvent les derniers défenseurs des talibans, le dernier carré d'al-Qaida ; et que contrairement à l'Irak, ce pays a bien testé des armes de destruction massive ?

Voir également : **POLITIQUE ÉTRANGÈRE DES ÉTATS-UNIS** (p. 48-55), **ISLAM**, (p. 90-93), **INDE** (p. 116-119), **TERRORISME** (p. 166-171), **PROLIFÉRATION NUCLÉAIRE** (p. 172-175) et **AFGHANISTAN** (p. 190-193).

LE CONTENTIEUX DU CACHEMIRE

Le Cachemire est une région montagneuse située aux frontières de l'Inde, de la Chine, de l'Afghanistan et du Pakistan. Cette terre, hindouiste du IIIᵉ siècle au Xᵉ siècle, a été convertie à l'islam à partir du XIVᵉ siècle. Les Cachemiris sont donc en majorité musulmans, mais l'État princier du Cachemire était gouverné depuis 1846 par une dynastie hindoue de maharajas. Lors de l'indépendance de l'Empire britannique des Indes en 1947, la « partition » se fait sur des bases religieuses : les territoires à majorité musulmane doivent revenir au Pakistan, les territoires hindous à l'Union indienne. Or, comme le maharaja du Cachemire Hari Singh semble opter pour l'indépendance, les tribus pathans venant des territoires du Nord pakistanais envahissent le Cachemire à population musulmane. Face à cette agression, le maharaja demande que le Cachemire soit intégré à l'Inde, et l'armée indienne intervient. C'est donc sur la question du partage du Cachemire que se joue la première guerre indo-pakistanaise.

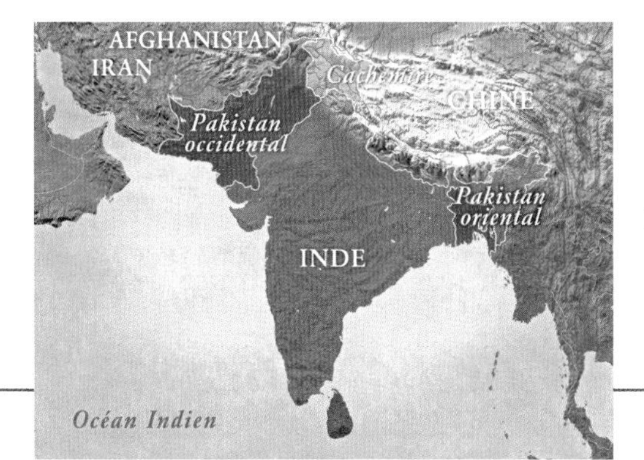

L'ONU obtient un cessez-le-feu en 1949, qui coupe *de facto* le territoire en deux :
– au nord, le Cachemire pakistanais qui comprend : le Baltistan (ou Territoires du Nord), administré par Islamabad, et l'Azad Cachemire, un État indépendant avec un gouvernement, mais que contrôle en fait Islamabad. De par la philosophie même de la partition, les Pakistanais pensent que le Cachemire leur revient de droit, la région étant à majorité musulmane et contiguë à l'État ;
– au sud, le Jammu-et-Cachemire, devenu l'un des États de l'Union indienne. Mais l'Inde revendique la totalité du territoire, car elle estime qu'il a rejoint légalement l'Inde en 1947 et que les tribus pathans ont été les instruments des Pakistanais. De plus, l'Inde est un État laïc qui ne peut accepter qu'une partie de son territoire fasse sécession en raison de son appartenance religieuse. D'autant que vit en Inde presque autant de musulmans qu'au Pakistan. La Chine est le troisième acteur à prendre en compte. Quelques mois après le schisme sino-soviétique, Pékin perçoit la possibilité d'humilier l'Inde, alliée de Moscou. La Chine s'empare, à la fin de 1962, de l'Aksai Chin, dans l'est du Cachemire. Le peuple cachemiri est certes à majorité musulmane, mais il n'en demeure pas moins parcouru de sentiments régionalistes, voire indépendantistes. Son identité n'est pas fondée sur la religion, contrairement au concept même de l'État pakistanais. C'est l'illustration du cas où l'identité d'une population n'est pas liée à un État, mais à un territoire. La question du Cachemire se trouve donc

au croisement de plusieurs problématiques : la région est au contact du monde musulman et du monde hindou, entre l'Inde et la Chine, et au cœur des tensions entre l'Inde et le Pakistan. L'enjeu n'est donc pas seulement local ni même régional : l'Inde et le Pakistan sont en effet désormais dotés de l'arme nucléaire, sans être signataires du traité de non-prolifération.

L'Inde s'étend au sud de la barrière himalayenne, et forme une péninsule du continent asiatique s'avançant dans l'océan Indien. Le pays compte depuis l'an 2000 plus d'un milliard d'habitants. C'est le pays le plus peuplé au monde après la Chine, mais sa densité de population y est trois fois plus forte.

INDE

Les promesses de la puissance

L'Inde est rarement évoquée comme future puissance mondiale. Pourtant, ce grand pays du sous-continent en a aujourd'hui l'ambition, et peut-être même les moyens : déjà puissance démographique, nucléaire, elle a développé d'importants pôles technologiques.

La diversité linguistique et religieuse

Le premier défi que l'Inde doit relever est lié à la diversité linguistique et religieuse de ce pays, qui compte plus d'un milliard d'habitants. Quelque 1 600 langues et dialectes sont parlés en Inde, 18 sont inscrites dans la Constitution. Par ailleurs, à côté de l'hindouisme majoritaire, on trouve des musulmans – 120 millions –, des sikhs, des bouddhistes, des chrétiens, des parsis. Pour répondre à une telle diversité et éviter l'implosion du pays, les territoires des États de l'Union ont été régulièrement redécoupés depuis 1947, afin de garantir l'autonomie linguistique aux populations indiennes.

L'*Union indienne* est un État fédéral, qui regroupe 28 États et 7 territoires. De la même façon, pour garantir le respect des différences religieuses, l'État indien est laïc par sa Constitution. Pourtant, les tensions entre hindous et musulmans demeurent fréquentes : on se souvient de la destruction de la mosquée de Ayodhya en 1992 par des fondamentalistes hindous et certains mouvements nationalistes hindous maintiennent leur pression pour qu'un temple dédié au dieu Rama soit construit sur ce site.
Dans l'État du Gujerat, les violences communautaires de l'année 2002 ont provoqué la mort de quelque 2 000 personnes. Or, de telles violences ont été exploitées par le parti nationaliste hindou, contribuant à sa victoire aux élections régionales. Améliorer les relations entre hindous et musulmans, c'est bien sûr le premier défi à relever par le pays.

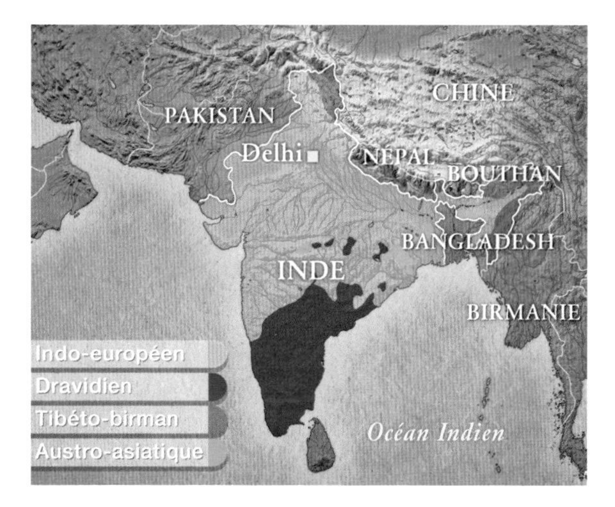

1 600 LANGUES ET DIALECTES PARLÉS

Dans la partie nord du pays, on parle des langues indo-européennes. Dans la partie sud, ce sont les langues dravidiennes qui dominent ; on parle également des langues tibéto-birmanes dans les contreforts de l'Himalaya et quelques langues austro-asiatiques. L'hindi, la langue de la capitale New Delhi, reste la plus parlée. Et si l'anglais s'est maintenu après l'indépendance comme langue administrative, c'est parce que les États du sud de l'Inde s'opposaient à la suprématie de l'hindi dans le pays

Le développement économique

L'Inde est un pays agricole. L'agriculture représente 24 % de son PIB et emploie plus de la moitié de la population active. Mais elle est aussi un pays de hautes technologies dans les secteurs informatique, biotechnologique, de l'espace ou du nucléaire civil et militaire. Ces avancées technologiques contribuent à modifier l'image de l'Inde dans le monde. Entre 2001 et 2002, les investissements étrangers ont doublé dans le pays. En 2002, les exportations indiennes ont augmenté de 20 %.
Pour accompagner cette croissance économique, l'Inde doit pouvoir couvrir ses besoins énergétiques, et c'est là un deuxième défi à relever. Car les gisements en pétrole de l'Assam et du Gujerat, et ceux situés en offshore, ne couvrent que 30 % de ses besoins en hydrocarbure. Le reste est importé du Moyen-Orient, et New Delhi prévoit d'acheter du gaz iranien et turkmène. Or cette dernière option – appelant la construction d'un gazoduc *via* le Pakistan – n'est pas ouverte tant que perdure le conflit sur le Cachemire : la normalisation des relations avec le Pakistan représente un troisième défi pour l'Inde.

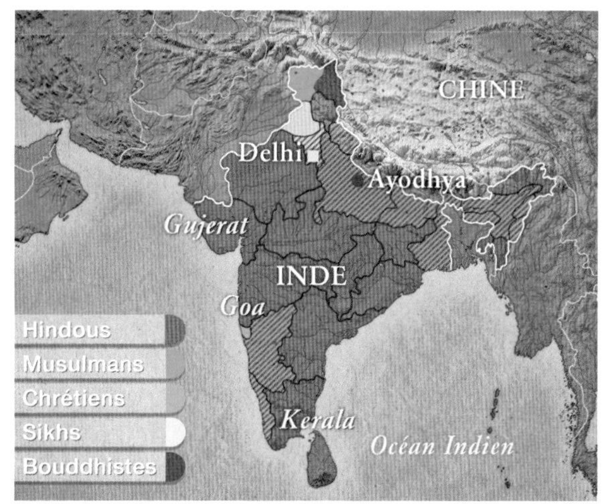

LE TROISIÈME PAYS MUSULMAN AU MONDE

La grande majorité des Indiens sont des hindous (82 %). Mais 12 % des Indiens sont musulmans ; soit 120 millions de personnes, ce qui fait de l'Inde le troisième État musulman au monde après l'Indonésie et le Pakistan. On trouve aussi 2 % de chrétiens, surtout à Goa et dans le Kerala, ainsi que des sikhs, des jaïns, des bouddhistes, des parsis…

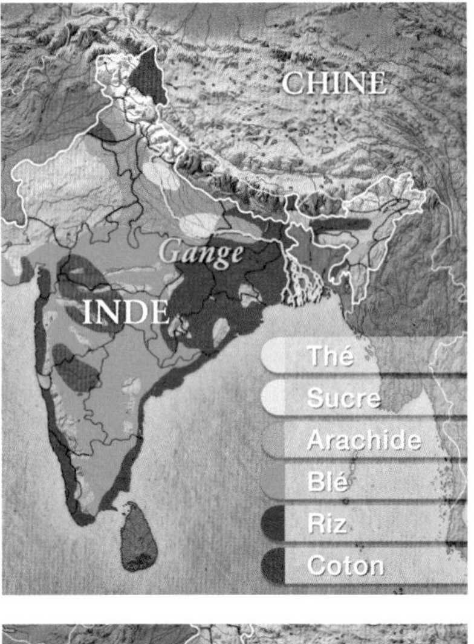

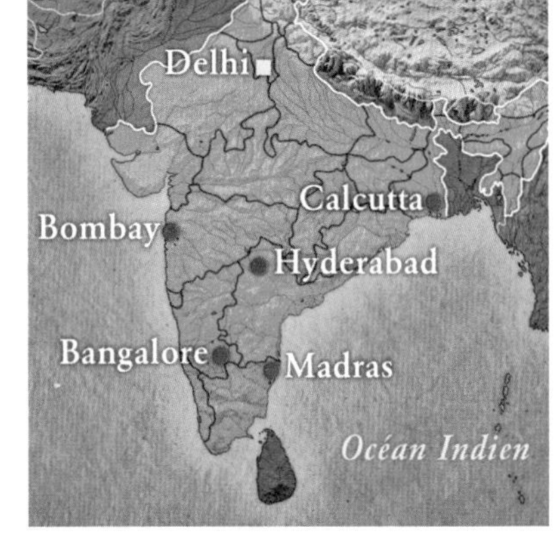

DU THÉ AUX SATELLITES, UNE ÉCONOMIE EN MUTATION

L'Inde est le premier producteur de thé au monde, le deuxième producteur de sucre, d'arachide, de blé et de riz, et le troisième producteur de coton au monde. Ces résultats ont été obtenus grâce à l'introduction de semences à haut rendement, multipliant par deux la production de blé et de riz par hectare. Ce qui a permis à l'Inde de devenir autosuffisante et d'éviter les disettes qu'on prédisait dans les années 1970-1980, du fait de la pression démographique.
En s'appuyant sur ses pôles industriels de Mumbai, Kolkata et Chennai (les nouveaux noms de Bombay, Calcutta et Madras) et la capitale New Delhi, l'Inde a développé une industrie de haute technologie. Bangalore, surnommée la « Silicon Valley indienne », est le centre de l'industrie de logiciels et de la sous-traitance informatique. Le pays est très avancé dans le secteur de la pharmacie et des biotechnologies. Il construit également des satellites, et compte devenir l'un des principaux pays lanceurs mondiaux.

Cachemire et Chine

On constate un apaisement des tensions au Cachemire depuis la fin 2003. Les États-Unis ont fait pression sur le Pakistan pour qu'il prenne des mesures contre les infiltrations terroristes le long de la ligne de cessez-le-feu. Ils ont poussé l'Inde, considérée comme un pôle de stabilité régional, à la normalisation de ses relations avec le Pakistan, ce qui a amené les deux parties, à l'automne 2004, à poursuivre un processus de paix au Cachemire.
Le quatrième défi pour l'Inde vise à établir des relations de confiance avec la Chine. Car New Delhi a compris que si l'Inde veut devenir une puissance à l'échelle du monde, elle doit passer d'une politique de confrontation à une politique de coopération avec Pékin. Depuis la visite du Premier ministre indien en Chine en juin 2003, l'Inde y exporte de l'acier, des logiciels, des produits pharmaceutiques et importe de l'électronique et des jouets chinois. Autre exemple de ce rapprochement, un exercice naval conjoint a eu lieu pour la première fois en mer de Chine orientale en novembre 2003. Enfin, la route reliant les deux pays *via* le Sikkim devrait être rouverte pour favoriser les échanges commerciaux terrestres.

La pauvreté, toujours

Le dernier des défis reste évidemment la lutte générale contre la pauvreté. Même si celle-ci a tendance à diminuer ces dernières années, des centaines de millions d'Indiens ne mangent pas à leur faim, sont atteints de maladies et demeurent analphabètes. Un défi que devrait commencer à relever le Parti du Congrès, victorieux aux élections législatives de 2004, en infléchissant la politique libérale du gouvernement nationaliste hindou sortant du Parti du peuple indien (BJP). Ces élections prouvent une fois encore que l'Inde est une démocratie : le pays n'a jamais connu de dictature, ni de coup d'État, la presse y est libre ; et, chose souvent méconnue, le président indien depuis 2002, Abdul Kalam, est un musulman et le père de la bombe atomique indienne.

Voir également : **ISLAM**, (p. 90-93), **PAKISTAN** (p. 112-115), **PROLIFÉRATION NUCLÉAIRE** (p. 172-175), et **GÉOGRAPHIE ÉCONOMIQUE MONDIALE** (p. 196-201).

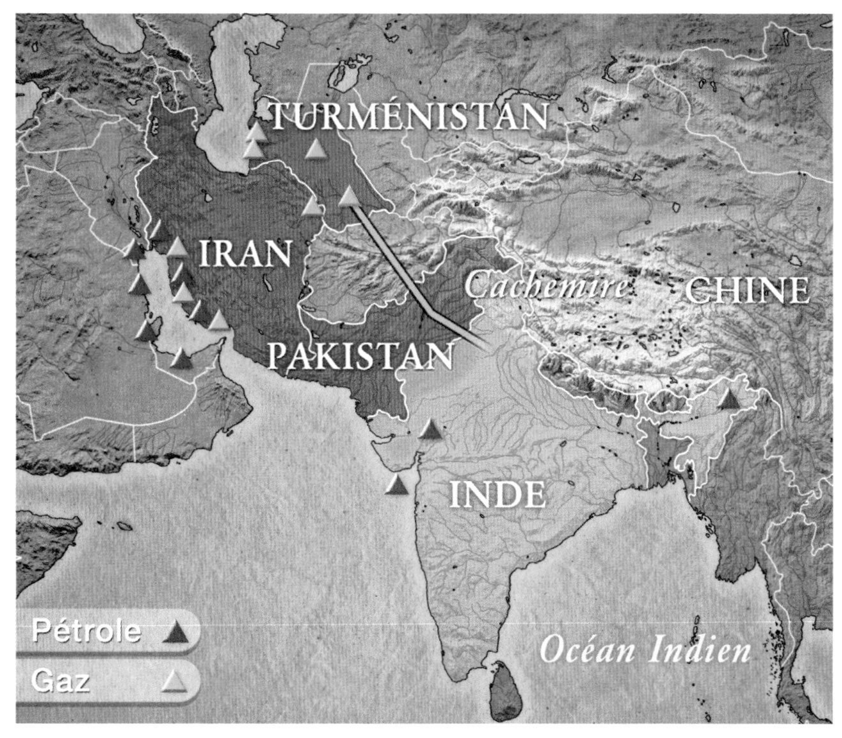

UN GAZODUC *VIA* LE PAKISTAN ?

Pour couvrir ses besoins énergétiques, l'Inde envisage d'acheter du gaz iranien et turkmène. Or cette option nécessite la construction d'un gazoduc via *le Pakistan avec lequel les relations sont tendues depuis 1947 à cause du contentieux sur le Cachemire, qui a causé trois guerres entre les deux États.*

LES CONTENTIEUX AVEC LA CHINE

Les contentieux entre l'Inde et la Chine concernent en particulier les frontières. La région de l'Aksai Chin a été annexée par la Chine en 1962. Et l'État de l'Arunachal Pradesh est revendiqué par Pékin, qui apprécie peu que l'Inde accueille sur son territoire des réfugiés tibétains, dont le gouvernement en exil du dalaï-Lama. De son côté, New Delhi voit d'un mauvais œil l'aide militaire chinoise apportée au voisin pakistanais sur des questions nucléaires, ainsi que la construction d'une base navale chinoise à Gwadar. D'autant que l'influence chinoise est de plus en plus marquée en Birmanie, le voisin oriental de l'Inde.

CHINE, LE PAYS

1. L'espace et le temps

Les Européens ont une vision incomplète de la Chine, a-historique et trop souvent réduite à des enjeux. Découvrons la vision de Pierre Gentelle*, fondée sur la durée et sino-centrée.

Jean-Christophe Victor : Quelle est votre approche ?
Pierre Gentelle : J'essaye de traduire sous forme de schémas ce que pensent les Chinois, tout au moins ce que j'estime être leur pensée. La première constatation est qu'aujourd'hui, la Chine se trouve « décalée » par rapport à son territoire. Aux origines, la Chine se concevait comme « le pays sous le ciel », soit le Centre ou *Zhong* (voir schéma 1). Mais dès la création de l'Empire, en 221 avant notre ère,

SOUS LE CIEL

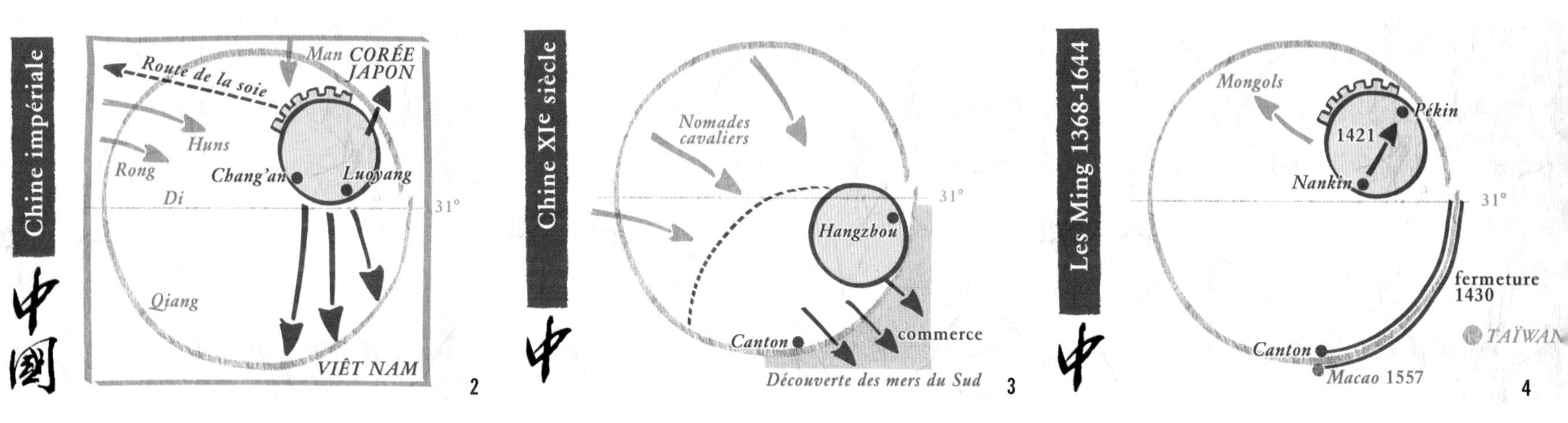

une deuxième vision apparut, plus réaliste. Des peuples étranges – Huns, Qiang, Rong, Di, Man – étaient alors établis autour du Centre, d'où la nécessité pour les Chinois d'édifier une muraille protectrice, tout en s'étendant culturellement vers la Corée, le Japon ou le Viêt Nam (voir schéma 2).

Jean-Christophe Victor : Quelle était la position de la Chine à cette époque ?

Pierre Gentelle : Elle était dominante. La Chine se voyait toujours comme le centre du monde, mais elle ne s'aventurait pas sur les deux voies principales qui s'ouvraient à elle : la route des mers de Chine au sud et la route de la soie avec l'Occident. La Chine se contenta donc de son seul territoire durant plusieurs siècles. Jusqu'au XIe siècle où les barbares entrèrent en Chine et conquirent tout le nord du territoire. Le Centre se trouva ainsi repoussé vers la côte et Hangzhou, que visitera Marco Polo (voir schéma 3). C'est à partir de là que la Chine commença à envoyer des commerçants vers les mers de Chine du Sud pour aller conquérir de nouveaux espaces.

La Chine va vivre une période marquante entre 1368 et 1644, sous les Ming. En effet, les Chinois sont redevenus maîtres de leur territoire après en avoir chassé les Mongols en 1368, et ils ont aussitôt voulu reconstituer le Centre tel qu'il était dans l'Antiquité. La première étape consista à reconstruire la Grande Muraille. Ils fermèrent ensuite les côtes et déplacèrent la capitale de Nankin vers Pékin en 1421 (voir schéma 4).

Mais, à la fin de cette période, au moment où la Chine avait totalement reconquis son Centre, les Chinois virent débarquer des « gens étranges », c'étaient les Portugais à Macao, en 1557. La Chine ne mesurait pas encore l'impact de cette arrivée, l'ampleur de ce véritable drame.

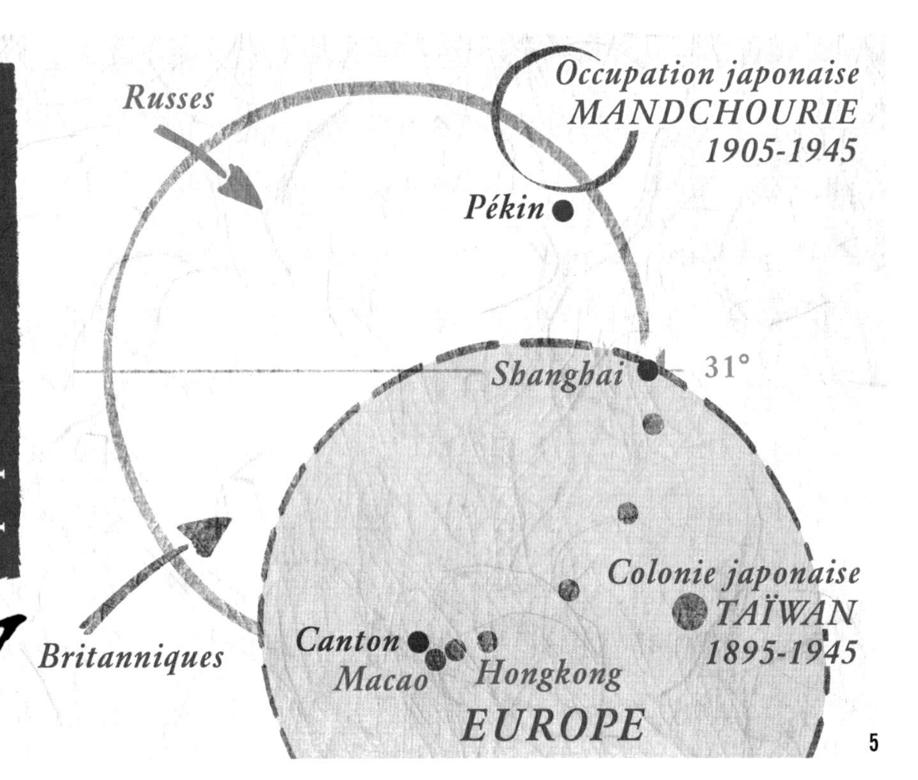

5

Jean-Christophe Victor : Quel sera ce drame ?

Pierre Gentelle : Entre 1840 et 1949, la Chine va perdre complètement le Centre, tout en entrant dans le monde. Le centre du monde était alors ailleurs : l'Europe, la Russie et bientôt le Japon. Nous nous trouvions dans la période coloniale marquée par les guerres de l'opium, la guerre sino-japonaise (voir schéma 5). Les océans étaient aux mains d'autres puissances, les coloniaux avaient partout créé des « concessions ». Les poussées étrangères allaient venir de toute part :

– poussée britannique venant des Indes au sud-ouest ;

– poussée russe venant de Sibérie au nord-ouest ;

– conquête de la Mandchourie par les Japonais au nord-est.

Ces phénomènes menèrent à la révolution ratée de 1911, puis à celle de 1949 où la Chine essaya de se recentrer sur elle-même ; et on obtient alors un nouveau schéma qui se maintient environ trente ans (voir schéma 6).

Dans le monde bipolaire de l'après 1945, la Chine s'appuie d'abord sur l'Union soviétique, de 1949 à 1957. Ensuite, souhaitant à nouveau être indépendante, c'est-à-dire seule au monde, la Chine provoque la rupture avec les Soviétiques en 1962. À cette date, les Chinois, ne pouvant se tourner vers les Américains (qui maintiennent le blocus sur la Chine depuis 1951 et la guerre de Corée), cherchent un appui du côté du tiers-monde. Évidemment, ils ne le trouvent pas ; parce que le tiers-monde n'est pas une grande puissance. Et la Chine comprend que les États-Unis sont un partenaire nécessaire, d'où le grand changement de 1972 avec la visite de Nixon à Pékin. Pour se reconstruire, la Chine s'allie aux Américains, contre les Russes.

Jean-Christophe Victor : Ceci explique-t-il la réforme économique de 1978, un an après la mort de Mao ?

Pierre Gentelle : Oui, car la Chine ne pouvait se reconstruire seule. Elle devait choisir un camp, ce qu'elle a clairement fait. Et puis, elle ne pouvait pas prévoir que l'URSS allait disparaître en 1991.

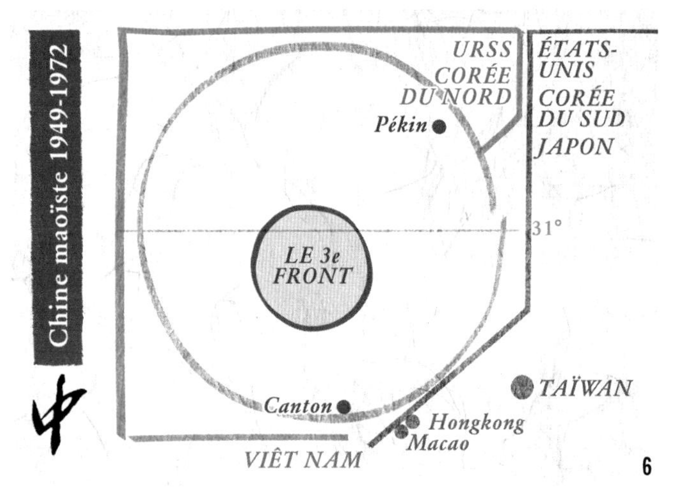

6

Jean-Christophe Victor : Quel est le territoire chinois actuel ?

Pierre Gentelle : La Chine a un territoire formé de deux cercles décalés (voir schéma 7). L'un est son territoire réel, dans lequel elle rencontre des difficultés avec des peuples qu'elle rejette : les Tibétains d'abord, les Ouïgours, les Kazakhs, les Mongols – ou ce qu'il en reste –, tous les peuples de cet Ouest chinois qui l'intéressent peu.

En revanche, elle doit reconquérir le territoire de sa civilisation qu'elle a « prêté » à une partie du monde, c'est-à-dire les deux Corée, le Japon, le Viêt Nam, et peut-être même l'Asie du Sud-Est. Ces territoires se trouvant dans les mers de Chine lui permettraient de reconstituer un monde à partir de son centre, alors que son centre actuel est limité à la côte.

Jean-Christophe Victor : C'est donc cette côte qui reçoit l'essentiel des investissements étrangers. Quelle est la position chinoise actuelle par rapport aux États-Unis, gros investisseurs en Chine ?

Pierre Gentelle : Les États-Unis sont la seule vraie puissance mondiale. Or, la Chine ne veut plus être soumise à quelque puissance que ce soit, son ambition étant de devenir au moins aussi puissante que les États-Unis. Pour cela, elle a donc besoin de s'unir avec les territoires de civilisation chinoise (voir schéma 7). C'est pourquoi elle conserve un territoire qui ne lui « plaît » pas à l'ouest. Et qu'elle essaye de s'étendre vers l'est : après Hongkong et Macao au XXe siècle, elle cherchera à récupérer Taïwan pour la faire entrer dans le Centre chinois au XXIe siècle.

Jean-Christophe Victor : Taïwan de retour à la Chine dans combien d'années ? Deux décennies ?

Pierre Gentelle : Il est toujours imprudent de faire de la prospective à long terme. Gardons toutefois à l'esprit que les dirigeants chinois nourrissent l'ambition de recaler la Chine sur son Centre, *Zhong.*

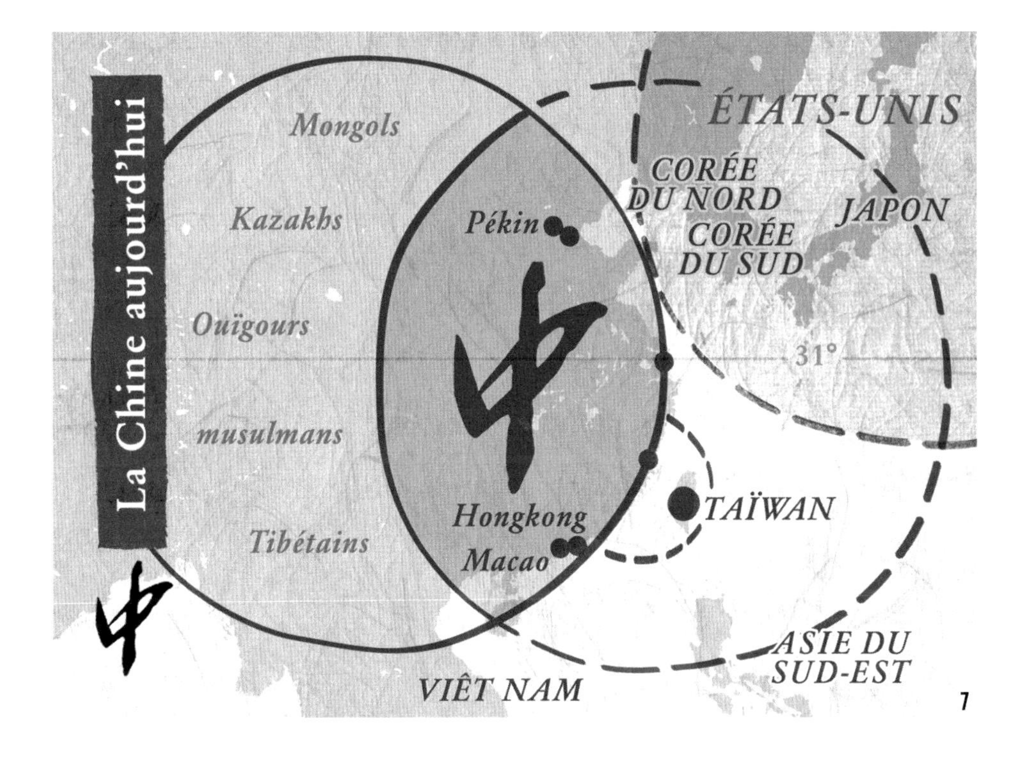

7

** Entretien cartographique avec Pierre Gentelle, géographe, archéologue, directeur de recherche au CNRS.*

2. Un état de la Chine

Le plateau tibétain et les principales barrières montagneuses du pays structurent les axes de drainage des grands fleuves qui, pour la plupart, partent de ce plateau pour rejoindre l'océan Pacifique : le fleuve Jaune, Huang He, le fleuve Bleu, Yangzi, et plus au sud le Xijiang. L'espace chinois se divise en plusieurs ensembles climatiques. Deux de ces espaces sont nettement différenciés :

– au sud et à l'est, un pays de collines, de plateaux humides, de larges deltas. Là vit 85 % de la population chinoise, soit près d'un milliard d'individus, à l'origine plutôt agriculteurs. C'est la Chine du Sud, l'ancien Cathay de Marco Polo ;

– à l'ouest et au nord, des terres continentales, froides, arides, plutôt vides, soit 60 % de la superficie de l'espace chinois, pour 15 % de la population. Là vivent plutôt des peuples pasteurs, nomades, cavaliers. C'est la Chine des plaines, des peuples non-Han, des confins de l'Ouest.

Aucune nation n'a changé autant et aussi vite que la Chine, ces vingt dernières années. Ces changements affectent l'organisation de ce territoire immense, donc la vie des Chinois. Sur quelles permanences viennent s'inscrire les évolutions majeures que connaît ce pays depuis 1980 ?

Depuis l'Antiquité, les fleuves permettent de comprendre l'organisation spatiale du pays : ils concentrent les populations car l'eau appelle les hommes. De là, les activités humaines, l'agriculture, les communications intra-chinoises, et notamment la navigabilité sur le Huang He, ou le Yangzi.

Mais dans la Chine du XXIe siècle, les Chinois bougent, et deux facteurs au moins les ont fait se déplacer : les investissements ont été autorisés dans les provinces côtières, ce qui a développé les activités économiques. La Chine est le premier destinataire mondial des investissements directs, et ces capitaux viennent pour la plupart tous se loger sur les côtes et les villes du pays.

Ensuite, l'essor des activités économiques a modifié, peuplé et multiplié les villes chinoises. La synergie de ces deux facteurs crée les migrations internes.

Entre 1980 et 2000, les Chinois vont de la campagne vers les villes, de l'intérieur vers les côtes, de la terre vers les services. Le pays passe d'une population rurale agricole à une population de plus en plus urbaine, ceux restant dans les campagnes, les plus nombreux bien sûr, étant moins agriculteurs et plus liés au tertiaire : plus de la moitié de la valeur produite dans les campagnes chinoises ne vient plus de l'agriculture, mais du commerce, de la transformation des produits manufacturés.

Ce changement de géographie économique a introduit à Pékin une réflexion sur le territoire et les échanges avec l'extérieur. S'est ainsi dessiné un mouvement de décentralisation économique : ce n'est plus seulement Pékin qui traite avec l'étranger, mais les provinces dans une nouvelle économie des échanges.
L'ensemble qu'est cette Chine d'aujourd'hui est moins homogène qu'autrefois : clivage entre Chinois et peuples de l'Ouest – Ouïgours, Tibétains –, clivages entre paysans et entrepreneurs urbains, entre ruraux et citadins souvent connectés aux réseaux mondiaux, même censurés.

La Chine voulait devenir un pays moderne, elle a pris les deux instruments classiques de la modernité matérielle : moins de paysans, plus de citadins ; plus d'ouverture aux capitaux mondiaux, donc plus de dépendance. Ainsi, le pays est de plus en plus tourné vers l'extérieur et devient un partenaire de la mondialisation. En somme, la Chine est *dehors*, dans le monde, mais de plus en plus inégalitaire, *dedans*.

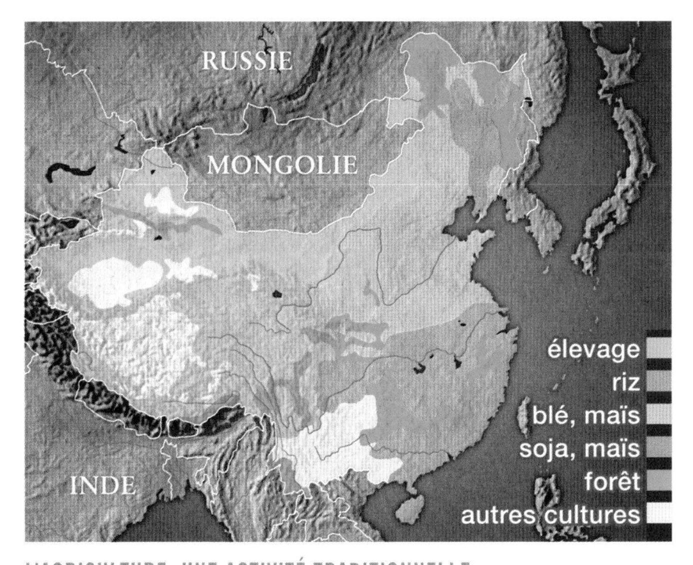

L'AGRICULTURE, UNE ACTIVITÉ TRADITIONNELLE
Aux données géographiques et climatiques de la Chine répondent assez exactement ses activités économiques traditionnelles : zones d'élevage, de la culture du blé et du riz.

PEUPLES DE CHINE

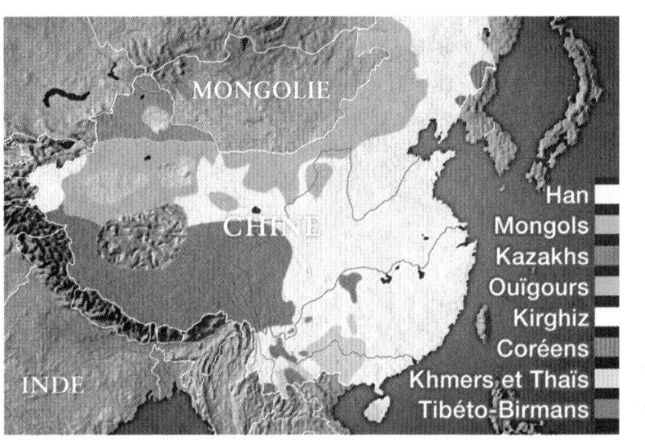

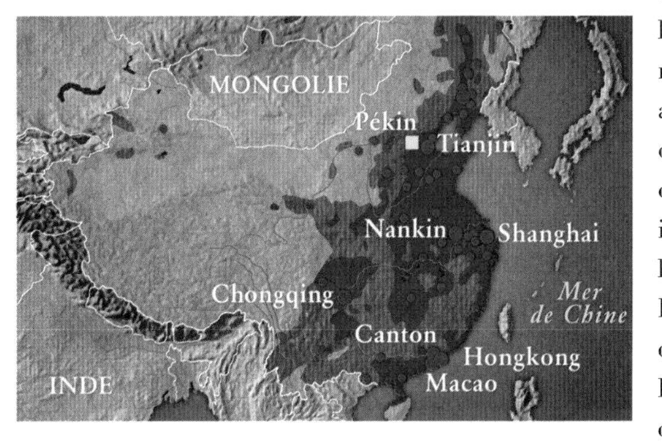

En partant de l'est, de la mer de Chine, on voit que ce sont les Han qui occupent l'essentiel du territoire. Ils s'appellent eux-mêmes « Chinois » et forment la grande majorité de la population du pays, soit 92 %. Au nord, plus en périphérie du centre historique, on repère le groupe des populations mongoles et mandchoues ; au nord-est, les Chinois d'origine coréenne ; à l'ouest, vers l'Asie centrale, on trouve les peuples issus du groupe turc, avec les Ouïgours, les Kazakhs, les Kirghiz ; au sud, des populations d'origine khmère et thaïe. Dans le sud-ouest du pays, ce sont les peuples tibétains, du groupe tibéto-birman. La Chine, on le voit, n'est pas peuplée que de Han, c'est un pays multiethnique où vivent en outre de nombreuses minorités, soit au total, en 2004, 1 370 millions d'habitants : c'est le pays le plus peuplé au monde, en valeur absolue. En valeur relative, cela fait 20 % de la population mondiale, alors que le pays représentait 38 % de la population mondiale en 1850. La Chine est peuplée, mais pas uniformément et les oppositions de couleurs ont un sens : ce qui est en clair indique plutôt des terres vides, en foncé des terres densément peuplées, et les points rouges représentent les grandes villes, très densément peuplées, comme Pékin, Shanghai, Tianjin, Chongqing, Nankin, Canton, plus ces dernières années deux villes ayant perdu leur statut colonial pour rejoindre le continent : Hongkong autrefois britannique et Macao anciennement portugaise.

3. Le « grand bond » dehors

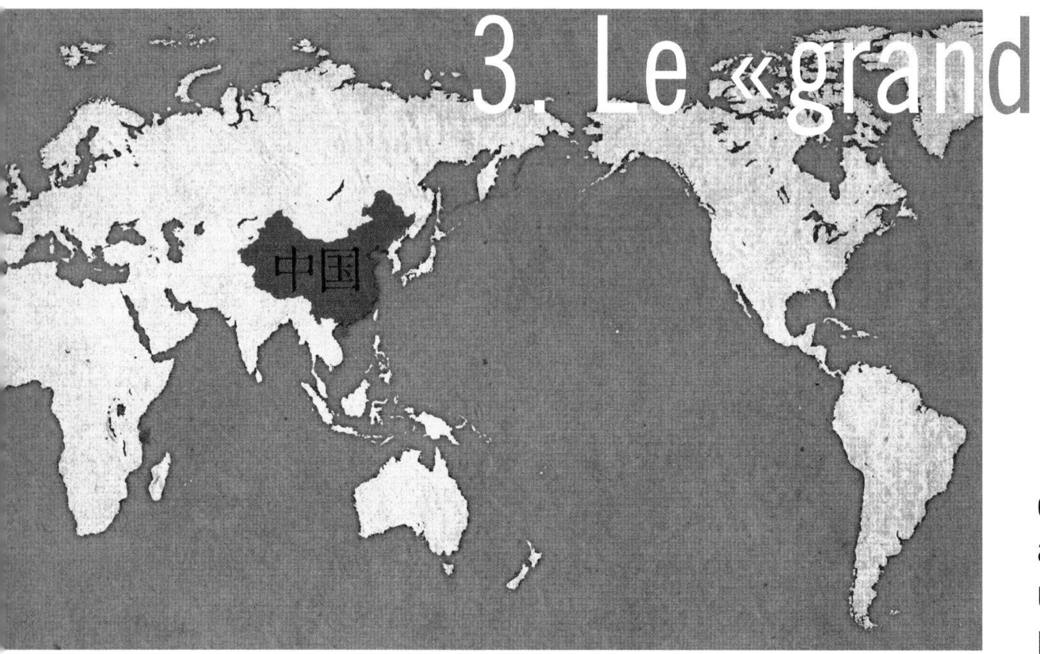

Depuis une dizaine d'années, les exportations chinoises ont progressé de 12 % chaque année. La Chine a d'abord conquis une position mondiale comme producteur de biens manufacturés tels que jouets, réveils, radios, vêtements. Puis elle est devenue le plus gros producteur mondial de téléviseurs, d'appareils d'air conditionné, d'appareils photo, de téléphones, de lecteurs de DVD.

La forte et régulière croissance de la Chine impose au pays une recherche active de matières premières à travers le monde : notamment pétrole, gaz, fer, alumine, cuivre, nickel, bois, coton, soja. Une telle demande met un terme à l'indépendance énergétique chinoise et dessine une carte mondiale sino-centrée des matières premières.

La Chine, depuis les réformes économiques de 1978, a conquis une position prédominante comme producteur mondial de biens manufacturés à faible valeur ajoutée. Le pays est devenu, comme on dit, l'usine du monde.

Mais pour faire tourner une telle usine, et répondre à l'augmentation du niveau de vie des Chinois eux-mêmes, il faut avoir accès à des sources d'énergie en quantités considérables : les besoins chinois en énergie représentaient 10 % de la demande mondiale en 2000, et ils représenteront 20 % en 2010.

La Chine ne suit plus

Car la phase de développement dans laquelle se trouve la Chine repose en effet sur des activités très consommatrices en énergie. Pour répondre à la double demande – intérieure et extérieure –, il faut construire des usines pour fabriquer et transformer, des routes pour circuler, des ports et des aéroports pour assurer l'exportation, des villes pour accueillir les « nouveaux travailleurs ». En 1978, 18 % des Chinois vivaient en ville ; dans les années 2000, les villes accueillent plus de 40 % de la population.

Le pouvoir d'achat des Chinois augmente, il y a une forte demande d'équipement des ménages, en particulier des ménages urbains. Or, la consommation énergétique des citadins est deux fois et demie plus élevée que celle dans les zones rurales. Résultat, pendant les trois premiers mois de 2004, la demande en électricité a bondi de 17 %.

Cela traduit la pression de ces nouveaux citadins, plus la pression des activités de bureau, c'est-à-dire le développement du tertiaire. Conséquence : en 2004, des coupures de courant fréquentes ont touché tout le territoire. En somme, la Chine ne suit plus.

Pourtant, la Chine est le premier producteur de charbon au monde, et le premier consommateur. Du coup, elle est aussi le deuxième plus gros pollueur au monde juste derrière les États-Unis. Les émissions chinoises de sulfure de dioxyde seraient responsables de 30 % des pluies acides sur le Japon, et cette pollution atmosphérique n'est pas prête de se stabiliser .

Le pétrole, lui, couvre 27 % des besoins énergétiques chinois. Or ces besoins en pétrole sont appelés à augmenter dans de très larges proportions. La Chine s'est donc lancée dans l'exploitation de nouveaux champs de pétrole et de gaz, à l'ouest du pays et en mer de Chine. Mais quelles que soient les perspectives de production *intérieures*, elles ne pourront suffire à répondre à la demande énergétique. C'est pourquoi la Chine diversifie ses sources d'approvisionnement *à l'extérieur*.

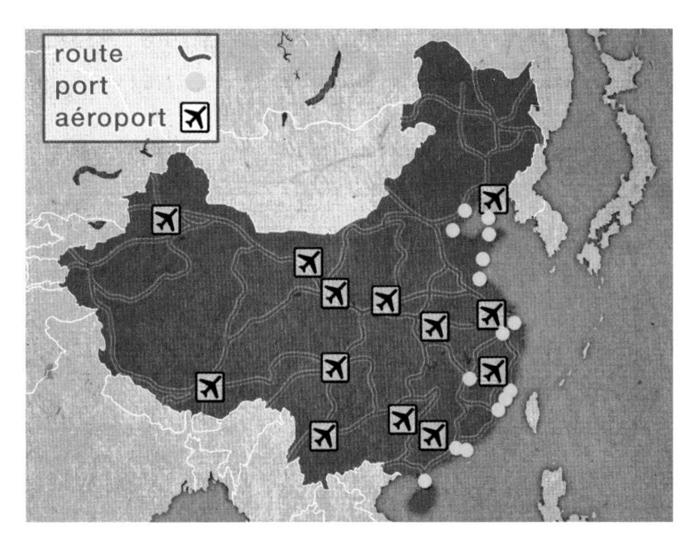

LA CHINE CONSTRUIT

En cinq ans, environ 200 000 km de routes et 20 000 km d'autoroutes ont été tracées. De nouveaux ports, une dizaine d'aéroports importants ont été ouverts ou réaménagés entre 2001 et 2004. En vingt ans, on a vu apparaître plus de cent cinquante villes de plus d'un million d'habitants.

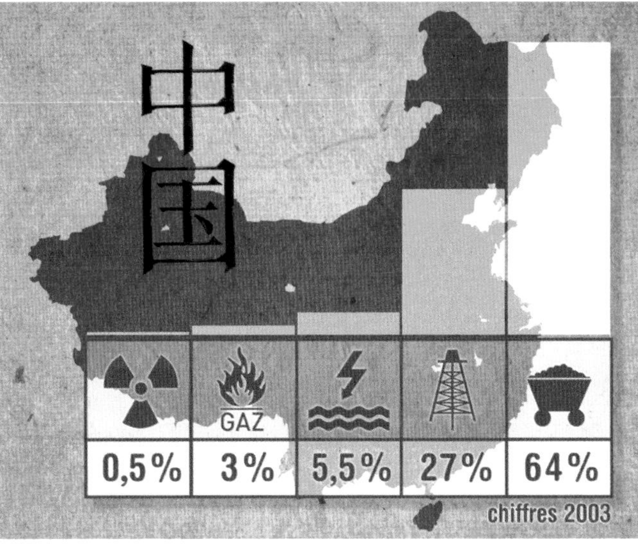

CONSOMMATION ÉNERGÉTIQUE EN CHINE

En 2003, 94 % des ressources énergétiques chinoises sont issues des énergies fossiles (charbon, pétrole, gaz).

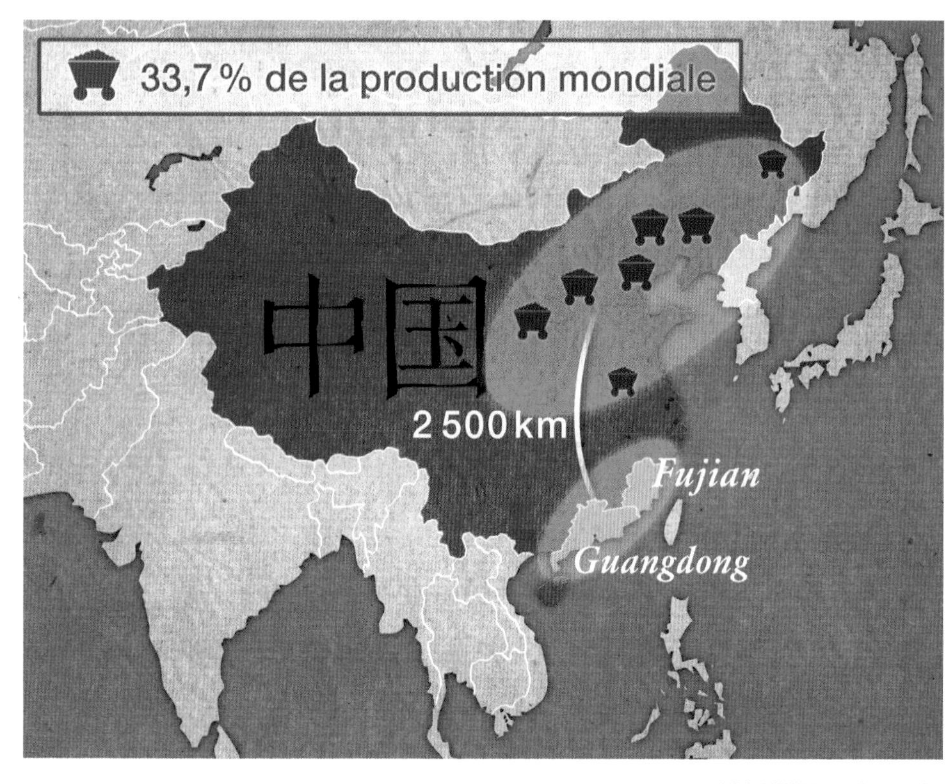

LES MINES DE CHARBON

La Chine est le premier producteur de charbon au monde. Pourtant, elle ne parvient pas à répondre à la demande intérieure : la carte montre que les principaux bassins houillers sont au nord et au nord-est du pays, alors que les zones de consommation sont surtout situées au sud, soit à quelque 2 500 km des mines.
Le transport du combustible sur une si longue distance coûte cher, et les trains houillers occupent à eux seuls la moitié du trafic ferroviaire national. Et pourtant, les chemins de fer chinois en 2004 n'ont pu transporter que 35 % de la demande en combustibles des centrales et des usines.

Comment résoudre l'équation énergétique ?

En 2003, la Chine est devenue le deuxième importateur de pétrole au monde, après les États-Unis et passant devant le Japon.
L'essentiel des importations chinoises de pétrole vient du Moyen-Orient. Or, la région est non seulement politiquement instable mais son éloignement impose d'acheminer le pétrole par une route maritime de plus de 10 000 km, partant du golfe Persique jusqu'au port de Shanghai.
Une telle configuration contraint la Chine à la fois à augmenter et à mieux sécuriser ses approvisionnements énergétiques. Pour cela, trois objectifs : elle construit des oléoducs terrestres, elle acquiert des nappes dans d'autres pays, et elle diversifie la liste de ses fournisseurs. La diplomatie classique, précise et à haut niveau, permet de rechercher des accords liés aux matières premières, et ce loin des marges asiatiques.
La dynamique de la croissance chinoise nourrit la dynamique des marchés : en 2004, on constatait que le niveau des prix des matières premières n'avait pas été aussi haut depuis vingt-trois ans, selon le rapport du Commodity Research Bureau (basé à Chicago, qui fait chaque année la moyenne de vingt-deux prix mondiaux). D'ailleurs en 2004, la Chine a importé 30 % de sa consommation de pétrole, et en 2025 elle en importera 82 %, selon l'Agence internationale de l'énergie.

Un marché quasi infini

À l'échelle mondiale, la Chine crée par elle-même un marché pratiquement sans fin, en tout cas pour vingt ans. Le pays devient donc un territoire parfaitement intégré au grand ordre de la production mondialisée.
Si la Chine est bel et bien « éveillée », s'employant à mettre fin à l'humiliation des traités inégaux imposés par les Occidentaux à la fin du XIXe siècle, on peut maintenant réfléchir à vingt ans, ou même seulement à dix ans aux conséquences des dégradations de la cohésion sociale du pays, aux dégradations de l'environnement en Chine ; et aux conséquences de ce nouveau « mode de production asiatique », néocapitaliste, efficace, sans véritables règles, c'est-à-dire simplement prédateur. Les conséquences seront, à terme, la facture géopolitique à payer.

Voir également : **PÉTROLE** (p. 82-85) et **GÉOGRAPHIE ÉCONOMIQUE MONDIALE** (p. 196-201).

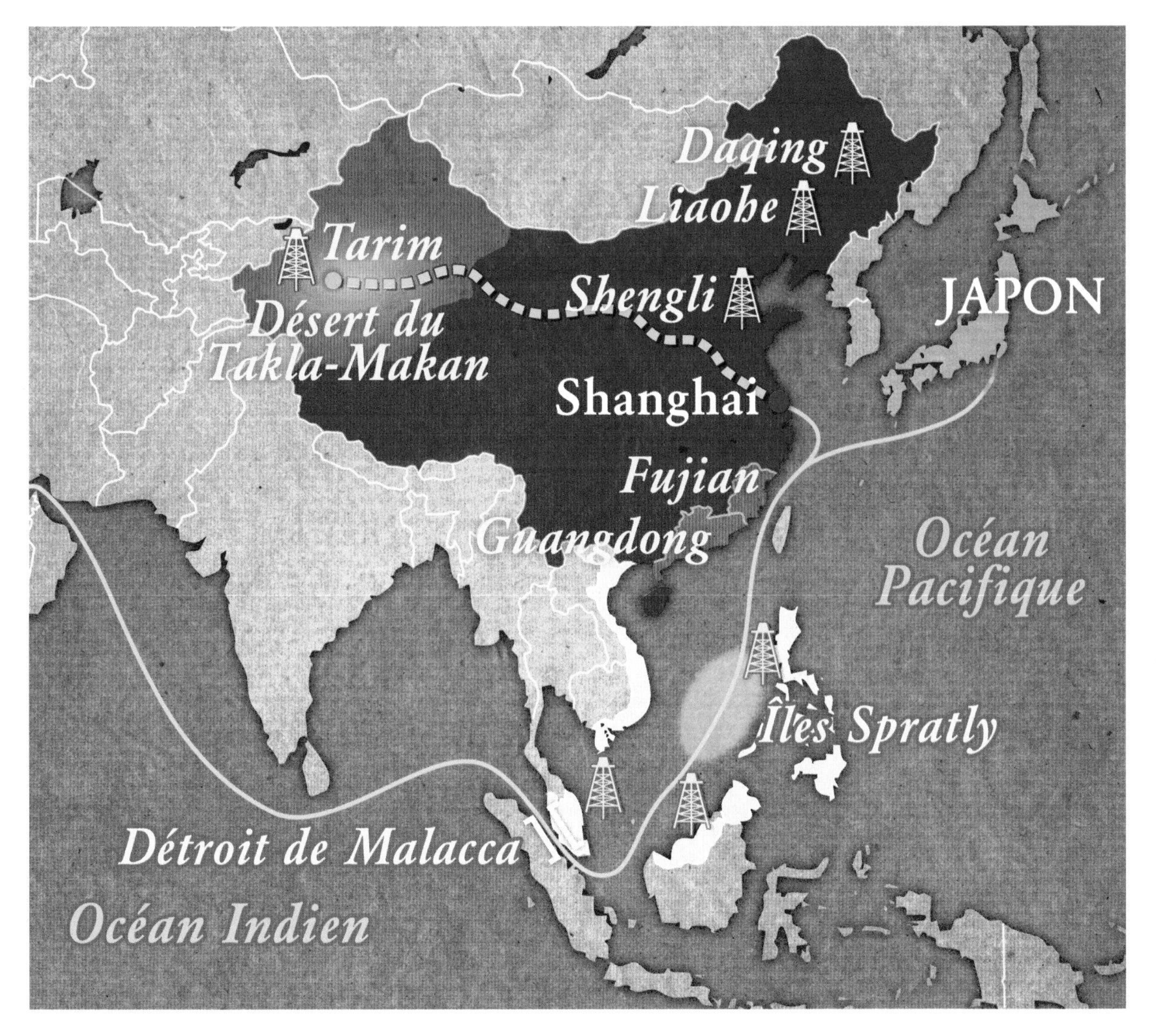

À LA RECHERCHE DU PÉTROLE INTÉRIEUR, À L'OUEST ET AU SUD

Le pétrole couvre 27 % des besoins énergétiques chinois. L'essentiel de la production vient des champs pétrolifères du nord du pays. La production de ces nappes a tendance à stagner, et là encore, le transport entre zones d'exploitation et zones de consommation renchérit le prix du baril.
La Chine s'est donc lancée dans l'exploitation de nouveaux champs de pétrole et de gaz dans l'ouest du pays, dans la province du Xinjiang, autour du désert du Takla-Makan. Le bassin représente 22 % des ressources gazières du pays, mais ces gisements se trouvent à plusieurs milliers de kilomètres des côtes plus développées. Un gazoduc de 3 900 km est en construction, du bassin du Tarim à Shanghai.
Les gisements offshore en mer de Chine méridionale offrent l'avantage d'être proches des zones de consommation, mais l'inconvénient de se trouver dans une région où il y a litige de souveraineté avec les États voisins, notamment autour des îles Spratly. Cette mer de Chine méridionale est triplement stratégique : à cause de ces contentieux maritimes, à cause de la présence des réserves prouvées, et parce que les tankers chargés du pétrole du Moyen-Orient passent en mer de Chine pour relier Shanghai ou le Japon.

LA CHINE, DEUXIÈME IMPORTATEUR DE PÉTROLE AU MONDE

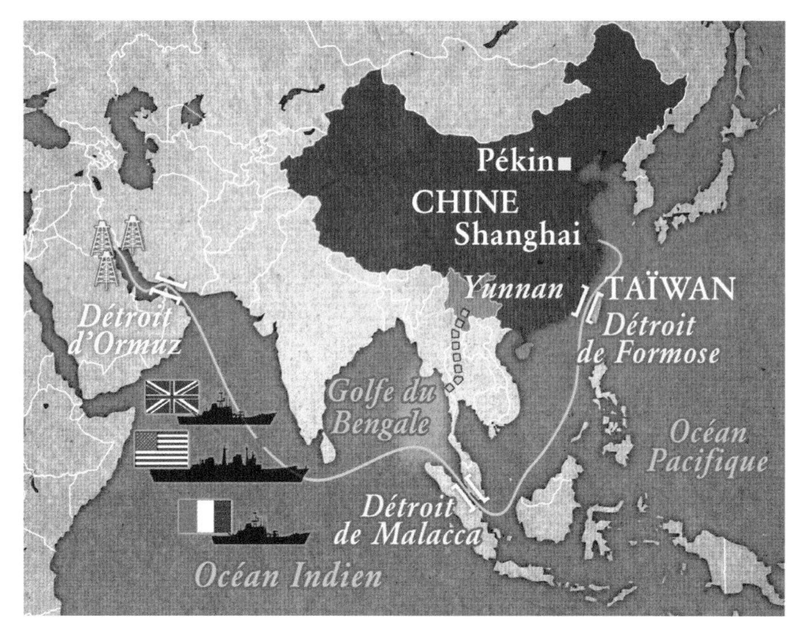

LES ROUTES DU PÉTROLE

En 2002, la Chine importe 50,5 % de son pétrole du Moyen-Orient. Or la région, politiquement instable, impose en outre l'utilisation d'une route maritime de plus de 10 000 km partant du golfe Persique et passant par les détroits d'Ormuz, de Malacca et de Formose pour arriver au port de Shanghai.
La sécurité de cette ligne maritime est assurée par les marines britannique, française, mais surtout américaine, qui croisent dans la région. Pour Pékin, cela signifie qu'en cas de conflit grave à propos de Taïwan, Washington dispose d'un moyen de pression sur cette « ligne vitale » à la croissance chinoise. Comme alternative, Pékin envisage la construction d'un oléoduc entre le golfe du Bengale et le Yunnan. Un tel trajet terrestre éviterait ainsi au pétrole de passer par le détroit de Malacca, la mer de Chine et le détroit de Formose.

LA RUSSIE ET LE KAZAKHSTAN, NOUVEAUX FOURNISSEURS

En 2003, les importations chinoises de pétrole en provenance de Russie ayant augmenté de 73 %, Moscou s'est engagé à faire passer ses livraisons de pétrole de 10 millions de tonnes en 2005 à 15 millions de tonnes en 2006.
Pour assurer l'évacuation de ces hydrocarbures, la compagnie russe Transneft a prévu de construire un oléoduc partant de Taichet et sortant à Nakhodka, sur le Pacifique. Un tel projet prévoit évidemment d'approvisionner aussi le Japon, la Corée du Sud et les États-Unis.
Au Kazakhstan, la compagnie nationale chinoise a pris le contrôle de 60 % de la deuxième compagnie pétrolière kazakhe en 1997, avant d'en prendre le contrôle total en 2003. Au printemps 2004, un accord bilatéral signé entre les deux pays prévoit un oléoduc entre Atassou et Alachankou, dont la construction se terminera fin 2005.

DES FOURNISSEURS DANS LE MONDE MUSULMAN ET EN AFRIQUE

Pékin a noué des relations avec les pays isolés par les diplomaties occidentales, comme la Libye, l'Iran, le Soudan, et il y a quelques années l'Irak. La Chine négocie avec la compagnie nationale iranienne un accord d'exploration conjointe des gisements iraniens ; 40 % du gisement Heglig au Soudan est sous contrôle chinois. Plusieurs autres compagnies chinoises sont impliquées dans la construction d'un oléoduc de 1 400 km reliant le bassin de Melut à Port-Soudan, où elles construisent un terminal pétrolier pour l'exportation. La Chine profite ainsi de l'isolement imposé par les Occidentaux à ces « pays exclus », et procède parfois à du troc : à savoir de gros contrats pétroliers contre des ventes d'armes chinoises. L'Angola est le deuxième plus gros producteur de pétrole du continent africain. La Chine a accordé un prêt de 2 milliards de dollars au gouvernement angolais pour la réfection de la plus longue voie ferrée du pays : 1 300 km de rails qui partent du port de Lobito sur l'Atlantique pour rejoindre Lubumbashi au Congo. Cet énorme projet une fois achevé pourra évacuer le cuivre et les diamants notamment – du Katanga et de Zambie, aujourd'hui exportés par les ports d'Afrique du Sud.

DIVERSIFICATION DES FOURNISSEURS EN AMÉRIQUE LATINE

Fin 2004, le président chinois Hu Jintao s'est rendu dans quatre pays de la région :
– au Brésil*, le producteur d'acier chinois Bao Steel a investi un milliard de dollars dans les mines brésiliennes. Lula et Hu ont signé un accord commercial portant sur la prospection pétrolière, l'aéronautique et l'espace, notamment pour le lancement commun d'un satellite d'observation terrestre en 2006 ;*
– en Argentine*, le président chinois a annoncé un investissement de 20 milliards de dollars pour la modernisation du réseau ferroviaire et la construction de routes. Objectif : faciliter les exportations des richesses minières de la région vers le Pacifique ;*
– enfin, avec le Chili*, le président chinois a signé un traité bilatéral de libre-échange. Avec ces trois pays réunis, la Chine va co-financer une étude pour envisager pour la première fois le franchissement de la cordillère des Andes par une voie ferrée, afin de relier le Brésil et l'Argentine au Chili, donc vers les ports du Pacifique. En échange des investissements chinois, ces pays s'engagent à ne pas déposer de plaintes antidumping auprès de l'OMC contre la Chine.*
Le président chinois a également fait escale à La Havane*. Un investissement chinois est prévu dans le secteur du nickel, ce qui va permettre à terme de doubler la production cubaine et de l'exporter vers la Chine.*

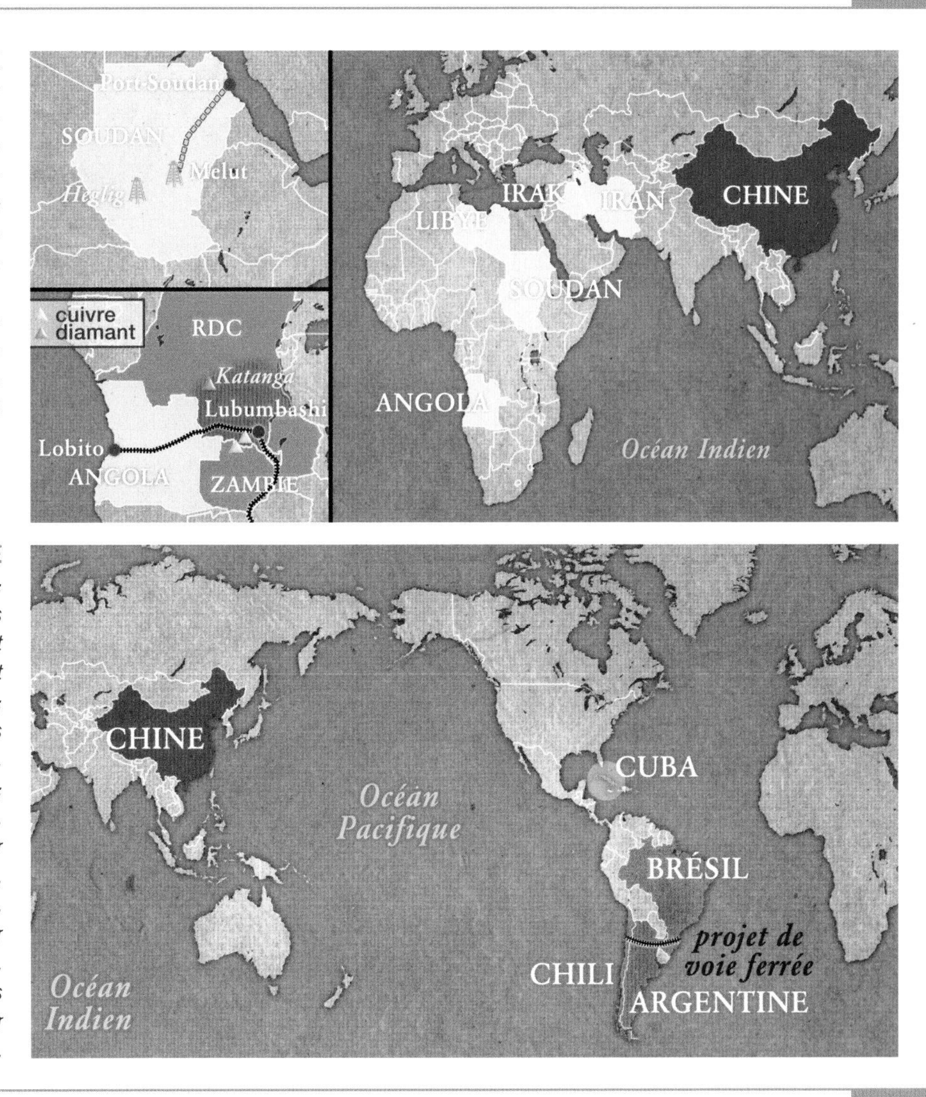

LHASSA
L'IDENTITÉ CONFISQUÉE

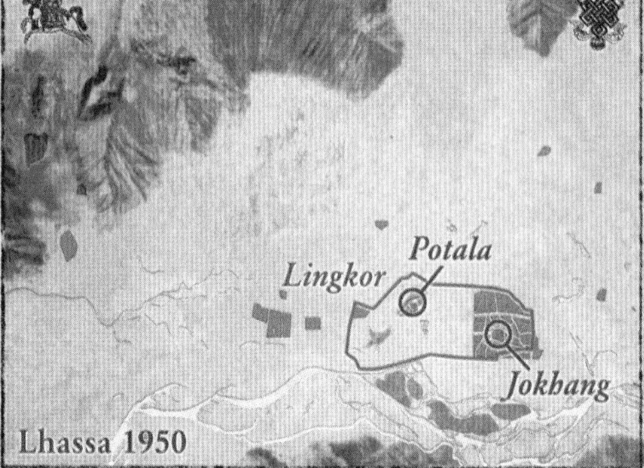

Quand les Chinois envahissent le Tibet en 1950, la ville de Lhassa n'a pratiquement pas changé depuis trois siècles : elle s'étend sur 3 km², compte environ 30 000 habitants et reste organisée autour du Jokhang, un sanctuaire du VIIe siècle qui symbolise à la fois le cœur spirituel, l'unité et l'indépendance du Tibet. L'organisation de la ville est ensuite définie par deux routes de pèlerinage : le Barkhor et surtout le Lingkhor que les pèlerins doivent parcourir avant d'entrer à Lhassa en passant près du Potala où siège le dalaï-lama.

Alors que nos atlas désignent le Xizang (Tibet) comme une province chinoise et que la Chine range les Tibétains parmi ses minorités nationales, le sentiment d'être tibétain renvoie à une communauté dont la mémoire et la culture ont été façonnées par le bouddhisme tibétain. Les Chinois l'ont bien compris : en modifiant la géographie spirituelle de Lhassa, ils confisquent aux Tibétains des rites et des symboles qui sont inscrits au cœur même de leur identité collective. En appliquant à huis clos des recettes coloniales, Pékin a fait du Tibet une province chinoise, de Lhassa une ville chinoise, des Tibétains une minorité en leur propre capitale, et bientôt de leurs rites religieux, une curiosité folklorique.

Jusqu'au début des années 1980, la géographie spirituelle de Lhassa n'est que peu modifiée : les nouvelles constructions se limitent à des bâtiments techniques et administratifs, que les Chinois installent à l'extérieur de la ville tibétaine, dont le contour reste tracé par le Lingkhor. La situation évolue en 1984, avec l'adoption d'un programme dit de « développement du Tibet ». Nouveaux quartiers, béton, angles droits et avenues larges, etc. Face à l'archaïsme de la vieille ville, la Chine impose le progrès et sa métaphore : l'urbanisme ordonné d'une société éclairée ! En 1985, les maisons tibétaines situées devant le Jokhang sont démolies, remplacées par une place monumentale qui ouvre la vieille ville vers l'agglomération chinoise.

Dans les années 1990, le Lingkhor disparaît dans les artères d'une nouvelle métropole de 150 000 habitants, dont les maisons traditionnelles, au centre de la ville, sont détruites chaque année par trentaine. Parallèlement, en 1994, la Chine et ses provinces offrent au Tibet soixante-deux « projets d'assistance », dont la construction d'un parvis colossal au pied du Potala. En le flanquant d'une place et d'un drapeau de la République populaire, les Chinois confisquent l'emblème du Tibet à la vieille ville, dont il est désormais coupé par une avenue monumentale. En inscrivant la même année la résidence du chef spirituel et temporel des Tibétains au patrimoine mondial de l'humanité, ils la réduisent au rang de musée.

En juin 2000, Lhassa s'étend sur près de 60 km^2. Enclavée dans la modernité chinoise, la vieille ville ne compte plus qu'un tiers de ses maisons d'origine.
Aux confins de la ville, de nouveaux quartiers, des cités encore vides et d'autres qu'on bâtit pour accueillir les migrants que les autorités courtisent vers le nouvel eldorado. Déjà près de 300 000 Chinois vivent à Lhassa, c'est-à-dire trois fois plus que les Tibétains.

LES TERRITOIRES DU JAPON

Étiré dans le sens nord-sud sur plus de 2 500 km, l'archipel japonais, formé d'environ 6 800 îles, a une superficie terrestre de 380 000 km². L'île de Honshu, au centre de l'archipel, constitue avec les îles d'Hokkaido au nord, de Shikoku et de Kyushu au sud, ce que les Japonais appellent le Hondo, c'est-à-dire la « terre principale ».

« Entrer » au Japon est complexe, même si la démarche est longue et passionnante : essayons simplement d'ouvrir quelques portes, pour mesurer la relation entre le territoire disponible, son utilisation par les Japonais, et l'économie « extravertie » du pays.

Taifu en japonais, cela veut dire « grand vent ». Par sa position à l'ouest du Pacifique Nord, le Japon est situé sur le trajet des typhons qui naissent à l'automne, au centre de cet océan. Le pays est, de plus, situé sur la « ceinture de feu du Pacifique » et abrite ainsi 10 % des volcans actifs au monde, dont le Fuji-Yama, point culminant du pays, et actuellement volcan dormant.

Des contraintes naturelles

Typhons fréquents, séismes possibles, archipel fragmenté, la nature est donc plutôt hostile à cette « terre sur laquelle se lève le soleil ». Dès lors, comment s'y organise la vie des hommes ?

Honshu est la plus grande île du Japon, et la plus peuplée. C'est là que se trouvent Nagoya, Osaka et Tokyo, la capitale, au cœur de l'archipel nippon. Ces mégapoles regroupent presque la moitié des 127 millions de Japonais qui du fait même de ce volcanisme et des montagnes centrales, couvertes de forêts, vivent plutôt dans les plaines et le long des côtes :

– dans les plaines, qui ne représentent que 25 % de la superficie totale du pays et qui accueillent tout à la fois les zones agricoles, urbaines, et industrielles ;

– et le long des côtes, car la seule richesse naturelle abondante au Japon est l'eau, le pays ayant peu de richesses minières.

L'eau douce d'abord : les pluies sont importantes, les rivières nombreuses, donc favorables aux forêts et à la sylviculture ; à la culture irriguée, donc au riz ; aux barrages, donc à la production d'électricité.

L'océan ensuite, la mer ayant façonné un autre espace de vie, venant agrandir et compléter le territoire terrestre. La très vaste zone économique exclusive (ZEE) du Japon est un atout pour un pays où la mer et la pêche ont un rôle économique et culturel (voir encadré).

Le Japon, on l'a compris, est face à de fortes contraintes naturelles. Vivre dans une île façonne toujours une grande part d'identité. La légende raconte que ce pays est né de l'accouplement entre les divinités *Izanagi* et *Izanami*, et de ce couple seraient nées des milliers d'îles, tournées vers l'océan Pacifique.

Et pour faire d'un archipel un seul pays, l'aménagement du territoire est essentiel. On est donc dans la situation originale suivante : un archipel, particulièrement soumis aux risques naturels, un territoire « terrestre » relativement exigu quasiment sans ressources naturelles, et qui façonne une économie dynamique, exportée et influente mondialement. Un tel cas de figure exprime bien les limites du déterminisme géographique : ce sont les hommes qui font l'histoire. Pas seulement la géographie.

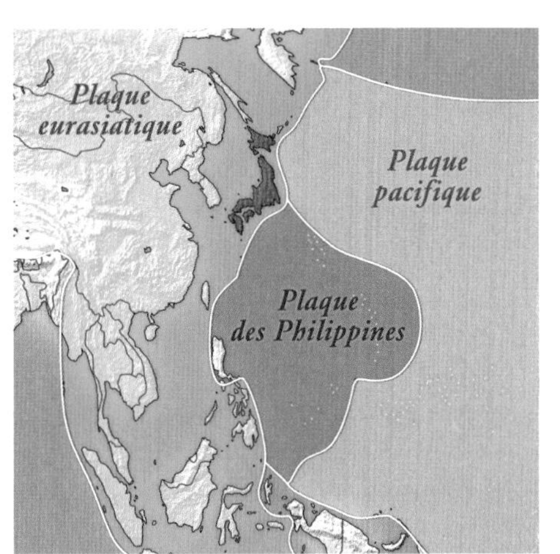

SUR LA CEINTURE DE FEU DU PACIFIQUE

Le Japon est une des zones les plus exposées aux séismes dans le monde, car le pays est placé au croisement de trois plaques tectoniques qui se chevauchent :

– la plaque eurasiatique à l'ouest et au nord ;

– celle des Philippines plus au sud ;

– et la grande plaque pacifique à l'est.

Le pays abrite 10 % des volcans actifs au monde.

HONSHU, LE CENTRE DU PAYS

L'île de Honshu concentre les deux grands pôles d'activité du pays :

– la plaine de Kanto, autour de Tokyo et de Yokohama ;

– et la région du Kansai, cœur historique du pays, avec les villes de Nara, de Kyoto et d'Osaka.

Ces deux pôles sont reliés entre eux, puis au reste du pays – donc de Fukuoka à Morioka – par le Shinkansen, c'est-à-dire le train à grande vitesse japonais. Ce réseau ferré est doublé d'autoroutes qui passent à l'intérieur des terres, tant le littoral est congestionné.

L'EMPREINTE CHINOISE

Dans l'histoire du Japon, les emprunts à la culture chinoise sont nombreux : écriture, religion, urbanisme, code des lois inspiré du confucianisme, peinture, poésie. Après le VIe siècle de notre ère, lors de l'époque Yamato, cette large diffusion des arts et des techniques chinois confèrent à la dynastie régnante au Japon le prestige de cette culture qui vient du « continent ». En somme, la Chine aide à l'unité politique du Japon.

Car à partir de la fin du VIe siècle, la Chine des Sui et des Tang bénéficie d'une prospérité, d'une avance technique, et d'une puissance politique bien supérieure à ce qui existe ailleurs dans le monde à cette époque-là. Voyageurs et lettrés japonais en sont impressionnés et un vaste mouvement d'influence et d'immigration va se dessiner.

– Venant de Chine, le bouddhisme s'implante peu à peu au Japon : au VIe siècle, la nouvelle religion est adoptée officiellement par la famille impériale de Yamato. D'où la présence à Nara, la première capitale japonaise fondée en 710, de nombreux temples bouddhiques que l'on peut admirer encore aujourd'hui ;

– Le plan en damier de Nara s'inspire directement de Changan, capitale de la Chine des Tang. C'est également le cas de Kyoto, la capitale japonaise édifiée au VIIIe siècle, selon le plan de villes chinoises ;

– Autre apport majeur, les idéogrammes chinois sur lesquels seront copiés directement les *kanji* japonais.

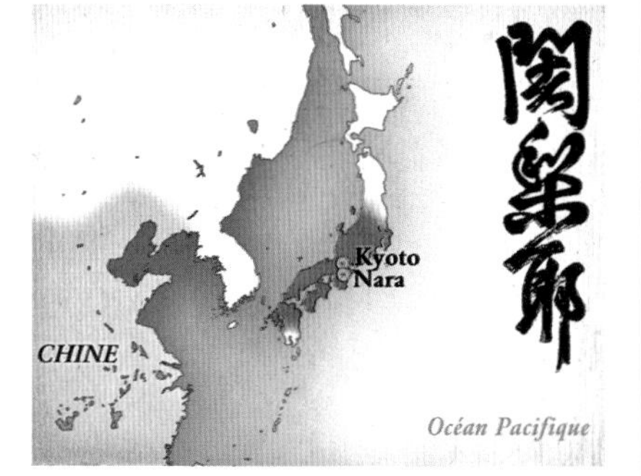

Un « vol d'oies sauvages »

Ce dynamisme a fait de ce pays l'un des trois « grands » de l'économie mondiale. Le schéma traditionnel du « vol d'oies sauvages » exprime chez les économistes – certes poètes – comment, à l'échelle régionale et à l'échelle mondiale, le Japon a investi :

– chez ses voisins asiatiques : Corée du Sud, Taïwan, Hongkong, aujourd'hui Asie du Sud-Est et Chine, favorisant le décollage économique des « dragons » et des « tigres » ;

– puis aux États-Unis et en Europe, notamment dans les secteurs automobile, hi-fi, et aujourd'hui des nouvelles technologies de l'information et des télécommunications.

Depuis les années 1990, ce pays traverse une crise économique, avec plusieurs phases de récession. Les facteurs sont nombreux :

– une gestion centralisée qui ne fonctionne plus ;

– de nombreuses créances bancaires douteuses ;

– les réformes qui n'avancent pas ;

– une crise politique qui semble récurrente, quel que soit le gouvernement ;

– et enfin, aucun pays ne connaît un vieillissement de sa population aussi rapide.

Sous un autre angle, la situation peut paraître enviable : le taux de chômage est à moins de 5 %, ce qui est peu, l'épargne des particuliers est considérable, les excédents sont multiples – excédent commercial, les réserves de change qui sont parmi les premières au monde –, le Japon reste au premier rang mondial dans les investissements en recherche et développement, ce qui est toujours un signe de confiance en l'avenir de la nation. Ainsi, le pays semble sortir de sa longue crise depuis 2004, avec un retour de la croissance, tirée notamment par l'augmentation – 38 % en 2003 – des exportations vers le voisin chinois.

Nos points de vue d'Occidentaux – même de capitalistes occidentaux – sont souvent bien rapides, pour ne pas dire sommaires : nous sommes passés d'un jugement sur le modèle japonais pour évoquer ensuite l'« effondrement » du Japon. Nous avons fait semblant de craindre une « remilitarisation » du Japon dans les

années 1990, pour nous plaindre ensuite que le pays n'était pas assez impliqué dans la sécurité internationale et même régionale, le Japon étant à portée des missiles balistiques nord-coréens.
Ce n'est pas à l'aune du calendrier des acteurs politiques, économiques, que l'on peut juger des évolutions d'un État et encore moins d'une société, surtout quand on connaît le potentiel et l'inventivité des habitants de ce pays. Ce sont les Japonais qui changent. Pas leur classe politique.

Voir également : POLITIQUE ÉTRANGÈRE DES ÉTATS-UNIS (p. 48-55), CHINE, LE PAYS SOUS LE CIEL (p. 120-131), PROLIFÉRATION NUCLÉAIRE (p. 172-175) et GÉOGRAPHIE ÉCONOMIQUE MONDIALE (p. 196-201).

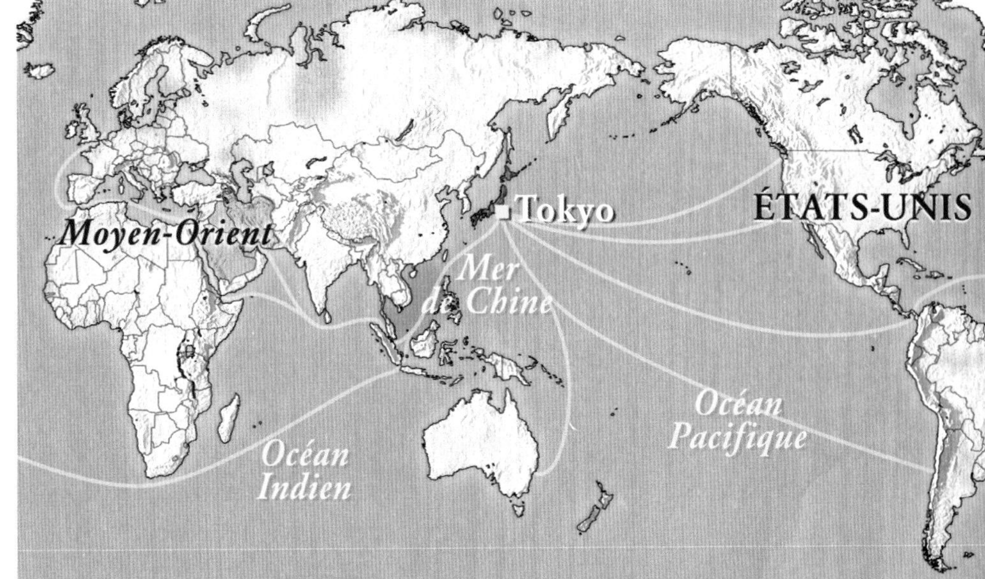

LES LIGNES DE COMMUNICATION MARITIME

Peu doté en ressources naturelles, le Japon dépend des voies maritimes pour son commerce et pour ses importations de matières premières, dont le pétrole en provenance du Moyen-Orient. Ces voies maritimes passent par la mer de Chine, d'où les inquiétudes japonaises au sujet des revendications chinoises sur les îles Senkaku.

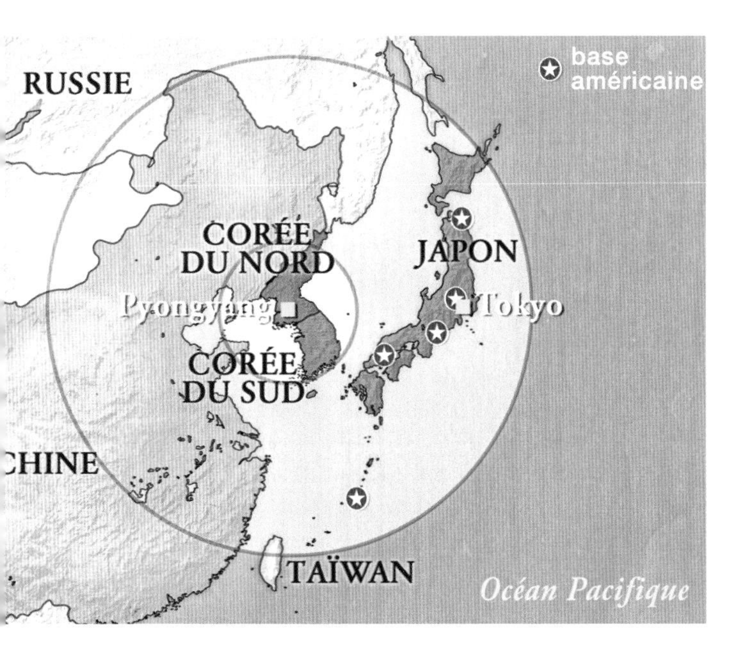

LA MENACE BALISTIQUE NORD-CORÉENNE

La Corée du Nord est dotée de missiles balistiques Rodong I et Rodong II. Leur portée menace directement le Japon. Tokyo craint à la fois la nucléarisation de leurs « têtes », la course aux armements que peut entraîner le chantage nord-coréen, et le risque que représente l'effondrement du régime de Pyongyang. La sécurité du Japon reste assurée par les Américains, qui disposent depuis 1945 de plusieurs bases dans le pays.

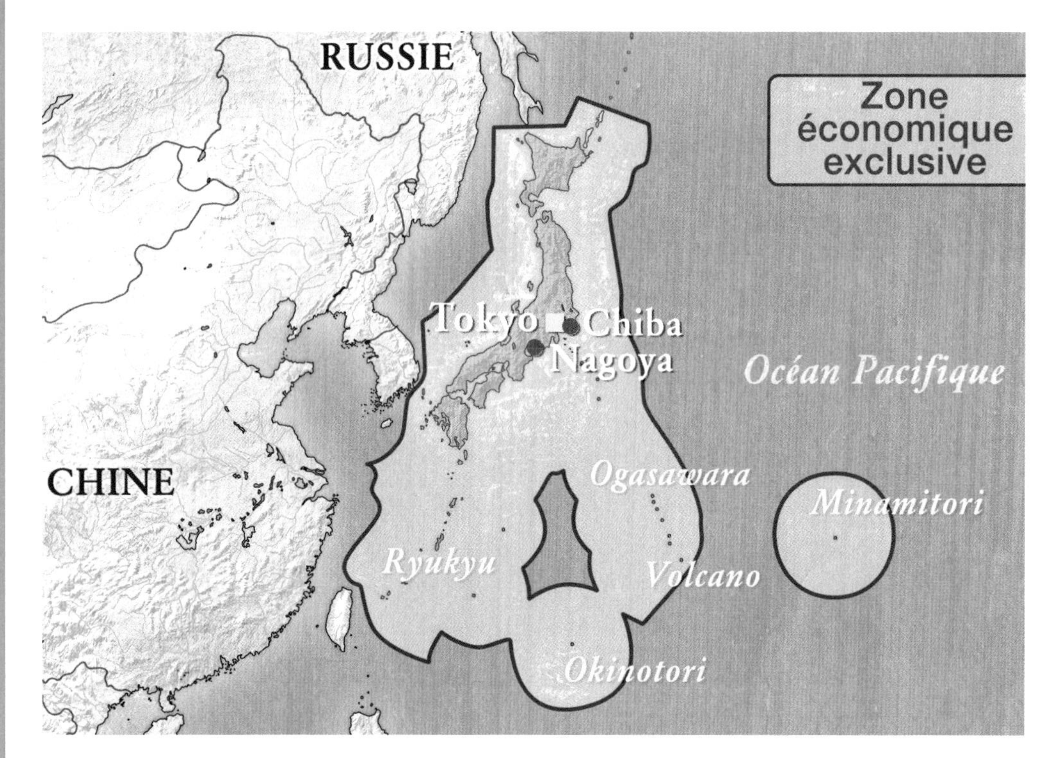

DES CONTENTIEUX MARITIMES NON RÉGLÉS

Grâce à ses nombreuses îles peu ou pas peuplées, le Japon dispose d'une immense zone économique exclusive, multipliant sa superficie par douze. Cette vaste ZEE est un atout essentiel pour le pays: le Japon assure 12 % de la production mondiale de poissons, il est le premier constructeur naval au monde, avec les ports de Chiba et de Nagoya, et il a la deuxième marine commerciale au monde – hors des pavillons de complaisance et après la Grèce. C'est finalement plus la mer que la terre qui donne au Japon ses limites extérieures. Or ces limites font l'objet de contentieux avec les États voisins.

Au nord se trouve l'archipel des Kouriles, dont les quatre îles du sud, appelées par le Japon « territoires du Nord ». Elles ont été annexées par l'Union soviétique après août 1945 et sont encore sous souveraineté russe. Revendiquées par Tokyo comme partie intégrante du territoire japonais, elles sont perçues comme un enjeu national, voire nationaliste. Plus de soixante ans après la fin de la guerre, ce contentieux non réglé fait qu'aucun traité de paix n'a été signé, encore aujourd'hui, entre le Japon et la Russie.

Les îles Takeshima sont elles aussi au cœur d'un contentieux territorial avec la Corée, qui les nomme Tokdo et considère que ces îles *sont* coréennes et qu'il n'y a plus de litige. Elles sont quasiment inhabitées, l'enjeu semble lié au territoire de pêche et plus encore aux litiges

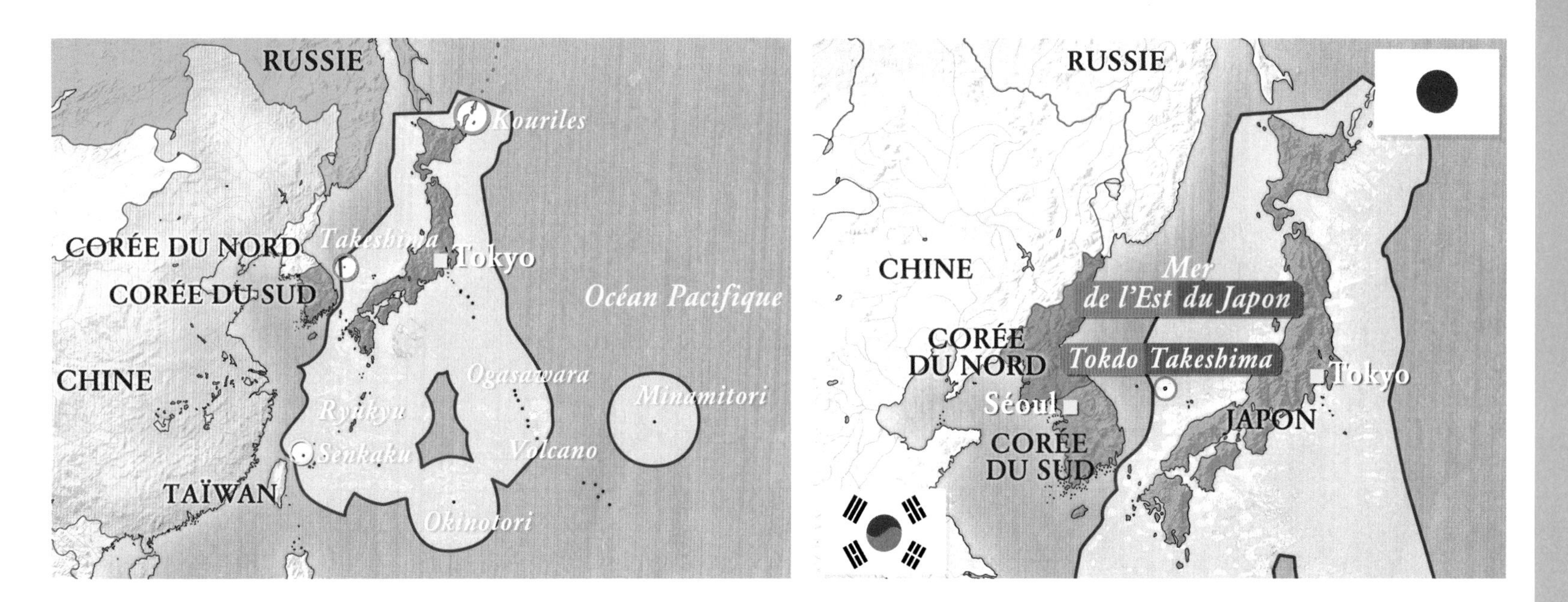

historiques mal réglés entre ces deux pays, notamment la colonisation japonaise de la Corée, puis la Seconde Guerre mondiale. La mer appelée mer du Japon sur la plupart de nos atlas est désignée comme la mer de l'Est sur les atlas coréens. Séoul cherche à faire reconnaître cette dénomination au niveau international, considérant que l'appellation mer du Japon est illégitime, puisqu'elle a été imposée par le Japon en 1929, alors qu'il occupait la Corée.

Enfin, au sud, c'est l'archipel des Senkaku qui est l'objet d'un contentieux avec Taïwan et la Chine. L'enjeu porte sur la pêche, mais surtout sur les réserves en pétrole. Pour la Chine, les Senkaku sont chinoises car placées sur la plate-forme continentale chinoise. Pour le Japon, elles sont japonaises car situées à seulement 150 km des îles Ryukyu.

Les sensibilités nationales et politiques se révèlent étonnamment à fleur de peau, encore aujourd'hui, comme le prouvent en 2005 les réactions en Corée du Sud sur le contentieux portant sur les îles Tokdo/Takeshima. Et plus grave, les vastes manifestations anti-japonaises en Chine, après la publication d'un manuel scolaire relativisant les exactions japonaises pendant la Seconde Guerre mondiale. Autorisées dans plusieurs villes de Chine, elles survenaient au moment du débat sur la réforme des Nations unies, le Japon se portant candidat pour devenir membre permanent du Conseil de sécurité.

itinéraires

africains
MALI
Peuls
NIGER
Marka
Samo
Mossi
Bobo
Gourounsi
Gourmantché
Bisa
Sénoufo
Dagari
Lobi
Mouhoun
BÉNIN
Saint-Louis
Gorée
Fort James
Tekrour
Ghana
XIe-XVe
Grand Baie
Port Louis
Beau Bassin
Rose Hill
Vacaos
Curepipe
Île aux Cerfs
Le Morne
828 m
L'Afrique d'abord
Burkina Faso
Sénégal
Île Maurice

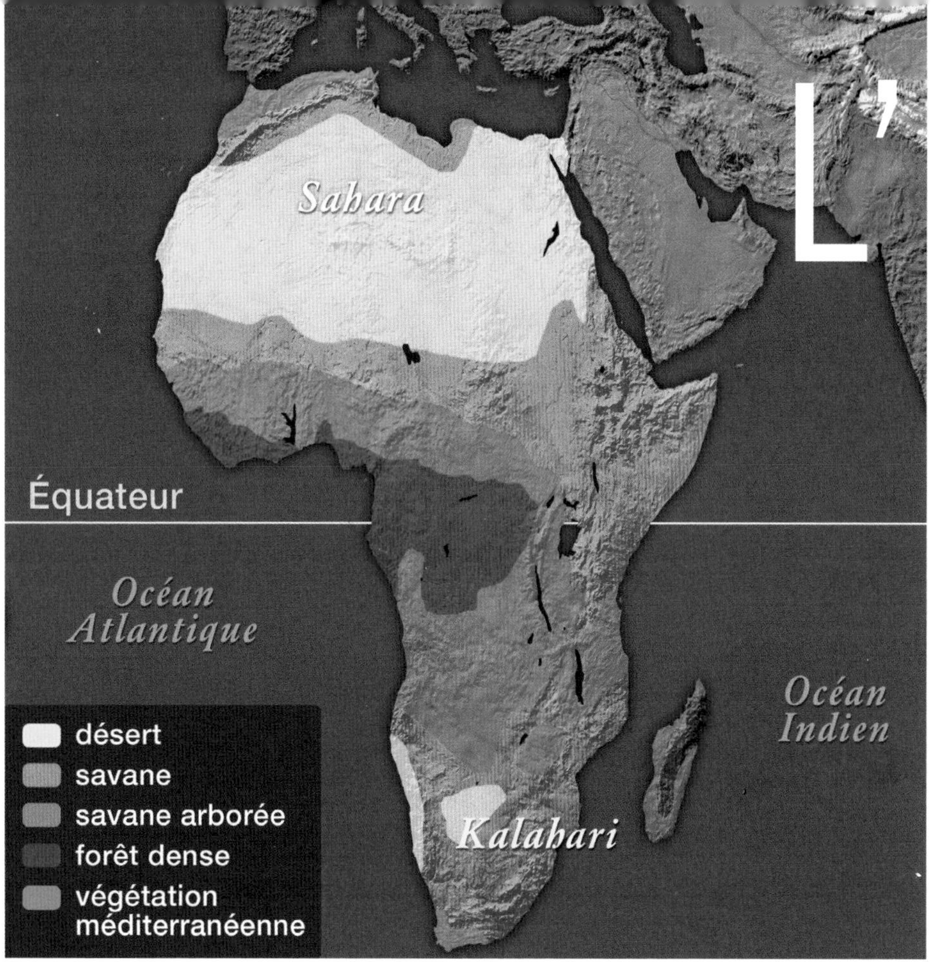

Le continent est divisé en plusieurs grandes bandes climatiques :
– près du tiers est formé de déserts. Celui du Kalahari au sud, celui du Sahara, le plus grand désert du monde, au nord ;
– puis une grande zone de forêt intertropicale et équatoriale, comprenant l'Afrique centrale et l'Afrique des grands lacs, dans laquelle on trouve de l'agriculture et des forêts de bois précieux ;
– enfin, des zones de climat et de végétation dites méditerranéennes, que l'on trouve au nord, et en Afrique australe.

L'AFRIQUE

Le projet NEPAD

Peut-on appliquer au continent africain une approche globale pour en comprendre et en résoudre les problèmes ? Pour la première fois, il y a depuis 2001 une tentative de réponse africaine aux problèmes transnationaux.

On compte 850 millions d'Africains en 2005. Ils seront près de 2 milliards en 2050. Près de la moitié d'entre eux vivent aujourd'hui avec un euro par jour, et leur espérance de vie moyenne était de cinquante ans en 1982 et de quarante-neuf ans aujourd'hui. À terme, ces populations pourraient former un marché intérieur attrayant pour peu que leur pouvoir d'achat augmente. Et le continent est riche en matières premières.

D'ABORD

Pourtant, l'Afrique ne cesse d'être placée – ou de se placer elle-même – dans un contexte de paupérisation continue et d'exclusion du mouvement de mondialisation.

Un plan « africain »

Le constat est bien entendu trop rapide, et sommaire. Mais c'est bien face à ce contexte que quelques chefs d'États africains réagissent en 2001 : Olusegun Obasanjo, du Nigeria, Thabo Mbeki, d'Afrique du Sud, Abdoulaye Wade, du Sénégal, et Abdelaziz Bouteflika, d'Algérie. Ils proposent une vision d'ensemble et des cadres de travail, avec un « plan » africain, le NEPAD, New Partnership for Africa's Development (« Nouveau partenariat pour le développement de l'Afrique »), qui n'est pas inspiré par la Banque mondiale ou le FMI. Ce plan est global, il dépasse le cadre des États pour proposer des projets transnationaux précis. Il adopte des règles pour la gestion publique et privée et des principes de comportements démocratiques.

Mais par où commencer quand tout semble urgent ? manger ? se soigner ? se déplacer ? être à l'abri de la pluie ? de la guerre ? travailler pour gagner un peu d'argent et ainsi se respecter soi-même ? Les cartes continentales présentées ici résument les principaux projets transnationaux prévus.

Internet, par exemple, c'est très bien, et c'est devenu une évidence et une économie pour les pays développés. Encore faut-il avoir l'électricité. Or en Afrique, le taux d'électrification est l'un des moins importants au monde. Donc, il faut accroître les réseaux et les mettre en synergie.

C'est par ailleurs dans le domaine évident de l'éducation que le NEPAD veut investir en priorité. Souvenons-nous que dans les années 1960/1970, des pays sans ressources comme Taïwan, Singapour, la Corée du Sud et même le Japon ont réussi

LES CINQUANTE-DEUX ÉTATS AFRICAINS

Selon le classement des Nations unies fondé sur le revenu moyen disponible par habitant, il y a quarante-neuf « pays moins avancés » (PMA) dans le monde, et trente-quatre sont sur le continent africain. Dans le commerce mondial, le poids du continent africain était de 2,4 % en 1970, 4 % en 1990, et 1,4 % en 2003. Le taux de croissance de l'ensemble du continent était de 4,6 % dans les années 1960, et de 3,7 % en 2000. En 2004, le continent africain capte 4 % des investissements directs étrangers, et la Chine 22 %. Même l'épargne africaine ne reste pas en Afrique, allant vers les pays riches ou les paradis fiscaux, donc elle ne s'investit pas sur le continent… africain.

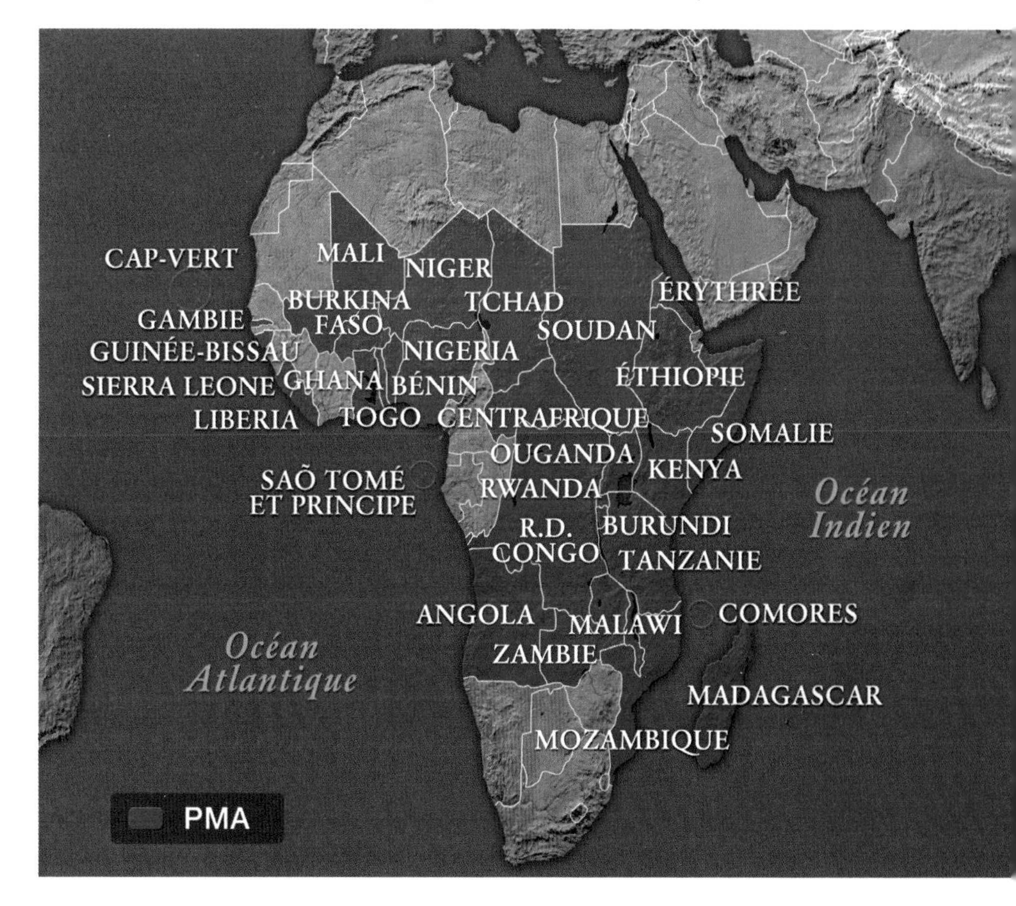

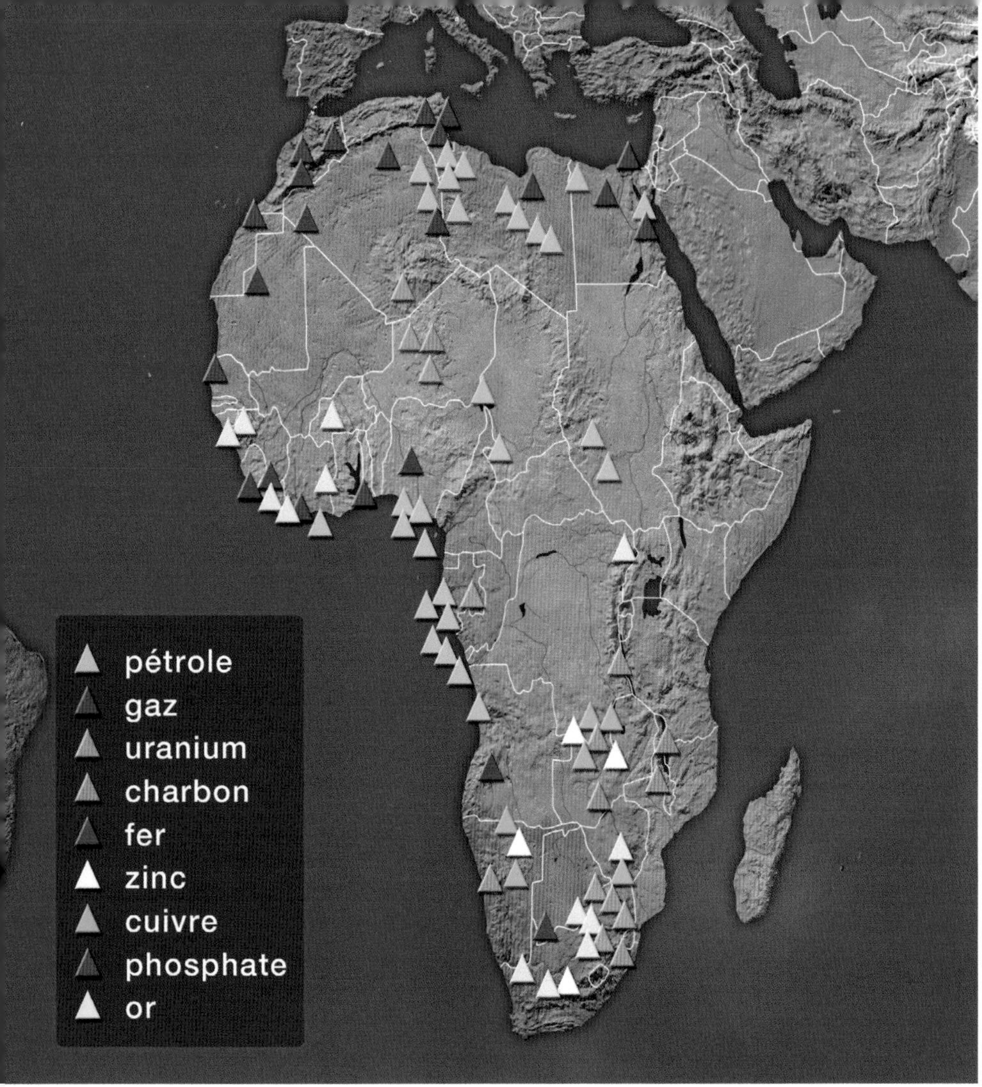

UN CONTINENT RICHE EN MATIÈRES PREMIÈRES

L'Afrique est riche en ressources minières.
On repère ici à l'échelle continentale les zones pétrolifères, dont on découvre régulièrement de nouveaux gisements.

leur développement en investissant massivement dans l'éducation et la formation. Or, là aussi, les problèmes sont nombreux : les jeunes garçons sont souvent main-d'œuvre gratuite pour les pères, notamment pour travailler dans les champs ou pour garder le bétail, et il y a souvent peu d'intérêt pour l'éducation des filles. Or, l'école peut se déplacer vers les enfants, et pas forcément l'inverse.

Est-ce là un plan pour passer du désespoir à l'espoir ? Oui. Est-ce réaliste ? est-ce suffisant ? Bien sûr que non. Car qui va investir dans ces grands programmes d'infrastructure ? Quel investisseur privé va parier financièrement sur l'éducation ? Pour investir, il faut des situations stables politiquement pour être rentables économiquement.

Vers une vision autonome africaine ?

Et pourtant, il faut bien prendre la spirale par un bout. Le volontarisme et la confiance imposent de ne pas présenter une fois encore des cartes des zones de disette alimentaire, ou une carte des zones de guerre sur le continent africain. La guerre n'attire pas les investissements, elle attire les trafics. Les cartes de la corruption n'existent pas, et pourtant elle est largement répandue et forme elle aussi une gêne à l'investissement.

Dans le projet NEPAD, le volet éthique est très développé, et réclame des principes de comportement portant sur :

– la *transparence*, des appels d'offre, des marchés, de la gestion, des comptes ;

– la *gouvernance* publique, en adoptant le principe de contrôle régulier par ses pairs ;

– et puis aussi l'*alternance*, politique, démocratique. Mais là, c'est nous qui complétons...

Car le fréquent manque d'alternance politique en Afrique est frappant. Cela bloque l'arrivée des générations suivantes qui s'appauvrissent, ou partent aux États-Unis, au Canada, en France.

Le programme NEPAD est-il l'amorce d'une vision autonome africaine ? d'une approche modeste ? d'une coopération entre États, entre générations ?

LES PROJETS DU PLAN NEPAD

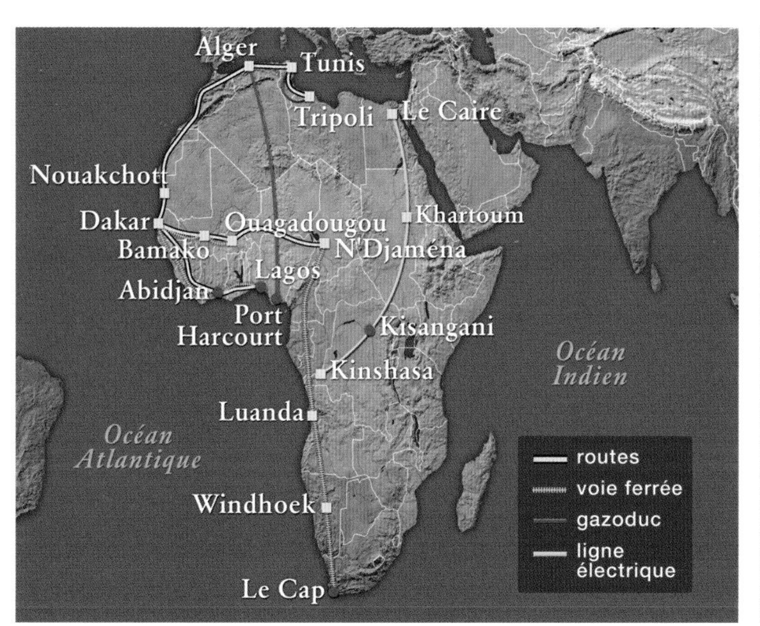

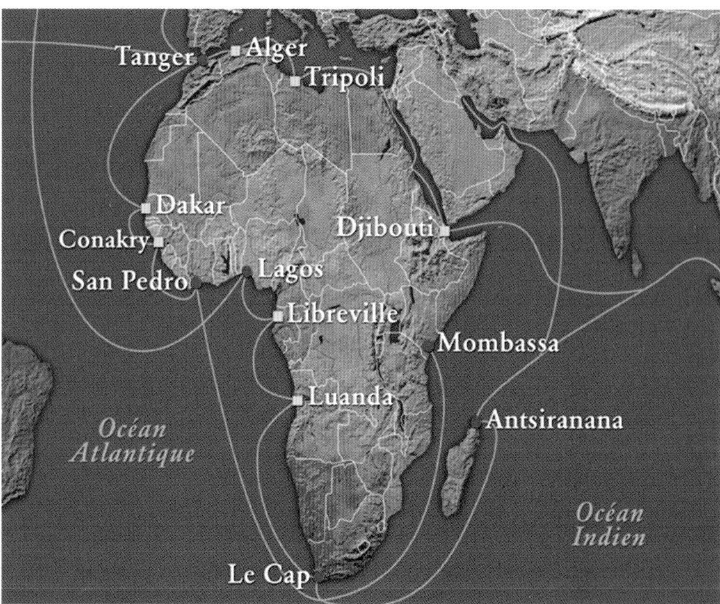

Le plan NEPAD planifie la construction :
– d'un réseau électrique allant du Caire à Kinshasa, soit 5 300 km en passant par Khartoum et Kisangani pour un coût estimé à 6 milliards de dollars ;
– d'un gazoduc transportant du gaz naturel bon marché de Libye vers la Tunisie ;
– un autre partant d'Algérie pour aller à Port Harcourt, afin que le gaz du Nigeria puisse se vendre sur le marché européen ;
– un troisième allant de Lagos jusqu'au Ghana et qui pourrait être prolongé jusqu'à Dakar.

Ce plan prévoit également de prolonger et d'achever :
– la route transcôtière entre Tripoli et Lagos, dans le sens nord-sud ;
– la route transsahélienne de Dakar vers N'Djamena, d'ouest en est ;
– le chemin de fer de l'Ouest africain allant de Ouagadougou à Dakar, puis le long de la côte jusqu'à Lagos. Une étude sera conduite pour un train de N'Djamena au Cap.
En Afrique, la quasi-totalité du commerce se fait par voie de mer ; or le continent est sous-équipé en infrastructures portuaires. Le NEPAD prévoit une modernisation et une intégration des ports à conteneurs, notamment à Tanger, Conakry, San Pédro et Mombassa.

Voir également : BURKINA FASO (p. 146-147), SÉNÉGAL (p. 148-151) et RICHESSE ET PAUVRETÉ DES NATIONS (p. 202-203).

BURKINA FASO

Le Burkina Faso est un pays du Sahel, entre Sahara et Afrique noire, qui s'inscrit dans la boucle du fleuve Niger. Il n'a pas d'accès à la mer. Le principal axe routier du pays et la ligne de chemin de fer vont de la capitale, Ouagadougou, jusqu'à Abidjan. Avec la crise en Côte d'Ivoire, cette ligne indispensable pour les exportations par le golfe de Guinée est fréquemment interrompue.

Qu'est-ce qu'un pays pauvre?

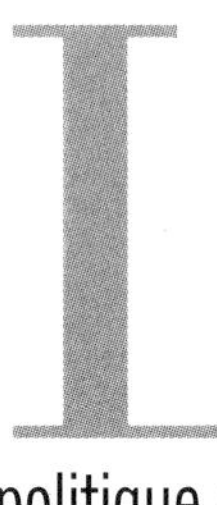

Le Burkina Faso est l'un des pays les plus pauvres du monde avec un PIB par habitant de 1 163 dollars. En plus de ses handicaps structuraux, il subit les conséquences de la crise politique en Côte d'Ivoire.

La désertification est le premier handicap du pays. À côté des sécheresses enregistrées depuis les années 1970, l'homme porte une grande part de responsabilité dans cette situation avec l'agriculture sur brûlis, le bois de coupe pour la cuisine et le surpâturage pour le bétail. Aussi, depuis les années 1990, le Burkina Faso s'est lancé dans un reboisement intensif.

Autre handicap, le pays dispose d'une économie essentiellement agricole : sorgho, mil, arachide, riz, mais surtout coton dont la vente représente 50 % des devises du Burkina et fait vivre 20 % de la population. Le coton devrait donc être le principal moyen de réduire le déficit chronique de la balance commerciale. Or, les facteurs favorisant son exportation sont soumis à plusieurs aléas : les pluies irrégulières, les variations des cours, la concurrence mondiale qui ne respecte pas le jeu du libre marché. Celle-ci est en effet faussée par les subventions américaines aux producteurs du *Coton Belt*.

Autrefois incorporé au sein de l'Afrique-Occidentale française, le Burkina Faso se retrouve pénalisé par le legs des découpages coloniaux. Près de deux millions de

Burkinabés ont en effet émigré depuis le milieu du XXe siècle vers la riche « Côte de l'ivoire » pour répondre à la demande de main d'œuvre. Mais avec la crise politique, identitaire, et l'insécurité qui règne dans ce pays, plusieurs centaines de milliers de Burkinabés ont préféré fuir depuis 2001 vers la terre de leurs ancêtres, provoquant un afflux massif de réfugiés.
Si l'on ajoute à ces phénomènes l'enclavement géographique du pays – que la crise en Côte d'Ivoire vient aujourd'hui aggraver – le manque d'alternance politique et la corruption, on comprend aisément quels sont les éléments qui fabriquent – et maintiennent – la pauvreté dans un pays.

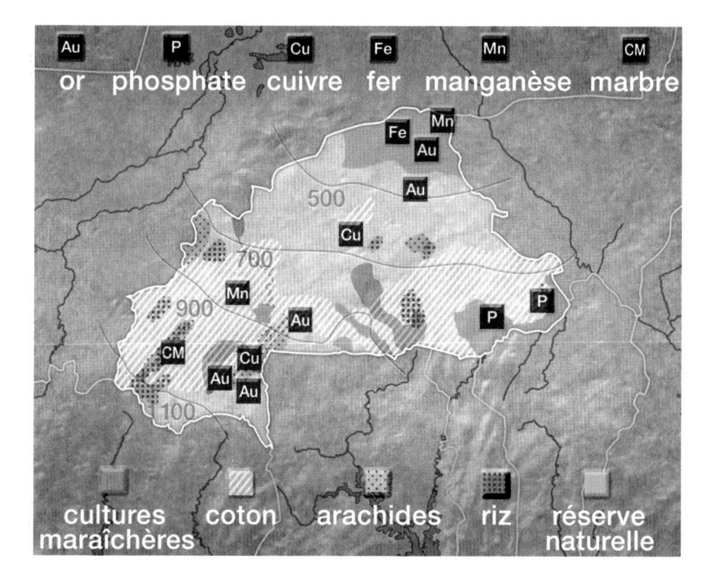

UN PAYS AGRICOLE ET MINIER

Seule 15 % de la superficie du Burkina est cultivée. Si l'on suit les courbes de pluviométrie et les réseaux fluviaux, on identifie les cultures maraîchères et rizicoles, au centre, l'agriculture traditionnelle (mil, sorgho, etc.) et au sud le coton, principal produit d'exportation. On repère également sur la carte quelques mines d'or, troisième produit d'exportation du Burkina. Tout reste à construire pour extraire les autres produits : phosphate, marbre, manganèse, cuivre, fer.

DU ROYAUME MOSSI À LA COLONISATION FRANÇAISE

Les royaumes mossi ont dominé le pays entre le XVIe siècle et le XIXe siècle, formant une société hiérarchisée, à forte tradition de commerce caravanier autour d'un centre d'échanges, le marché de Bobo-Dioulasso. Ces transactions Nord-Sud portaient sur l'or, les étoffes, le sel, le kola. C'est avec un empereur mossi que la France négocia la signature d'un traité de protectorat en 1895, la présence coloniale proprement dite n'ayant été imposée qu'à partir de 1919.

Cette colonie, qui prit le nom de Haute-Volta, fut un casse-tête pour les cartographes, car elle disparut et réapparut plusieurs fois, jusqu'en 1932 où elle fut supprimée pour être intégrée administrativement au Niger, au Soudan français (Mali) et à une région riche au sud que l'on nommait « Côte de l'ivoire ».
Les populations locales – Mossi et Dioula – émigrèrent vers la Côte d'Ivoire en fonction des besoins de main-d'œuvre.

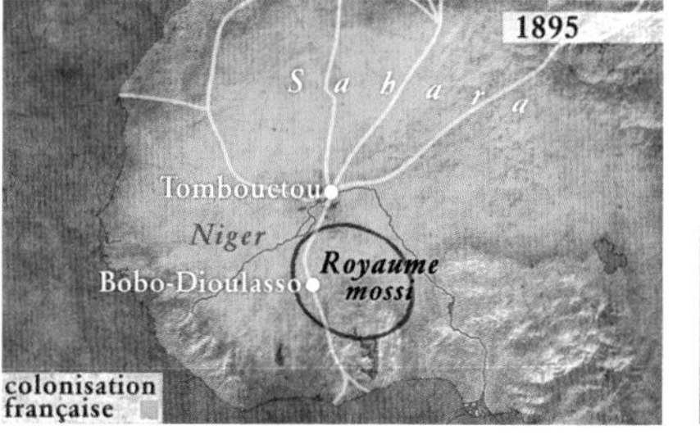

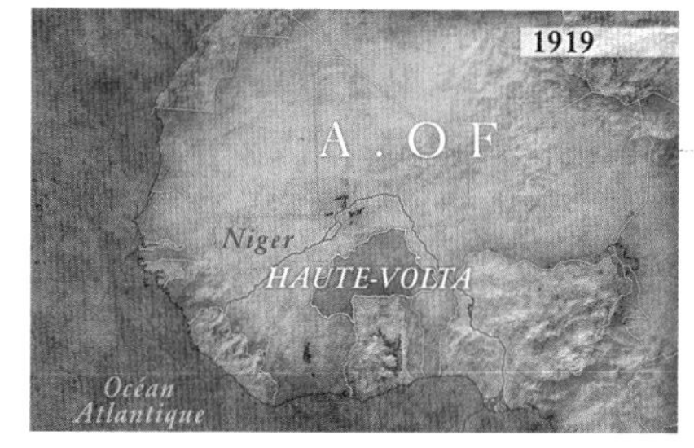

UNE GRANDE DIVERSITÉ ETHNIQUE

Plus de soixante ethnies cohabitent dans ce pays. Ces populations n'occupent pas toujours des aires géographiques fixes, du fait des migrations provisoires vers les villes ou des déplacements commerciaux. Les Mossi forment à peu près la moitié de la population burkinabé, tandis que les Bobo constituent, avec les Sénoufo, le groupe le plus anciennement installé dans le pays. Notons que le pays vit sans tensions interethniques ni inter-religieuses, ses peuples pratiquant en bonne intelligence trois religions. Les musulmans, plutôt situés au nord, représentent près de 40 % de la population, les chrétiens – en majorité catholiques – autour de 15 %, les 30 % autres étant animistes.

SÉNÉGAL

Le Sénégal ouvre sur l'océan Atlantique. Il est situé à la pointe de l'Afrique occidentale, au croisement de l'Afrique noire et l'Afrique blanche.

Le tournant Wade

Contrairement à d'autres États du continent africain, le président sénégalais, Abdoulaye Wade, a été élu démocratiquement en 1999. À l'échelle du continent, celui-ci a contribué à lancer le NEPAD (« Nouveau partenariat pour le développement en Afrique »). À l'échelle internationale, Wade a fait le choix d'approuver l'offensive américaine en Irak, tout en conservant un lien privilégié avec la France, l'ancienne métropole. Malgré ces atouts, le pays connaît plusieurs freins à son développement.

Situé en Afrique de l'Ouest, le Sénégal s'étend sur 220 000 km² pour 10 millions d'habitants. Le secteur agricole occupe 60 % de la population active, le pays exporte des produits peu transformés : produits agricoles et matières premières à faible valeur ajoutée. La structure non diversifiée de l'économie sénégalaise handicape le développement du pays.

Les mourides, un frein à l'économie ?

La confrérie mouride regroupe près de 30 % des musulmans sénégalais. Elle a été fondée au XIXe siècle par Amadou Bamba. Les Mourides sont avant tout des acteurs économiques, ils s'appuient sur les réseaux traditionnels. En zone rurale, ils sont organisés en petites communautés agricoles liées par la croyance religieuse et travaillent pour le marabout – chef de la communauté.
Les Mourides ont favorisé l'expansion de la culture de l'arachide en partant défricher de nouvelles terres à l'intérieur du Sénégal. À Touba, qui abrite le mausolée du fondateur, c'est le chef de la confrérie qui se charge de la gestion de la ville, disposant ainsi

de l'eau courante et de l'électricité. L'enseignement se tient dans des écoles coraniques, en langue arabe, et le tabac, l'alcool, le pantalon pour les femmes sont interdits. En contribuant au clientélisme, le rôle joué par la confrérie mouride dans le commerce du pays freine souvent la mise en place d'un mode de travail à plus forte rentabilité.

Un réseau de transports vétuste

Le système de transports du pays forme une autre entrave au développement économique. Le chemin de fer date de l'époque coloniale, et la privatisation de la ligne en 2003 n'a pas encore entraîné de travaux de rénovation : il faut toujours quarante-huit heures pour rejoindre Dakar depuis Bamako, la capitale malienne. Avant la crise « ivoirienne » de 2002, le Mali enclavé avait décidé de faire passer la majeure partie de son commerce extérieur *via* Abidjan afin d'éviter cette ligne ferroviaire.
Or c'est le port de Dakar qui a bénéficié de cette crise, enregistrant en 2003 d'excellents résultats et obtenant un financement de la Banque ouest-africaine de développement (BOAD) pour son agrandissement, ce qui augmentera son attractivité.

Un voisinage contraignant

Le pays doit résoudre des problèmes de voisinage immédiat.
– Au nord, le fleuve Sénégal forme la frontière avec le voisin mauritanien. Sur la rive droite du fleuve vit une importante communauté de Mauritaniens noirs et de Sénégalais (Toucouleurs et Soninké). Or cette présence a causé de vives tensions entre les deux pays, lorsque, à la fin des années 1990, quelque 80 000 Sénégalais ont été expulsés vers le Sénégal par les Arabo-Berbères au pouvoir à Nouakchott ;
– Au sud, l'enveloppe territoriale de la Gambie vient quasiment couper le Sénégal en deux. Cette discontinuité du territoire sénégalais a contribué dans les années 1980 à faire émerger un séparatisme dans une région située au sud de la Gambie, nommée la Casamance.

DES ÉCHANGES TRANSSAHARIENS À LA COLONISATION

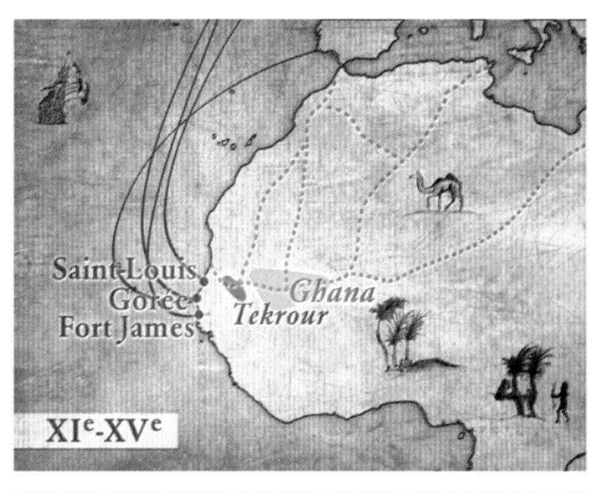

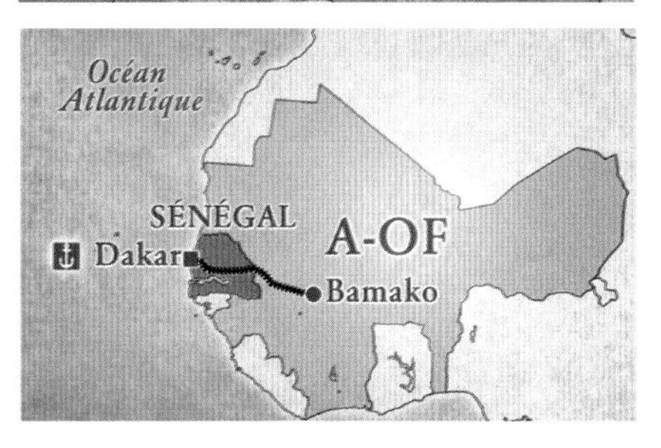

Par sa proximité avec les royaumes africains du Ghana et du Tekrour, l'actuel Sénégal a longtemps contribué aux échanges de l'or, du sel, puis des esclaves entre ces royaumes et le nord du continent. Ces routes caravanières servent aussi à la pénétration de l'islam en Afrique noire. La « nouvelle » religion s'installe au Sénégal au XIe siècle. L'arrivée des Européens par la mer au XVe siècle remet en cause ces échanges traditionnellement orientés nord-sud, c'est-à-dire vers le Sahara, et entraîne le Sénégal dans le commerce triangulaire : contre des esclaves africains, les Européens échangent des marchandises européennes, puis partent troquer ce « bois d'ébène » vers le Nouveau Monde américain contre du cacao, du café, de la canne à sucre, du tabac, avant de venir les revendre en Europe en y réalisant d'importantes plus-values.
La fin de la traite négrière au début du XIXe siècle conduit les Français à mettre en place une véritable colonie au Sénégal, en développant l'arachide comme culture d'exportation. Au sein de l'Afrique-Occidentale française, le Sénégal est la tête de pont du commerce des colonies françaises d'Afrique de l'Ouest grâce au port de Dakar, relié par chemin de fer à Bamako.

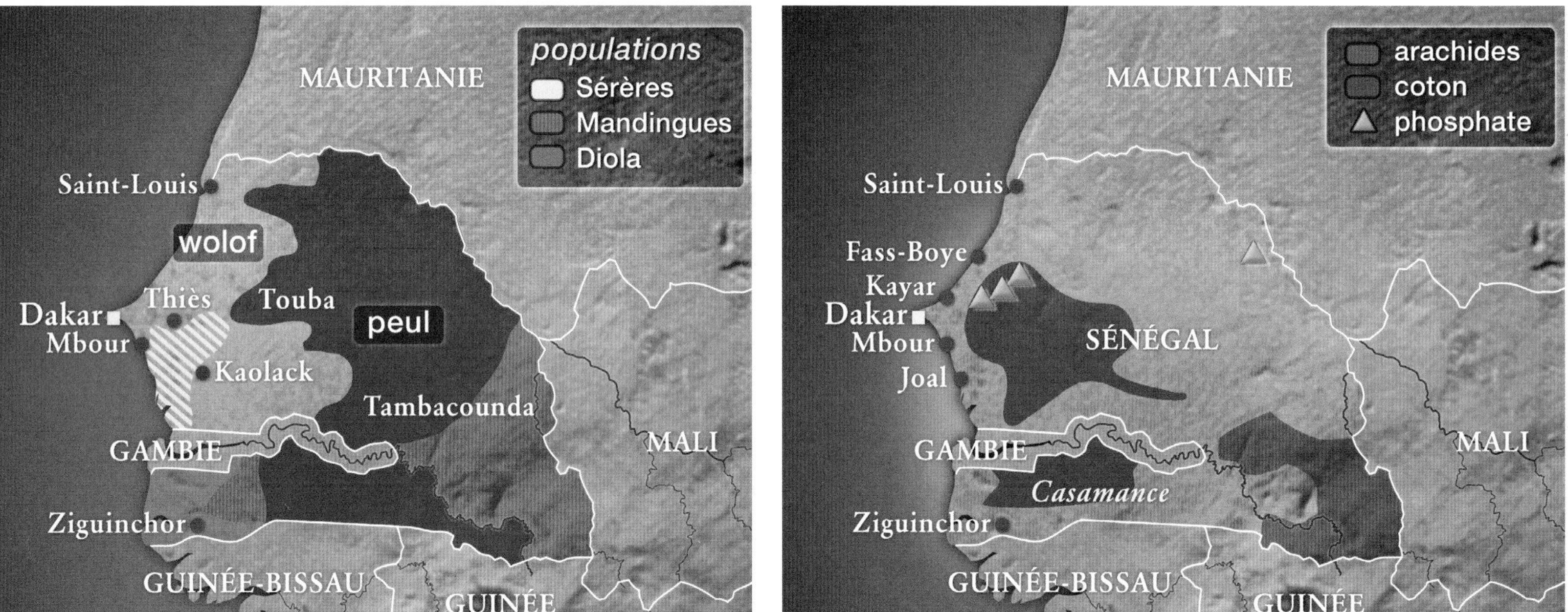

UN PAYS WOLOF

Les peuples qui habitent le Sénégal se définissent plutôt par leur langue que par le territoire. Les Sénégalais parlant wolof sont majoritaires dans le pays et vivent surtout dans l'ouest et les grandes villes, dont la capitale Dakar. Le wolof est la langue de communication pour les trois quarts des Sénégalais, à côté du français, langue officielle. Les populations des Laobé, des Toucouleurs et des Peuls parlent eux le peul. Les Sérères, les Mandingues ou les Diola en Casamance forment de plus petits groupes ethno-linguistiques. Diola et Sérères sont d'ailleurs chrétiens ou animistes, alors que 90 % de la population sénégalaise est musulmane. Des Syro-Libanais, des Guinéens, des Gambiens, des Maliens, des Burkinabés, des Mauritaniens et environ 16 000 Français vivent aussi au Sénégal.

UNE ÉCONOMIE PRIMAIRE

L'économie sénégalaise est dominée par l'arachide, le coton, les phosphates et la pêche. Avec 500 km de côtes, la pêche représente 30 % des recettes d'exportation du pays, et 75 % de l'apport en protéines d'origine animale des Sénégalais. Ce long littoral a permis au Sénégal de développer le tourisme, au sud de Dakar, et en Casamance. Il place le pays au carrefour d'importantes voies maritimes. Dakar est le deuxième port d'Afrique de l'Ouest, après Abidjan, et voit transiter 90 % du commerce extérieur du pays.

Les origines du séparatisme en Casamance

Cette région est majoritairement peuplée de Diola. À la différence des populations sénégalaises – Wolof, Peuls ou Mandingues, en majorité musulmans –, les Diola sont animistes ou pratiquent un catholicisme teinté d'animisme. La société diola est de type égalitaire, et se différencie en cela des sociétés traditionnelles hiérarchisées du nord du Sénégal.

Grâce au climat humide de la Casamance, les Diola ont pu faire du riz la base de leur alimentation, autant qu'un élément de civilisation. Or l'État sénégalais a forcé l'introduction de la culture de l'arachide au détriment de la forêt, sacrée aux yeux des Diola, et a favorisé l'installation en Casamance de populations du nord du Sénégal.

Les habitants de Casamance, avant tout Diola, ont vécu cela comme un colonialisme de l'intérieur et ont développé un sentiment de méfiance vis-à-vis de l'État en place à Dakar, assimilé à un État musulman et wolof. En outre, ils se sont sentis marginalisés à l'intérieur même du Sénégal, la Casamance étant en net retard de développement par rapport au reste du pays.

Pour obtenir la reconnaissance de leur identité et le développement des infrastructures, le Mouvement des forces démocratiques de Casamance (MFDC) est créé dans les années 1980. Il prône le séparatisme, déclenche une guérilla. Dès lors, aux attentats du MFDC succède la répression de l'armée sénégalaise, avec les populations civiles pour première victime, au mieux forcées de fuir vers les pays voisins.

Grâce à l'engagement personnel du président Wade dans la question casamançaise, un accord de paix a pu être signé le 30 décembre 2004 entre les rebelles de Casamance et le gouvernement central. Mais la criminalisation et les rivalités de pouvoir au sein de la guérilla font craindre que ce nouveau cessez-le-feu ne vienne s'ajouter au précédent, sans être davantage suivi d'effets. L'accord permet en tout cas au président de redorer son image ternie à l'intérieur du pays par des tentations autoritaires.

Voir également : L'AFRIQUE D'ABORD (p. 142-145) et CÔTE D'IVOIRE (p. 186-189).

LA CASAMANCE

La région de Casamance couvre un septième de la superficie du Sénégal, soit celle de la Belgique, pour environ 1,2 million d'habitants. Elle est isolée du reste du Sénégal par un petit État de 11 300 km², la Gambie, à cheval sur la vallée du fleuve Gambie. Le tracé de ses frontières dessinées en 1888 devait répondre aux ambitions coloniales portugaise, britannique et française. La Guinée-Bissau et la Gambie voisines, dont les populations sont apparentées aux Diola, ont longtemps servi de refuge à la guérilla et de passage pour s'alimenter en armes. Ce qui a provoqué de nombreuses tensions avec le Sénégal.

ÎLE MAURICE

À 10 000 km de l'Europe, 4 000 km de l'Inde, 5 500 km de l'Australie et 2 000 km de l'Afrique du Sud, l'île Maurice a une superficie de 1 860 km^2 (67 km de long sur 46 km de large) et 1,2 million habitants. Sa densité est donc l'une des plus fortes au monde (599 habitants au km^2). Ce minuscule État est également souverain sur les îles Agalega et St Brandon situées respectivement à 400 et 1 000 km au nord de l'île principale, et sur Rodrigues à 400 km à l'est.

Dragon de l'océan Indien

À l'instar des « dragons et tigres » d'Asie, l'île Maurice a réussi à devenir un nouveau pays industrialisé à forte croissance. Comment ce territoire que la géographie isole est-il parvenu à s'intégrer à l'économie-monde ?

Située au cœur de l'océan Indien, l'île Maurice est parvenue à tirer parti de sa position géographique, en s'appuyant sur son histoire originale et sa population diverse. Grâce aux origines européenne, africaine, indienne et chinoise de ses habitants, l'île Maurice a tissé des liens et formé des réseaux dans le monde entier.

– En tant qu'ancienne colonie française puis anglaise, l'île a bénéficié des accords tarifaires de l'Union européenne, et elle est défendue devant les instances de Bruxelles par la France au nom de la Francophonie et par la Grande-Bretagne du fait de son appartenance au Commonwealth.

– Avec une population majoritairement d'origine indienne, qui avait été engagée pendant la colonisation anglaise pour travailler sur les plantations de canne à sucre, l'île entretient des rapports étroits avec l'Inde, dont elle est l'un des principaux investisseurs étrangers et le quatrième fournisseur.

– Grâce à la présence d'une minorité chinoise, Maurice bénéficie également des réseaux de commerce et d'échanges chinois, dont les nœuds sont à Singapour et à Hongkong.

La diversité de cette population a de plus donné à l'île un atout linguistique. L'anglais est la langue administrative, le français la langue de communication, à côté du créole, langue vernaculaire parlée par toutes les communautés. L'hindi, l'ourdou, le télougou, le bhodjpouri et le chinois sont également parlés.

Des réseaux économiques qui déterminent l'orientation du pays

Par sa position au cœur de l'océan Indien et son appartenance géographique au continent africain, Maurice fait partie de divers ensembles géo-économiques qui favorisent l'intégration de l'île à l'économie mondiale. Grâce aux accords de Lomé, ce pays à l'économie agricole traditionnellement fondée sur la canne à sucre a également bénéficié d'accords préférentiels pour exporter son sucre sur les marchés européens. Mais la structure de l'économie a changé depuis l'indépendance en 1968 : la canne à sucre représente aujourd'hui moins d'un quart des recettes d'exportations, contre près de 90 % dans les années 1970. La croissance est plutôt tirée par le secteur manufacturier, développé dans une zone franche, où le textile domine, favorisé par l'accord multifibres de l'Union européenne. L'île est d'ailleurs le troisième producteur mondial de lainages. Or l'expiration en janvier 2005 de cet accord préférentiel inquiète, car il favorise les délocalisations vers des destinations où la main-d'œuvre est meilleur marché (Madagascar, Mozambique, Chine).

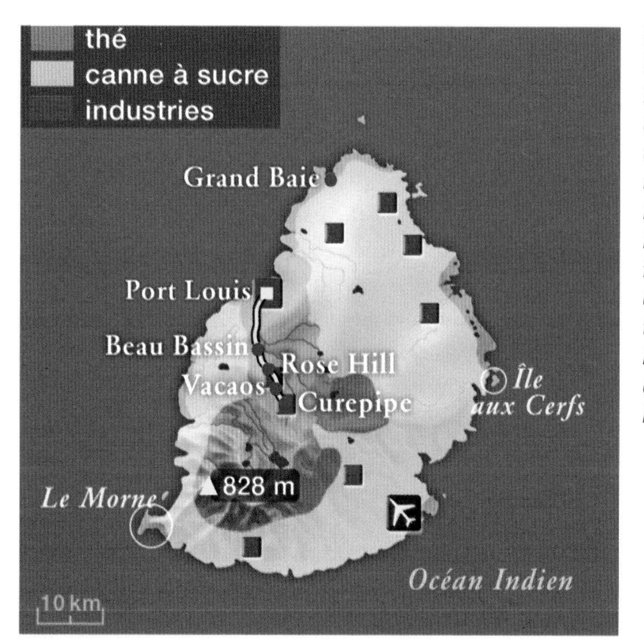

DE LA CANNE À SUCRE À LA FINANCE OFFSHORE

La zone franche, plus qu'un espace délimité, est un statut juridique accordé à des entreprises qui sont venues s'installer autour de la capitale, Port Louis, et dans les principales villes. Y dominent le textile, la confection, la bijouterie. Cette zone franche s'ouvre aujourd'hui à la finance offshore et à l'assurance. Le tourisme, très développé grâce à un magnifique littoral de sable blanc et à une barrière de corail qui rend sûre la baignade, reste la troisième source de devises de l'île.

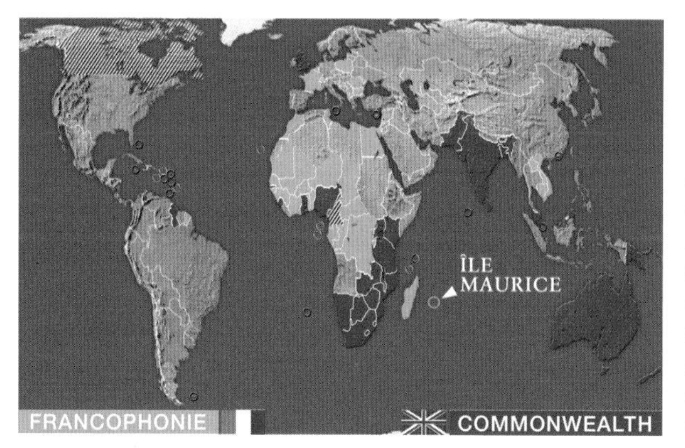

UNE ÎLE FRANCOPHONE, MEMBRE DU COMMONWEALTH

En tant qu'ancienne colonie française, l'île Maurice est une terre francophone. Un sommet de la Francophonie s'y est d'ailleurs tenu en 1994 et, chose peut-être unique au monde, la langue française y est en expansion face à la langue anglaise, langue officielle depuis 1827. Or, en tant qu'ancienne colonie britannique, elle est aussi membre du Commonwealth.

DE MAURITIUS À MAURICE

L'île Maurice est abordée en 1511 par le navigateur portugais Domingo Fernandes. En 1598, les Hollandais prennent possession de l'île et la baptisent Mauritius en l'honneur de leur prince Maurice de Nassau. L'île est alors déserte, seulement peuplée de tortues géantes et de *dodos*, gros volatiles incapables de voler. Ce qui en fit une proie facile pour les Hollandais, qui exterminèrent totalement l'espèce. Sur l'île, les Hollandais utilisent des esclaves, introduisent la canne à sucre, les cerfs, pour en faire un point de ravitaillement sur la route des Indes. Mais ils l'abandonnent finalement en 1710, ayant trouvé une meilleure position au cap de Bonne-Espérance, à mi-parcours entre l'Europe et les Indes, ne laissant sur l'île qu'une poignée d'esclaves. Les Français, déjà présents sur l'île Bourbon (ancien nom de la Réunion), en profitent pour s'emparer de l'île Maurice en 1715, et la renomment île de France. La colonisation française dure un siècle, et marque le véritable démarrage socio-économique et culturel de l'île. Son gouverneur, Mahé de La Bourdonnais, y développe les plantations de canne à sucre grâce à la traite d'esclaves en provenance de Madagascar et des côtes du Mozambique. Il aménage Port Louis, qui devient un vrai port d'attache sur la route des Indes. C'est à partir de ce port que le corsaire Surcouf harcelait les navires anglais de retour des Indes, suscitant bien logiquement la convoitise des Britanniques, qui s'emparent de l'île de France en 1811. Devenue colonie de l'Empire britannique en 1814, l'île reprit le nom que lui avaient donné les Hollandais. Mais les Anglais y respectèrent la langue française, les coutumes et les lois, si bien que Maurice fut la seule colonie de l'Empire où le Code Napoléon était en vigueur. Après l'abolition de l'esclavage en 1835, les Britanniques engagèrent des coolies d'Inde pour venir travailler sur les plantations de canne à sucre. En 1968, l'île Maurice acquit finalement l'indépendance, tout en conservant la reine d'Angleterre comme chef de l'État, avant de se proclamer république en 1992.

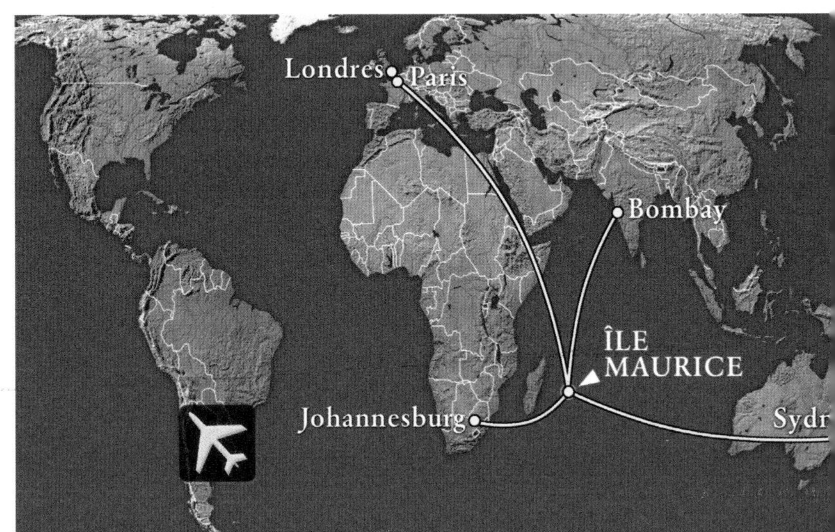

CARREFOUR D'ÉCHANGES

Grâce à son port franc, tout autant que par sa position au croisement de lignes aériennes nord/sud (venant d'Europe) et est/ouest (venant d'Inde, d'Australie et d'Afrique du Sud), Maurice tend à devenir une plaque tournante régionale du commerce et des services, que renforce encore l'achèvement en décembre 2003 d'une « cybercité », destinée à accueillir des entreprises de service à fort contenu technologique.

Maurice, *hub* de l'océan Indien ?

Aujourd'hui, l'État mauricien parie sur le développement des services. Le tourisme est la troisième source de revenus de l'île, et le pays devient une plaque tournante pour les échanges régionaux. Échanges de marchandises – les cargaisons transitant par Port Louis, la capitale, sont ensuite réexportées en plus petits lots vers la région. Échanges de services – banques offshore, assurances – vers l'Europe, l'Asie et les États-Unis. Car l'île peut jouer sur le décalage horaire et tirer profit des nombreuses langues qui sont parlées dans l'île pour capter aussi bien les marchés occidentaux que les marchés asiatiques. Après avoir été récipiendaire d'investissements étrangers, Maurice délocalise à l'extérieur certaines de ses productions, pour profiter des coûts de travail plus bas, comme à Madagascar, où elle a implanté depuis les années 1990 plusieurs usines textiles, et au Mozambique, où Maurice est devenue le premier investisseur étranger en 2003, devant l'Afrique du Sud.

Un modèle fragile ?

Le « miracle économique » mauricien doit beaucoup à la volonté d'acteurs politiques et économiques qui ont su imposer leurs choix et idées, mais également à la stabilité du pays. L'île est caractérisée par la cohabitation pacifique entre toutes ses populations et communautés : cette nation « arc-en-ciel », comme se plaisent à dire les Mauriciens, ayant su transformer des différences en richesses.

Or, revers du libéralisme économique, on assiste à l'émergence d'une société à deux vitesses, avec de plus en plus d'exclus, en particulier chez les créoles, le développement économique de l'île n'ayant pas engendré une réduction suffisante des inégalités sociales. Le modèle original de l'île Maurice, qui a largement contribué à son ouverture internationale, pourrait aujourd'hui montrer ses limites par une trop grande dépendance de son commerce extérieur, la faiblesse du système de formation, le manque d'une main-d'œuvre qualifiée pour les nouveaux secteurs économiques et d'une expertise technologique, sans parler de la nécessaire restructuration des secteurs traditionnels du sucre et du textile.

Voir également : GÉOGRAPHIE ÉCONOMIQUE MONDIALE (p. 196-201).

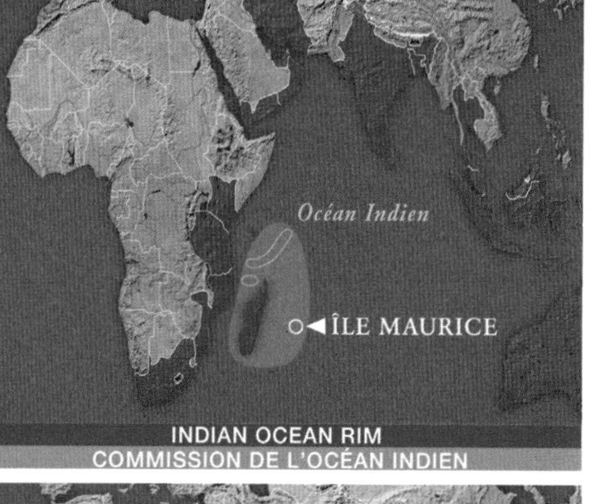

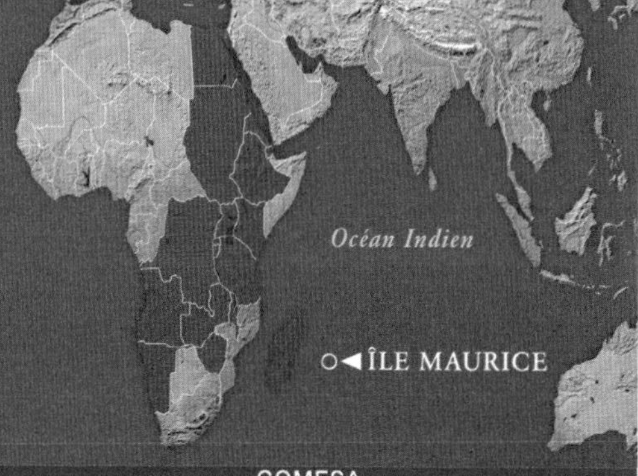

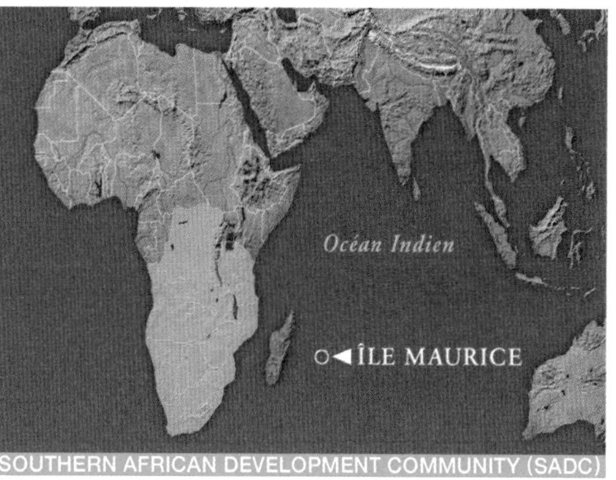

LES INTÉGRATIONS RÉGIONALES

Par sa position géographique au cœur de l'océan Indien, l'île Maurice fait partie de la Commission de l'océan Indien, qui regroupe depuis 1984 les principales îles de la région avec pour but le développement des échanges commerciaux entre les pays de la zone et de grands projets régionaux. À une échelle plus large, l'île Maurice a initié en 1995 l'Indian Ocean Rim. Cet espace de coopération, qui regroupe une quinzaine de pays riverains de l'océan Indien, a pour objectif la promotion des échanges, des investissements, du tourisme et des technologies. L'île Maurice espère y créer une zone de libre-échange, où elle jouerait un rôle central par sa position entre Asie et Afrique, continent dont elle fait géographiquement partie. Elle participe d'ailleurs aux espaces régionaux africains de la COMESA (la Communauté de l'Afrique orientale et australe) et de la SADC (la Communauté de développement de l'Afrique australe), qui rassemble treize membres autour de l'Afrique du Sud, le principal partenaire commercial de Maurice. Le pays bénéficie également de l'Africa Growth and Opportunity Act (AGOA) américain, qui a accru ses échanges et ses exportations vers les États-Unis.

LE MONDE
QUI VIENT

logiques
Chlef
Alger
Relizane
Medea
Aïn Defla
TUNISIE
MAROC
ALGÉRIE
SYRIE
IRAN
Bagdad
IRAK
KOWEÏT
Conflits
Des guerres « justes » ?
Terrorisme

de guerre
RUSSIE
Elbrouz 5 642
Tchétchénie
Mer Caspienne
Kazbek 5 047
Caucase
GÉORGIE
Guatánamo
HONDURAS
Océan Atlantique
Mer des Caraïbes
Aruba
Curaçao
SALVADOR
PANAMÁ
Medellín
Cali
Bogotá
Océan Pacifique
ÉQUATEUR
BRÉSIL
MALI
BURKINA FASO
GUINÉE
café
cacao
forêt
ananas
coton
hévéa
GHANA
LIBERIA
Yamoussoukro
Abidjan
KAZAKHSTAN
OUZBÉKISTAN
KIRGHIZISTAN
TURKMÉNISTAN
TADJIKISTAN
CHINE
Kaboul
IRAN
PAKISTAN
INDE
Prolifération nucléaire
Tchétchénie
Colombie
Côte d'Ivoire
Afghanistan

CONFLITS

LES GUERRES ET LEURS MOBILES

Conflits ethniques ou identitaires; guerres de religion ou même guerre sainte; guerre préventive ou guerre humanitaire: la guerre n'arrête pas de changer de nom. Aurait-elle aussi changé de forme et de mobile?

Comment classer les conflits pour les rendre lisibles et à partir de quels critères?
– La durée de la guerre, parfois très longue comme au Cachemire ou en Israël. Cependant, une même guerre peut changer plusieurs fois de mobiles et d'acteurs comme en Afghanistan;
– Les acteurs de la guerre: tantôt États ou mouvements de guérilla comme à Aceh en Indonésie, et de plus en plus souvent seigneurs de la guerre ou milices comme au Congo-Kinshasa. On parle désormais de « privatisation » de la guerre;
– Les territoires de la guerre: parfois « inter-étatique » comme entre l'Irak et les États-Unis en 2003, le plus souvent « intra-étatique », c'est-à-dire à l'intérieur des frontières d'un même pays comme en Côte d'Ivoire, ou encore « trans-étatique », c'est-à-dire menée sur le territoire d'un État à partir du territoire d'un autre État, comme le Hezbollah qui opère en Israël depuis le Sud-Liban;
– Les tactiques de la guerre: militaires et « symétriques » quand le conflit oppose des armées entre elles, elles sont aussi souvent « asymétriques » quand un des protagonistes compense sa faiblesse militaire (en matériel et en hommes) par des techniques de type guérilla ou terroriste comme

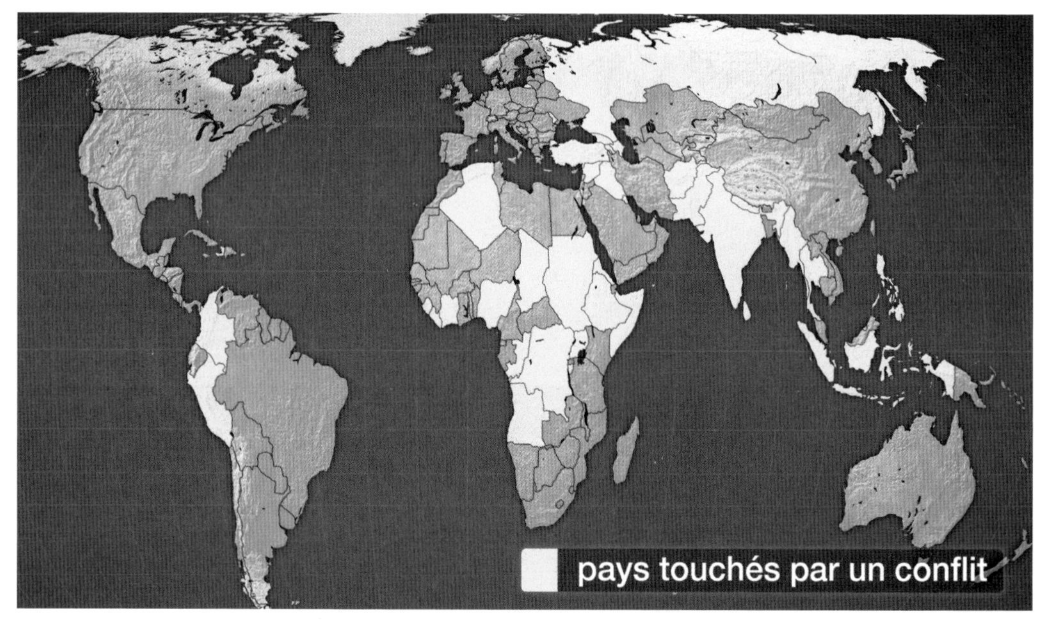

PAYS EN GUERRE ET CONFLITS OUVERTS 2001-2004

Avec une vingtaine de conflits, dont certains durent depuis des années comme au Soudan ou au Proche-Orient, cette carte permet de constater que la fin de la guerre froide n'a pas eu d'impact majeur sur l'évolution de la guerre dans le monde, ni sur sa répartition géographique. Et si les guerres sont cependant moins nombreuses qu'en 1990, elles s'associent désormais à des offensives militaires internationales comme en Afghanistan ou en Irak qui, sur le terrain, ont tout de la guerre… sauf le nom.

en Tchétchénie ou en Colombie. S'ils décrivent les guerres, ces premiers critères, ne permettent pas de vérifier si celles-ci sont désormais, comme on l'entend souvent, ethniques ou religieuses. Au fond, pourquoi fait-on la guerre ?

– Le plus souvent, les conflits ont pour enjeu l'accès exclusif ou accru au pouvoir politique, comme en Afghanistan, au Soudan ou en Côte d'Ivoire ;

– Dans d'autres conflits, on s'affronte pour le contrôle d'un territoire, comme dans le conflit israélo-palestinien. Ces derniers sont moins nombreux depuis la fin de la guerre froide qui a permis de régler plusieurs litiges frontaliers. C'est dans cette catégorie qu'on range aussi les conflits liés à la captation de la richesse : ce fut précisément le mobile de l'invasion du Koweït par l'Irak en 1990, ce dernier cherchant à capter 8 % des réserves mondiales de pétrole ;

– Plus nombreux en revanche, les conflits de mobile séparatiste comme en Tchétchénie, en Géorgie, au Cachemire ou à Aceh ;

– Dans une quatrième catégorie, on trouve les conflits de minorité. Il s'agit de conflits opposant un groupe minoritaire ethnique, linguistique ou religieux à un groupe majoritaire (gouvernement) qui le réprime ou tente de l'assimiler par la force, comme au sud de la Thaïlande. Ici l'enjeu est la reconnaissance ou la tolérance des spécificités de la minorité donnée.

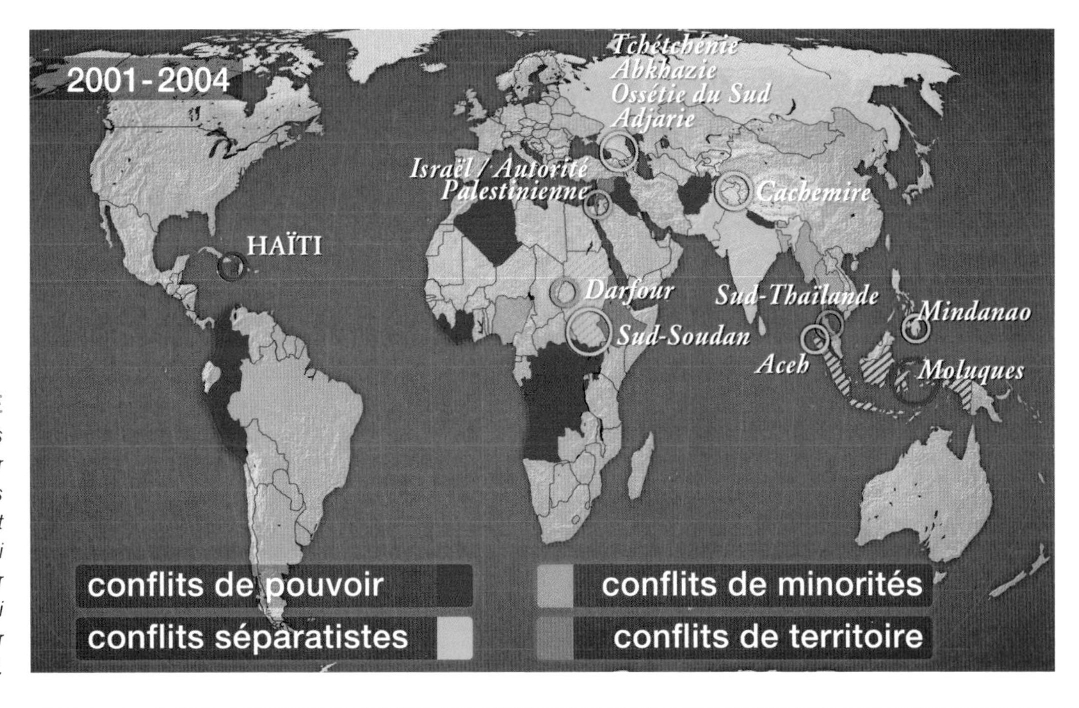

LES MOBILES DE LA GUERRE

Si cette typologie des conflits permet de constater que les raisons de la guerre ne changent guère sur le long terme, on observe sur le terrain qu'elle est facilement déguisée grâce à des prétextes plus mobilisateurs : nationalistes, religieux ou ethniques, ils permettent d'entretenir le conflit une fois la guerre lancée. Car pour ceux qui la mènent, la guerre rapporte souvent des richesses et du pouvoir dont ils ne disposeraient pas en temps de paix. C'est pourquoi face à un conflit et à ce qu'on nous en dit, il faut toujours chercher à savoir ce que la guerre rapporte, et à qui.

Face aux crises et aux conflits: la réaction internationale.

Depuis que la communauté internationale est intervenue au Kosovo en 1999, on pourrait croire qu'elle a décidé de réagir face à l'oppression des populations ; que les opérations qu'elle mène ne sont plus déterminées dans le seul intérêt des États mais aussi en fonction d'un droit et de valeurs humanitaires de portée universelle. Or c'est à une conclusion très différente qu'aboutit l'organisation humanitaire Médecins sans frontières (MSF) dans un ouvrage qu'elle publie en 2003, intitulé *À l'ombre des guerres justes*.

DES GUERRES « JUSTES » ?

Du choix de s'abstenir à celui d'intervenir, aucune guerre ni aucune crise ne semble encore révéler de la part des États d'autre réaction qu'un calcul politique bien compris. À l'idée dominante d'une ingérence humanitaire en progrès, on peut même opposer trois types de réaction.

L'abstention

La première consiste à s'abstenir, comme en Algérie, en République démocratique du Congo (jusqu'à l'intervention limitée en Ituri) ou en Tchétchénie. Dans ces pays où les populations civiles sont meurtries et même souvent ciblées par les protagonistes du conflit, le choix international est de laisser faire. Il consiste à ne pas réagir face à des gouvernements engagés dans une guerre totale contre leurs opposants. Un peu comme un permis de tuer accordé sur l'autel de la stabilité d'un régime ou d'une région (voir encadré Algérie).

La contention humanitaire

Une deuxième réaction consiste à envoyer de volumineux secours humanitaires pour endiguer une situation de conflit ouvert ou possible tout en économisant les coûts politiques, militaires ou stratégiques d'une intervention plus directe. On peut ainsi parler de contention humanitaire en Corée du Nord où l'on sait depuis la famine de 1996 que la population souffre, entre autres, de pénuries alimentaires chroniques ; en Angola de 1998 à la chute de l'Unita et à la famine de 2002 ; au sud du Soudan, plusieurs fois marqué par des épisodes de famine en dépit d'une aide alimentaire massive (voir encadré Sud-Soudan).

L'intervention militaire

Une troisième catégorie rassemble les interventions militaires internationales, notamment en Sierra Leone, en Afghanistan et en Irak. Là, l'aide humanitaire plus ou moins volumineuse sert de caution aux opérations militaires qu'animent par ailleurs des objectifs politiques ou stratégiques. Un camouflage à des fins de propagande donc, qui associe dans le concept de « guerre humanitaire » deux réalités parfaitement incompatibles (voir encadré Afghanistan).

ALGÉRIE : LE CHOIX DU « LAISSER-FAIRE »

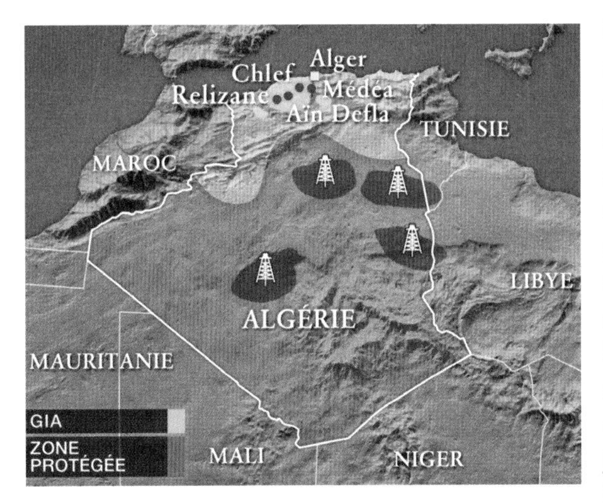

En 1992, devant la victoire attendue du Front islamique du salut (FIS) aux législatives, les militaires algériens annulent le deuxième tour des élections et poussent le président à démissionner. Face au malaise politique et social que révèle le succès du FIS, le régime répond surtout par des arrestations massives. En réaction, quelques milliers de jeunes Algériens choisissent la lutte armée et rejoignent le Groupe islamique armé (GIA). Directement ciblés par des massacres comme à Médéa, Chlef, Aïn Defla ou Relizane, les Algériens se trouvent alors précipités dans une guerre civile qui tue plus de 100 000 personnes et en déplace plus d'un million. Pourtant, le gouvernement algérien ne permet jamais aux organisations humanitaires d'accéder aux victimes.
La population civile se trouve ainsi prise en otage, sommée par la terreur de choisir son camp. Car si la violence est d'abord celle des groupes armés islamistes, elle devient bientôt aussi celle du régime, sous le motif de lutter contre les terroristes. Pour mener sa guerre contre la poussée islamiste, le pouvoir algérien bénéficie de deux atouts : la stabilité des exportations d'hydrocarbure, dont l'exploitation est protégée par un cordon de l'armée, et le rééchelonnement de sa dette que la communauté internationale lui accorde en 1994.
En donnant un répit au régime et en s'abstenant d'intervenir, la communauté internationale choisit donc de protéger non pas les civils algériens, mais plutôt leur gouvernement, dont la chute risquerait par ailleurs de provoquer un important flux migratoire vers l'Europe.

SUD-SOUDAN : L'AIDE MANIPULÉE

Pendant plus de vingt ans, les populations soudanaises se sont trouvées prisonnières de la guerre. Les hostilités débutent en 1983 dans la région du haut Nil avec l'insurrection de l'APLS (Armée populaire pour la libération du Soudan) contre le pouvoir nordiste arabo-musulman de Khartoum. Aux ressorts de la guerre froide et de ses alliances qui ont longtemps nourri ce conflit pour le partage du pouvoir, d'autres enjeux se sont désormais substitués. Ainsi, quand il arrive au pouvoir en 1989 à Khartoum, le Front national islamique affiche l'intention de réislamiser le Soudan, y compris les populations chrétiennes et animistes au sud du pays. À son tour, la localisation des principales zones de combat en 2001 et 2002 dévoile d'autres objectifs : le contrôle stratégique de la voie ferrée dans la région de Wau et celui des ressources pétrolières dont l'exploitation se trouve relancée par la construction d'un oléoduc de Bentiu vers Port-Soudan. Plus au sud, les rivalités des mouvements sudistes entre eux multiplient les attaques de villages visant à priver l'ennemi de soutien et de ressources. Au total, des milliers de morts, des blessés, des troupeaux décimés et une agriculture ruinée… Pour autant, ils ne suffisent pas à expliquer les crises alimentaires à répétition que connaît le pays. Car voilà déjà plus de dix ans que le pays bénéficie des secours continus de l'opération « Life line Sudan » des Nations unies quand survient la famine du Bahr el-Ghazal en 1998. Choquant paradoxe d'un pays touché par la famine alors qu'il est sous perfusion alimentaire. Ainsi la population civile se trouve triplement prise en otage :

– par le régime de Khartoum quand il refuse les autorisations de vol aux avions humanitaires, ou quand il conditionne la distribution des secours à l'islamisation des populations ;

– par l'APLS au sud, pour laquelle l'aide représente une importante source de revenus, tant par le détournement au profit des troupes que par l'imposition de taxes aux organismes humanitaires ;

– par certaines organisations d'aide et par leurs bailleurs de fonds enfin, dont les objectifs convergents ne se limitent pas au seul secours des populations. Au désir d'évangélisation des premières se superpose en effet l'intérêt politique des États occidentaux. Au premier rang d'entre eux, les États-Unis pour lesquels l'aide humanitaire permet d'endiguer le régime islamiste et « voyou » de Khartoum, sans avoir à armer ou à financer une rébellion peu fréquentable.

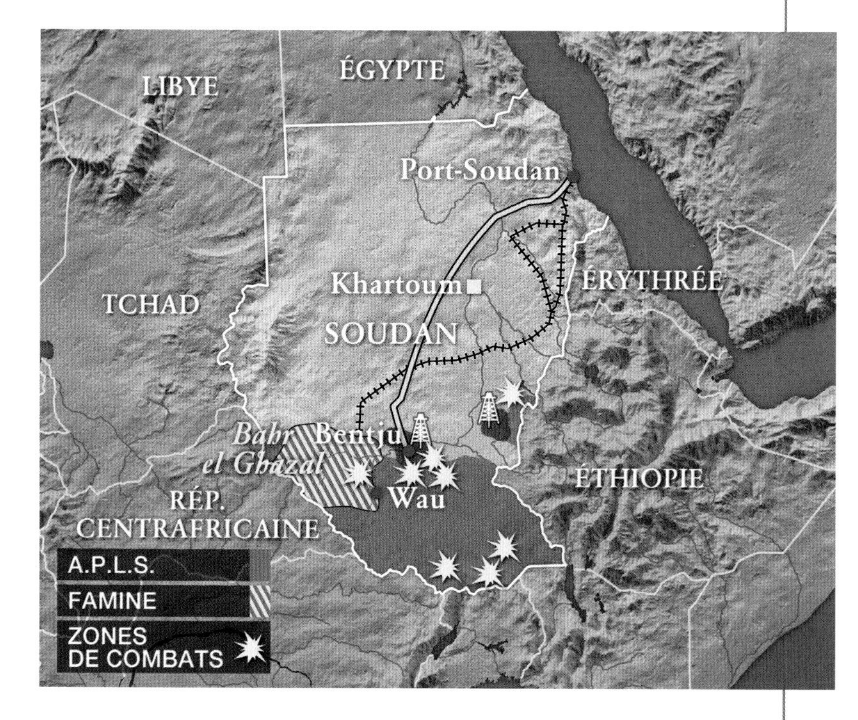

AFGHANISTAN : L'ASSISTANCE DE PROPAGANDE

Parmi les symptômes les plus visibles de la souffrance des Afghans : le départ d'environ 3,5 millions d'entre eux, soit 20 % de la population partie se réfugier en Iran et au Pakistan. La violence qu'ils ne cessent de fuir ainsi, pendant plus de vingt ans, commence avec l'invasion de leur pays par les troupes soviétiques en 1979. Elle se prolonge sous la guerre civile qui s'amorce à leur retrait en 1989, interrompue cinq ans plus tard par l'arrivée des talibans, des « étudiants en religion » afghans originaires du Pakistan, et qui conquièrent rapidement la plus grande partie du pays. Déjà affamée et affaiblie par des années de conflits, la population afghane se trouve alors opprimée par ce régime islamiste particulièrement intolérant. Pourtant, bien qu'elle fut aussi présentée comme une « guerre humanitaire » en faveur de la démocratie, l'intervention militaire déclenchée par les Américains le 7 octobre 2001 et qui délivre les Afghans de la dictature talibane n'a de ressorts que stratégiques. Conçue en septembre 2001 en représailles aux attentats sur New York et Washington, elle a bien logiquement pour objectif d'écraser al-Qaida. Si elle vise aussi les talibans, c'est donc bien moins pour soulager les souffrances qu'ils infligent aux Afghans que parce qu'ils sont les hôtes de Ben Laden et de ses hommes. Quant aux largages aériens de vivres largement relayés par les médias et avancés pour justifier l'intervention et ses dommages collatéraux, on sait qu'ils représentent finalement un volume suffisant pour nourrir un million de personnes... mais pendant un jour seulement !

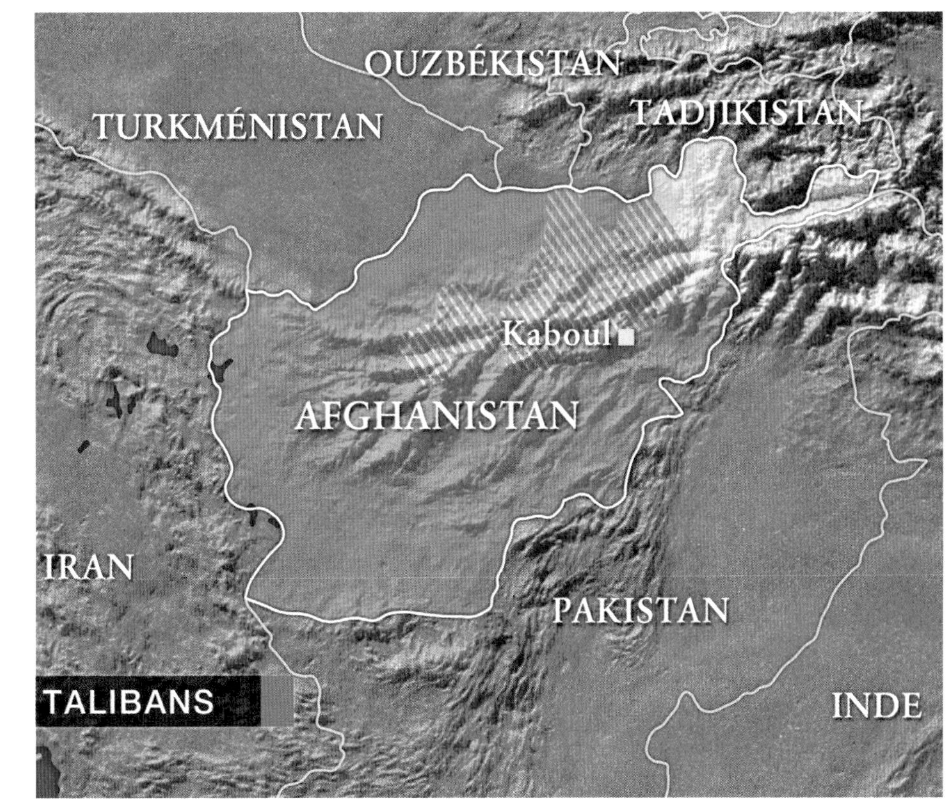

TERRORISMES

Logique et mécanique de la violence

Le mot terrorisme est dérivé du mot « terreur », qui vient du latin terrere, *« faire trembler ». La Terreur désigne une période de la Révolution française (septembre 1793 à juillet 1794), pendant laquelle la Convention tente de briser toute résistance aux idées révolutionnaires. C'est donc ce régime, théorisé par Robespierre et consistant à gouverner par la menace, qui, par extension, donnera son nom au terrorisme.*

La violence des actes terroristes suscite des réactions émotionnelles et morales peu propices à l'objectivité qu'exige l'analyse politique. Ainsi, en l'absence de distance critique, la question du terrorisme devient à la fois le sujet et l'objet de multiples amalgames. Autant de confusions qui invoquent de l'examiner avec recul et méthode.

« Faire trembler »

Le recul, c'est d'abord celui de l'histoire, abondante sur le sujet. Si la recrudescence et l'ampleur des actes terroristes de ces dernières années pourraient faire croire qu'il s'agit d'un phénomène nouveau, l'histoire indique qu'il est au contraire une forme de violence politique ancienne, qui transcende la géographie, les cultures et les religions, et dont aucune époque ni aucune société n'a le monopole. Ainsi, des membres de la secte juive des zélotes l'utilisent dès le Ier siècle face à l'occupation romaine.

Au départ, son invention répond à la nécessité stratégique d'inverser un rapport de force jugé défavorable. On parle aussi de logique du « faible au fort ». En effet, le terrorisme constitue une tactique de lutte asymétrique qui permet au faible de disqualifier les moyens du plus fort, et d'atteindre ses objectifs politiques.

Ainsi inscrite dans le déséquilibre des forces, la méthode terroriste répond donc aujourd'hui mieux que jamais à la prépondérance militaire occidentale (et russe): elle permet à des groupes peu nombreux de tenir en échec des armées bien équipées, bien entraînées, grâce à des techniques simples et peu coûteuses. Au premier rang d'entre elles se rangent les attentats suicides, dont l'histoire nous apprend qu'ils remontent en fait au XIIe siècle, quand les membres de la secte chiite des *hachichiyyin* y avaient recours face aux croisés chrétiens ou aux Turcs seldjoukides. Autrement dit, ce qu'on interprète comme un geste nouveau et d'inspiration religieuse n'est finalement qu'une technique ancienne, qui correspond au raisonnement tactique de ses commanditaires, car ils savent qu'il n'existe aucune parade face au martyr prêt à se sacrifier.

Terroristes ou héros?

L'analyse de la violence varie en fonction du moment où elle est produite, de celui qui la subit ou qui l'exerce, et selon qu'on juge les actes du point de vue des moyens ou de la morale. Pour l'occupant allemand, les résistants français sont des criminels terroristes; jugés à l'aune de l'histoire, ils sont des héros. Pour les Britanniques, les membres de l'IRA commettent des actes de nature «terroriste» ; pour les républicains irlandais, ils agissent dans le cadre d'une guerre de libération nationale. Pour le gouvernement français de l'époque, les fellagas algériens des années 1950 sont des terroristes; pour la République algérienne, ils sont fondateurs de la nation.

Cependant, les questions que soulève ce recul historique sont aussi délicates qu'implicites: l'histoire changera-t-elle aussi d'avis sur les actes terroristes récents, ou du moins sur certains? Et si le terrorisme correspond à une seule et même logique stratégique, ne peut-on pas distinguer plusieurs types d'attentat? Dans tous les cas, nécessité s'impose de revenir à la méthode afin de tenter de classer les actes terroristes.

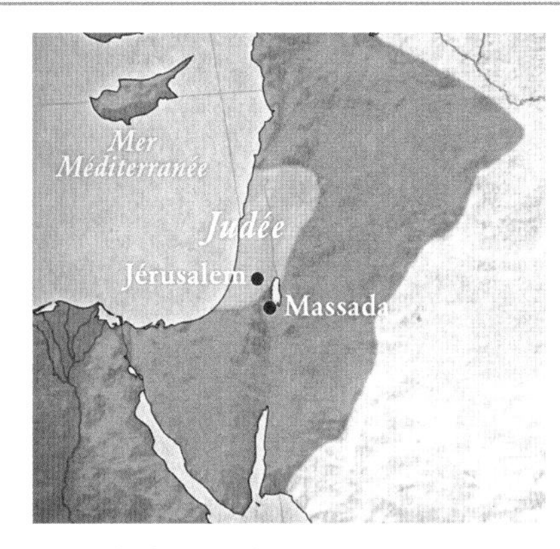

LES SICAIRES

Au début de l'ère chrétienne, dans la région du Proche-Orient dominée par Rome, les membres d'une secte juive, les zélotes, assassinent des dignitaires romains et leurs sympathisants, en les poignardant dans la foule. Ils cherchent ainsi à libérer la Judée de l'occupation romaine.

Les Romains les appellent les «sicaires» (du latin *sicarius*, «celui qui tue avec une dague»). Cette pratique est sans doute l'une des premières formes de terrorisme politique. Elle perdure pendant soixante ans, jusqu'à la destruction de Jérusalem en l'an 70. Un millier de zélotes se réfugient alors dans la forteresse de Massada, où ils résistent plusieurs années aux légions romaines, avant de se suicider collectivement pour ne pas être capturés.

Ispahan
Jérusalem
Le Caire
Seldjoukides (*sunnites*)
Secte des "Assassins"
Chrétiens
Fatimides (*chiites*)

LES ASSASSINS

Au XIe siècle, les Seldjoukides règnent sur le monde musulman. Pourtant, les chiites ne reconnaissent pas l'autorité de ces Turcs sunnites. C'est le cas des Chiites ismaéliens, dont le bras armé est formé par la secte des *hachichiyyin*, dont dérive le terme «assassin».

Ils pratiquent l'assassinat de dignitaires musulmans sunnites, de chefs croisés (donc chrétiens) et d'autres musulmans chiites de branches rivales. Certains de ces *hachichiyyin*, souvent animés de mobiles religieux, meurent avec leur victime.

Ils cherchent ainsi à contraindre leurs opposants par des méthodes qu'ils considèrent comme légitimes, sous couvert de lutte politique et religieuse.

L'IRA

En 1920, l'Irlande devient autonome. Pourtant, la région de l'Ulster, à majorité protestante, reste sous souveraineté du Royaume-Uni. Un petit noyau de nationalistes irlandais met alors au point une insurrection face à l'armée britannique stationnée à Belfast. Une force armée clandestine est créée, l'Irish Republican Army, IRA; elle assassine des hommes politiques ou dépose des bombes dans des lieux publics pour obtenir des concessions politiques. L'IRA est aussitôt interdite par le nouvel État irlandais. Mais le mouvement renaît dans les années 1960. L'IRA passe alors à une action de guérilla contre la présence anglaise. Elle multiplie les attentats à Belfast contre la communauté protestante, avant de frapper le sol anglais à partir de 1974.

Les quatre cibles du terrorisme

La répartition des attentats récents en fonction de ce et de ceux qu'ils visent permet de distinguer quatre catégories de cibles.

– La première rassemble les personnes visées pour ce qu'elles représentent politiquement, comme les policiers espagnols au Pays basque, le commandant Masud en Afghanistan, ou auparavant le Premier ministre indien Indira Gandhi, que des extrémistes sikhs assassinent en 1984.

– Viennent ensuite les cibles choisies pour les intérêts qu'elles représentent, comme l'ambassade américaine au Kenya en 1998, ou le pétrolier français *Limburg* au large des côtes yéménites en 2002. C'est dans cette catégorie que se rangent les personnes tuées à Jérusalem en 1946 dans l'attentat du groupe sioniste Irgoun contre l'hôtel King David, siège du quartier général britannique.

– Citons aussi les cibles permettant d'atteindre des symboles, comme celui de la puissance économique des États-Unis avec le World Trade Center en 2001, celui de leur puissance militaire au Pentagone au même moment, ou plus largement celui de la « communauté internationale » lors des attentats à Bagdad en 2003 (contre le CICR puis les Nations unies). Symbole de paix aussi, avec l'assassinat d'athlètes israéliens par des fedayins de l'OLP aux jeux Olympiques de 1972 à Munich.

– La dernière catégorie est la plus vaste. Elle regroupe les civils et anonymes, non plus pour ce qu'ils représentent mais pour la peur que leur mort provoque et la pression qu'elle permet d'exercer sur leurs dirigeants. Ce sont les attentats du GIA à Paris en 1995, ceux des mouvements islamistes à Bali, à Casablanca ou à Madrid en 2002, 2003 et 2004.

Interrompue à ce stade, l'analyse historique et politique du terrorisme conclurait donc que le terrorisme n'est pas nouveau, ni comme phénomène politique, ni en terme stratégique, ni sur le plan opératoire, ni même dans sa logique et ses cibles. Pourtant le terrorisme n'a jamais été aussi présent : on considère même que les attentats du 11 septembre 2001 marquent une nouvelle étape dans l'histoire du terrorisme. Alors, qu'est-ce qui caractérise cette rupture ?

TERRORISME ET ISLAMISME

New York, Bali, Casablanca, Madrid, Beslan, Taba, etc. La question que posent ces attentats est de savoir si l'islamisme constitue désormais la seule source du terrorisme, comme le revendique al-Qaida.

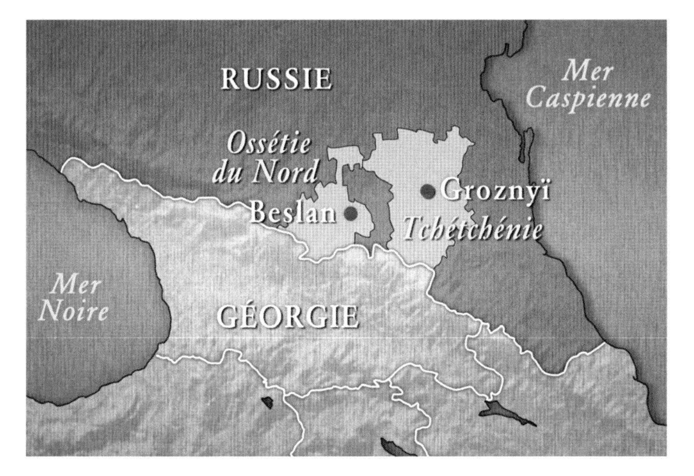

En septembre 2004, des hommes de confession musulmane prennent une école en otage à Beslan, en Ossétie du Nord, avant de la faire exploser quand les Russes lancent l'assaut. Or, si on replace cet attentat dans son contexte historique et géopolitique, on constate qu'il ne procède en rien d'une logique religieuse d'échelle mondiale, mais bien d'une logique nationaliste face à la présence militaire russe dans le Caucase, comme en Tchétchénie.

La multiplication des attentats suicides depuis la reprise du conflit israélo-palestinien en 2000 conduit de plus en plus souvent à inscrire la deuxième Intifada dans une logique religieuse (djihad), comme le font eux-mêmes les jeunes Palestiniens. Pourtant, année après année, contrairement aux attentats d'al-Qaida qui visent les intérêts occidentaux en général, les « martyrs » palestiniens ne ciblent que les intérêts israéliens pour obtenir des concessions politiques ou territoriales.

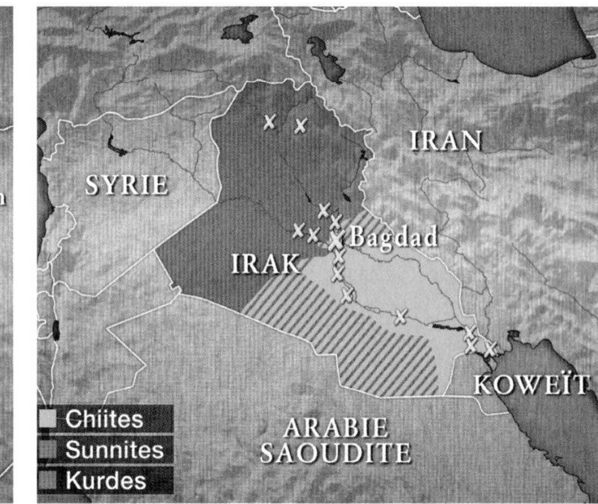

Militaires, humanitaires, civils, étrangers… Le terrorisme irakien se présente comme une technique de lutte : d'abord contre la présence des étrangers dans le pays – notamment celle des forces armées –, mais aussi contre le processus politique et électoral qu'ils ont mis en place. Il s'agit donc d'un terrorisme politique, et non pas religieux, d'ambition locale, dont l'objectif est le pouvoir.

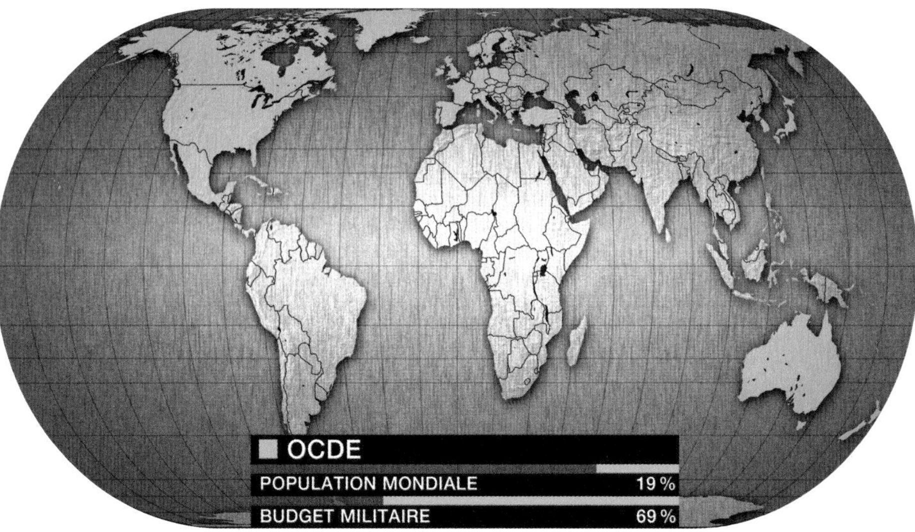

Être visible : le rôle des médias

Moins que sa nature, c'est d'abord son ampleur qui définit le terrorisme contemporain. C'est aussi depuis quelques années l'écho important qu'il semble rencontrer un peu partout sur la planète, au sein de communautés très diverses. Autrement dit, le terrorisme doit également être examiné à l'aune de sa portée, de son impact, et de ce qui l'amplifie.

Dans la tactique terroriste, les cibles constituent des leviers : plus elles sont médiatisées, plus elles permettent d'étendre la surface d'un conflit, et plus elles sont efficaces en terme de pression politique. Rien n'est plus frustrant pour un terroriste que d'être ignoré, car pour terroriser… il faut être connu ; et pour être connu, il faut être visible. Une logique à laquelle les médias, par leur fonction même, participent à leur tour. Ainsi, la diffusion d'images d'attentats en temps réel et dans le monde entier rencontre facilement l'objectif des terroristes puisqu'elle élargit leur audience. De la même façon, en exposant les victimes, presse et télévision les valorisent et finissent par encourager les terroristes à choisir leurs cibles en fonction de la médiatisation qu'elles promettent. De plus, en leur offrant une couverture régulière, les médias contribuent à la banalisation des attentats en poussant leurs auteurs à rechercher des effets toujours plus spectaculaires, et dont ils fournissent parfois eux-mêmes les images.

LE PARADOXE DE LA DOMINATION MILITAIRE OCCIDENTALE

Parmi les multiples déséquilibres mondiaux, la répartition des forces militaires se range à la fois dans les plus symboliques et les plus dangereux. Depuis les interventions en Afghanistan ou en Irak, on comprend que rien, aujourd'hui, ne peut empêcher les Occidentaux d'employer la force, tant ils sont militairement et technologiquement supérieurs. Par conséquent, le seul moyen permettant de vaincre ces armées consiste à déplacer l'affrontement sur un terrain où la force militaire n'est pas le facteur décisif : le terrorisme répond à cet objectif.

En somme, la démocratie offre au terrorisme la liberté nécessaire à l'élaboration des opérations et la plate-forme publicitaire de la presse et des médias. Le terrorisme contemporain a pu ainsi déplacer l'espace du conflit au cœur des espaces démocratiques et des médias, en faisant de la télévision et d'Internet un véritable théâtre d'opération.

Une menace mondialisée ?

Avec la mondialisation, Internet est d'ailleurs un vecteur favorable au terrorisme contemporain, et en particulier d'al-Qaida. D'un côté, il relie les terroristes entre eux, de l'autre, il met en réseau leurs causes, leurs informations et leurs moyens que, ce faisant, il démultiplie. Il leur permet aussi de coordonner et de planifier leurs actions, tout en restant difficiles à saisir, loin des territoires où ils organisent leurs attentats. Parallèlement, il offre aux réseaux terroristes de récupérer certaines des exaspérations éparpillées dans le monde, de les fédérer puis de les manipuler, et le cas échéant de recruter.

Des origines anciennes, une logique stratégique, une méthode asymétrique, des cibles sélectives, des plate-formes médiatiques et des moyens en réseau : tels sont donc les principaux paramètres du terrorisme contemporain, qui permettent ensemble d'en saisir les évolutions et surtout les constantes. Cependant, s'ils permettent de décrire le phénomène avec recul, et de le replacer à l'échelle de l'histoire, ils ne suffisent certainement pas à le cerner. Car, face aux attentats d'al-Qaida la question que l'on se pose n'est pas tant « comment » que « pourquoi ».

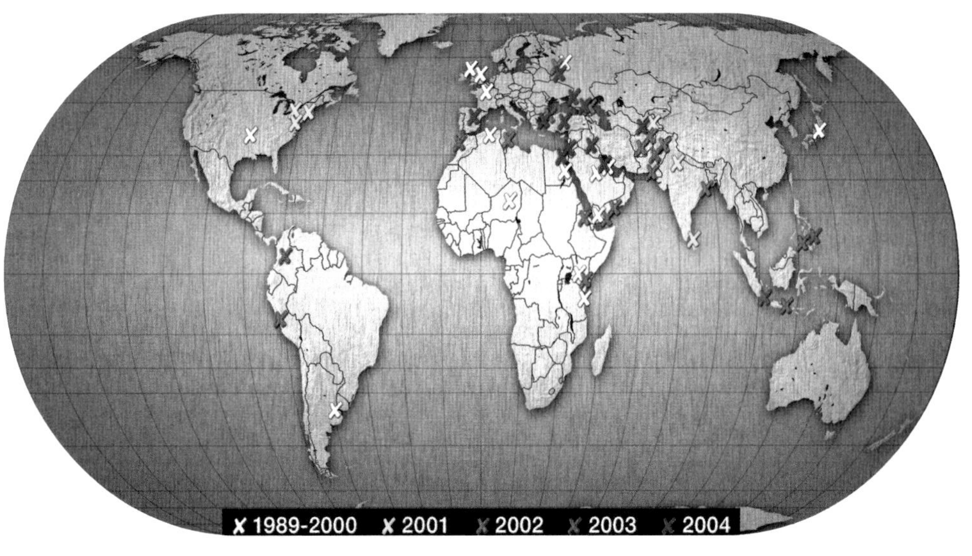

UNE MENACE GLOBALE ?

La multiplication des attentats depuis l'an 2000 amène à percevoir le terrorisme comme une menace monolithique et globale. Cependant, quand on les examine un par un, on s'aperçoit que la plupart sont commis par des organisations aux ambitions et à l'implantation géographiquement et politiquement limitées comme en Algérie, en Irak ou dans les territoires palestiniens. Les attentats perpétrés par al-Qaida se révèlent, en revanche, beaucoup plus dispersés. Ils sont d'autant plus difficiles à cerner et à combattre que le mouvement opère dans le monde entier, qu'il recrute partout et dans tous les milieux, et qu'il s'appuie sur une intention imprécise, très destructrice, qui se prétend islamiste, mais dont les fils conducteurs sont la fin de la monarchie saoudienne et la déstabilisation de l'Occident.

Voir également : ISLAM (p. 90-93), LES TERRITOIRES DE LA PALESTINE (p. 98-103), CONFLITS (p. 160-161) et TCHÉTCHÉNIE (p. 176-181).

PROLIFÉRATION

Nouveaux risques

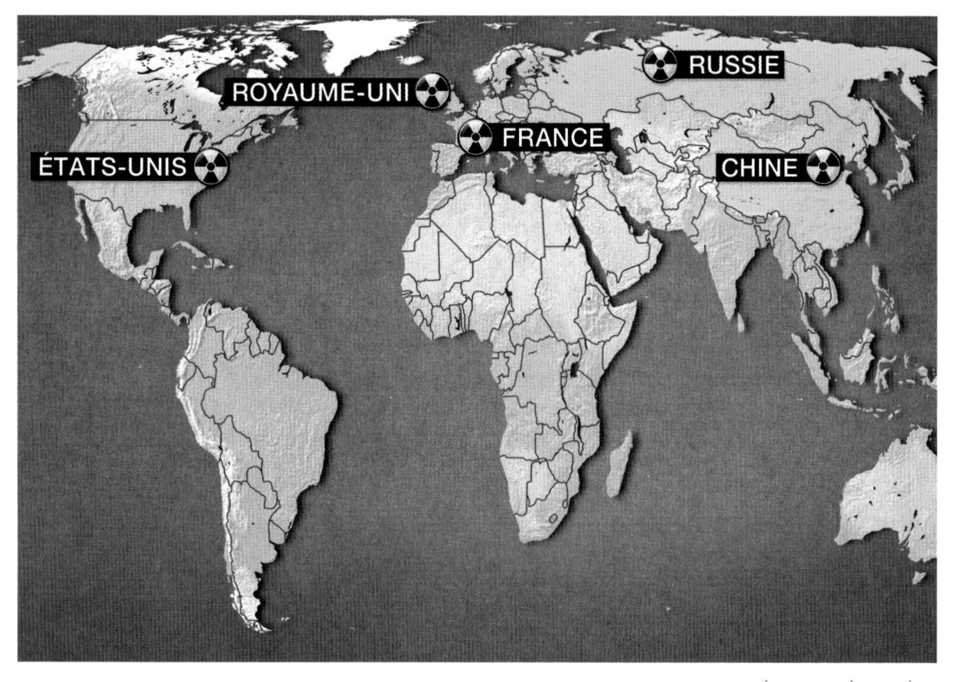

LES CINQ PUISSANCES NUCLÉAIRES DÉCLARÉES

La dissuasion nucléaire serait-elle victime de son succès ? N'est-ce pas justement la capacité de dissuasion d'un État qui contribue aujourd'hui à la prolifération ? N'est-ce pas l'application du concept de « guerre préventive », pratiquée par les États-Unis, qui pousserait les États à accélérer leur dotation en armement non conventionnel ?

Depuis la découverte de la fission nucléaire en 1938, cinq États ont officiellement développé l'arme atomique : les États-Unis, l'Union soviétique (à laquelle a succédé la Russie), la Grande-Bretagne, la France et la Chine. Pourtant, seuls les États-Unis ont utilisé cette arme lors des bombardements en août 1945 sur Hiroshima et Nagasaki. Car du fait même de sa capacité de destruction massive, l'arme nucléaire est une arme de non-emploi. Les États-Unis et l'URSS, chacun doté d'une panoplie nucléaire, se dissuadaient mutuellement d'une attaque selon ce que l'on appelait la doctrine MAD – destruction mutuelle assurée. Mais les deux pays tentaient en même temps de limiter la prolifération du nucléaire militaire, avec notamment la création du TNP, traité sur la non-prolifération des armes nucléaires, mis à la ratification à partir de 1968.

NUCLÉAIRE

Le traité de non-prolifération (TNP)

Par ce traité, les cinq puissances nucléaires s'engagent à ne pas transférer d'armes nucléaires, ni à aider des États non nucléaires à en fabriquer. De leur côté, les États signataires peuvent accéder à l'uranium à des fins civils, s'ils se soumettent aux vérifications *in situ* de l'AIEA, l'Agence internationale de l'énergie atomique, basée à Vienne. Ils s'engagent en échange à ne pas se doter d'arme nucléaire.

Le retour du risque nucléaire

Or, il y a aujourd'hui prolifération, malgré l'existence du TNP. Pourquoi ?
D'abord, Israël, l'Inde et le Pakistan, trois États non signataires du TNP, se sont dotés secrètement d'armes nucléaires. Même si l'État hébreu nie l'existence d'un programme nucléaire, chaque État dans la région du Moyen-Orient est au fait de l'ambiguïté entretenue par Israël, jouant au fond la carte de la dissuasion. Et dans le sous-continent indien, l'Inde et le Pakistan ont procédé à des essais nucléaires en 1998.
Pour ces deux protagonistes, l'acquisition de l'arme nucléaire joue un rôle régional de dissuasion, comme entre l'URSS et les États-Unis pendant la guerre froide, à une échelle globale, empêchant mutuellement les deux États de s'attaquer. Sauf que ces deux États nucléaires du sous-continent ne sont pas membres du TNP, ils évoluent hors du droit international. Il y a de ce fait plus de risques d'accident, d'emploi sans autorisation politique, ou de risque de prolifération, c'est-à-dire de transferts de technologie à des États malveillants ou à des groupes terroristes.
Or précisément, le Pakistan est à l'origine d'une prolifération nucléaire vers la Libye, l'Iran et la Corée du Nord.

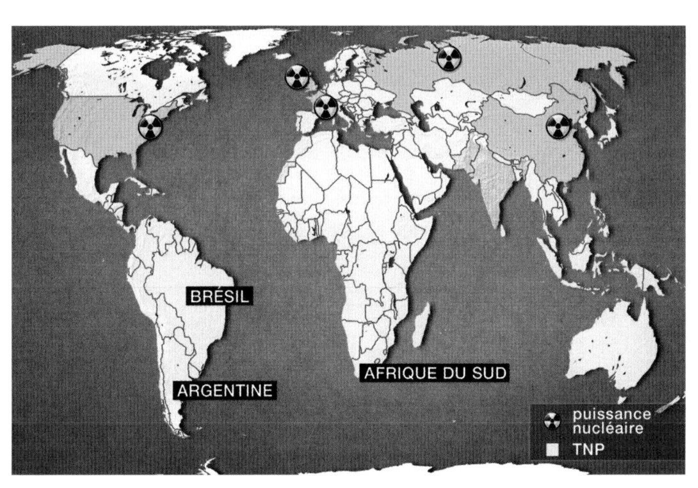

LE TRAITÉ DE NON-PROLIFÉRATION NUCLÉAIRE

En 2004, 188 des 191 États du monde avaient signé et ratifié le traité sur la non-prolifération des armes nucléaires (TNP). Grâce à ce traité, l'Argentine, le Brésil, l'Afrique du Sud ont abandonné leurs programmes nucléaires.

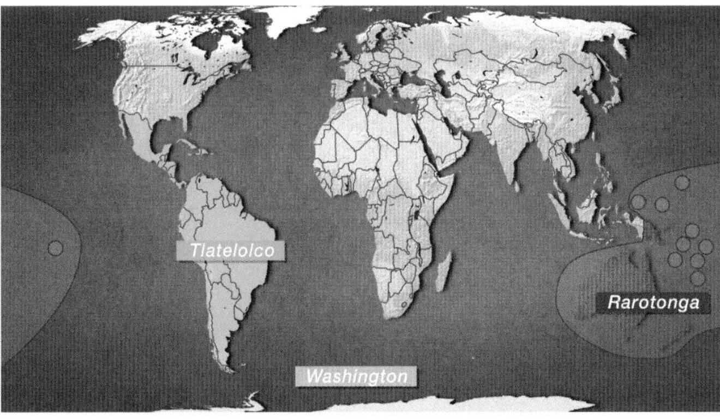

LES TRAITÉS DE DÉNUCLÉARISATION

Plusieurs traités dits de dénucléarisation ont également été signés pour interdire la présence d'armements nucléaires : par exemple, en Amérique latine le traité de Tlatelolco (1967), en Antarctique le traité de Washington (1959), ou dans le Pacifique Sud le traité de Rarotonga (1985).

LA NUCLÉARISATION DE L'INDE ET DU PAKISTAN

En faisant exploser une bombe nucléaire en 1974 à Pokaran, l'Inde cherchait alors à affirmer sa puissance face à la Chine rivale et nucléarisée, mais aussi face au Pakistan. Car l'Inde et le Pakistan se sont déjà fait deux guerres en 1947 et 1971, sur fond de conflit au Cachemire. Le Pakistan répondit à l'Inde, en lançant un programme nucléaire grâce à l'aide technologique de la Chine. Son premier essai eut lieu en 1998 dans le désert de Kharan au Baloutchistan. On parle dès lors de « bombe islamique ».

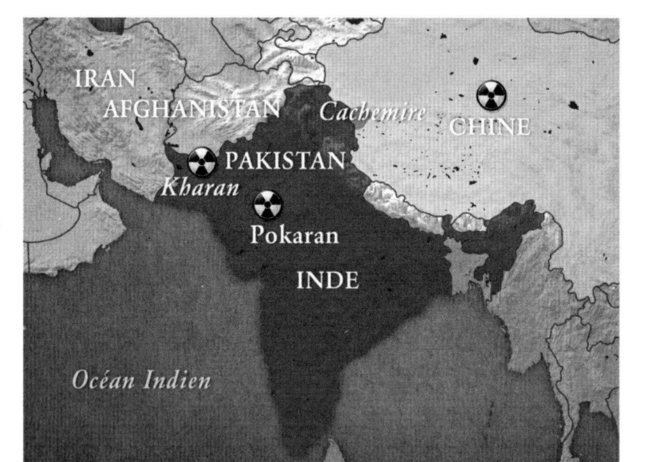

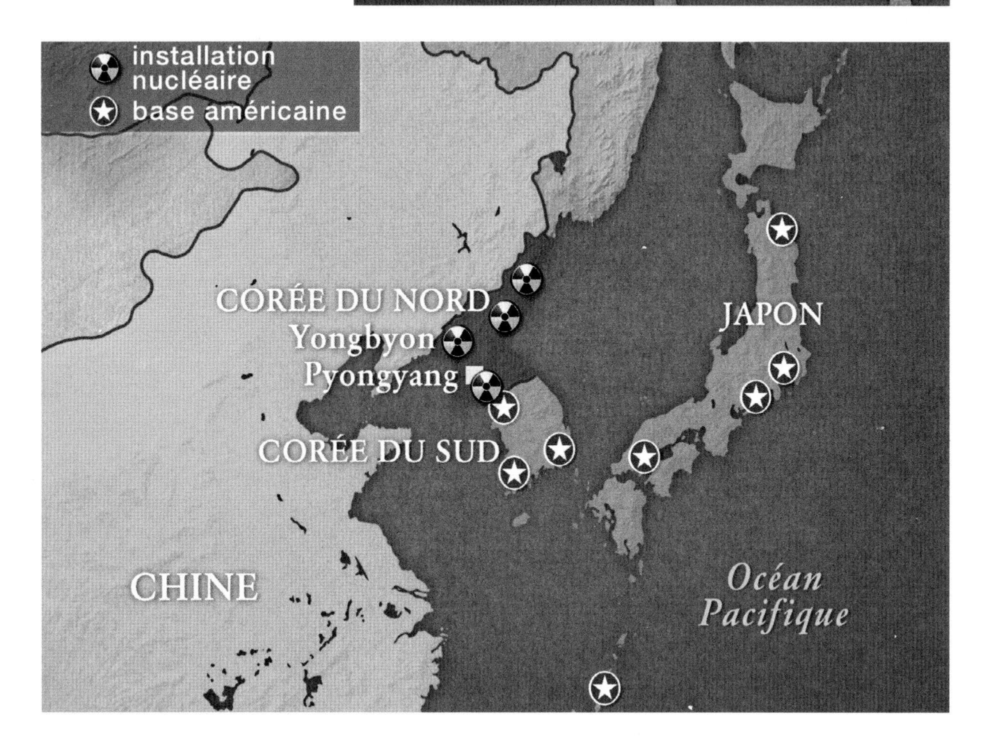

La stratégie du chantage nord-coréen

Dans le cas nord-coréen, le nucléaire ne sert pas à la dissuasion, mais au chantage. Au début des années 1990, la Corée du Nord est en effet soupçonnée d'avoir installé à Yongbyon une usine de retraitement de plutonium. Sous la pression des États-Unis, Pyongyang en accepte le démantèlement en 1994, et obtient en échange la fourniture de deux centrales électronucléaires, de pétrole et d'une aide alimentaire.

Mais le chantage nord-coréen a si bien fonctionné qu'il a permis au régime de se maintenir et de mettre en route un nouveau programme nucléaire hors du site de Yongbyon, probablement avec la complicité du Pakistan.

Après avoir officiellement déclaré son programme nucléaire en octobre 2002, la Corée du Nord a expulsé les experts de l'AIEA et s'est retirée du TNP en janvier 2003. Un précédent qui met en cause la crédibilité du TNP, au risque de favoriser la prolifération.

LA CORÉE DU NORD NUCLÉAIRE, FACTEUR D'INSTABILITÉ

À l'échelle régionale, une Corée du Nord nucléaire, à la politique imprévisible, ne peut que contribuer à l'escalade. Le pays a développé des missiles balistiques Taepo Dong, de courte et moyenne portées, et préparerait un missile pouvant atteindre la côte ouest américaine. Ce contexte pourrait au mieux contribuer au renforcement de la présence américaine dans la région. Au pire, à l'acquisition d'armement nucléaire par les voisins immédiats : la Corée du Sud et le Japon.

L'Iran et la bombe

À la fin de l'été 2002, le gouvernement iranien a reconnu avoir amorcé un programme militaire, et deux sites dissimulés à l'AIEA ont été découverts. Grâce à ces installations, le pays serait au seuil du nucléaire militaire, et pourrait se doter en quelques années d'une arme opérationnelle.

La question est donc de savoir si l'Iran – signataire du TNP – va rester au seuil ou décider de développer la bombe. Et surtout d'en comprendre les mobiles.

Aux yeux de Washington, le programme nucléaire iranien menace tout à la fois la sécurité régionale, risque d'entraîner une nucléarisation en chaîne des États voisins, et remet en cause la validité du TNP.

Mais l'Iran, outre la volonté de s'affirmer comme puissance régionale, considère l'arme nucléaire comme le seul moyen de dissuasion existant face à la puissance américaine et à ses frappes préventives, dont l'Irak voisin fut la première cible. À moins que Téhéran, paradoxalement, ne recherche par le nucléaire à se rapprocher de Washington ? L'Inde et le Pakistan ont tous deux acquis l'arme nucléaire, et ont néanmoins renforcé leurs liens avec les États-Unis.

En janvier 2006, Téhéran a fait connaître sa décision de reprendre son programme d'enrichissement d'uranium, allant ainsi à l'encontre des recommandations de l'AIEA, et des injonctions des diplomaties européennes et américaine.

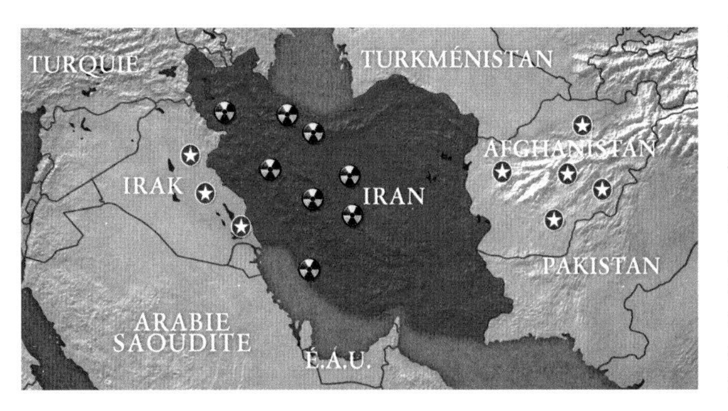

LA STRATÉGIE NUCLÉAIRE DE L'IRAN

Face aux ennemis arabes, irakien et saoudien, l'Iran a toujours voulu s'affirmer comme puissance régionale, héritière de l'empire des Perses. Le déploiement des troupes américaines en Afghanistan et en Irak a sans doute convaincu Téhéran d'accélérer son programme nucléaire, afin de « sanctuariser » son territoire face au risque américain.

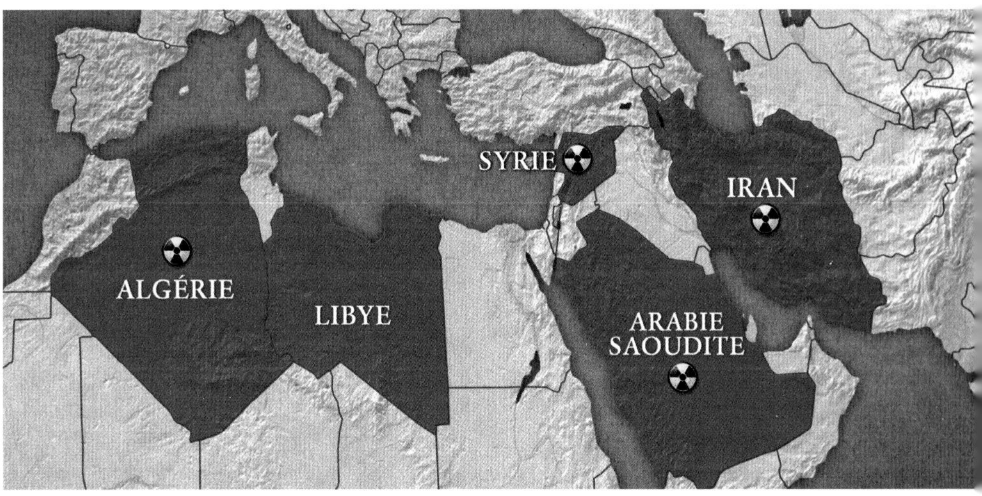

L'EFFET « DOMINO » NUCLÉAIRE

La nucléarisation de l'Iran, en remettant en cause l'équilibre régional, comporte le risque de prolifération : d'abord chez son voisin et rival saoudien, mais également en Algérie ou en Syrie, qui pourraient être tentées de développer des armes nucléaires, en cas d'affaiblissement du TNP, et pour faire face à la supériorité écrasante des armements conventionnels occidentaux. Seule note d'espoir dans ce tableau noir : la Libye a officiellement renoncé en janvier 2004 à tout programme d'armes de destruction massive.

Voir également : POLITIQUE ÉTRANGÈRE DES ÉTATS-UNIS (p. 48-55), IRAN (p. 104-107), PAKISTAN (p. 112-115), INDE (p. 116-119) et CONFLITS (p. 160-161).

TCHÉTCHÉNIE

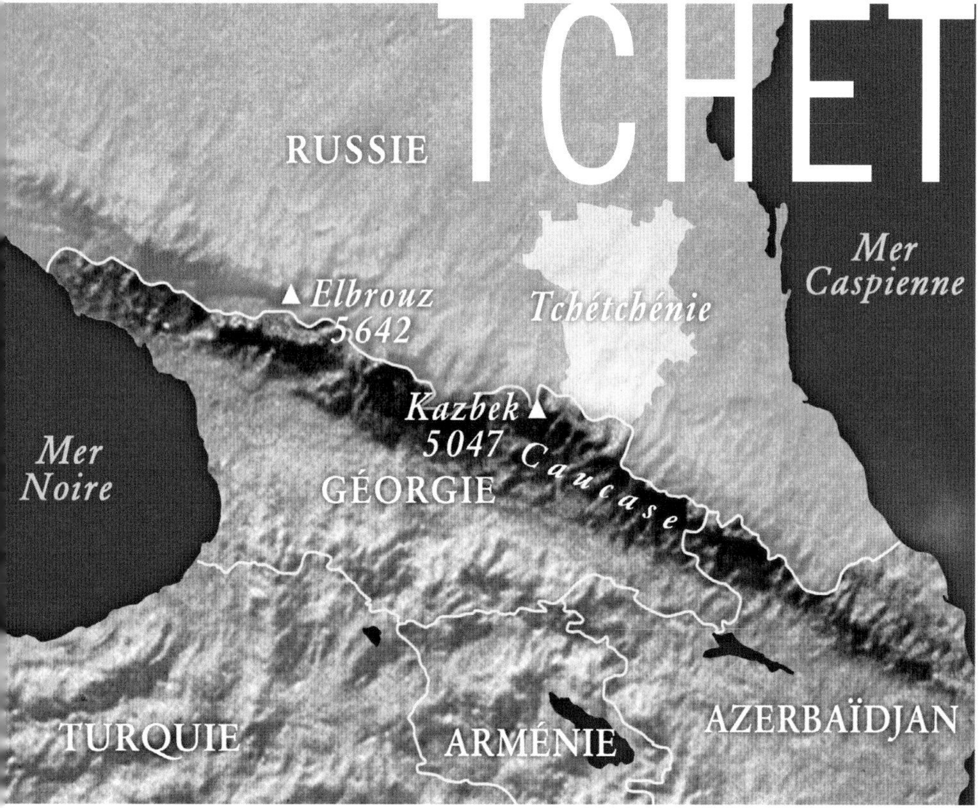

Pourquoi la guerre ?

LES REMPARTS DU CAUCASE

Avec des sommets à plus de 5000 mètres d'altitude, la chaîne du Caucase représente une barrière aussi difficile à franchir qu'à tenir. C'est pour cette raison qu'elle constitue aussi une région de refuge où sont venus successivement s'abriter les Géorgiens vers 2000 av. J.-C., puis les Arméniens au VIe siècle av. J.-C., les Turcs Azéris vers le XIIe siècle… et aujourd'hui la résistance tchétchène.

Plusieurs choses frappent dans le conflit russo-tchétchène : la disproportion des forces en présence, l'extrême violence exercée contre les civils, le mutisme des dirigeants occidentaux, l'obstination de l'État et de l'armée russes, et enfin, face à eux, celle de la résistance tchétchène. Dès lors, la question est : « Pourquoi ? »

Voilà plus de deux mille ans que les Tchétchènes sont implantés dans le Caucase, une région montagneuse située entre la mer Noire et la mer Caspienne où se répartissent de nombreux peuples, langues et cultures disparates. Ni indo-européen, ni turc, le groupe linguistique auquel les Tchétchènes appartiennent avec leurs voisins Ingouches est celui du vainakh.

Une société mystique et solidaire...

Contrairement à la Russie, la Tchétchénie n'a jamais connu la féodalité. Sans classes et sans État, elle constitue une société organisée en *tuhum*, des groupes communautaires autonomes dont les membres sont liés par un ancêtre et un dialecte communs. À leur tour, les *tuhum* représentent l'union économique et militaire d'une dizaine de clans, les *teïp*, dont le fonctionnement solidaire et les lois coutumières n'ont jamais souffert de celles que leur imposèrent les Russes ou les Soviétiques. Bien au contraire... en les plaçant ensemble face au danger, chaque offensive de Moscou provoque des mécanismes de solidarité qui stimulent le sentiment national des Tchétchènes.

À l'organisation clanique de leur société s'ajoute alors un second facteur de cohésion : sa structure religieuse. Arrivé au XVe siècle par les Empires ottoman et perse, l'islam tchétchène est sunnite et modéré. Il se rattache au soufisme, une branche mystique de l'islam dont l'organisation confrérique instaure de nouvelles solidarités transversales.

Enfin, le dernier ingrédient du nationalisme tchétchène lui est cette fois extérieur puisqu'il s'agit de la Russie, ou plus exactement de ses tentatives répétées pour contraindre les peuples du nord du Caucase.

...d'invincibles montagnards

On peut faire commencer l'histoire du conflit russo-tchétchène à la fin du XVIe siècle. Alors que la Russie n'est encore qu'une puissance continentale, les tsars décident d'ouvrir de nouvelles fenêtres maritimes, pour accéder aux « mers chaudes » par le Bosphore et les Dardanelles. Cependant, s'ils sont préparés pour l'affrontement avec les Ottomans qui tiennent les détroits, les soldats russes le sont beaucoup moins face à la résistance que lui opposent les montagnards du nord du Caucase. Bien décidés à s'assurer une voie de passage, les Russes y augmentent alors leurs troupes et soumettent les populations à de très violents combats jusqu'à menacer la survie de plusieurs peuples comme les Ouzbikhs ou les Tcherkesses. Daghestanais et Tchétchènes, eux, se voient saisir leurs terres au profit de colons slaves que protège une armée pléthorique : en 1859, pas moins de 113 000 hommes sont stationnés en Tchétchénie pour seulement 98 000 habitants.

LE VERROU DU NORD-CAUCASE

Le premier face-à-face russo-tchétchène remonte au début du XVIIe siècle, au moment où la puissance continentale russe décide de se doter d'un accès aux mers chaudes par la mer Noire, en passant pour cela par le Caucase.
Au départ donc, les troupes russes ne portent aucun intérêt aux peuples caucasiens que d'ailleurs elles n'envisagent pas de coloniser... et se font d'autant plus surprendre par la résistance acharnée qu'ils leur opposent, notamment au XVIIIe siècle lors des campagnes de Pierre le Grand, puis de Catherine II.
Des insurrections nord-caucasiennes, l'histoire retient notamment celle du cheikh Mansour de 1785 à 1791, celle de l'imam soufi daghestanais Chamil, de 1835 à 1859, mais aussi la violence des combats auxquels les Russes soumettent alors les montagnards du Nord.
Déterminés à faire sauter le verrou du Nord-Caucase, ils s'y acharnent au point de faire quasiment disparaître plusieurs peuples de la région tantôt décimés, tantôt déplacés de force ou condamnés à l'exil.

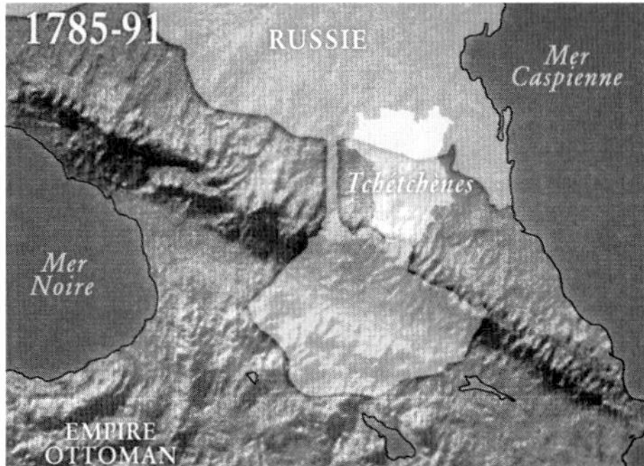

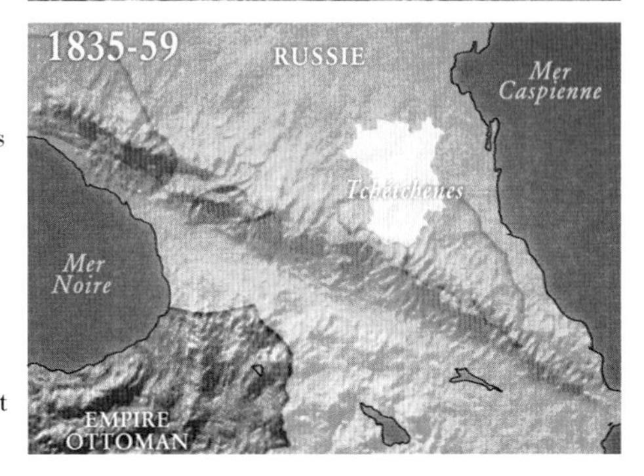

LA MESURE ADMINISTRATIVE DU CONFLIT

La Fédération de Russie place sous l'autorité de Moscou 89 entités administratives de statuts divers, comme les territoires, les régions et les républiques. À cette échelle administrative, la république de Tchétchénie représente 0,47 % de la population totale de la Fédération (144 millions d'habitants), et moins de 0,1 % de son territoire (17 millions de km²).

Ni Russes, ni Soviétiques

Si elle met fin au régime des tsars et à leurs ambitions territoriales, la révolution bolchevique n'entame nullement la résistance des montagnards nord-caucasiens. En 1921, 1924, 1928 et 1937, les Soviétiques font à leur tour face à de violentes révoltes dans la région. Pour y mettre un terme définitif, Staline redessine la carte administrative de cette zone afin d'y casser les solidarités des peuples entre eux. Ainsi, il associe les Tchétchènes et les Ingouches dans une même république autonome qu'il soumet à la tutelle de la république socialiste soviétique de Russie. La manœuvre est habile, car la redistribution politique finit par dévaloriser les structures claniques et tribales au profit d'affrontements entre des groupes de langues et de cultures différentes. Mais Staline n'en reste pas là : pour des raisons qui demeurent obscures et sous le prétexte de réprimer une prétendue collaboration des Tchétchènes avec l'armée nazie, il ordonne en février 1944 la déportation de l'ensemble du peuple tchétchène en Sibérie et au Kazakhstan. On estime que 200 000 personnes, un tiers de la population tchétchène, sont mortes pendant cette déportation qui se prolonge jusqu'à la réhabilitation de cette nation en 1957.

Et pourtant... Si la colonisation puis la déportation privent les Tchétchènes de leur terre et les isolent de leurs solidarités traditionnelles, elles contribuent aussi à fabriquer un nationalisme dont on mesure aujourd'hui l'intensité et la ténacité.

De l'indépendance à la guerre

Quand en 1991 la fin de l'URSS les libère, toutes les anciennes républiques soviétiques comme l'Arménie, la Géorgie et l'Azerbaïdjan choisissent l'indépendance. Estimant qu'elles se trouvent placées face au même choix, quatre républiques autonomes de la république fédérative de Russie aspirent alors elles aussi à recouvrer leur souveraineté. Après négociations, une seule maintient sa décision : la Tchétchénie-Ingouchie.

Un ancien général soviétique tchétchène, Djokhar Doudaïev, y est élu président de la République en octobre 1991 et proclame aussitôt l'indépendance. Le problème est qu'il a face à lui une administration russe dont Boris Eltsine a pris la tête, et qui ne l'entend pas ainsi. D'abord, il y a le spectre de la désintégration fédérale que l'indépendance de la Tchétchénie agite en Russie. Surtout, il y a les enjeux que représente pour elle le Caucase et qui paraissent incompatibles avec les ambitions indépendantistes tchétchènes :

– le pétrole : la Tchétchénie se trouve sur le passage d'un gazoduc et d'un oléoduc russes entre la Caspienne et la mer Noire ;

– il y a aussi le calcul géopolitique de Moscou qui veut éviter tout vide de puissance sur ses frontières sud en préservant à la fois l'héritage national des conquêtes impériales du XIXe siècle, le patrimoine soviétique comme les bases militaires de la région, les intérêts économiques et la sécurité des civils russes vivant dans le Caucase ;

– le dernier enjeu est celui de la stabilité, car les incertitudes de la transition profitent à la fois aux trafics mafieux et au développement de l'islam politique.

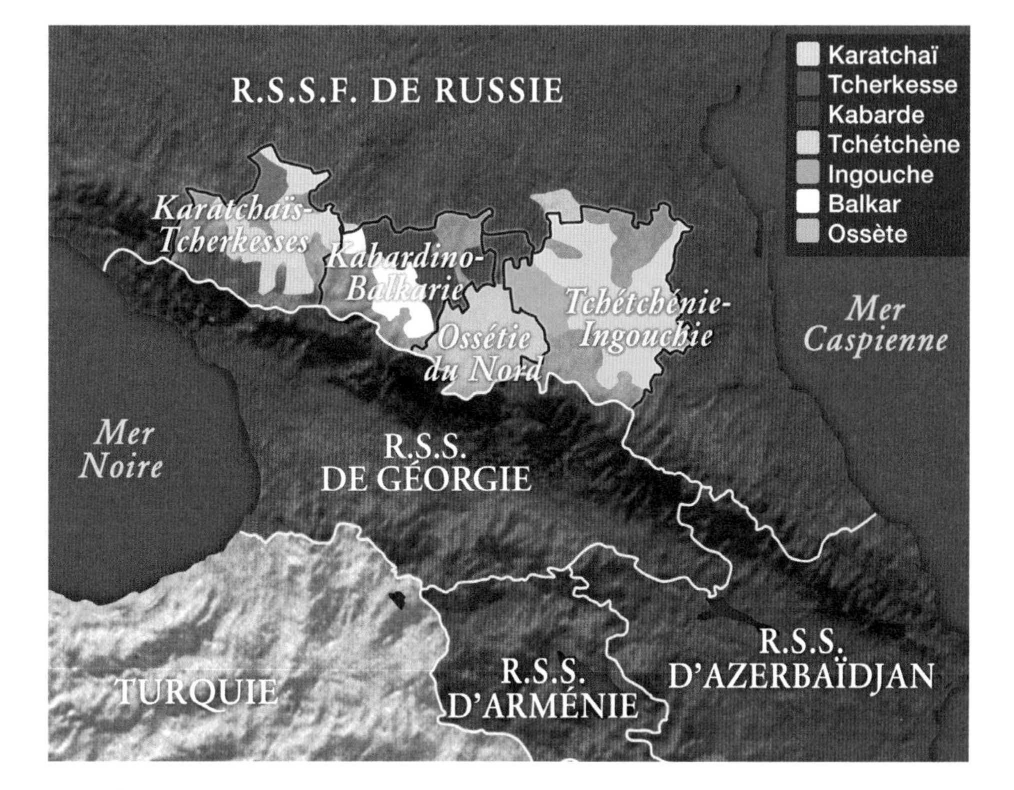

LA REDISTRIBUTION DES CARTES

Dès le XIXe siècle, la résistance des peuples caucasiens aux forces et aux règles étrangères s'appuie sur trois dénominateurs communs : l'islam, les langues de l'islam – l'arabe et le turc –, qui permettent aux peuples du Nord-Caucase de communiquer entre eux et enfin une volonté très marquée de conserver leur indépendance. Aussi, familier des cultures du Caucase dont il est originaire, Staline décide d'y affaiblir les liens de solidarité en redistribuant les peuples de la région dans un nouveau découpage administratif. Tandis que la Géorgie ou la Russie se voient reconnaître le rang de républiques socialistes soviétiques à part entière, d'autres républiques dites « autonomes » sont placées sous leur tutelle, comme la Tchétchénie-Ingouchie soumise à celle de la Russie. Enfin, alors qu'ils parlent presque la même langue, les peuples des Tcherkesses et des Kabardes sont séparés l'un de l'autre pour être associés à des peuples turcophones au sein de la république des Karatchaïs-Tcherkesses d'une part, et de Kabardino-Balkarie d'autre part.

SUR LA ROUTE DU PÉTROLE DE CASPIENNE

Commencées en 1991, les grandes manœuvres entre l'Iran, la Turquie, l'Afghanistan et la Russie pour fixer la route d'évacuation du pétrole de la Caspienne sont largement influencées par l'évolution du conflit sur le territoire tchétchène où passent un gazoduc (en orange) et un oléoduc (en bleu) russes. Finalement, tandis que les Russes construisent un oléoduc de contournement de la république rebelle, les compagnies américaines retiennent un tracé entre Bakou et Ceyhan passant par Tbilissi, privant de ce fait la Tchétchénie des dividendes du passage de l'oléoduc.

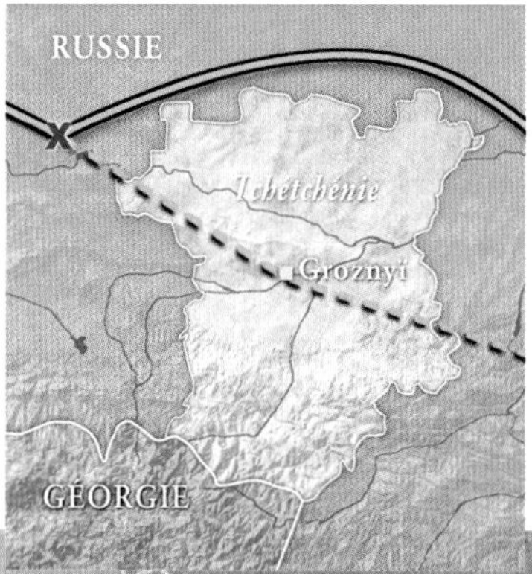

Du point de vue de Moscou donc, autant d'enjeux que de mobiles pour déployer des garde-frontières au sud de la Fédération et pour rester militairement présent dans la zone tampon que forment la Géorgie, l'Arménie et l'Azerbaïdjan.

La situation dégénère à partir de l'été 1994 : la Russie impose un blocus économique et aérien sur la jeune république ; les manœuvres visant à y déstabiliser la présidence se multiplient jusqu'à ce que le 11 décembre 1994, Moscou lance finalement une opération militaire destinée à « restaurer l'ordre fédéral ». La première guerre de Tchétchénie vient de commencer. Massivement bombardé, Groznyï tombe le 9 février 1995. Et tandis que les troupes russes contrôlent bientôt toute la plaine, le résistance tchétchène se replie dans les montagnes. La situation rebondit en août 1996 avec la prise en otage de plusieurs milliers de soldats russes, à Groznyï, par le général tchétchène Maskhadov. Le pouvoir russe se trouve contraint de signer, le 31 août 1995, un accord de paix qui marque la défaite de l'armée russe face à quelque 5 000 résistants tchétchènes.

D'une guerre à l'autre

Une victoire militaire pour une défaite économique… Pour les Tchétchènes, le bilan de cette guerre de deux ans est lourd : environ 100 000 personnes ont été tuées, soit 10 % de la population ; près de 200 000 sont réfugiées au Daghestan et en Ingouchie ; Groznyï est détruite ; l'économie est dévastée. Le pays entre dans une situation instable, qui se révèle propice au développement parallèle de deux phénomènes :

– la montée de la criminalité avec la multiplication des trafics mafieux et des enlèvements politiques ou crapuleux ;

– l'arrivée d'un islam radical dit « wahhabite », plus conservateur que l'islam soufi, et qui s'organise en force d'opposition politique armée.

Or ce sont justement le wahhabisme et la criminalité qui servent de mobiles à Moscou pour lancer une deuxième intervention armée en Tchétchénie.

Entre-temps, plus isolés que jamais, les Tchétchènes sont devenus l'objet de manipulations tactiques de plus en plus nombreuses. Ainsi, sans preuve ni procès, Vladimir Poutine, qui accède au pouvoir en août 1999, désigne les « terroristes » tchétchènes coupables de trois attentats qui font des centaines de victimes à Moscou en septembre. Fort du soutien d'une population russe en état de choc, il peut leur déclarer la « guerre totale » dès le mois d'octobre suivant.

Menée à huis clos par l'armée et par les services secrets russes du FSB, cette deuxième guerre est, du point de vue du droit de la guerre, complètement hors-la-loi : usage démesuré de la force, terreur et persécution des populations civiles, méthodes relevant du crime de guerre.

Ce que la guerre permet

Face à cette violence, on s'interroge sur les mobiles de l'obstination russe, d'autant plus que la Tchétchénie ne représente plus ni intérêt stratégique, ni enjeu pétrolier, et encore moins risque d'éclatement pour la Fédération.
Moscou avance les nécessités de la lutte contre le terrorisme et contre l'islamisme. Or, on sait que contrairement au mouvement al-Qaida, dont les ambitions sont globales, celles du terrorisme tchétchène s'arrêtent à l'indépendance de la petite république. Quant à l'islamisme radical, il y reste minoritaire et y exprime surtout la détresse des jeunes et le désespoir des combattants. D'ailleurs, aujourd'hui encore, le sentiment national mobilise bien davantage la population tchétchène que l'islam. Alors pourquoi ?
En fait, les motifs de l'acharnement russe sont multiples :
– il y a les défaites et le sentiment d'humiliation qu'elles ont généré bien au-delà des cercles militaires : défaite en Afghanistan, puis dans la guerre froide, puis lors de la première guerre de Tchétchénie en 1996 ;
– ensuite, il y a l'amputation de l'empire qui heurte le nationalisme russe ;
– il y a aussi les dividendes économiques et financiers qu'ensemble, militaires, hommes d'affaires et mafias russe ou tchétchène tirent de ce conflit ;
– il y a le profit politique qu'y gagne Vladimir Poutine, les mesures d'exception donnant les pleins pouvoirs à l'exécutif russe ;
– enfin, il y a le silence choquant des gouvernements occidentaux face à l'extrême brutalité du conflit et qui répond à un double enjeu : l'exploitation du gaz et du pétrole, et l'élargissement de l'Otan, voire de l'Union européenne aux portes même de la Russie.

Les Tchétchènes n'ont que peu de raisons d'espérer. Car tandis que le conflit profite à certains, la focalisation du nationalisme russe sur le petit territoire tchétchène laisse les autres libres d'avancer sur des questions qu'ils jugent plus importantes.

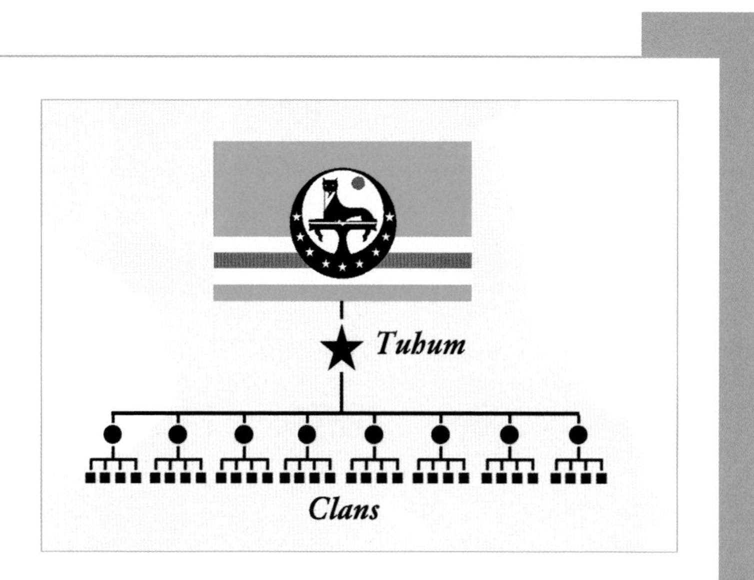

CLANS ET CONFRÉRIES

Sur le drapeau tchétchène, neuf étoiles pour neuf *tuhum*, les groupes communautaires qui forment la société tchétchène. Chaque *tuhum* rassemble une dizaine de *teïp*, des clans baptisés du nom d'un lieu géographique et dont les membres ne sont pas unis par le sang, mais par des objectifs militaires ou commerciaux communs.
Parallèlement, les Tchétchènes sont liés les uns aux autres par leur appartenance à l'une ou l'autre des deux confréries musulmanes soufies présentes en Tchétchénie, qadiriya et naqchbandiya. Or si deux frères font nécessairement partie du même clan, ils peuvent cependant adhérer à deux confréries différentes.
Autrement dit, la société tchétchène est en quelque sorte « tramée » par le système clanique dans un sens, par le soufisme dans l'autre.

La Colombie est le point de passage entre l'Amérique du Sud et l'Amérique du Nord, et est aussi le seul pays sud-américain à s'ouvrir à la fois sur l'océan Pacifique et sur la mer des Caraïbes. Malgré cela, le centre économique et politique du pays se situe à l'intérieur du pays, dans la cordillère des Andes.

COLOMBIE

Une violence endémique

Comment un pays peut-il connaître sur son sol la violence, les guérillas et le trafic de drogues et en même temps conserver un régime démocratique et une économie dynamique ?

Nés dans les années 1960, les principaux mouvements de guérilla sont aujourd'hui en Colombie :

– les FARC (Forces armées révolutionnaires de Colombie), qui rassemblent près de 17 000 combattants ;

– et l'ELN (Armée de libération nationale), qui compte quelque 5 000 hommes.

Ces guérillas ne résultent pas d'affrontements ethniques, religieux ou régionaux. Elles sont l'expression des revendications de forces politiques et sociales qui en sont venues à la violence pour être entendues « politiquement ».

Quelle est l'origine de cette violence ?

Depuis la guerre d'indépendance conduite par Simón Bolívar en 1819, la violence semble être récurrente en Colombie. Le pays connaît, dès lors, comme une guerre civile permanente entre les conservateurs, catholiques et traditionnellement favorables à un État centralisé, et les libéraux, favorables à un État fédéral et laïc. Cette confrontation a conduit à la « guerre des Mille Jours » de 1899-1902, qui fit 200 000 morts, et à la « violencia » de 1948 à 1957, qui fit 300 000 morts.

Au cours des phases d'accalmie que traverse le pays, ni les conservateurs ni les libéraux ne prennent réellement en compte les besoins de la population colombienne, et notamment la réforme agraire réclamée par les paysans. Ils poursuivent la défense de leurs propres intérêts, c'est-à-dire ceux d'une élite politique et économique. Ce contexte conduit au début des années 1960 au développement de guérillas dans le pays, car depuis la « violencia », des armes continuent de circuler.

Influence castriste et drogue

En 1959, Fidel Castro prend le pouvoir à Cuba. Certains mouvements de guérilla colombiens, qui s'appuient sur la paysannerie, prennent alors pour modèle la révolution castriste, la lutte armée leur apparaissant comme le seul moyen de faire évoluer la société, et le trafic de drogue de financer peu à peu la guérilla.

La feuille de coca, traditionnellement cultivée dans les Andes par les Indiens, est depuis les années 1980 à l'origine d'un important trafic, puisque le bénéfice tiré du commerce de la drogue est presque deux fois plus important que celui lié au café. La Colombie est aujourd'hui le premier pays producteur et le premier exportateur de cocaïne au monde. Elle produit aussi de l'héroïne et de la marijuana. Une grande partie des revenus de la drogue (entre 1 et 4 % du PIB) revient d'ailleurs s'investir en Colombie même, notamment dans les secteurs de la pharmacie, des services et de l'immobilier.

En assurant la protection des cultivateurs de coca, puis en jouant les intermédiaires entre producteurs et trafiquants – contre une taxe qui leur permet l'achat d'armes et le paiement des salaires des combattants –, les mouvements de guérilla prennent une part active au trafic de drogue dans les années 1990.

LE DOUBLE VISAGE DE LA COLOMBIE

Y aurait-il deux Colombie ? Avec d'un côté les villes où se concentrent la population et le dynamisme économique, de l'autre le reste du pays, soit 90 % du territoire livré en partie à la violence des guérillas, des paramilitaires et du narcotrafic.

UNE POPULATION MÉTISSÉE CONCENTRÉE DANS LES ANDES

Comme dans la majorité des pays du continent américain, 75 % de la population vit dans les villes, avec une concentration plus marquée encore entre Bogotá, Medellín et Cali, qui correspond aux zones d'activité économique du pays. La population colombienne est composée de 70 % de métis, de 20 % de descendants d'Européens et de 8 % de Noirs, qui vivent avant tout le long des côtes caraïbe et pacifique. Les populations amérindiennes ne représentent que 2 % de l'ensemble des Colombiens. Avec 42 millions d'habitants, c'est le pays le plus peuplé du continent sud-américain après le Brésil.

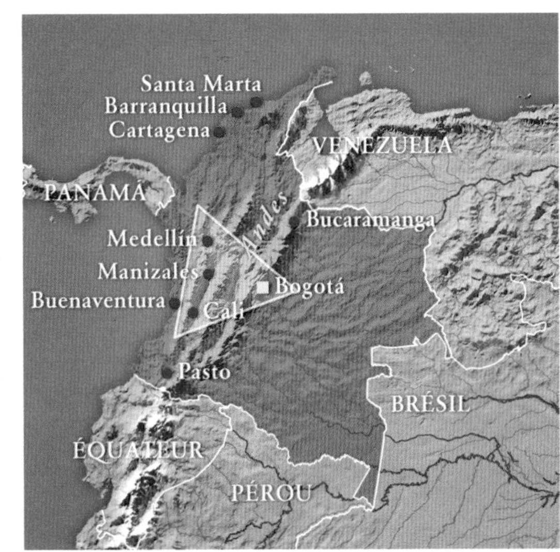

Aujourd'hui, le trafic initialement géré par les cartels de Medellín et de Cali se trouve souvent contrôlé par ces mouvements.

À côté de la drogue, les guérillas se financent également par les extorsions de fonds et les enlèvements de personnalités de la scène politique ou économique, comme la candidate à l'élection présidentielle Ingrid Betancourt en février 2002. Face à cette situation de violence et d'insécurité, à la faiblesse de l'État central pour y répondre, émerge un nouvel acteur dans les années 1980 : les groupes paramilitaires. Ils sont financés par les entrepreneurs et les grands propriétaires terriens qui, excédés par le racket des guérillas, cherchent à protéger leurs intérêts. Or ces mouvements paramilitaires, regroupés depuis 1997 en « Autodéfenses unies de Colombie », contribuent à l'augmentation de la violence, car ils se financent eux aussi par le trafic de drogue, le racket ou les enlèvements.

UNE ÉCONOMIE TRÈS DIVERSIFIÉE

La Colombie est le premier producteur mondial d'émeraudes, le troisième exportateur de pétrole d'Amérique du Sud. Elle dispose d'importantes ressources minières, mais elle est aussi le deuxième producteur de fleurs au monde après les Pays-Bas. Pourtant, ce sont les services qui portent la croissance, en contribuant à plus de 60 % du PIB. Jusqu'à ces dernières années, le pays a connu un taux de croissance de 4 % par an, en moyenne, mais cela n'a pas réduit les inégalités : plus de 60 % de la population vit sous le seuil de pauvreté, et le chômage touche environ 18 % de la population.

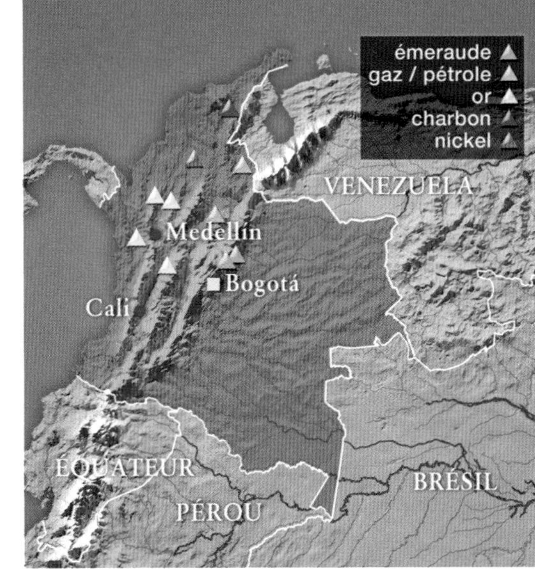

23 000 morts, 2 millions de déplacés, 4 millions d'exilés

À cette violence endémique et multiforme, l'État colombien réagit soit par la répression et l'envoi de l'armée, soit par la négociation. Après la rupture du processus de paix entre les FARC et le gouvernement colombien en 2002, le président Álvaro Uribe, élu la même année, s'est lancé dans un programme de lutte contre l'insécurité avec l'aide militaire apportée par les États-Unis.

La question de la drogue a réveillé l'intérêt de Washington pour la Colombie. Elle a également fait prendre conscience aux pays voisins (notamment le Brésil et l'Équateur) de l'intérêt à coopérer avec les autorités de Bogotá face à une menace commune.

L'accord de cessez-le-feu signé en 2003 avec les paramilitaires n'a pas mis fin à leurs exactions, liées au narcotrafic, et l'annonce de négociations en juin 2004 avec l'ELN ne s'est pas concrétisée.

Le défi reste majeur pour l'État colombien, puisque après un demi-siècle de conflit, les limites entre violence politique et grande délinquance s'amenuisent, et la drogue s'impose comme « le nerf des guérillas ».

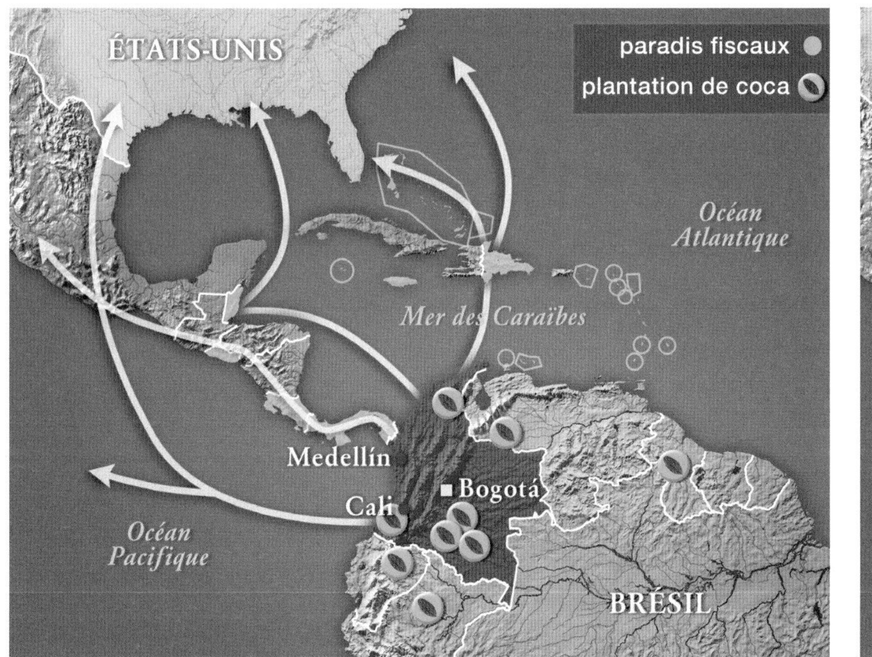

LA COLOMBIE, AU CŒUR DU TRAFIC INTERNATIONAL DE DROGUE

En Colombie, le trafic de cocaïne s'organise autour des cartels de Cali et de Medellín, et profite de deux atouts géographiques : d'une part, l'ouverture du pays sur les deux océans, dont la côte caraïbe, qui est un lieu traditionnel de contrebande. D'autre part, la Colombie est située en quelque sorte à mi-chemin entre l'offre et la demande, c'est-à-dire les producteurs de coca et le principal marché consommateur que sont les États-Unis. Enfin, le pays se trouve à proximité des canaux de blanchiment d'argent que sont le Panamá voisin et les paradis fiscaux des îles caraïbes.

INTÉRÊTS AMÉRICAINS POUR LA COLOMBIE

Les États-Unis étant le principal débouché du trafic de drogue, il s'agit pour Washington de s'attaquer à sa source, la Colombie. Cette politique leur permet aussi de renforcer leur présence militaire dans la région, notamment depuis le retrait américain de Panamá, et d'assurer la sécurité de leurs intérêts économiques, notamment pétrolier, avec l'oléoduc du Caño Limón qui traverse le nord-est de la Colombie. Le pays est aujourd'hui le troisième récipiendaire de l'aide publique américaine, après Israël et l'Égypte. En 2004, la Colombie a reçu 700 millions de dollars. Pour Bogotá, cette aide américaine est un moyen pour lutter contre le nerf de la violence, tout en l'obligeant à un certain suivisme pro-américain. Mais a-t-elle un autre choix?

CÔTE D'IVOIRE

Comment fabrique-t-on des différences ?

Située en Afrique tropicale, la Côte d'Ivoire s'ouvre au sud sur le golfe de Guinée. Sa superficie est de 322 000 km², soit presque autant que l'Allemagne.

Longtemps modèle de stabilité en Afrique de l'Ouest, la Côte d'Ivoire a connu en 1999 son premier coup d'État. Le pays est depuis lors le théâtre de fortes tensions qui ont conduit en septembre 2002 à la division *de facto* du pays entre Nord et Sud, et à l'intervention de 6 000 casques bleus de l'ONU, appuyés par un contingent français. Comment en est-on arrivé là ?

En Côte d'Ivoire se rencontrent deux zones climatiques et de végétation. Une zone de climat tropical au nord, occupée par la savane arborée, et une zone de climat équatorial humide au sud, couverte de forêts tropicales. À l'époque coloniale, ce Sud forestier devient un « front pionnier », progressant d'est en ouest, au gré de l'exploitation forestière et des plantations de cacao et de café. Il attire à lui de la main-d'œuvre en provenance du centre et de l'ouest du pays – des Baoulé, des Bété –, mais également du nord, c'est-à-dire l'actuel Burkina Faso, qui, à l'époque coloniale, était rattaché administrativement à la Côte d'Ivoire, à l'intérieur de l'Afrique-Occidentale française (A-OF).

Le miracle économique ivoirien

Ce mode de développement économique est renforcé avec l'indépendance en 1960. Le premier président ivoirien Félix Houphouët-Boigny ouvre le pays aux capitaux et aux hommes : avec d'un côté un code des investissements attrayant, et de l'autre une politique d'intégration des migrants étrangers associant droit de vote, accès aux services publics et accès à la terre.

La Côte d'Ivoire peut ainsi diversifier son agriculture, développer son industrie et ses infrastructures, permettant le « miracle économique ivoirien ». Entre 1950 et 1980, le pays multiplie par dix son produit intérieur brut (PIB). Il est devenu le premier producteur de cacao au monde, le quatrième pour le café et le premier producteur de caoutchouc d'Afrique. La Côte d'Ivoire est alors la troisième puissance économique du continent africain, derrière l'Afrique du Sud et le Nigeria. Un tel miracle économique renforce la stabilité du pouvoir en place du président Houphouët-Boigny et de son parti, puisqu'en échange d'une amélioration de son niveau de vie, la population accepte de soutenir cet « État-parti ». Et les migrants étrangers obtiennent l'accès à la terre contre un vote pour le parti au pouvoir.

Or ce développement a pour revers d'accentuer les déséquilibres entre le nord et le sud du pays, cette dernière partie où se concentre aujourd'hui 70 % de la population ; et de renforcer les tensions sur la terre entre les populations locales et les migrants, qu'ils soient Baoulé ou Burkinabés.

LE PAYS AUX SOIXANTE ETHNIES

Quelque soixante ethnies habitent le territoire ivoirien :
– au sud et à l'est du fleuve Bandama vivent les peuples héritiers des royaumes des Akan, qui dominaient la région au XVIIIe siècle, dont les Baoulé. Le premier président ivoirien Houphouët-Boigny était baoulé, ce qui explique le transfert en 1983 de la capitale d'Abidjan vers Yamoussoukro, son village natal ;
– à l'ouest du fleuve Bandama, on trouve l'aire culturelle kru, qui comprend notamment les Kru et les Bété. Ils ont toujours eu une attitude frondeuse vis-à-vis de l'hégémonie des Baoulé ;
– dans la partie Nord du pays vivent des peuples gur comme les Sénoufo ; des peuples mandé, dont les Dioula. Ces derniers ont contribué à la diffusion de l'islam parmi les peuples des savanes et ont fondé, au début du XVIIIe siècle, le royaume de Kong.
Au total, le pays compte 17 millions d'habitants, dont près de 30 % sont d'origine étrangère (Burkinabés, Maliens, Sénégalais, Guinéens, ainsi que des Libanais et des Européens).

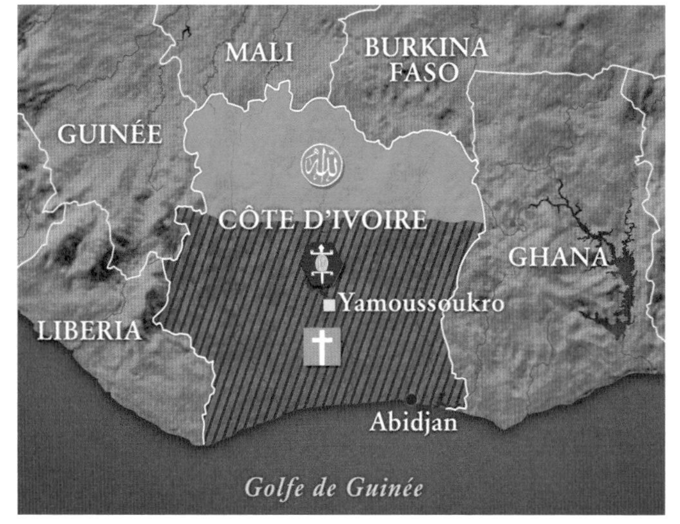

LA RÉPARTITION RELIGIEUSE

La Côte d'Ivoire se divise schématiquement entre un Nord plus ou moins islamisé et un Sud où cohabitent traditions animistes et chrétiennes importées par les missionnaires français.

LE « BIJOU » DE L'AOF

Après avoir fait partie pendant plus de soixante ans du vaste ensemble colonial français de l'Afrique-Occidentale française, la Côte d'Ivoire est devenue indépendante en 1960.

UNE ÉCONOMIE AGRICOLE

Fondée sur l'agriculture d'exportation de café, de cacao et de bois, l'économie ivoirienne se diversifie avec l'indépendance. La culture de l'ananas, du coton, de l'hévéa est développée, ainsi qu'une industrie forestière, textile et agroalimentaire. Un important programme d'infrastructures est également lancé, contribuant à ce que l'on a appelé le « miracle économique » de la Côte d'Ivoire.

Une crise politique et économique

Dans les années 1980, ce modèle de développement se voit remis en cause sous l'effet d'une crise politique due à l'usure du pouvoir, et d'une crise économique déclenchée par la chute des cours du cacao et du café, conduisant le pays à contracter une dette importante. Cette crise entraîne une dégradation des conditions de vie des populations, au moment où de nombreux jeunes diplômés arrivent sur le marché du travail, et où la France amorce un certain désengagement dans le pays.

Survient alors en 1993 la mort du président Houphouët-Boigny, père de la nation et du « pacte social » ivoirien. Henri Konan Bédié, comme lui d'ethnie baoulé, lui succède, mais l'aggravation de la situation économique rend incertain son maintien au pouvoir, après les élections de 2000. Aussi Bédié se met à développer un discours fondé sur la notion d'« ivoirité ».

Cette idéologie de l'exclusion sert :
– d'une part à détourner l'opinion publique de la crise, en lui offrant, comme bouc émissaire, les quelque 30 % d'« étrangers » qui vivent en Côte d'Ivoire ;
– et d'autre part à évincer le principal rival politique de Bédié, Alassane Ouattara, de la course à la présidentielle. Ouattara, pourtant ancien Premier ministre d'Houphouët-Boigny, est soudainement présenté comme un « étranger », de « nationalité douteuse », c'est-à-dire burkinabé, donc inapte à briguer la magistrature suprême. Cette lutte de pouvoir conduit à des heurts physiques entre partisans de Ouattara et de Bédié, et entre Ivoiriens et Burkinabés.
Cette crise sans précédent mène le 24 décembre 1999 au premier coup d'État de l'histoire ivoirienne. Bédié est finalement renversé par le général Gueï, soutenu par les militaires mécontents. Or ce coup d'État ne met pas fin aux tensions. Au contraire, sur la base de la nouvelle Constitution de juillet 2000, Ouattara est de nouveau exclu de la présidentielle d'octobre. Laurent Gbagbo, vieil opposant socialiste à Houphouët-Boigny, est élu.
Volontairement accentuée dans un but d'exclusion et instrumentalisée à des fins politiques, la notion d'ivoirité n'a fait qu'exacerber les tensions entre populations. Ni cette élection, ni les nombreuses tentatives de réconciliation – Marcoussis, Union africaine, accords de Pretoria – n'ont permis d'empêcher la division *de facto* du pays entre Nord et Sud, confirmée par la naissance et l'installation d'un mouvement de rébellion, opposé au pouvoir et aux méthodes du président Laurent Gbagbo.
Après l'invention de l'ivoirité qui fabrique des différences, la France est devenue depuis 2003 – du fait de ses intérêts économiques dans le pays et de sa tentative d'interposition militaire – un nouveau bouc émissaire de cette lutte interne que les médiations internationales peinent à résoudre. Parce que le mobile premier de la crise ivoirienne reste tout simplement le pouvoir à Abidjan : y rester ou y accéder.

Voir également : BURKINA FASO (p. 146-147).

LES ÉLECTIONS PRÉSIDENTIELLES DE 2000

Alassane Ouattara et Henri Konan Bédié ayant été écartés du scrutin, c'est Laurent Gbagbo, le vieil opposant à Houphouët-Boigny, qui a été élu grâce au soutien du sud du pays, le général Gueï, également en lice, n'ayant bénéficié que du soutien de sa région natale à l'ouest.
Malgré 63 % d'abstention, cette carte électorale est révélatrice des divisions et tensions internes du pays, entre le Sud plutôt chrétien, pays utile « autochtone », et le Nord, à tradition musulmane et fief de Ouattara, qui par glissements successifs est assimilé, amalgamé à l'immigration « étrangère et musulmane », provenant du Burkina Faso, du Mali et de Guinée. Une carte qui annonce le soulèvement armé du Nord de septembre 2002 !

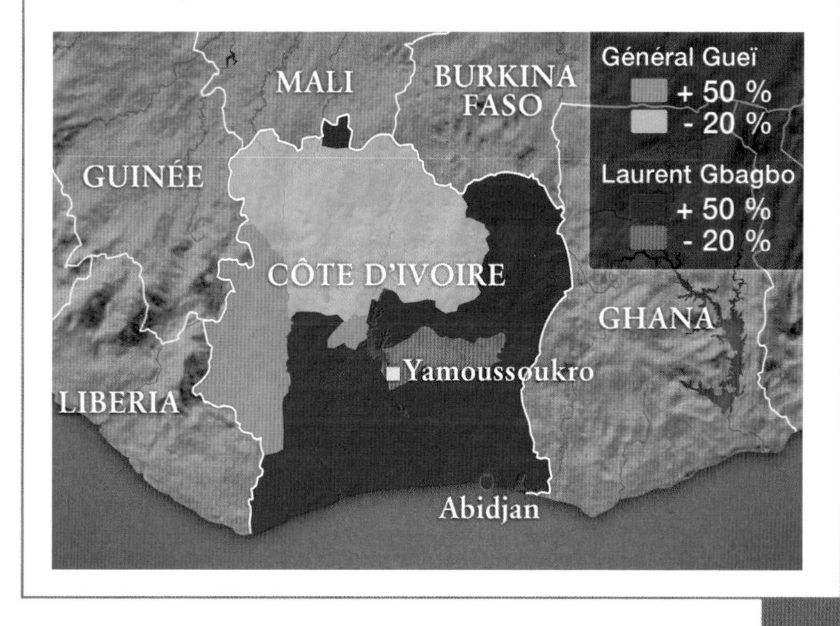

AFGHANISTAN

Retour vers la paix ?

L'importance de l'Afghanistan ne s'explique ni par ses richesses minières, ni par ses conflits internes, ni par ses accès aux océans, elle s'explique par le fait que cet État a été utilisé par les Britanniques comme État tampon, et qu'il conserve cette fonction aujourd'hui, même si la configuration a changé. Il s'agit de contrôler les ambitions rivales entre l'Iran, le Pakistan et la Russie, laquelle se contente désormais de protéger son proche étranger. Mais surtout entre les États-Unis et le «projet» d'un pouvoir islamiste transnational. C'est partiellement en Afghanistan que se joue la victoire, l'échec ou l'évolution de ce projet transnational.

Premier acte de la «guerre contre le terrorisme», l'intervention menée par les États-Unis en Afghanistan a provoqué dans le pays un certain nombre de changements. Comment évolue-t-il après l'invasion soviétique en 1979, une guerre civile dans les années 1990, la dictature talibane et la présence des dirigeants d'al-Qaida, puis l'intervention des forces spéciales américaines ?

L'opération militaire américaine de l'automne 2001, opérée avec un mandat des Nations unies, a eu des conséquences à différentes échelles :
– après plusieurs semaines de bombardements aériens, l'opération aboutit au renversement du régime taliban, protecteur des dirigeants d'al-Qaida, et à l'entrée dans Kaboul de l'Alliance du Nord, c'est-à-dire les troupes tadjikes formées par Massoud ;
– plusieurs bases et facilités américaines sont ouvertes en Ouzbékistan et au Kirghizistan, républiques ex-soviétiques indépendantes depuis 1991, mais encore situées dans la zone d'influence russe ;
– enfin, le gouvernement pakistanais abandonne son soutien aux talibans et rejoint les États-Unis dans leur lutte contre le terrorisme.
Dès lors, des contradictions se dessinent pour la stabilité de l'Afghanistan.

Le sanctuaire pakistanais

L'ouest du Pakistan abrite ce qu'on appelle les zones tribales. Là vivent les tribus pathans, qu'on retrouve de l'autre côté de la frontière afghane, sous le nom de tribus pachtounes. Ces zones ont toujours bénéficié d'un large statut d'autonomie au Pakistan, et c'est dans ces zones tribales que les principaux dirigeants talibans et d'al-Qaida sont parvenus à se réfugier et à organiser leurs contre-offensives. En somme, voilà donc un gouvernement pakistanais qui se déclare allié des États-Unis pour conduire la guerre contre le terrorisme, et qui demeure dans les faits le sanctuaire des islamistes sur son propre sol. C'est la première contradiction à laquelle se heurte le processus de paix en Afghanistan.

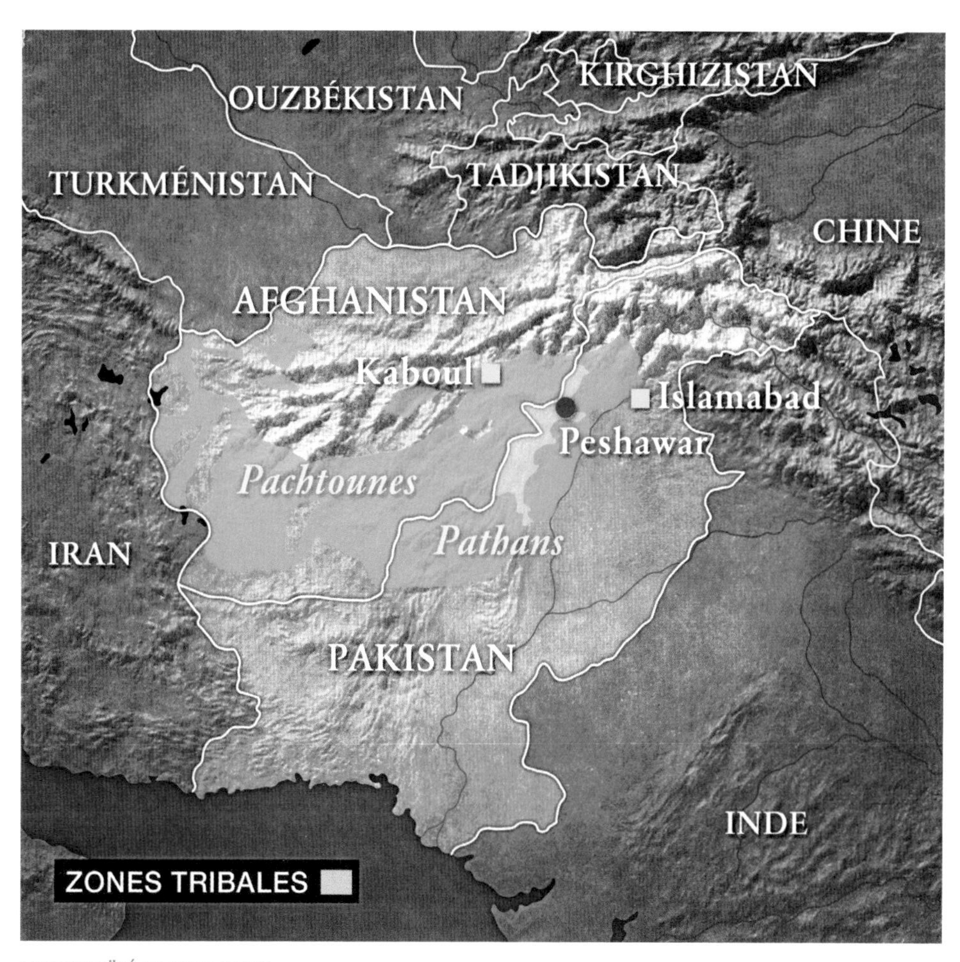

L'AMBIGUÏTÉ PAKISTANAISE

Les zones tribales du Pakistan ont toujours bénéficié d'un large statut d'autonomie. C'est de ces régions que les talibans et leurs alliés lancent des opérations de guérilla contre le régime afghan. Au sud de l'Afghanistan, une zone pachtoune, environ 40 % de la population afghane, est en relation directe avec leurs frères tribaux pathans, vivant au Pakistan.
En somme, le Pakistan, allié de la guerre contre le terrorisme, devient en fait le sanctuaire des islamistes afghans. C'est donc surtout dans cette région du pays que les troupes américaines, environ 10000 hommes, poursuivent leurs opérations militaires. Il est dès lors contradictoire d'évoquer un processus de paix dans cette zone.

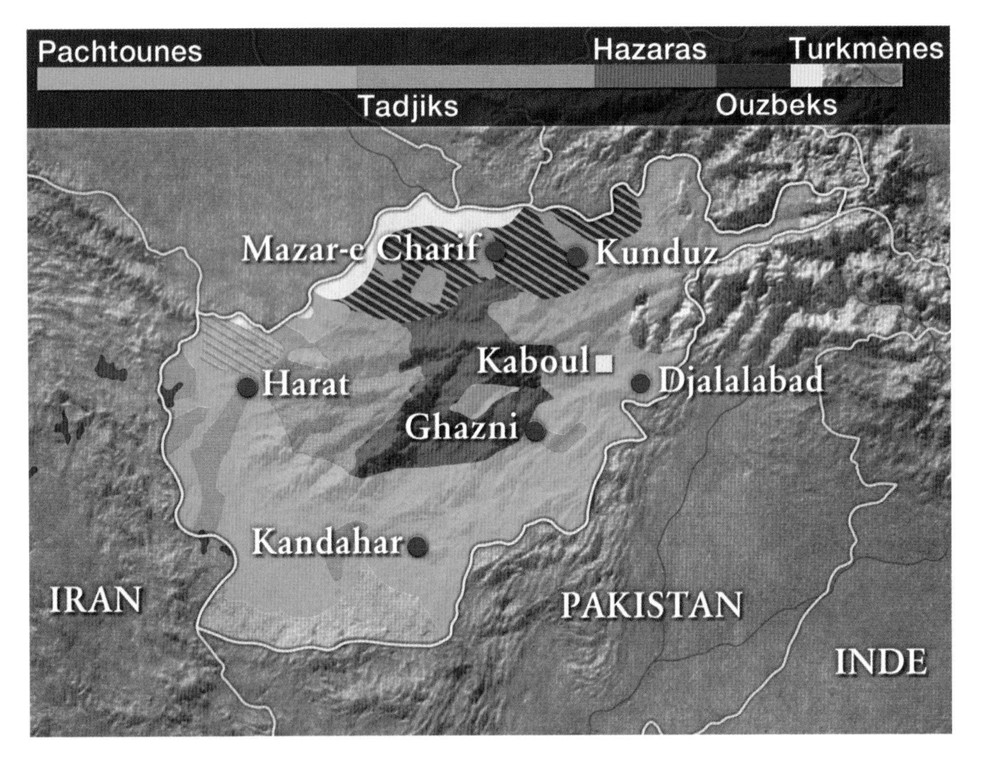

UN PAYS AUX MULTIPLES ETHNIES

Au nord, les ethnies des Tadjiks, des Hazara, des Ouzbeks et des Turkmènes ne veulent pas d'un retour à une domination pachtoune sur l'Afghanistan, qu'elles subissent depuis trois siècles. Elles se méfient de tout pouvoir fort émanant de Kaboul.

Pachtounes contre ethnies du Nord

Les Américains, dans le cadre de la lutte antiguérilla contre les talibans et al-Qaida, en cours depuis 2001, ont armé les chefs militaires régionaux afghans pour s'assurer de leur soutien dans cette guerre. Or, cette tactique militaire va avoir des effets négatifs sur le plan politique : les chefs de guerre ont constitué de véritables fiefs, à Harat, Balkh ou dans le Badakchan. Ils profitent – comme autrefois d'ailleurs – de la situation de carrefour de l'Afghanistan pour s'enrichir du revenu des douanes et de la contrebande aux frontières. Et le régime en place à Kaboul est trop faible pour étendre son autorité à l'ensemble du territoire.

Deux raisons à cela :
– dès le régime taliban tombé, les États-Unis imposent un Pachtoune réformateur, Hamid Karzai, à la tête du gouvernement de transition. Mais les Tadjiks de l'Alliance du Nord devenus les alliés militaires des Américains exercent une influence prépondérante dans ce gouvernement. Ce partage du pouvoir, tout à fait nouveau dans ce pays à dominante pachtoune, ne satisfait ni les Pachtounes ni les ethnies du Nord. C'est une deuxième contradiction dans la recherche d'un processus de stabilisation ;
– ensuite, si les moyens de conduire une lutte antiguérilla sont là, les moyens financiers consacrés à la sécurité et à la reconstruction demeurent en fait limités.
Pour le mesurer, il suffit de comparer : l'ISAF, la Force internationale d'assistance à la sécurité, compte environ 5 000 hommes pour une population de 2 millions d'habitants dans la capitale. Au Kosovo, pour une population totale de 2 millions d'individus également, mais pour tout le pays, la KFOR a déployé 40 000 hommes pour imposer le retour à la paix. Pour l'aide financière à la reconstruction, on a calculé que la communauté internationale consacrait 42 dollars par an pour les Afghans environ, pour 250 dollars par an et par habitant au Kosovo. Malgré une extension de son mandat au-delà de Kaboul, les effectifs de l'ISAF n'ont pas augmenté en nombre, et avec 150 000 hommes insuffisants en Irak, les États-Unis ne vont pas venir augmenter leurs forces en Afghanistan.

Cette insuffisante interposition a au moins quatre conséquences :

– les moyens manquent pour désarmer les milices afghanes et les réintégrer à la vie civile. D'où les exactions contre les populations et la réapparition du banditisme qui avait disparu sous les talibans ;

– l'assistance aux paysans est dérisoire. Beaucoup se sont tournés vers la culture de l'opium, qu'on trouve maintenant dans tout le pays, et qui alimente la criminalité autour des filières d'exportation ;

– le retour des réfugiés – soit 2 millions de personnes – pèse sur la reconstruction, et pourtant ce retour avait été encouragé ;

– les talibans se sont regroupés, pour des opérations de guérilla et de terrorisme. Ce qui empêche l'aide internationale dans les régions sud et est du pays.

L'Afghanistan est loin d'être stabilisé, et pourtant, le « gain » n'est pas à négliger : d'abord, la chute des talibans, c'est-à-dire la fin d'une dictature. Ensuite, une plus large assistance internationale pour la reconstruction du pays qu'avant 2001. Enfin, la reprise du commerce – mais aussi de multiples trafics. Tous ces éléments ont permis une amélioration globale de la situation des Afghans.

À la recherche de la stabilité politique

La nouvelle Constitution votée en décembre 2003 a confirmé un régime présidentiel, non fédéral. Karzai, imposé en 2001, a été élu au suffrage universel en 2004, ce qui est une première en Afghanistan. Les élections nationales prévues par les accords de Bonn ont pu se tenir, malgré l'insécurité et les combats persistants dans les provinces pachtounes du Sud. Mais sans contrôle réel de Kaboul sur les provinces, ni la Constitution ni les élections parlementaires ne seront applicables. C'est la troisième contradiction que l'on peut relever.

Pour Washington, le problème, ce n'est pas l'Afghanistan, ni les Afghans : c'est le terrorisme. En Afghanistan, cette guerre a été commencée sans se donner les moyens de la finir.

Voir également : ISLAM (p. 90-93) et PAKISTAN (p. 112-115).

LES ÉTATS-UNIS, L'AFGHANISTAN ET L'ASIE CENTRALE

La présence militaire américaine se renforce désormais en Afghanistan – Shindand, Kandahar –, mais aussi en Ouzbékistan, au Kirghizistan, ce dernier pays étant sur le flanc ouest de la Chine.

Ces déploiements récents posent problème à la Chine, mais aussi à la Russie. Moscou voit en effet ce rapprochement entre les républiques d'Asie Centrale et les États-Unis remettre en cause son influence traditionnelle sur une zone riche en hydrocarbures. L'Iran se voit encerclé par les Américains à l'est en Afghanistan, au sud au Qatar et au Koweït, et maintenant à l'ouest en Irak.

L'Iran et la Russie font face à cette situation comme elles l'ont toujours fait, en manipulant des factions afghanes pour y conserver leurs influences.

un développement
ÉTATS-UNIS
UNION EUROPÉENNE
CHINE
INDE
AMÉRIQUE LATINE
MAROC
ÉGYPTE
NIGERIA
AFRIQUE
VENEZUELA
GUYANA
SURINAM
Guyane
COLOMBIE
Manaus
Belém
PÉROU
BRÉSIL
BOLIVIE
Géographie économique mondiale
Richesse et pauvreté des nations
Le monde peut-il nourrir le monde ?
La santé inégale
La terre en sursis

peu durable
Torrey Canyon
Ievoli Sun
Manche
Rail d'Ouessant
Amoco Cadiz
Erika
Prestige
Océan Atlantique
Mer Méditerranée
TURQUIE
Atatürk
Mardin
Harran
Euphrate
SYRIE
IRAK
BARRAGES construit en projet
CANAL
PROJET G.A.P.
ZONES IRRIGUÉES
Sacramento
San Francisco
Hetch Hetchy Valley
San Joaquin
Lac Owens
Los Angeles
San Diego
Océan Pacifique
Rio Muni
Corisco
Elobeys
Mbanié
Conga
Cocotier
GABON
Cap Esterias
ÉTATS-UNIS
Océan glacial Arctique
ÉVOLUTION DE LA TEMPÉRATURE de 1000 à 2000
Les mers en danger
Barrages turcs
Californie
Golfe de Guinée
Passage du Nord-Ouest
Réchauffement du climat

GÉOGRAPHIE ÉCONO

À côté de l'Europe occidentale, du Japon, de l'Amérique du Nord, de l'Australie et de la Nouvelle-Zélande, plusieurs petits États sont devenus des pôles de richesse, comme Israël, Taïwan, la Corée du Sud ou les Émirats arabes unis (É.A.U.).

L'économie mondiale a-t-elle une géographie ? S'inscrit-elle dans l'espace, ou seulement dans les flux ? La mondialisation n'ayant pas de chef d'orchestre, elle se révèle être une mécanique structurée par le commerce, les flux financiers, les flux de données, de personnes, et par l'augmentation du nombre et de la taille des centres urbains. Plusieurs cartes permettent de comprendre cette mécanique, leur mise en relation étant aussi importante que le contenu de chacune.

Comment fonctionne la mondialisation ?

À l'échelle du monde, une « région riche » est une région dont le revenu annuel moyen par habitant est de plus de 15000 euros en « parité de pouvoir d'achat » (PPA). Par comparaison, ce revenu en Afghanistan ou au Burkina Faso est d'environ 900 euros par personne et par an.

Depuis les années 1990, ce revenu moyen a nettement augmenté dans les zones riches, plus sous l'effet de l'augmentation du volume du commerce et des capitalisations boursières que des investissements productifs. L'augmentation en valeur

MIQUE MONDIALE

du commerce mondial est supérieure à l'augmentation du produit intérieur brut (PIB) mondial. Ainsi, les pays ont accru leur dépendance vis-à-vis des échanges commerciaux.

Le commerce, première force de la géographie économique mondiale

Les flux du commerce de marchandises et de services se concentrent entre trois pôles de richesse : l'Union européenne, l'Asie du Nord, et l'Amérique du Nord. Et si en 1995 a été décidée la création de l'Organisation mondiale du commerce (OMC), c'est précisément parce que ce champ des relations internationales a pris une importance grandissante en valeur.

Mais aussi en tension : ce champ ouvre depuis la fin du conflit Est-Ouest sur des négociations de plus en plus tendues. Exemple évident, la relation États-Unis/Union européenne à propos de l'aéronautique civile, des subventions à l'agriculture, des brevets ou des OGM. Entre autres.

C'est précisément par un embargo *commercial* qu'on tente de faire céder un pays lorsque ses dirigeants refusent de se conformer aux décisions du Conseil de sécurité, tels Cuba ou la Libye, ou plus récemment la Serbie ou l'Irak. L'*absence* de commerce est un instrument de coercition.

La contestation que soulèvent les règles imposées par l'OMC sur les échanges révèle des tensions entre les États, mais aussi entre certains États et leurs propres sociétés civiles. Il faut savoir que la part des exportations au niveau mondial du continent africain est passée de 4 % au début des années 1980 à 1,5 % en 2003. Fixation des prix sur les marchés mondiaux, subventions agricoles pour les seuls pays « riches », ce sont bien ces questions qu'ont posé les « contre-sommets OMC » de Seattle, de Gênes ou de Cancún.

LES ORGANISATIONS D'INTÉGRATION RÉGIONALE

Ces marchés communs, fondés sur des zones de libre-échange abaissant puis supprimant les droits de douane, se sont partiellement substitués aux alliances stratégiques. Mais un allié stratégique peut devenir un rival commercial. C'est le cas entre les États-Unis et l'Union européenne.

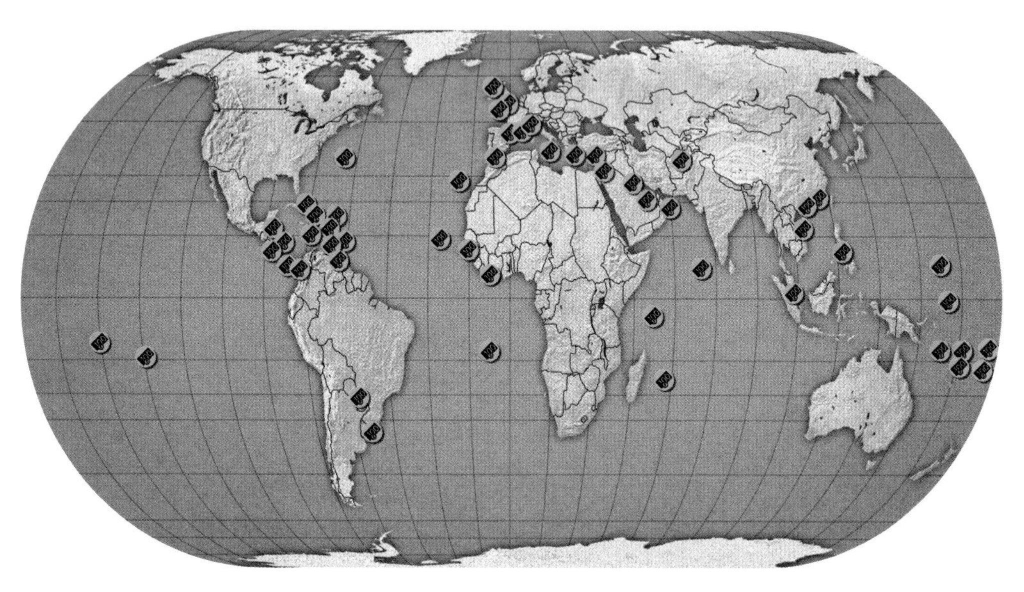

GÉOGRAPHIE DES PARADIS FISCAUX

Les « paradis fiscaux » sont des places financières où les dépôts sont peu ou pas fiscalisés, où les intérêts servis sont élevés, et qui bénéficient de la déréglementation des marchés financiers, ce qui attire les capitaux dont le volume, difficile à évaluer, est considérable. Et ils échappent au contrôle des États et à leur législation. Depuis la montée en puissance d'al-Qaida, on mesure mieux que ces paradis fiscaux servent parfois au transit des fonds du terrorisme et des mafias. On ne peut donc prétendre lutter contre le terrorisme sans réglementer les paradis fiscaux.

Les flux financiers, deuxième force

À ces flux commerciaux grandissants s'ajoutent les flux financiers, qui relient désormais en permanence les marchés dans le sens des ouvertures des bourses – Tokyo, Francfort, Paris, Londres, New York –, avec un chiffre d'affaires quotidien sur le marché des changes multiplié par six entre 1995 et 2000.

On constate aussi une augmentation de la mobilité des hommes. Ce sont les dérégulations tarifaires qui ont permis à ceux-ci de se déplacer de plus en plus facilement, de plus en plus vite, de plus en plus loin. Et la carte de ces flux montre que ce sont toujours entre les mêmes zones « riches » que les déplacements ont lieu. Enfin, à la circulation des biens et des hommes s'ajoute la circulation des données par le réseau Internet, et donc aussi la circulation des idées.

Avec la conjonction de ces trois phénomènes – accroissement des flux commerciaux et financiers, baisse du coût des transports, circulation rapide des hommes, des données et de l'information –, on aurait pu s'attendre à une nouvelle répartition de la population mondiale, voire des richesses. Après tout, ces nouvelles technologies s'affranchissent des contraintes de la géographie physique, de la contrainte de certains coûts, et des frontières politiques des États.

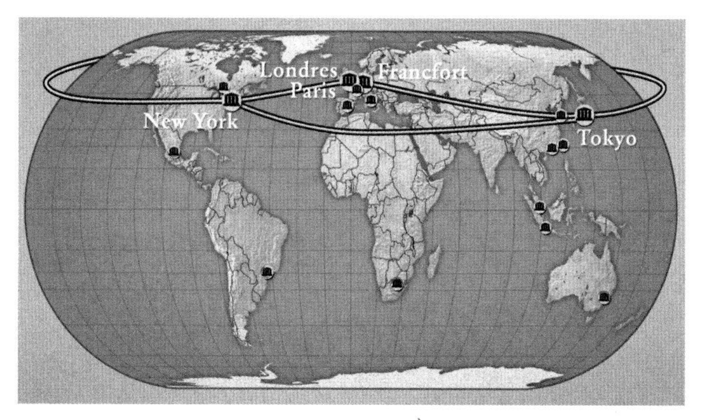

LES GRANDES PLACES BOURSIÈRES MONDIALES

LES RÉSEAUX DES MÉGALOPOLES

Les vrais centres de pouvoirs économiques et politiques sont aujourd'hui les villes reliées en réseaux. Les trois principaux réseaux de ville sur la carte reliés à d'autres centres urbains forment un réseau mondial de flux économiques, financiers et de décisions politiques. En l'an 2000, trente villes dépassaient 5 millions d'habitants, dont Tokyo avec ses 29 millions d'habitants, Mexico avec 18 millions, et Hongkong avec 8 millions d'habitants. Ces mégalopoles accumulent croissance, richesse et parfois une forme de puissance supérieure à celle de nombreux États.

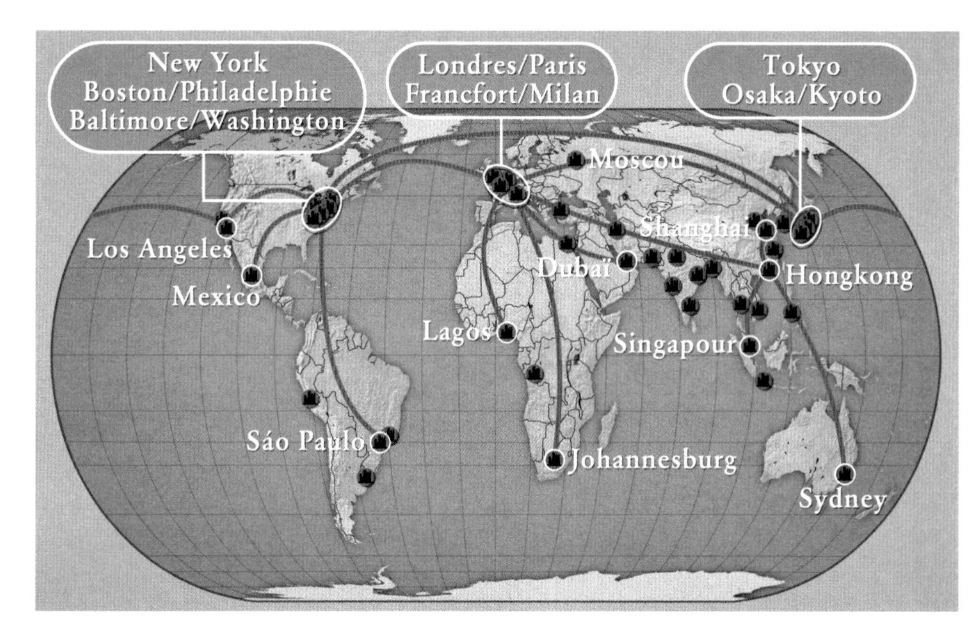

Les villes au cœur du système mondial

C'est exactement l'inverse qui se produit : pour circuler, les flux ont besoin de centres d'impulsion, de contrôle, de réseaux croisés d'entreprises pouvant s'articuler aux secteurs de la finance, de l'assurance, de l'innovation, du conseil, de la publicité ou de la sécurité, que seules les grandes villes peuvent proposer. Ainsi, les mégalopoles attirent une part toujours plus grande de la population mondiale : plus de 3 milliards de citadins en 2005, pour 6 milliards d'habitants sur la terre. Et la concentration que cela représente en hommes, en pollutions et en données crée des risques et des coûts grandissants, notamment en matière de santé publique. Ainsi marche la mondialisation, relativisant l'approche des relations internationales par le seul jeu des États. Une analyse comparative des cartes montre que la géographie de la richesse évolue peu, et souligne en creux les pays qui vivent hors du « temps » mondial.

Voir également : RICHESSE ET PAUVRETÉ DES NATIONS (p. 202-203).

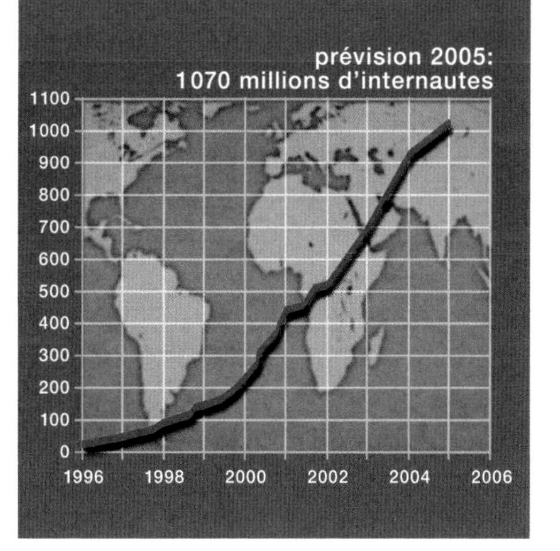

PROGRESSION D'INTERNET DANS LE MONDE

Le graphique indique l'augmentation – en individuel, en professionnel, ou via les cybercafés – du nombre d'internautes dans le monde entre 1996 et 2004. Comme pour le transport aérien, les personnes connectées en nombre sont d'abord en Amérique du Nord, en Europe occidentale, au Japon, en Corée du Sud, pays le plus connecté au monde. Et ce chiffre augmente du fait de la délocalisation des services bancaires dans d'autres régions. De plus en plus de comptabilités de compagnies du Nord sont faites au Sud, par exemple en Tunisie ou en Inde. Les différences d'utilisation, considérables à l'échelle mondiale, s'expliquent par le niveau d'équipement le prix des ordinateurs qui équivaut à un mois de salaire pour un Américain et à huit ans de travail pour un Bangladais ; et par l'accès au téléphone dont ne bénéficient pas de très nombreux habitants des « pays en développement ». Sans même parler de l'accès à l'électricité.

LES NOUVELLES FRONTIÈRES ÉCONOMIQUES

On a depuis longtemps pris l'habitude de diviser le monde entre le Nord et le Sud, entre pays industrialisés riches et pays en développement plus pauvres, ou très pauvres. D'où l'expression Nord-Sud. Or avec la mondialisation et les « technologies de l'information », de nouvelles divisions apparaissent, alors que d'autres s'estompent.
Dans les pays du Nord « riches » (avec un PNB par habitant de plus de 9 500 dollars), on trouve aujourd'hui :

– des pays à faible revenu (moins de 750 dollars) comme les pays ex-soviétiques d'Asie centrale ou du Caucase ;
– des pays à revenu intermédiaire (moins de 9 500 dollars par habitant) comme la Pologne ou la Russie ;
– et à l'intérieur même de l'Europe de l'Ouest, on trouve de gros écarts : le PNB par habitant portugais (17 950 dollars) est inférieur d'un tiers à celui de l'Allemagne (27 350 dollars) en 2003.

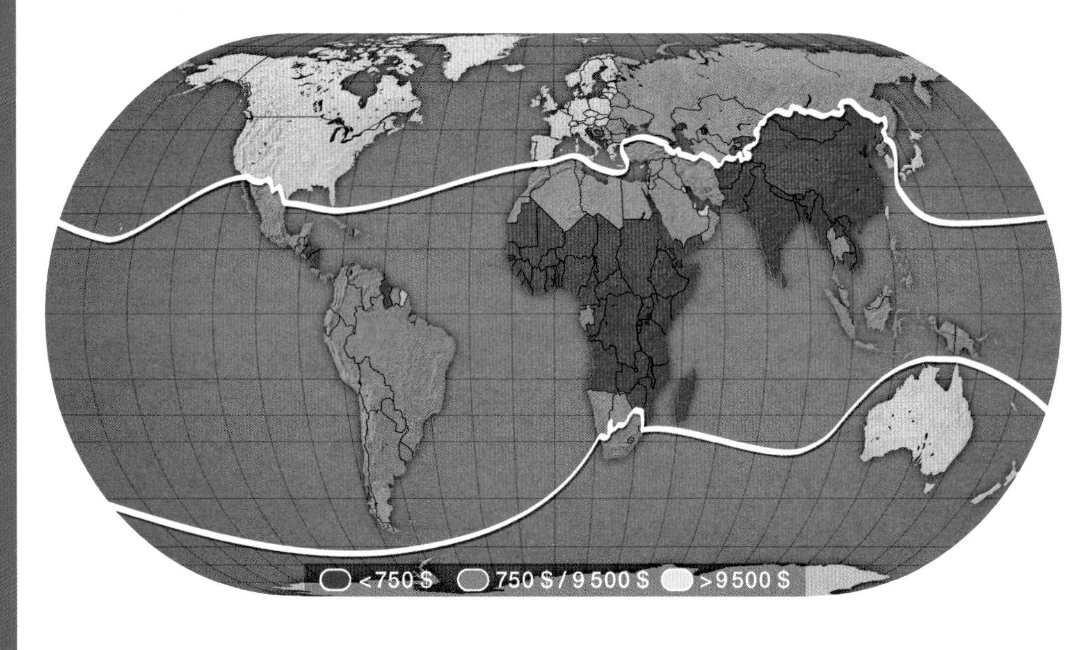

Si l'on regarde maintenant le Sud, on constate que l'Australie, la Nouvelle-Zélande et l'Afrique du Sud, géographiquement méridionales, sont rattachées économiquement au Nord. Les écarts internes y sont encore plus grands :
– en Asie la Corée du Sud, Taïwan, Singapour et Hongkong, au Proche-Orient les Émirats arabes unis, le Koweït ou Israël appartiennent aux économies à revenu élevé ;
– on trouve aussi des pays à revenu intermédiaire, comme les « tigres », Thaïlande, Malaisie, Indonésie, Philippines, les marchés émergents d'Amérique latine, ou encore le Botswana ou l'île Maurice ;
– et enfin, les quarante-huit PMA, pays les moins avancés, que l'OCDE dénomme désormais « prochains pays émergents ».
On le voit par ces exemples, la géographie ou les visions traditionnelles n'aident plus à comprendre la fracture Nord-Sud.

LA FRACTURE NORD/SUD
PNB par habitant

PREMIÈRE FRACTURE : L'INTÉGRATION À L'ÉCONOMIE MONDIALE

Trois zones (États-Unis, Japon, Europe occidentale) concentrent à elles seules 70 % des richesses de la planète. Mais l'émergence de la richesse à venir peut se lire par la captation des investissements directs étrangers (IDE).

En 2003, le Venezuela, le Chili, la Malaisie, la Thaïlande ou la Pologne en captent entre 0,5 et 1 % chacun, le Mexique et le Brésil presque 2 % chacun, la Chine (avec Hongkong) reçoit 10 % des investissements mondiaux
– c'est le premier pays d'accueil au monde, devant les États-Unis. En revanche, l'Afrique subsaharienne dans son entier ne captait la même année que 1,2 % des flux d'IDE.

DEUXIÈME FRACTURE : LES INNOVATIONS TECHNOLOGIQUES

Elles sont fournies par une vingtaine de pays dans le monde, soit à peu près 15 % de la population mondiale. On retrouve la triade – États-Unis, Japon, Europe occidentale, plus l'Australie – mais ces frontières technologiques ne sont pas figées : la Corée du Sud, Taïwan et Israël sont désormais à la fois importateurs et fournisseurs de technologie, grâce notamment à une politique fiscale d'incitation aux investissements étrangers, et à une politique de formation et d'éducation.

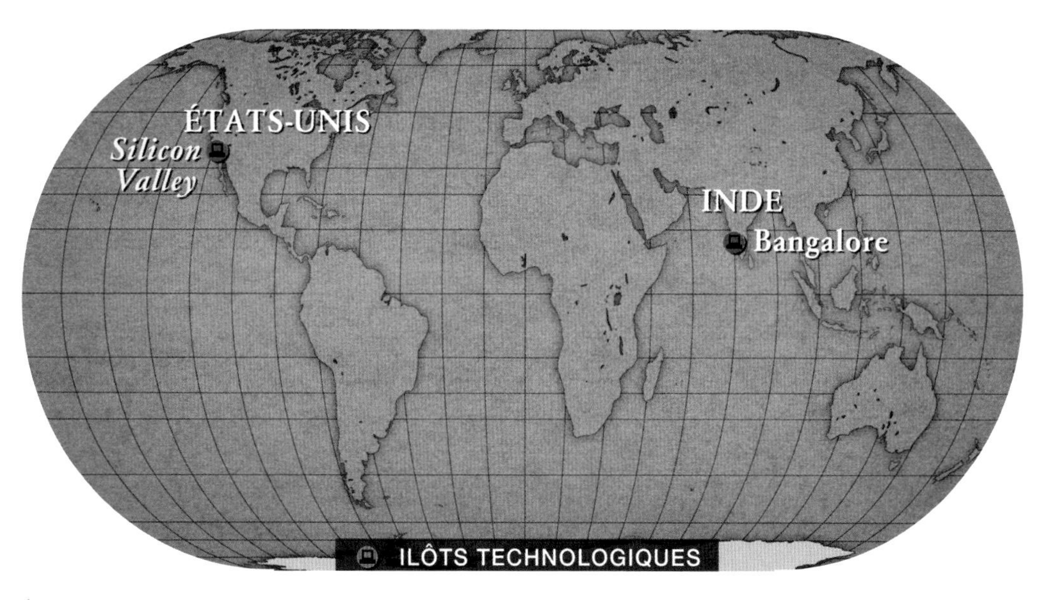

À terme, moins de la moitié de la population mondiale sera capable d'adopter ces innovations, et pas forcément par les pays dans leur totalité : on a là des frontières à la fois invisibles et perméables, par exemple entre la Chine côtière et l'intérieur, l'Inde et le sud du sous-continent, le Mexique sans les États indiens du sud ou le Sud-Est brésilien face au reste du pays.

Des zones dynamiques liées aux nouvelles technologies forment comme des « îlots de performance » à l'intérieur de certains États ; la Silicon Valley en Californie, avec 6 000 compagnies high-tech et 2 millions d'habitants, a un PIB équivalent à celui du Chili.

En Inde, la ville de Bangalore, l'une des plus grandes fabriques de logiciels au monde, forme comme une enclave de haute technologie dans un pays d'un milliard d'habitants, où il n'y a que 36 millions d'ordinateurs !

Au cœur de ces nouvelles technologies, il y a évidemment le réseau Internet. Ce qui forme une troisième fracture Nord-Sud. Les disparités dans l'accès à ce réseau mondial forment à nouveau une frontière : en 2005, pour une population mondiale de quelque 6 milliards d'habitants, il y a presque un milliard d'internautes, soit 15 % de la population mondiale.

La géopolitique aujourd'hui est peut-être de moins en moins dans la géographie des territoires, et de plus en plus dans la maîtrise des flux.

RICHESSE ET PAUVRETÉ DES NATIONS

LE DESSOUS DES CHIFFRES ?

Comment se calcule la richesse d'un pays ? Selon quels indicateurs, quels critères ? Quelle est leur fiabilité ? Comparons quatre modes de calcul et de représentation.

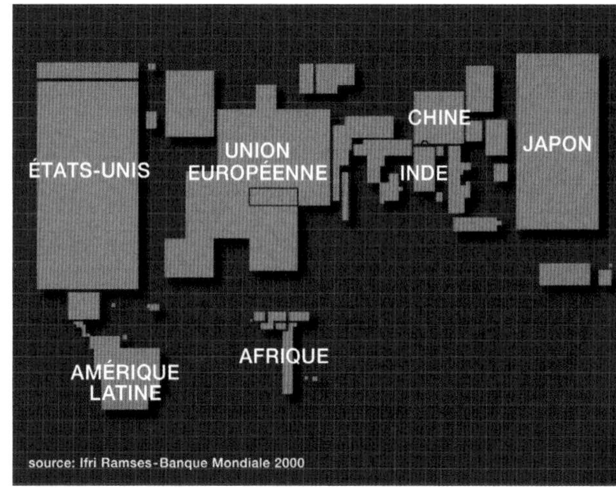

LA RICHESSE MONDIALE EN DOLLARS

Sur ce schéma en anamorphose, la taille du pays est déterminée par le produit national brut (PNB): plus le rectangle est important, plus le PNB est élevé. Cet indicateur est fondé sur l'appartenance nationale. Il se différencie du produit intérieur brut (PIB)** qui prend, lui, le territoire pour critère.*

Sur ce schéma, la « maigreur » de l'Afrique, de l'Amérique latine, de l'Inde, ou même de la Chine s'oppose nettement à la « grosseur » des États-Unis, du Japon ou des pays de l'Union européenne, qui à eux trois cumulent plus de 70 % de la richesse produite dans le monde. Or pour permettre ces comparaisons internationales, tous les PNB sont calculés après conversion en dollars américains. Ils sont donc soumis aux fluctuations des taux de change, rendant ce mode de calcul quelque peu instable.

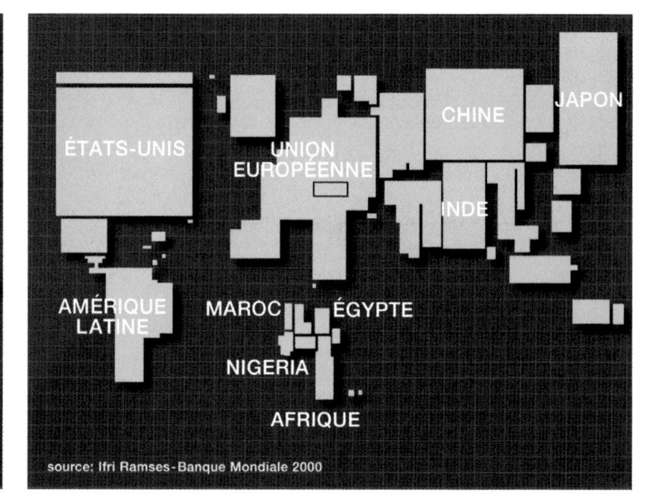

LA RICHESSE MONDIALE EN DOLLARS DE PARITÉ DE POUVOIR D'ACHAT

Pour remédier aux fluctuations des taux de change, on peut calculer le PNB en parité de pouvoir d'achat (PPA). Schématiquement, cela consiste à comparer le montant dépensé dans deux pays différents pour un même panier de biens et de services. Avec ce mode de calcul, des écarts se réduisent : la richesse de la Chine devient presque identique à celle du Japon.

(*) Le PNB est la somme totale des biens et des services produits par les citoyens d'un pays, que ce soit dans leur pays ou à l'extérieur de celui-ci.
(**) Le PIB cumule la somme des biens et des services produits à l'intérieur d'un pays, que ce soit par les entreprises nationales ou par les entreprises étrangères.

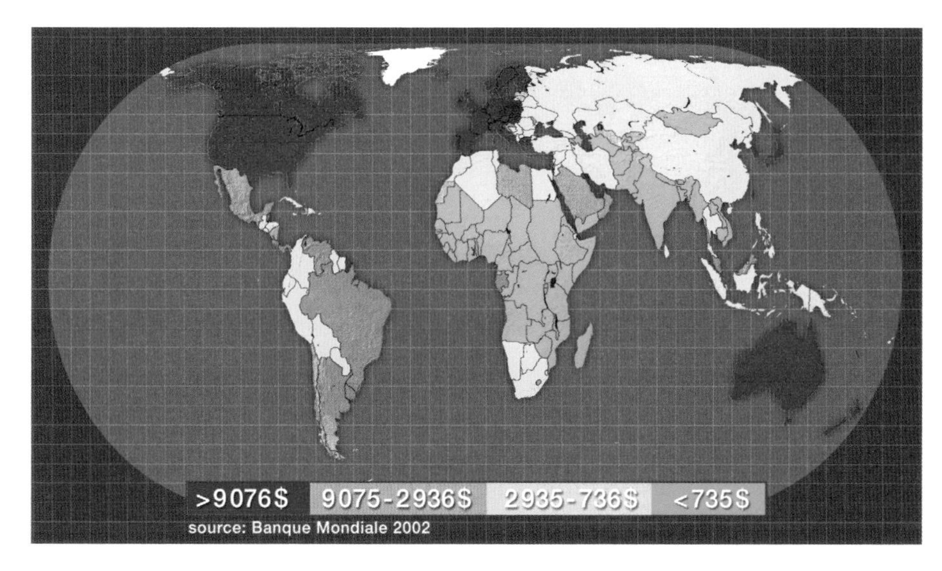

LE REVENU PAR HABITANT

Le revenu par habitant se calcule en divisant la richesse nationale d'un pays – c'est-à-dire le PNB – par le nombre d'habitants vivant dans ce pays.
Un tel mode de calcul aide à classer les États du monde en distinguant :
– les pays à revenu élevé, avec à leur tête le Luxembourg, mais aussi les « nouveaux pays industrialisés » tels que Singapour, la Corée du Sud ou Taïwan ;
– les pays à haut revenu intermédiaire comme les États d'Europe centrale, une partie de l'Amérique latine, la Malaisie ;
– les pays à faible revenu intermédiaire comme les pays de l'ex-URSS, certains pays andins ou la Chine ;
– enfin, les pays à revenu faible qui regroupent la plupart des pays d'Afrique, mais aussi l'Inde.

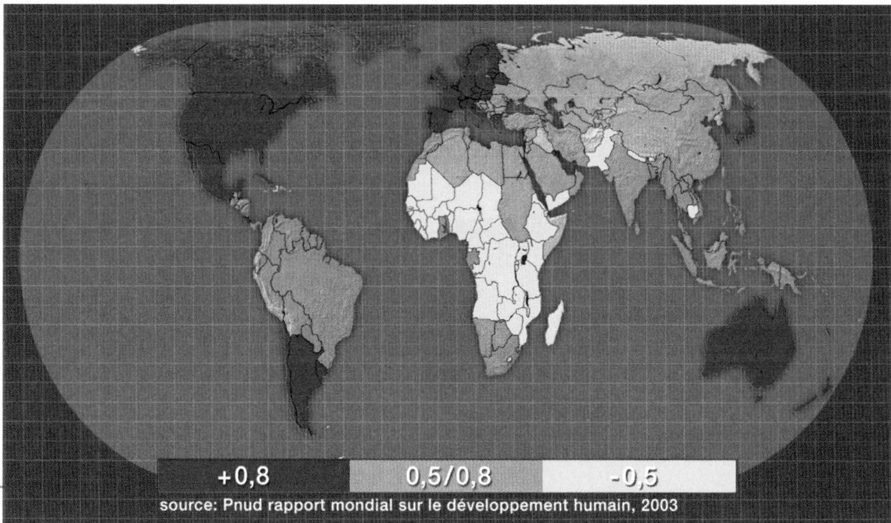

L'INDICATEUR DE DÉVELOPPEMENT HUMAIN

Pour sortir des indicateurs de richesse purement quantitatifs, le Programme des Nations unies pour le développement (PNUD) propose depuis 1990 l'indicateur de développement humain (IDH). En plus du PIB/habitant en parité de pouvoir d'achat, cet indicateur prend en compte des facteurs qualitatifs tels que l'espérance de vie à la naissance, le taux d'alphabétisation des adultes ou la scolarisation des enfants.
Mieux que le niveau de richesse d'un pays, l'IDH mesure donc la possibilité pour ses habitants de vivre longtemps, en bonne santé, dans des conditions de vie convenables et d'acquérir une instruction et relativise le lien mécanique qu'il y aurait entre prospérité économique et développement des hommes.

Les indicateurs de richesse ne sont donc pas l'exacte traduction de la réalité des pays. Simples outils pour décrypter l'économie internationale, ils ne sont qu'une vision du monde, une représentation de celui-ci et doivent être utilisés avec précaution.

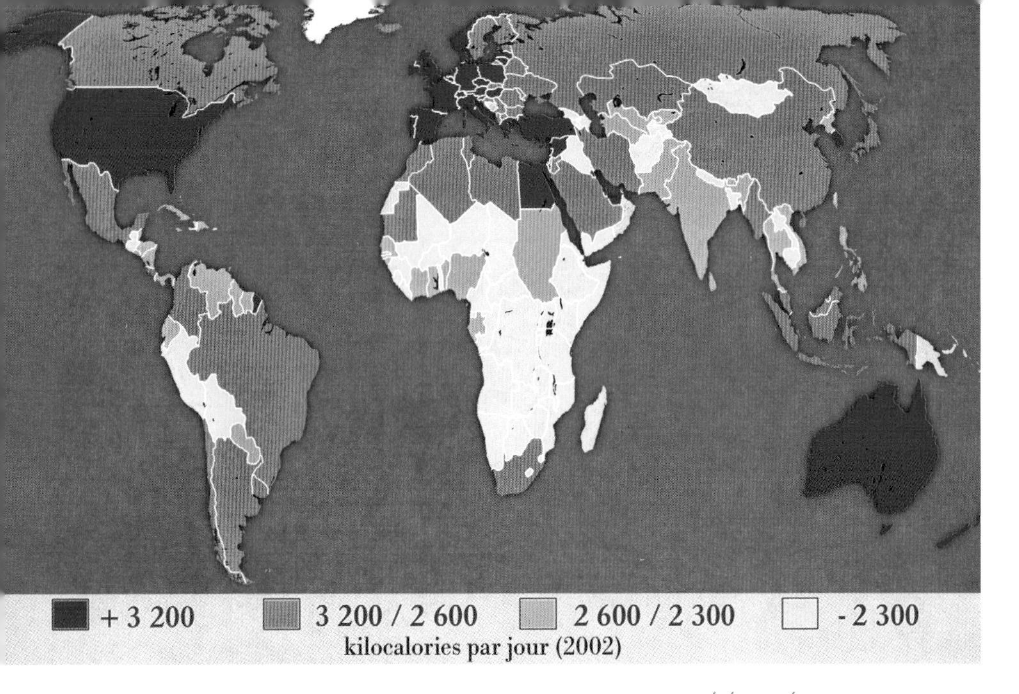

LA DISPONIBILITÉ ÉNERGÉTIQUE ALIMENTAIRE

Pour satisfaire les besoins nutritifs, on estime que chaque personne doit disposer d'au moins 2 300 calories par jour, ce qui est loin d'être le cas dans plusieurs pays d'Afrique ou d'Asie. Dans les pays développés, on dispose en revanche de plus de 3 400 calories par jour, soit 50 % de plus que les besoins. Cependant, même dans ces pays, on assiste à la résurgence de carences alimentaires chez les populations fragilisées, comme les sans-abris, les personnes âgées ou certaines populations de jeunes. Enfin, les périodes de crises économiques graves peuvent être source de malnutrition, comme ce fut le cas en Russie en 1998 ou en Argentine en 2002.

La sécurité alimentaire se définit comme « l'accès à une alimentation suffisante pour toute personne, à tout moment ». Or, si depuis les années 1960, les disponibilités alimentaires ont augmenté de 20 % par habitant, 815 millions de personnes dans le monde, soit une personne sur sept, souffrent toujours de malnutrition chronique. Certaines régions d'Amérique latine, d'Afrique, de Chine, d'Asie du Sud et du Sud-Est font face à des pénuries récurrentes, parfois même à des famines. Le paradoxe est troublant et exige d'en comprendre les raisons.

LE MONDE PEUT-IL

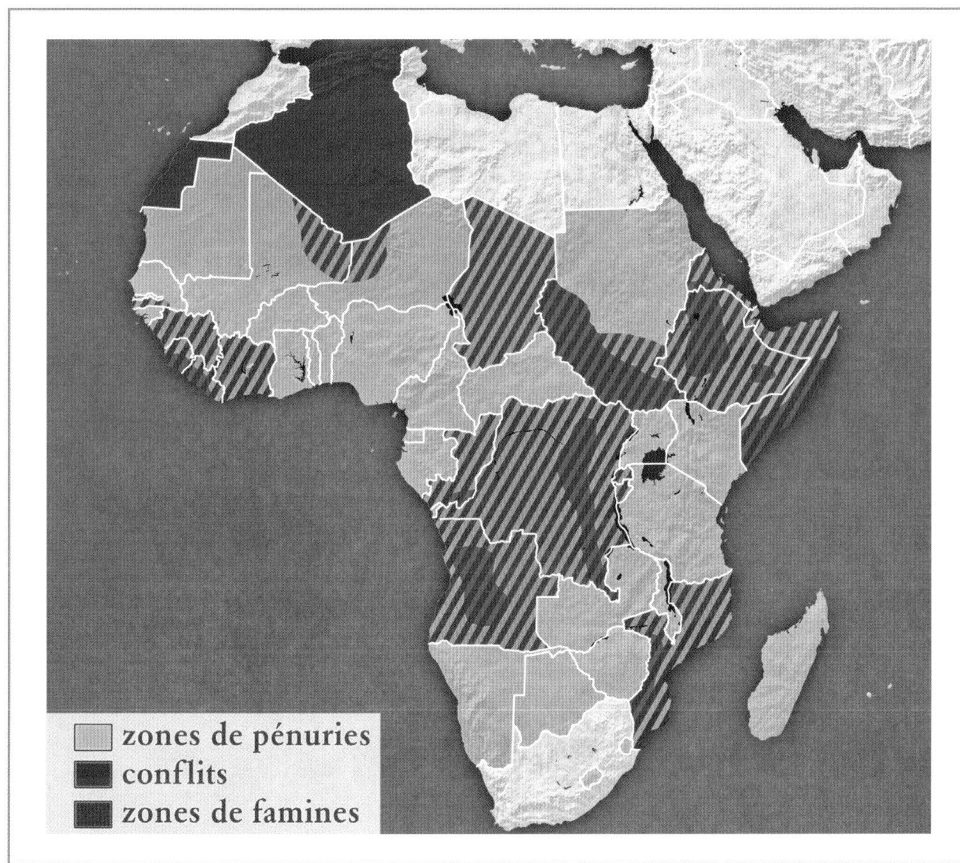

LA GUERRE, PREMIÈRE CAUSE DES FAMINES

Alors que les signaux annonciateurs d'une pénurie de nourriture sont désormais visibles plusieurs mois à l'avance et que les systèmes d'alerte permettent d'anticiper la mise en place d'une aide alimentaire, des famines continuent de survenir dans le monde. Comme si le mobile était autre. Quand on superpose les régions touchées par des pénuries alimentaires dans les années 1990 (à la suite de sécheresses ou d'inondations) aux zones de conflits, on comprend que les famines sont moins le résultat d'aléas climatiques et des pénuries qu'ils provoquent que de phénomènes politiques. Guerre en Angola, au Mozambique et en Somalie, ou volonté de certains dirigeants d'affaiblir ou d'éliminer des minorités comme au Liberia, en Éthiopie ou au Darfour en 2004-2005. À l'aube du troisième millénaire, la faim représente donc toujours une arme politique.

NOURRIR LE MONDE?

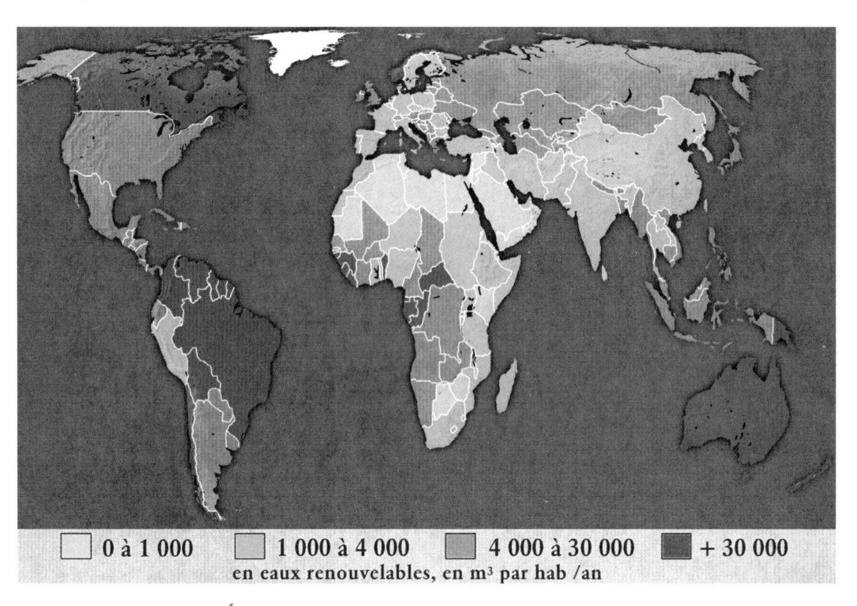

LA MAUVAISE RÉPARTITION DES RESSOURCES

Il n'y a pas de sécurité alimentaire sans l'accès aux ressources naturelles, la terre et l'eau ; mais il faut aussi protéger ces ressources.
Or l'érosion des sols touche aujourd'hui près de 2 milliards d'hectares de terres arables, soit une superficie équivalente aux États-Unis et au Mexique réunis.
Malgré la mauvaise répartition des ressources en eau douce dans le monde, près de 80 % de celles-ci servent à la production agricole.
Or le gaspillage causé par l'irrigation reste très important, les pays en développement utilisent d'ailleurs deux fois plus d'eau par hectare que les pays développés. Les risques de pénurie ne sont donc pas à écarter à l'avenir. L'irrigation contribue également à dégrader les sols, en augmentant la salinité de la terre.
À moyen terme, l'irrigation conjuguée aux pénuries d'eau, à l'érosion et à la pollution risquent de réduire la quantité des terres disponibles, et par conséquent la production agricole.

Le système mondial d'alerte rapide

Pour aider les États à prévenir les pénuries et les famines, la FAO a mis en place un système qui croise des données météorologiques et statistiques sur l'état des cultures, avec des cartes et des photos satellites. Ces données sont alors traitées par des systèmes d'informations géographiques (SIG), qui permettent un suivi, éventuellement une alerte en cas de crises, et donc une intervention à temps de l'aide alimentaire.
Encore faut-il que les États suivent les recommandations qui leur sont faites par la FAO et participent au système. Car les famines sont aujourd'hui de plus en plus politiques.

Techniquement, le monde peut nourrir le monde

D'après les projections, la croissance démographique au XXIe siècle ne devrait pas menacer la sécurité alimentaire mondiale. Cependant, deux directions s'offrent au monde agricole pour lutter contre la malnutrition : l'amélioration des espèces végétales grâce au génie génétique, dont les OGM, ou bien le recours aux méthodes de développement durable.
À ces mesures devront s'ajouter les moyens suffisants pour lutter contre la pandémie du Sida qui pourrait, sinon, devenir un défi majeur pour la sécurité alimentaire. En Afrique australe par exemple, elle pourrait décimer un cinquième de la population active agricole d'ici 2020.

Famine : rupture absolue de nourriture, pouvant entraîner la mort d'une partie de la population dans un court délai, si rien n'est entrepris pour y remédier.
Malnutrition : déséquilibre qualitatif ou quantitatif de la ration alimentaire nécessaire à une personne pour vivre en bonne santé.

Voir également : **CHINE, LE PAYS SOUS LE CIEL** (p. 120-131), **RICHESSE ET PAUVRETÉ DES NATIONS** (p. 202-203) et **LA TERRE EN SURSIS** (p. 214-219).

UNE RÉPARTITION INÉGALE DE LA PRODUCTION AGRICOLE

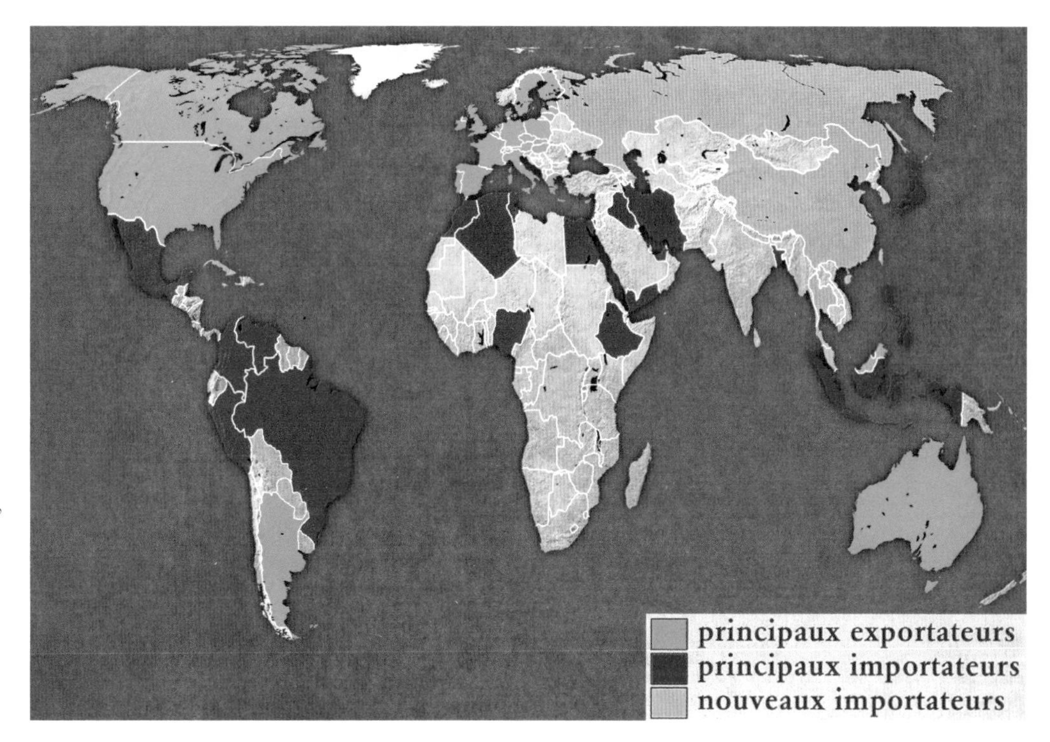

À eux seuls, les États-Unis et l'Union européenne produisent 40 % du blé exporté dans le monde. 50 % des céréales sont exportées vers les pays en développement, où ces deux grands producteurs se livrent à une bataille commerciale sans merci grâce aux subventions, aux exportations et à la vente à perte pour conquérir les marchés. Ce déversement à prix bas des « excédents des pays riches » a souvent détruit des emplois ruraux et finalement accru la dépendance vis-à-vis des produits agricoles importés. Dans le Sahel, des cultures traditionnelles de sorgho, de millet, de manioc reculent de 1 % par an depuis vingt ans, au profit des cultures d'exportation, comme le coton, le cacao, le café, qui sont sources de devises. Et pendant ce temps-là, les importations de blé augmentent de 8 % par an. Selon l'Organisation des Nations unies pour l'alimentation et l'agriculture (FAO), ce type de situation menace la sécurité alimentaire dans une cinquantaine de pays, les soumettant de plus en plus directement aux fluctuations du marché.

Depuis une quinzaine d'années, de nouveaux pays sont devenus importateurs. La Russie et la plupart des ex-républiques soviétiques, dont l'agriculture stagne depuis la mise en place de l'économie de marché après la dissolution de l'URSS, ont recours à l'importation de produits alimentaires. En Asie, les nouveaux pays industrialisés (Taïwan, Thaïlande, Corée du Sud notamment) consomment de plus en plus de viande et importent des céréales secondaires pour nourrir le bétail.

La Chine exerce une influence de plus en plus grande sur les marchés mondiaux. Premier producteur de blé au monde, elle est aussi le premier importateur, avec des achats annuels représentant 5 % du total des échanges mondiaux dans le secteur céréalier. En raison de la forte croissance économique du pays, qui provoque exode rural et expropriations de terres agricoles pour la réalisation d'investissements industriels ou immobiliers, certains experts craignent que les importations chinoises absorbent au milieu du XXIe siècle une trop grande part des échanges mondiaux.

LA SANTÉ INÉGALE

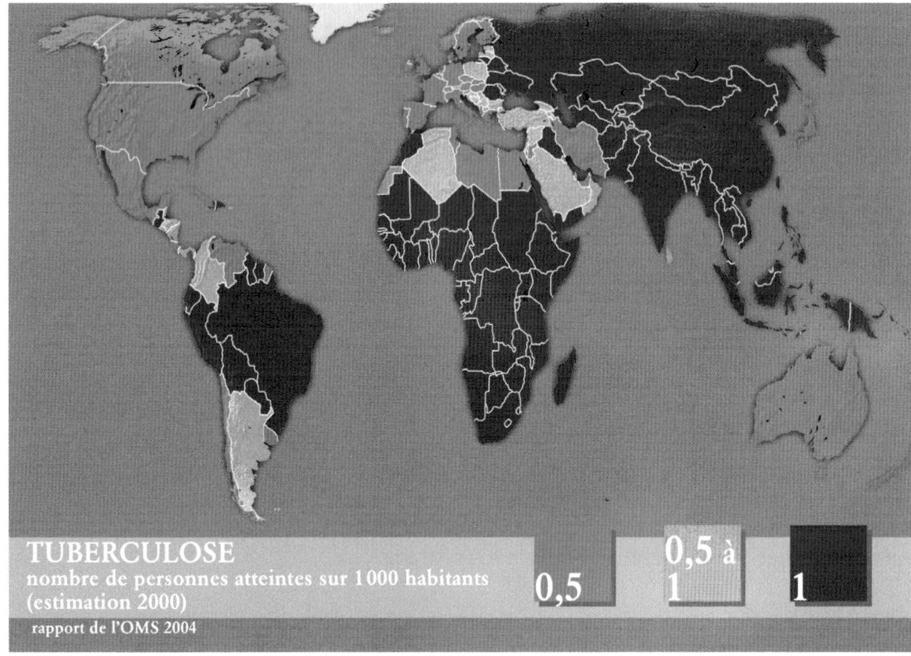

LA MORBIDITÉ

Pour mesurer l'état de santé d'une population, on peut calculer le nombre de personnes malades pendant un temps donné : c'est ce que l'on appelle la morbidité.
Parmi les maladies les plus répandues dans le monde, on doit citer le paludisme, le sida ou encore la tuberculose dont on estime qu'elle a tué près de 2 millions de personnes en 2002.
Trois zones sont plus particulièrement touchées par la tuberculose : l'Afrique subsaharienne, la Russie et l'Asie. À l'échelle mondiale, l'Asie du Sud-Est est la région qui compte à la fois les cas les plus nombreux (33 % de l'incidence mondiale) et le plus grand nombre de décès. Cependant, le taux de mortalité par habitant le plus élevé dû à cette maladie est enregistré en Afrique, où le sida accroît en même temps l'incidence de la tuberculose, et le risque d'en mourir.

Les dessous de l'espérance de vie

Si chacun peut dire de sa santé si elle est bonne ou mauvaise, la définir reste un exercice difficile et la mesurer un problème complexe.

Les indicateurs de santé

L'Organisation mondiale de la santé (OMS) déclare qu'elle est « un état complet de bien-être physique, mental et social ». Autrement dit, une réalité qui n'est ni objective, ni quantifiable, mais qui s'oppose néanmoins à celle de handicap, de maladie et de souffrance. À partir de là, quels indicateurs permettent de mesurer la santé ? Une analyse attentive et comparative des cartes répond à l'échelle mondiale.

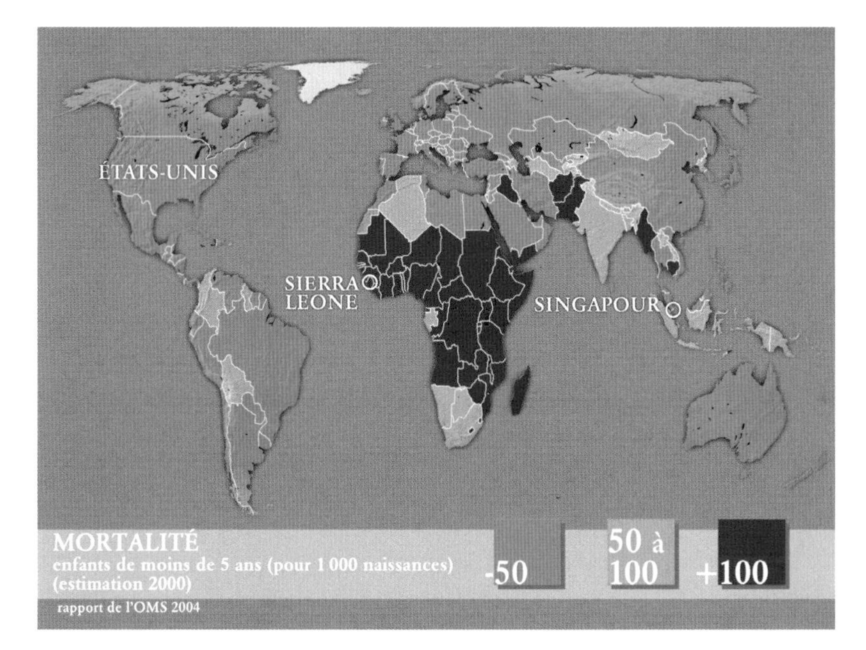

LA MORTALITÉ

Le taux de mortalité constitue l'un des principaux indicateurs de santé. Il mesure pour un temps donné le nombre de décès au sein d'une population donnée. Ainsi, le taux de mortalité infantile représente le nombre d'enfants décédés avant l'âge de cinq ans sur mille naissances vivantes ou, autrement dit, la probabilité pour un enfant de mourir avant son cinquième anniversaire.

Globalement, on estime aujourd'hui que 10,5 millions d'enfants de moins de cinq ans meurent chaque année dans le monde, dont près de la moitié en Afrique, où l'épidémie de sida a encore aggravé la situation depuis douze ans.

Parallèlement, on constate que les disparités sont encore très importantes d'un pays à un autre. Si le risque de décès au cours de l'enfance est trois fois plus important aux États-Unis qu'à Singapour, il y est cependant trente-cinq fois moins élevé qu'en Sierra Leone. On estime d'ailleurs que si tous les pays avaient le même taux de mortalité infantile qu'à Singapour, dix millions de décès d'enfants seraient évités chaque année.

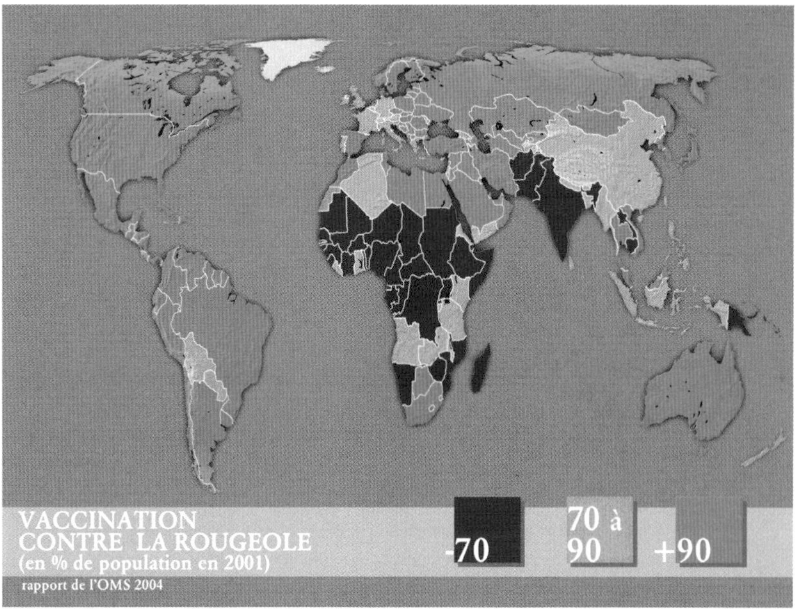

LA DEMANDE DE SOINS

L'analyse de la morbidité et de la mortalité conduit à examiner les moyens de lutter contre la maladie. C'est ce qu'on appelle la demande de soins : elle couvre à la fois des éléments préventifs comme la vaccination, et curatifs comme le personnel soignant. Malgré l'existence d'un vaccin efficace, la rougeole reste l'une des premières causes de décès chez les enfants avec près de 500 000 décès en 2003. Un paradoxe que reflètent les disparités de la carte, dont on constate cependant qu'elles ne recoupent que partiellement celles de la mortalité infantile.

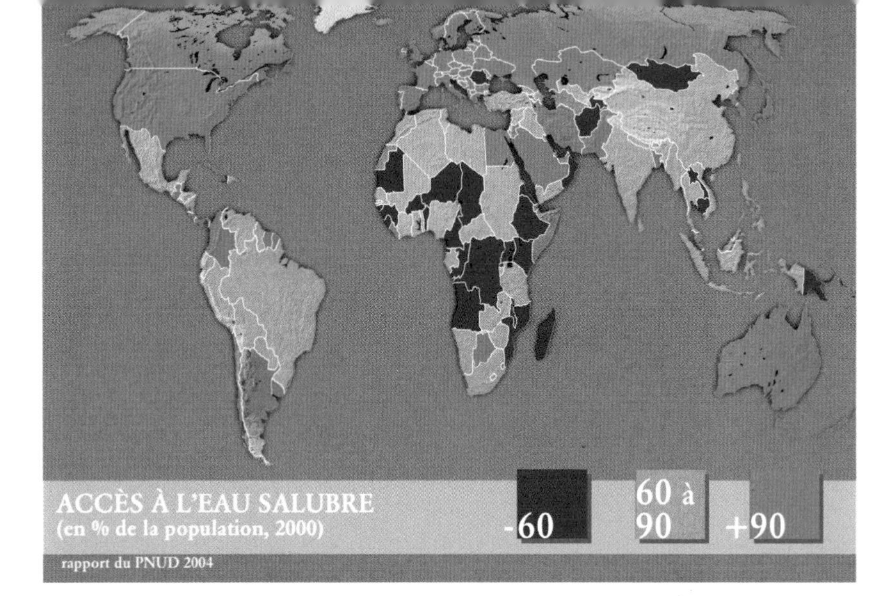

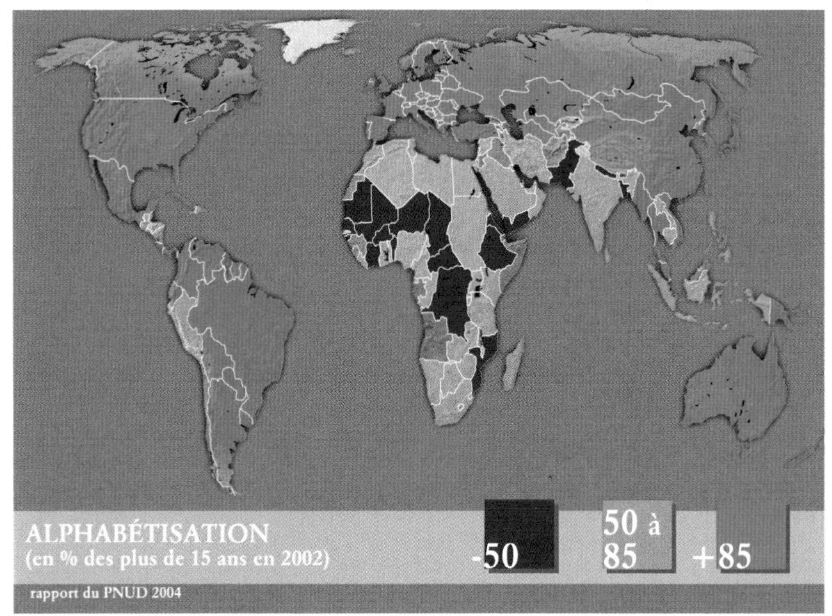

L'HYGIÈNE

À l'échelle mondiale, l'accès à l'eau potable reste aujourd'hui un facteur de première importance : car si elle est mal traitée, l'eau représente un vecteur privilégié de contamination et donc d'épidémie. C'est le cas, par exemple, du choléra, qui fut très longtemps une cause importante de mortalité en Europe, et qui le demeure dans de nombreuses régions du monde.

Les « déterminants » de la santé

Si la santé varie d'un individu à l'autre, elle varie également d'un pays à l'autre. C'est en tout cas ce qu'indiquent les taux de mortalité et de morbidité dans le monde, sans l'expliquer. Mais alors, qu'est-ce qui détermine la santé ? Quand on étudie la santé sur le long terme, on constate que la progression de l'espérance de vie enregistrée dans les pays développés au cours de la première moitié du xxe siècle est d'abord la conséquence du recul de la mortalité maternelle et infantile, ainsi que des décès liés aux maladies infectieuses.

On parle alors de transition épidémiologique. Une transition qu'à son tour on explique par la conjugaison de plusieurs évolutions préalables : amélioration du logement, de l'alimentation et de la formation, réduction de la taille des familles, hausse des revenus, campagne de vaccination, progrès de l'hygiène…

On les appelle les « déterminants » de la santé.

L'ÉDUCATION

L'environnement social et économique des individus et les pays dans lesquels ils évoluent sont eux aussi des facteurs déterminants pour la santé. Ainsi, quelle que soit la culture ou la langue, on constate que c'est d'abord par les mères et par l'école que sont transmises les règles d'hygiène qui demeurent la base de la santé. Un constat que l'on peut vérifier par un autre : les pays où la mortalité infantile est la plus élevée sont aussi ceux où les femmes ont le moindre accès à l'éducation.

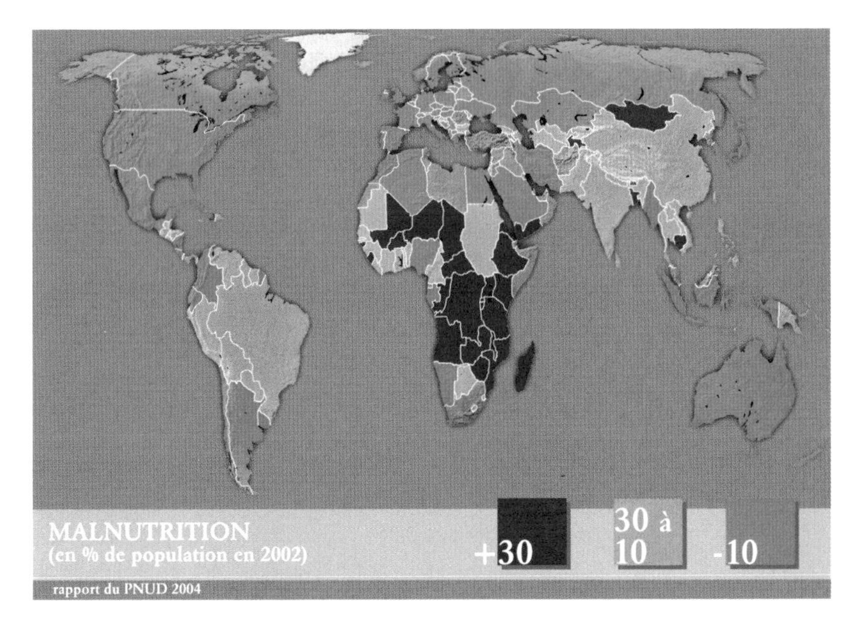

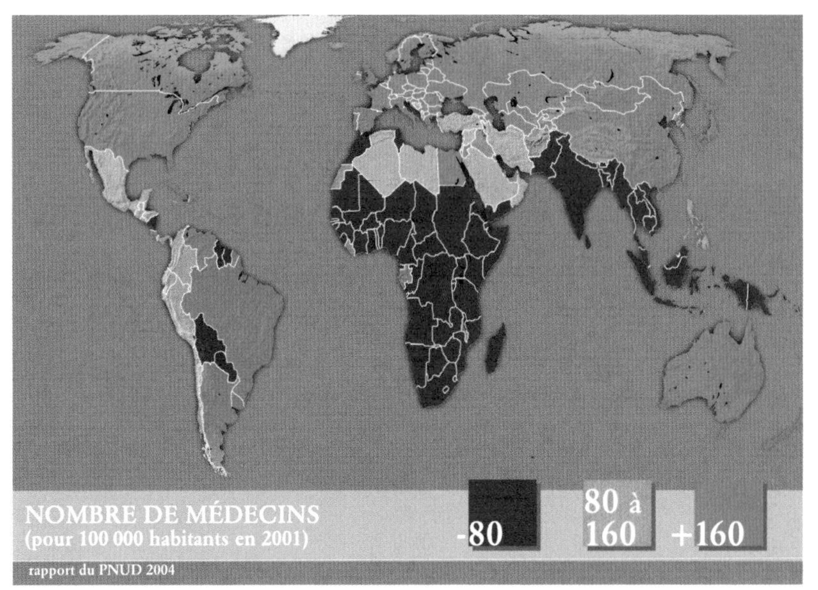

L'ALIMENTATION

En affaiblissant l'état général et en réduisant les capacités de défense de l'organisme, la malnutrition favorise certaines pathologies comme la rougeole ou la diarrhée. C'est pourquoi l'alimentation représente l'un des facteurs les plus essentiels pour prévenir la maladie, faire reculer la mortalité, et donc aussi améliorer l'espérance de vie.

PERSONNEL SOIGNANT

Si la carte permet de constater l'inégalité de la répartition du personnel soignant au niveau mondial, son échelle en masque cependant la très grande amplitude d'un pays à l'autre : tandis qu'on recense moins de 5 médecins pour 100 000 habitants au Burkina Faso ou au Népal, on en compte 304 en Argentine, 330 en France, 420 en Russie et même 607 en Italie. Et pourtant, si on superpose ces quatre cartes, on s'aperçoit que malgré la forte concentration de médecins et le niveau élevé d'immunisation qu'elles enregistrent, la Russie et l'Argentine conservent des taux de mortalité et de morbidité plutôt moyens.
C'est pourquoi le plus souvent, on apprécie le niveau de santé d'une population en utilisant un autre indicateur, à la fois plus complexe et plus synthétique : l'espérance de vie.

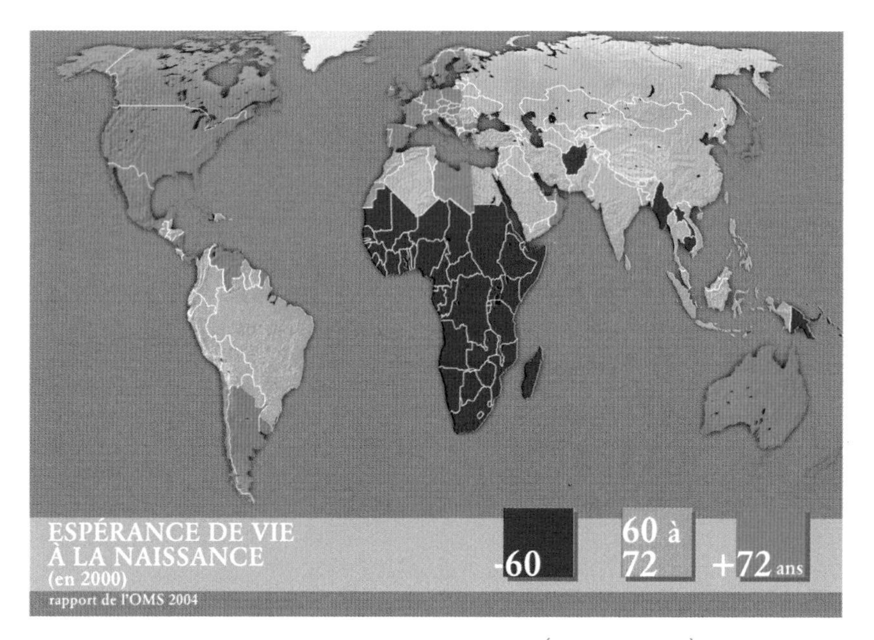

ESPÉRANCE DE VIE À LA NAISSANCE

L'espérance de vie à la naissance désigne l'âge moyen de décès au sein d'une population à un moment donné. Et comme la moyenne de la durée de vie est un peu le résultat combiné de la morbidité et de la mortalité, elle est l'indicateur le plus fréquemment utilisé pour représenter la santé d'une population.

Cependant, comme toute moyenne, elle est un indicateur imprécis, et parfois même trompeur. Ainsi, une très longue espérance de vie comme en Europe de l'Ouest n'exclut pas de passer les dernières années de sa vie en étant malade. Ensuite, une espérance de vie de quarante-huit ans comme en Éthiopie n'indique pas que les Éthiopiens s'éteignent vers l'âge de quarante-huit ans, mais plutôt que le taux de mortalité infantile est élevé dans ce pays (179 ‰). En somme, l'espérance de vie est un indicateur variable dans le temps et l'espace, qui évolue avec l'âge des individus, et qui ne propose que la photographie d'une situation à un moment donné.

Des inégalités flagrantes

Alors qu'en France l'espérance de vie a doublé depuis le début du XIXe siècle et qu'elle continue d'y progresser de trois mois chaque année, il est d'autres pays où malgré les progrès de la médecine, l'espérance de vie régresse. Un constat fort inégal qui pose la question du lien entre la médecine, la santé et l'espérance de vie.

Bien que les progrès de l'alimentation, de l'hygiène et de l'éducation aient joué un rôle essentiel dans la transition épidémiologique de l'Europe au XXe siècle, puis de l'Asie et de l'Amérique latine ces vingt dernières années, ils ne sont cependant ni suffisants ni décisifs pour y expliquer l'évolution continue de l'espérance de vie, notamment dans les pays les plus développés. Car ces progrès dépendent au moins de deux autres facteurs :

– le premier, c'est l'accès aux soins : il s'agit à la fois de la vaccination, de la qualité des soins dans les hôpitaux, de la couverture médicale ou encore des progrès de la médecine. C'est dans cette catégorie qu'on peut ranger la découverte, l'efficacité et la disponibilité de certains traitements comme ceux contre le sida ou la tuberculose ;

– le second facteur est lié au mode de vie. Car dans des pays comme la France ou les États-Unis, les comportements individuels à risque comme l'alcoolisme, le tabagisme, la vie sédentaire ou encore les accidents de la route, représentent en effet aujourd'hui les premières causes de morbidité et de mortalité.

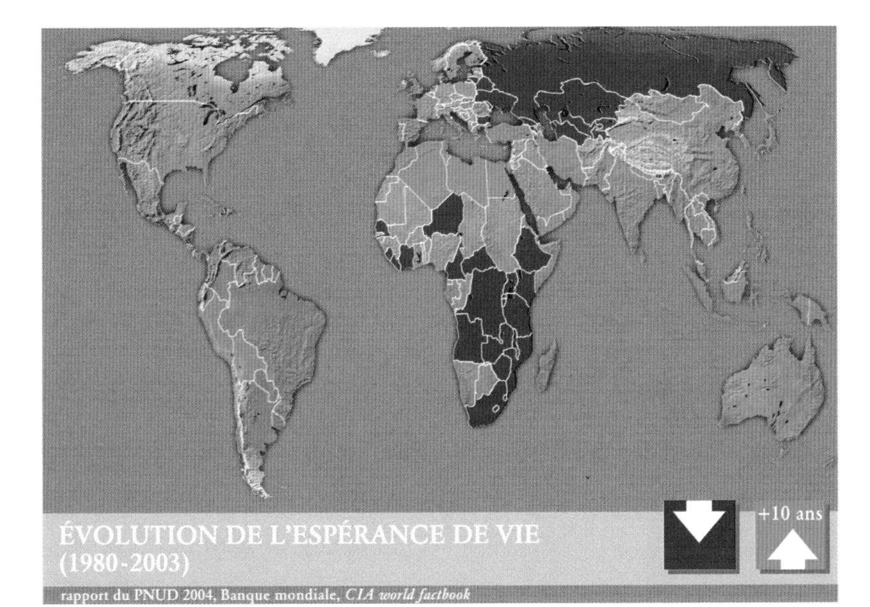

PROGRESSION DE L'ESPÉRANCE DE VIE

Depuis cinquante ans, la moyenne mondiale de l'espérance de vie à la naissance a augmenté d'environ vingt ans. Toutefois, la carte révèle des évolutions très contrastées depuis les années 1980. Elle fait notamment apparaître deux tendances contradictoires :

– la première concerne les pays où l'espérance de vie a enregistré une augmentation record de plus de dix ans entre 1980 et 2003, soit plus de cinq mois par an comme en Afrique du Nord, au Moyen-Orient ou en Asie du Sud-Est. Une augmentation que l'on peut rapporter à la croissance économique de ces pays, accélérée dans les années 1980 sous l'effet de la hausse continue des revenus des matières premières ou des dividendes du « miracle asiatique » ;

– la seconde tendance associe les pays où pendant cette même période, l'espérance de vie a au contraire stagné, voire régressé.

Il y a d'abord l'Afrique subsaharienne qui devient dès les années 1980 la région la plus touchée par l'épidémie de sida et dont la carte (ci-dessous) répercute l'impact vingt ans plus tard.

Plus au nord, la dégradation de l'espérance de vie dans l'ancien espace soviétique peut être associée à trois éléments concomitants des années 1990 : la détérioration de l'environnement socioéconomique, l'augmentation de l'incidence de maladies transmissibles comme le sida et la tuberculose, la privatisation de la médecine.

PRÉVALENCE DU HIV
chez les 15-49 ans
(estimations 2000)
+10% -10% -1% -0,5%
rapport de l'OMS 2004

L'ÉPIDÉMIE DE SIDA

Dans les pays d'afrique subsaharienne dont la population en âge de travailler se trouve décimée par le virus du sida, l'épidémie est devenue un véritable sinistre économique, qui menace à son tour les systèmes de santé.

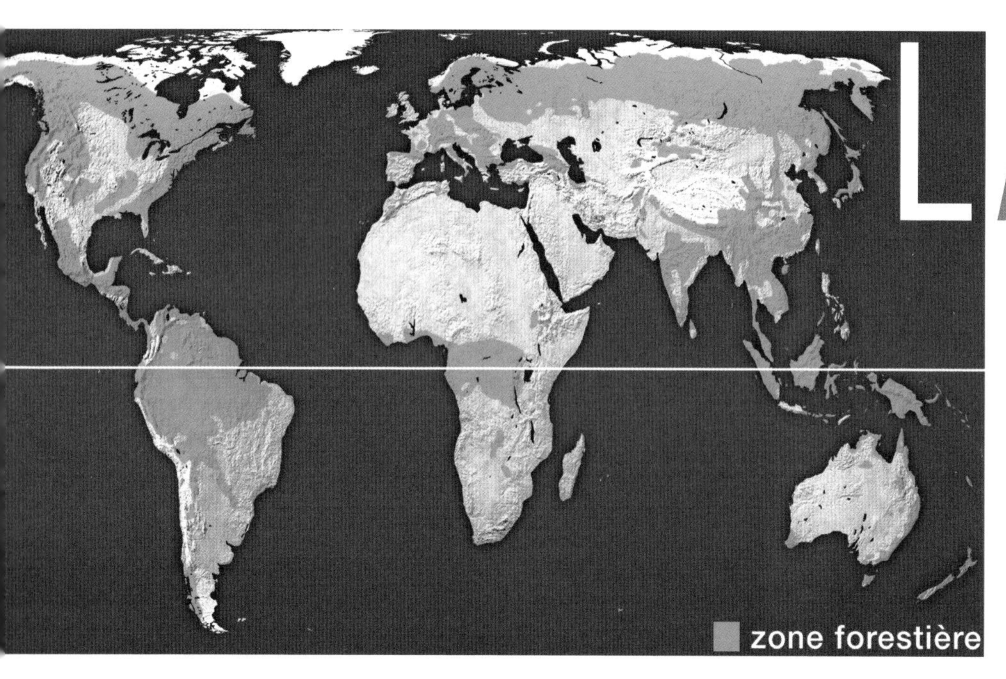

La déforestation touche surtout les forêts tropicales humides, c'est-à-dire celles situées de part et d'autre de l'équateur, en Afrique centrale, en Asie du Sud-Est et en Amazonie. Entre 1989 et 1999, les déboisements dans cette région ont provoqué en moyenne la destruction de 15 000 km² de forêt par an, soit l'équivalent de la forêt landaise, la plus grande d'Europe.

LA TERRE

Le temps des choix

Par ses activités – l'habitat, l'agriculture, l'industrie – l'homme contribue largement à la déforestation et à la désertification du monde, deux phénomènes dont l'ampleur ne cesse de croître.

Chaque année depuis trente ans une surface forestière équivalente à près de 30 % de la superficie de l'Allemagne disparaît dans le monde. Près de deux fois la superficie de la Belgique devient totalement stérile. Or, les causes de la déforestation comme de la désertification sont directement liées aux activités humaines, avec des conséquences multiples.

Économie ou environnement?

De nos jours, la déforestation soulève la question de la compatibilité du développement économique avec la préservation de la forêt, car elle entraîne à la fois :
– la disparition de nombreuses espèces et donc une réduction de la biodiversité ;
– l'augmentation des précipitations, qui, à son tour, provoque l'érosion des sols et amplifie les crues des fleuves.

EN SURSIS

C'est à cette contradiction qu'est aujourd'hui confronté un pays comme le Brésil. Car les aménagements qui visent à assurer le développement de ce pays sont précisément une menace pour la forêt amazonienne, tout comme pour ceux qui y habitent : les Indiens Yanomami, Tukano, Guarani, Kayapo ou Xingu. En un siècle, leur nombre est passé d'un million de personnes à environ 350 000.
La gravité des conséquences a certes entraîné une prise de conscience chez les décideurs publics ou les entrepreneurs. Mais la déforestation se poursuit. Elle entraîne de gigantesques incendies de forêt, provoquant des émissions de gaz à effet de serre et nous privant pour la connaissance scientifique d'un écosystème riche et encore relativement méconnu.

Des sols surexploités

L'augmentation de la population et l'intensification de l'agriculture au xxe siècle ont donné à la désertification une dimension sans précédent. Dans le Sahel, par exemple, on constate que la surexploitation des sols est à l'origine de la désertification dans cette région. Selon quel processus ?
Dans cette zone très peuplée, le bétail broute plus d'herbe que les prairies n'en produisent tandis que les sabots tassent la terre. Le sol n'est alors plus suffisamment protégé par la végétation et devient vulnérable à l'érosion : celle du vent qui arrache les couches superficielles du sol, celle de l'eau de pluie qui n'y pénètre plus et qui abîme en ruisselant davantage. La terre devient stérile, les végétaux ne poussent plus, c'est ce qu'on appelle la désertification.

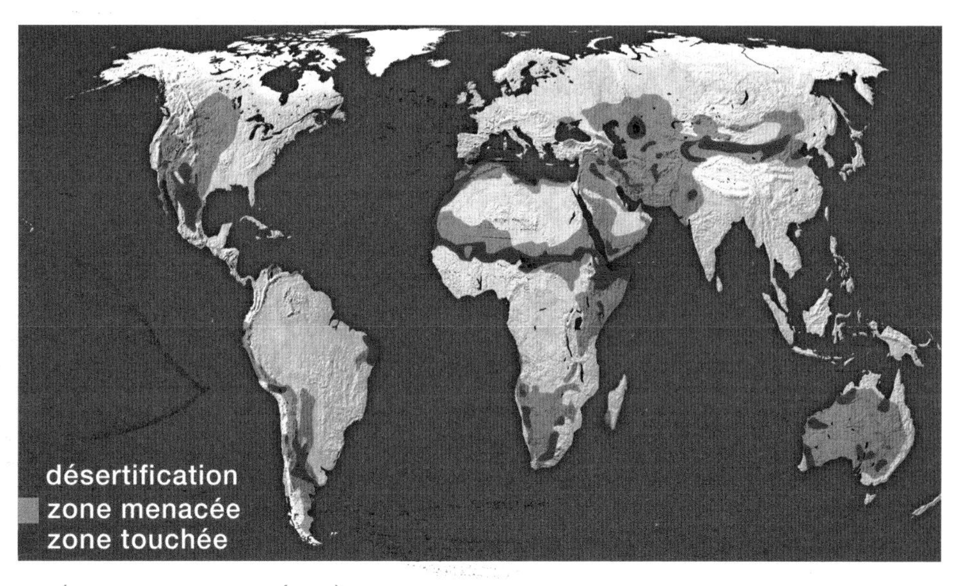

LA DÉSERTIFICATION, UN PHÉNOMÈNE MONDIAL
Aujourd'hui, près de 25 % des terres seraient menacées de désertification, laquelle concerne 15 % de la population mondiale.

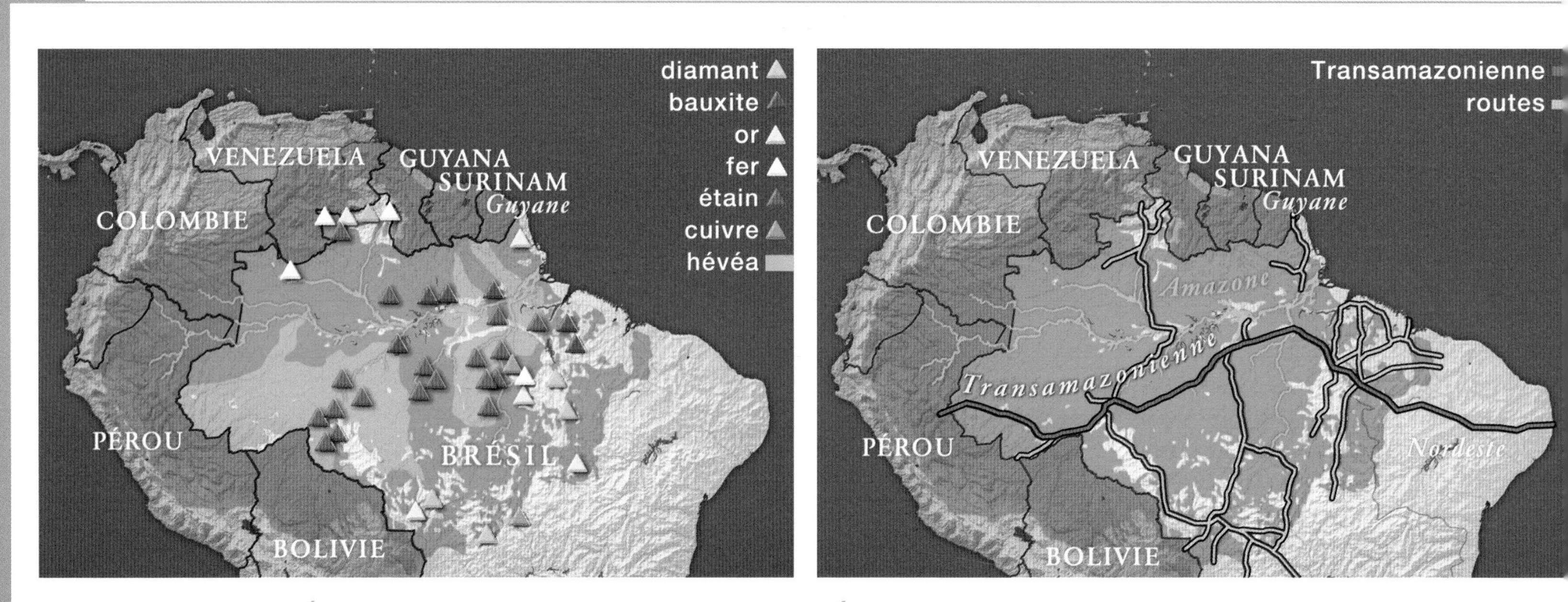

LES CAUSES DE LA DÉFORESTATION, LE CAS DE L'AMAZONIE BRÉSILIENNE

Immensité verte de 7 millions de km², la forêt amazonienne est partagée entre huit États, dont le Brésil où elle couvre 40 % du territoire. L'Amazonie est donc considérée par les Brésiliens comme une « forêt continent » aux ressources inépuisables.

L'EXPLOITATION

Loin d'être inépuisable, la forêt devient même épuisée sous l'effet d'une exploitation proche du gaspillage : ainsi, pour un arbre vendu sur le marché, ce sont en moyenne sept arbres qui sont abattus. À ce gaspillage s'ajoutent les dégâts que causent, depuis la seconde moitié du XIXe siècle, l'exploitation de l'hévéa et celle des ressources minières (or, diamant, bauxite, fer, étain, cuivre, etc.). Enfin, en accélérant la progression des Brésiliens à l'intérieur de leur pays pour favoriser le développement économique de l'Amazonie et son intégration au reste du pays, le phénomène du « front pionnier » accélère à son tour la destruction du patrimoine forestier.

LE DÉVELOPPEMENT ÉCONOMIQUE

Le moteur de cette politique d'aménagement de l'Amazonie lancée par les gouvernements brésiliens, ce sont les routes, comme la Transamazonienne – reliant la côte atlantique à la frontière du Pérou – qui a ouvert l'Amazonie à la colonisation des terres. D'ailleurs, dans les années 1970, l'idée était pour les dirigeants brésiliens de résoudre la question agraire en allant chercher dans la région du Nordeste surpeuplé la main-d'œuvre pauvre pour l'installer en Amazonie. Résultat de cette politique, des zones de forêt ont été dégagées pour laisser place à des zones

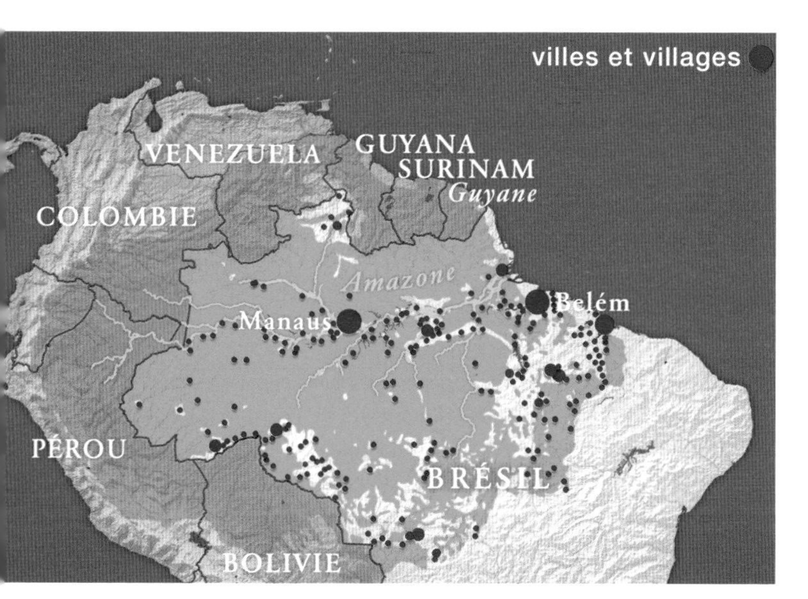

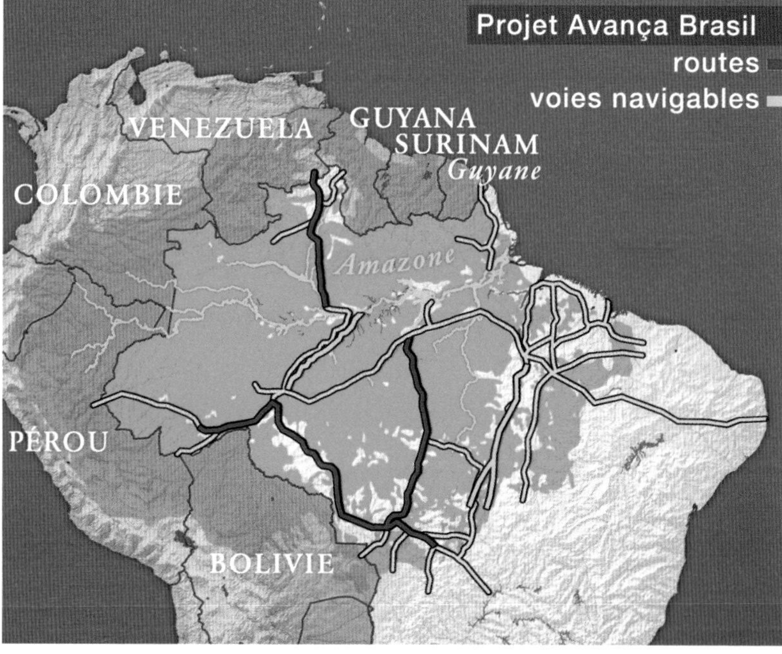

agricoles et de pâturages. Or comme les paysans pratiquent la culture sur brûlis pour accroître la fertilité de la terre, ils provoquent régulièrement des feux de forêt, et aggravent ainsi l'ampleur de la déforestation.

L'URBANISATION

L'avancée de ce « front pionnier » induit la troisième cause de la déforestation : l'urbanisation. En effet, c'est la ville qui forme le front avancé du déboisement. 95 % des lieux d'extraction du bois et des terres défrichées se concentrent dans un rayon de 25 km autour des villes et villages, et non pas du tout dans les régions reculées et inaccessibles de l'Amazonie, comme on le pensait à tort. Au total, la population en Amazonie brésilienne est passée de 2 à 20 millions de personnes, entre 1960 et 2000.

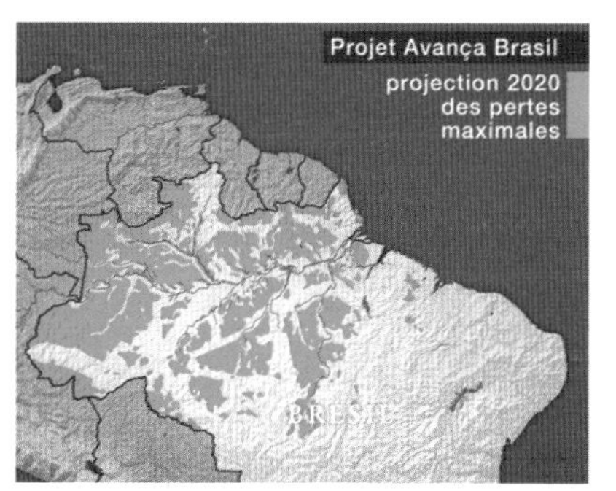

LE PROJET « AVANÇA BRASIL »

Selon la revue *Science* de janvier 2001, le projet du gouvernement brésilien « Avança Brasil », d'un montant de 42 milliards d'euros, qui prévoit l'aménagement de voies navigables et l'asphaltage de routes en Amazonie, pourrait conduire d'ici à 2020 à la perte de 28 % de la superficie de la forêt amazonienne, dans le meilleur des cas, de 42 % dans le pire des cas.

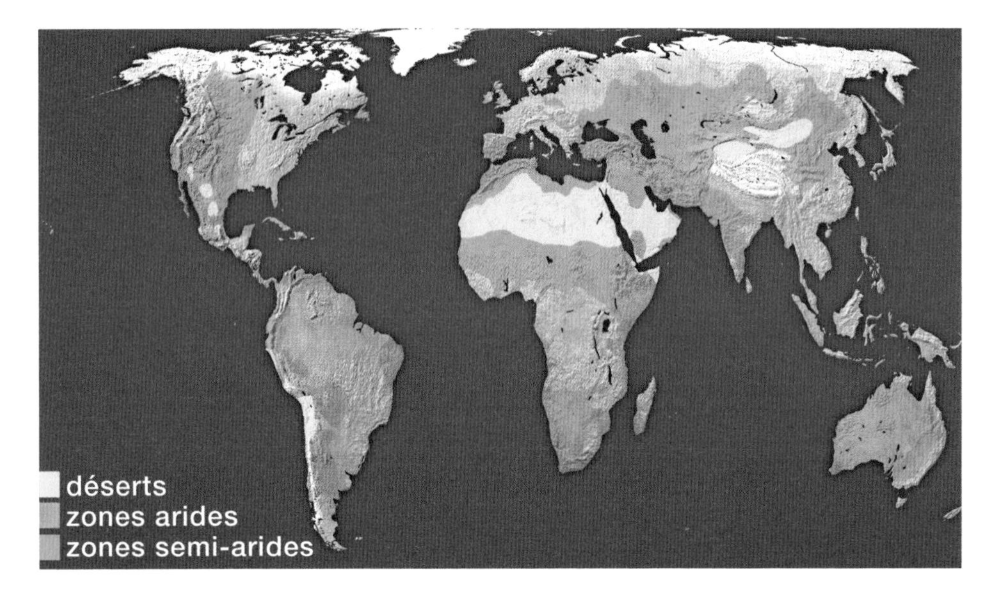

LA DÉSERTIFICATION, UNE AVANCÉE DU DÉSERT?

Les zones les plus touchées par la désertification sont les zones semi-arides, c'est-à-dire sèches avec de fortes variations climatiques mais qui ne sont pas au contact des déserts. Ce qui montre que la désertification n'est pas une progression des déserts sur les terres voisines.

Ainsi, la situation s'est trouvée aggravée:
– par l'accroissement des cheptels – chameaux et bovins –, dont le nombre a été multiplié par cinq voire par dix selon les régions, et ce en une centaine d'années;
– par la concentration des populations et du bétail autour de puits construits pour lutter contre la sécheresse;
– par la politique de sédentarisation forcée des populations pastorales mise en place par la plupart des gouvernements des pays du Sahel.

Autre facteur: l'agriculture productive. Au Mali, au Sénégal, la culture du coton et de l'arachide a été étendue à de nouvelles terres, dans les années 1950 et 1960, quand les pluies étaient plus abondantes. Mais à cause de la chute des prix agricoles sur les marchés mondiaux, ou à cause des sécheresses à répétition, ces zones de culture ont ensuite été abandonnées. Les sols délaissés ont alors subi l'érosion de l'eau et du vent, et sont en train de devenir stériles.
À son tour, le déboisement est la conséquence de la collecte du bois comme combustible par les villageois, voire par les citadins. À Bamako, par exemple, on ramasse du bois jusqu'à 120 km autour de la ville. Résultat, les arbres ne protègent plus ni les hommes ni les sols du vent et du soleil, provoquant l'assèchement des sols. La terre n'est plus fertilisée par la décomposition des feuilles, les animaux ne peuvent plus s'en nourrir en saison sèche.

Surpâturage, agriculture et déboisement: la désertification est aussi provoquée par la salinisation des sols, un phénomène que l'on trouve notamment en Asie centrale.

Un phénomène mondial

Dans plusieurs pays d'Asie centrale (Turkménistan, Kazakhstan, Ouzbékistan, Kirghizistan), la culture du coton et des céréales a été développée grâce à l'irrigation. Or, ces pays ont un climat aride, l'eau s'y évapore, laissant dans la terre

les sels minéraux. Et, si la terre irriguée n'est pas drainée, les sels minéraux s'accumulent dans les sols et provoquent leur stérilisation.
Mais la désertification touche aussi des pays développés.
Aux États-Unis, les sols dégradés se situent dans la moitié ouest du pays, où le climat est sec et où, depuis un siècle, la croissance démographique et économique est forte. Et là, mêmes causes et mêmes effets que dans le Sahel : le surpâturage et l'agriculture irriguée sur des sols secs entraînent l'érosion, qui rend peu à peu les sols stériles. Mais tandis qu'au Sahel, les dégâts dus à la désertification se comptent en nombre de morts et de déplacés, aux États-Unis, ils se comptent en millions de dollars. Au Texas et en Arizona, la désertification ne conduira jamais à la famine, comme cela peut être le cas en Afrique.

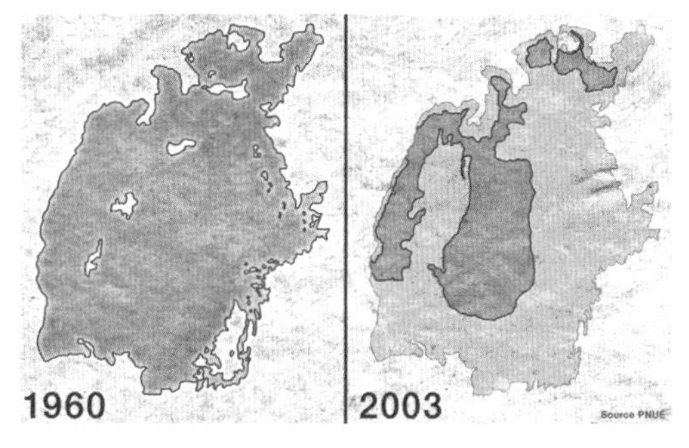

LA CATASTROPHE DE LA MER D'ARAL
Depuis 1960, le niveau de la mer d'Aral a baissé de 13 mètres et sa superficie a diminué de 30 %. Cette catastrophe écologique due à l'irrigation a de multiples conséquences : la détérioration de la qualité de l'eau potable, la chute des pêches, ainsi que la constitution de dépôts de sel qui contribuent à la stérilisation des terres arables et à la destruction des pâturages. La concentration en sel est telle que chaque jour plusieurs milliers de tonnes de sel et de sable sont emportées par le vent dans un rayon de 500 km, jusque dans les glaciers du Pamir au Tadjikistan.

Aux hommes de jouer, pas au vent !

Si des efforts institutionnels ont été entrepris comme l'adoption en 1994 de la Convention des Nations unies pour combattre la désertification, on s'aperçoit cependant que jusqu'à ce jour les fonds de l'ONU ont avant tout servi à financer des évaluations plutôt que des actions concrètes.
Cependant, il ne faut pas sous-estimer la capacité de récupération des écosystèmes secs qui sont résistants. De fait, on a constaté dans certaines régions du Sahel que la végétation repousse et s'adapte aux grandes variations climatiques d'une année sur l'autre. Le problème est que les humains ne vivent pas à la même échelle temporelle : ils ne peuvent réduire leur nombre et leur pression sur les sols en fonction des pluies ! En outre, le réchauffement du climat venant à se confirmer, cela ne risque pas de ralentir la désertification des terres.

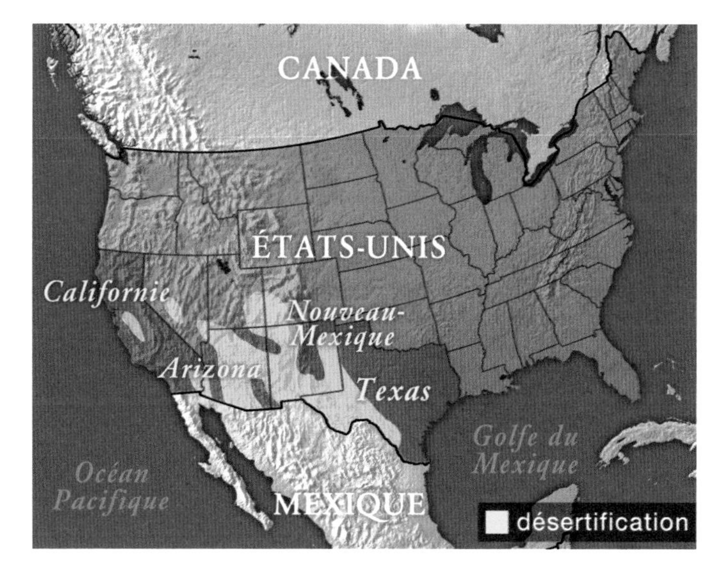

LA DÉSERTIFICATION DE L'OUEST AMÉRICAIN
Aux États-Unis, environ 1,5 million de km², soit deux fois la superficie de la France, sont touchés par la désertification. Or ces terres arides de l'Ouest fournissent 20 % de la production agricole des États-Unis.

LES MERS

Vrais et faux coupables

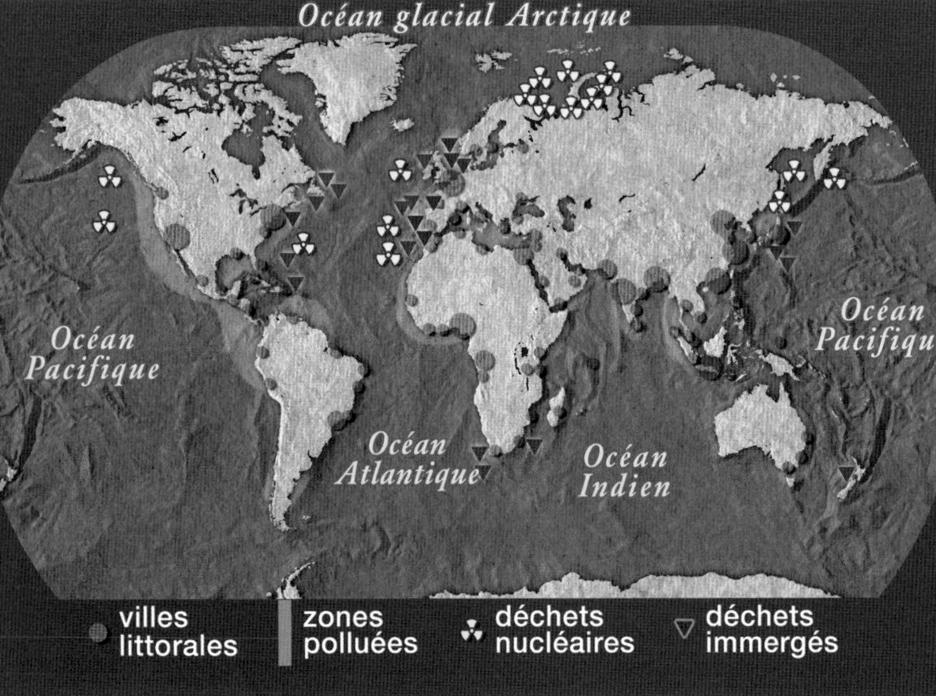

La mer représente 71 % de la surface de la Terre, soit douze fois la surface du continent africain. Les mers sont des pôles d'attraction pour l'homme, car elles fournissent de la nourriture (dont un important apport en protéines animales) et permettent également les échanges : plus de 60 % de la population mondiale vit à moins de 80 km des côtes. Or ce sont précisément les activités humaines qui contribuent aux pollutions. Jusque dans les années 1970, la mer était d'ailleurs considérée comme un milieu inhabité pouvant absorber tous les déchets, comme une « poubelle infinie » en quelque sorte. D'où l'aménagement en haute mer de zones d'immersion pour des déchets nucléaires !

Les marées noires font de plus en plus réagir les opinions publiques. Or, elles ne participent que pour une petite part à la pollution des océans, due à 70 % aux rejets des déchets urbains, industriels, agricoles, ainsi qu'aux déballastages.

La pollution des mers vient de la terre. Car les rivières y déversent les rejets des habitants des villes, ceux des industries, les engrais et pesticides utilisés dans l'agriculture. La présence de villes côtières accroît cette pollution : de nombreuses municipalités déversent leurs eaux usées dans la mer sans traitement préalable, ou placent des décharges à proximité des côtes. Au total, la pollution due aux rejets émanant des terres représente plus de 70 % de la pollution totale des mers. Ce

EN DANGER

type de pollution contribue à l'asphyxie des écosystèmes marins par le développement d'algues, et à la mort de mammifères marins comme les dauphins ou les tortues qui absorbent des matières plastiques, sans parler des détritus rejetés sur les plages et les littoraux. Tout cela a un impact sur la biodiversité, l'économie des États et la santé humaine. En haute mer, la pollution prend une autre forme : des zones d'immersion ont en effet été aménagées pour recevoir des déchets encombrants, avant tout nucléaires.

Les échanges, risque majeur

Le transport maritime est également une importante source de pollution. Ce mode de transport, moins coûteux que les transports terrestres et aériens, représente aujourd'hui 75 % du commerce mondial, ce qui contribue au maintien sur les mers de vieux cargos tels l'*Erika* qui avait vingt-cinq ans et le *Prestige* qui en avait vingt-six. Sur les 40 000 cargos en circulation, on estime que 12 000 seraient en deçà des normes de sécurité, et 5 000 de vraies « poubelles ». À son tour, l'augmentation constante du trafic pousse à construire des navires plus grands et plus rapides, qui, en cas d'incidents, causent des dégâts plus importants. Or on constate que 80 % des accidents sont dus à des erreurs humaines. Et justement : l'immatriculation de navires dans des pays comme le Panamá, le Liberia, Chypre ou les Bahamas où la législation est moins contraignante, offre aux armateurs, par les pavillons de complaisance, des avantages fiscaux et des réductions de charges sociales. Cette situation soulève la question de la protection des équipages, de la sécurité des navires en mer, et de la responsabilité de ces États vis-à-vis des navires en cas d'accidents.
En 2001, 78 % de la flotte américaine est placée sous pavillon étranger et 40 % des immatriculations du Panamá sont en fait des navires japonais.

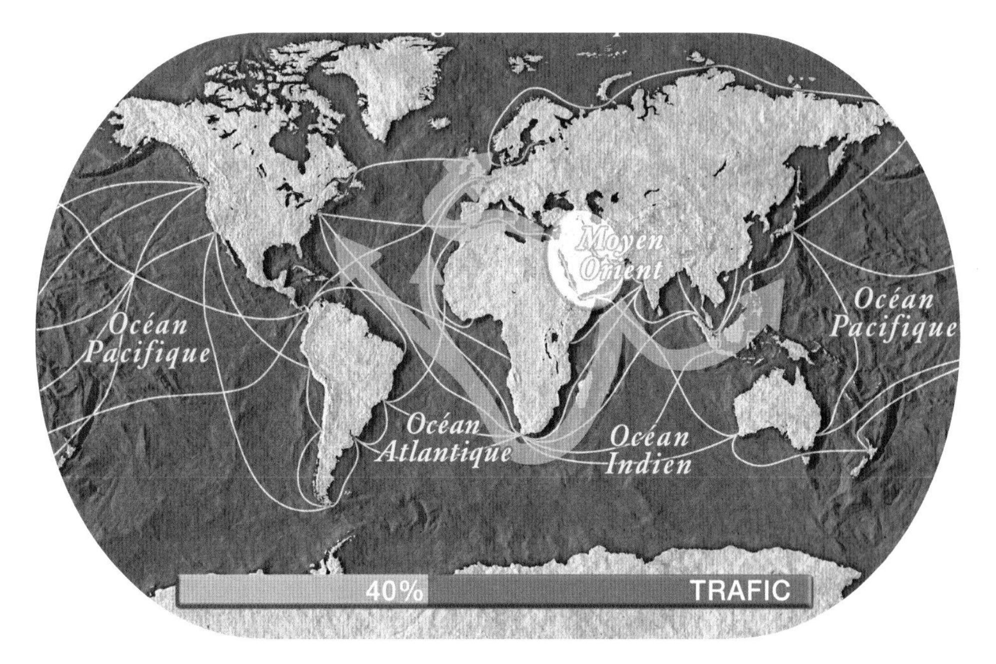

LE PÉTROLE, À L'ASSAUT DES MERS
Le pétrole et les produits pétroliers représentent 40 % du commerce maritime mondial. Or ce commerce est souvent très polluant, car beaucoup de navires larguent en mer leurs résidus de combustion, nettoient leurs cuves en pleine mer (déballastage) ou s'échouent en provoquant parfois des marées noires.

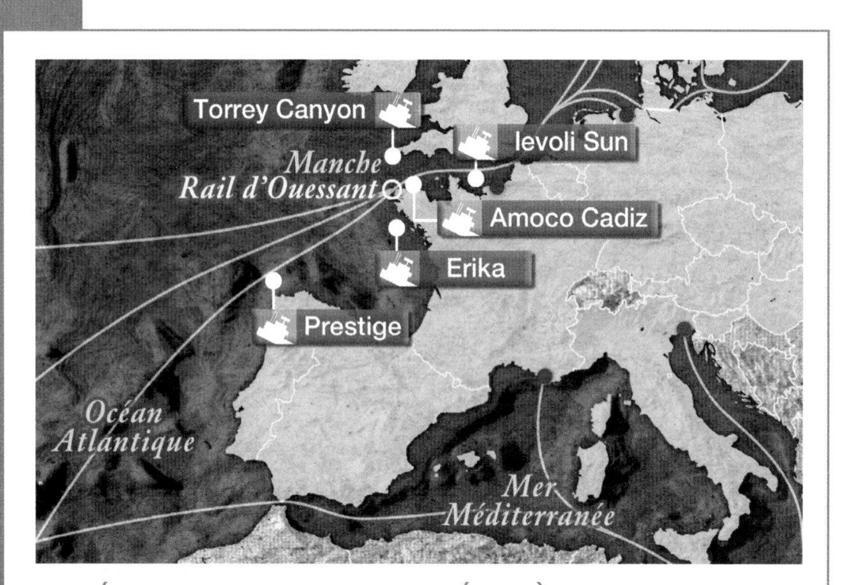

MARÉES NOIRES EN EUROPE, PHÉNOMÈNE EN DIMINUTION ?

De nos jours, l'Union européenne effectue 75 % de ses échanges commerciaux par voie maritime et 90 % de ses échanges de pétrole, dont 70 % transitent par le rail d'Ouessant. Or cette voie maritime au large des côtes de la Bretagne et de la Manche est un véritable goulet d'étranglement, car elle conduit aux principaux ports pétroliers de l'Union qui se concentrent au nord de l'Europe. On compte 53 000 navires par an, soit une moyenne de 150 par jour. Comme les pétroliers, les navires chimiques ou gaziers ne sont pas dotés d'une grande manœuvrabilité, le rail a été réaménagé le 1er mai 2003 de trois à deux voies. Ce transit intense et ce goulet d'étranglement expliquent en partie pourquoi ce sont surtout les régions atlantiques et de la Manche qui sont particulièrement touchées par les naufrages. Or on le sait rarement, mais ces drames très médiatisés sont en réalité en diminution depuis les années 1970 et représentent en fait moins de 3 % de l'ensemble des hydrocarbures rejetés en mer. Les déballastages, appelés à tort « dégazages », polluent dix fois plus !

Comment lutter contre ces pollutions ?

Créée en 1948 pour veiller à la sécurité de la navigation et à la protection du milieu marin, l'Organisation maritime internationale (OMI) est à l'origine du Fonds d'indemnisation des victimes d'accidents pétroliers (FIPOL) et de la convention MARPOL, qui, depuis 1978, impose des normes d'équipement pour les navires marchands et en permet en principe le contrôle. Signée par 125 États, la convention MARPOL s'applique à 97 % du tonnage mondial. Cependant, dans la mesure où l'OMI laisse un grand pouvoir de décision aux États qui ont les plus grandes flottes, c'est-à-dire justement les pavillons de complaisance, les mesures prises sont donc souvent minimales. De plus, l'OMI ne disposant pas d'instrument de sanction n'a aucun moyen de faire respecter ses règlements.

C'est pourquoi certains États, comme les États-Unis, mettent en place leur propre réglementation. Après le naufrage de l'*Exxon Valdez* en 1989 au large de l'Alaska, une loi a été votée en 1991 qui permet aux États-Unis de poursuivre, en cas de pollution de la mer, l'armateur et l'affréteur et d'exiger des dommages et intérêts. Ainsi, la compagnie pétrolière Exxon a versé plus de 2 milliards de dollars pour le nettoyage des côtes, ainsi que 1,3 milliard de dollars de dommages et intérêts répartis entre l'Alaska, l'État fédéral américain et les particuliers, en majorité des pêcheurs, touchés par la marée noire. Par ailleurs, cette loi interdit l'accès des ports américains aux navires qui ne respectent pas certaines normes, tels les bateaux à simple coque de plus de quinze ans. Ces mesures se sont révélées efficaces, les compagnies redoutant désormais de devoir payer d'importants dommages et intérêts.

L'élargissement européen renforce la sécurité maritime

En Europe, les choses sont en revanche plus lentes, puisqu'il a fallu attendre le naufrage de l'*Erika* en 1999 – alors que l'*Amoco Cadiz* avait sombré en 1978 ! – pour que l'Union européenne se décide enfin à renforcer sa réglementation. L'Union a ainsi mis en place en 2003 une Agence européenne de sécurité maritime, qui publie tous les semestres une « liste noire » des bateaux dangereux. Les capacités d'intervention de l'Agence sont encore en cours de négociation avec les États. Cette légis-

lation prévoit l'équipement des bateaux avec des « boîtes noires » et l'élimination en Europe, d'ici 2015, des bateaux à simple coque pour le transport d'hydrocarbures.
Toutefois, on s'aperçoit que seule la flotte de l'Union européenne est concernée par ces mesures, alors que 75 % des échanges commerciaux de l'Union s'effectuent par voie maritime. De plus, le contrôle des bateaux faisant escale dans les ports européens est onéreux en moyens financiers et humains et une telle législation n'est pas simple à mettre en œuvre à vingt-cinq ! Enfin, pour les pays armateurs, comme le Royaume-Uni, les Pays-Bas et surtout la Grèce, premier armateur européen, la législation ne doit pas être trop restrictive, car elle risque de limiter en retour l'activité maritime européenne ou de favoriser l'immatriculation de bateaux en mauvais état sous pavillons de complaisance.
Pour la sécurité maritime, l'élargissement de 2004 se révèle positif puisque des États comme Chypre et Malte, eux-mêmes « pavillons de complaisance », en tant que membres de l'Union, doivent désormais appliquer la législation européenne. En outre, par l'intégration de ces deux États, l'Union à vingt-cinq est devenue la première marine marchande au monde, représentant 30 % de la flotte mondiale, juste avant Panamá, ce qui lui confère un poids nouveau sur la scène « maritime » internationale.

Changer les mentalités...

Finalement, bien que le tableau semble noir, les choses avancent lentement. En 1940, il n'existait que trois conventions sur la protection de l'environnement ; il y en avait cent en 1980 et deux cent cinquante en 2001. Par ailleurs, ces avancées, que l'on doit avant tout au travail de pression des ONG et aux réactions des opinions publiques, offrent désormais un cadre législatif, dont on pourrait espérer qu'il débouche demain sur la création d'une organisation mondiale de l'environnement, qui, à l'instar de l'Organisation mondiale du commerce (OMC), devrait être dotée de moyens de sanction.
Reste à changer les mentalités pour sortir de cette perception qui fait de la haute mer une zone n'appartenant à personne, un espace où il n'y aurait aucune responsabilité à assumer, pouvant à la fois tout absorber et fournir indéfiniment des ressources.

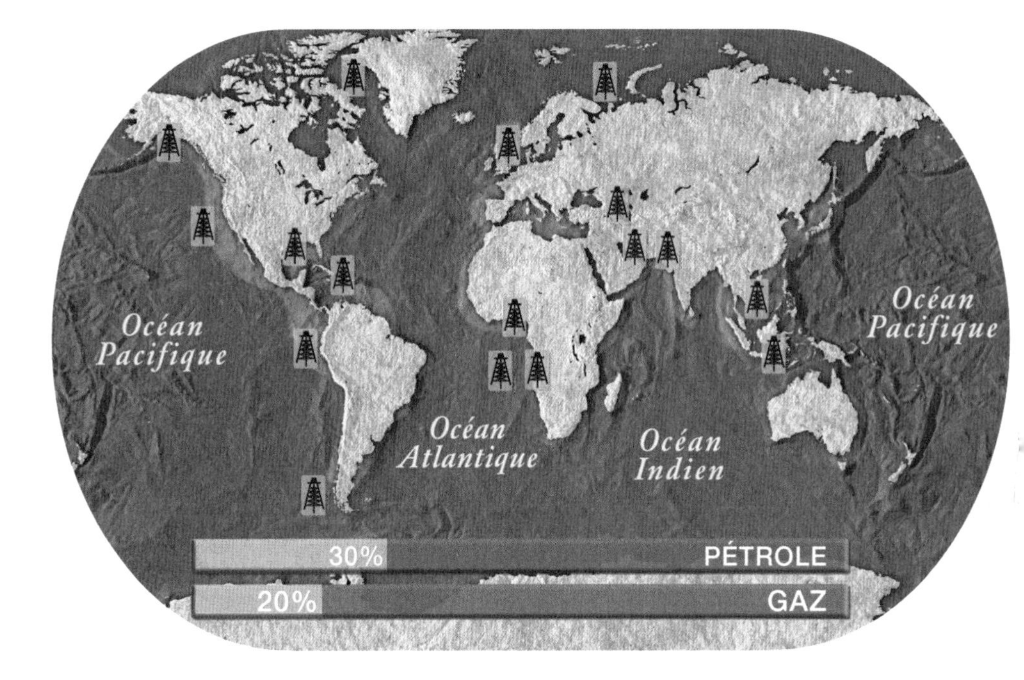

L'EXPLOITATION OFFSHORE, UN RISQUE POUR LES MERS
L'exploitation de pétrole offshore représente environ 30 % de la production mondiale de pétrole, et 20 % pour le gaz, mais elle engendre des pollutions par le rejet au cours de l'extraction, et aussi par l'abandon pur et simple des derricks en mer, ce qui est moins connu !

LA COOPÉRATION BALTIQUE À LA POINTE DE LA LUTTE CONTRE LA POLLUTION

En mer Baltique, la pollution émane des eaux usées des villes, des industries et des fertilisants agricoles, notamment les nitrates et les phosphates. Ces rejets de fertilisants contribuent à l'apparition d'algues qui consomment tout l'oxygène présent dans l'eau, entraînant l'asphyxie de nombreuses espèces végétales ou animales. Les pays Baltes, la Pologne et la Russie sont les pays qui polluent le plus, car leurs implantations industrielles sont les plus vétustes. Or comme la Baltique est une mer presque entièrement fermée, elle est particulièrement sensible à la pollution. Face à cette situation, les États riverains ont signé en 1974 la Convention d'Helsinki sur la « protection de l'environnement marin de la Baltique ». Sur 132 « zones de pollutions sérieuses » identifiées, 50 ont pu être nettoyées depuis 1992. Parmi les signataires de la Convention d'Helsinki, la Suède, la Finlande et l'Allemagne, États les plus riches de la région et aussi les plus soucieux de l'environnement, sont les plus actifs. Mais on compte beaucoup sur l'élargissement de 2004, qui transforme de fait la Baltique en une mer quasi intérieure de l'Union européenne, pour renforcer encore la lutte contre la pollution.
Ce qui n'est pas le cas en Méditerranée. Depuis 1975, six accords pour réduire les pollutions ont été signés

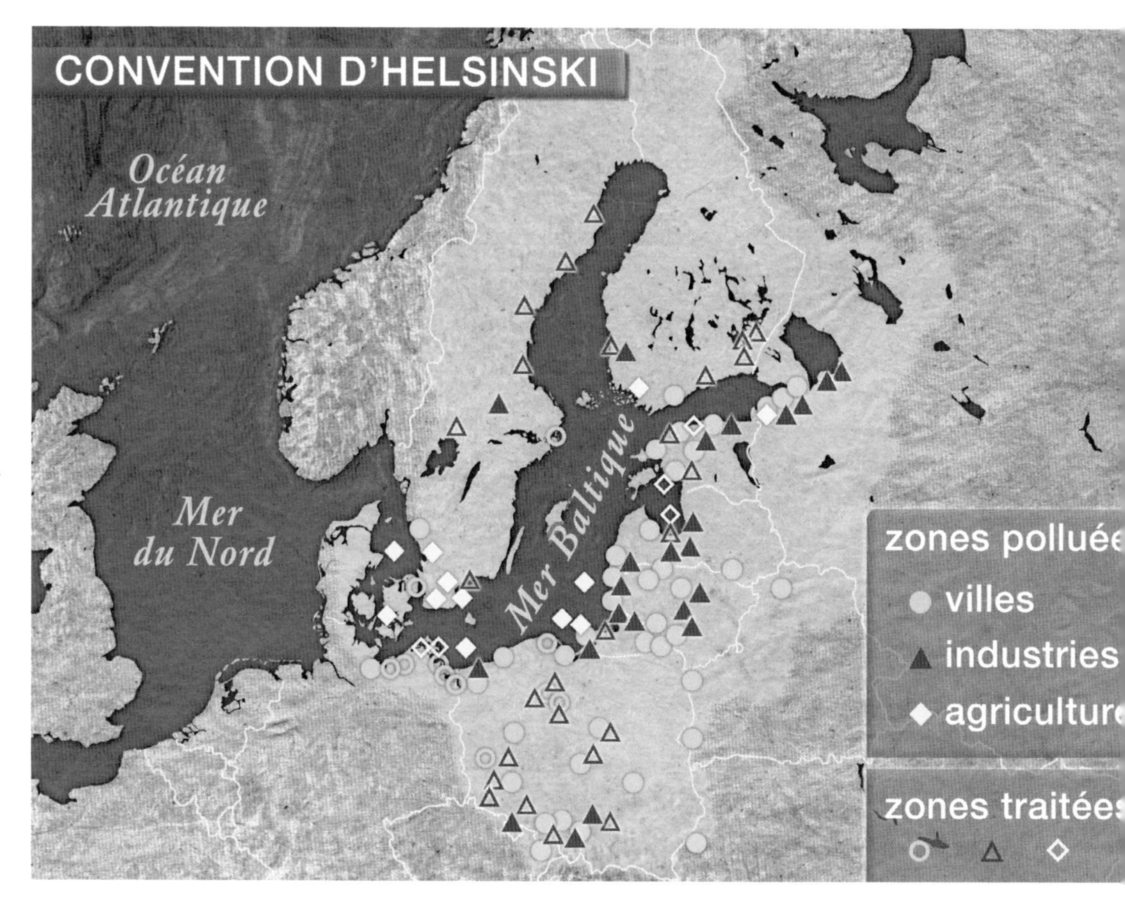

entre les pays riverains, dans le cadre du Plan d'action Méditerranée. Trois de ces six accords n'ont pas été ratifiés par un nombre suffisant de pays pour entrer en vigueur. Aussi, pour pallier cette situation, la France a créé en janvier 2003, le long de tout son littoral méditerranéen, une zone de protection écologique, d'une largeur de 80 miles, soit 144 km à partir des côtes. Dans cette zone, la France pourra ainsi poursuivre les auteurs de pollutions, notamment les navires procédant à des déballastages.
Dans l'Atlantique du Nord-Est, quinze pays européens et la Commission européenne ont signé en 1992 la convention OSPAR pour la protection du milieu marin. Cette convention a été plutôt bien respectée, puisqu'elle a permis de réduire en dix ans les quantités de polluants rejetés dans la mer, à l'exception notoire de l'azote agricole. Car, au fond, comme les pays riverains sont des pays riches, avec des opinions publiques sensibles à l'environnement, et avec des lobbies écologistes actifs comme Greenpeace, les actions sont prises en concertation et peuvent être réalisées grâce à la mise à disposition de moyens financiers.

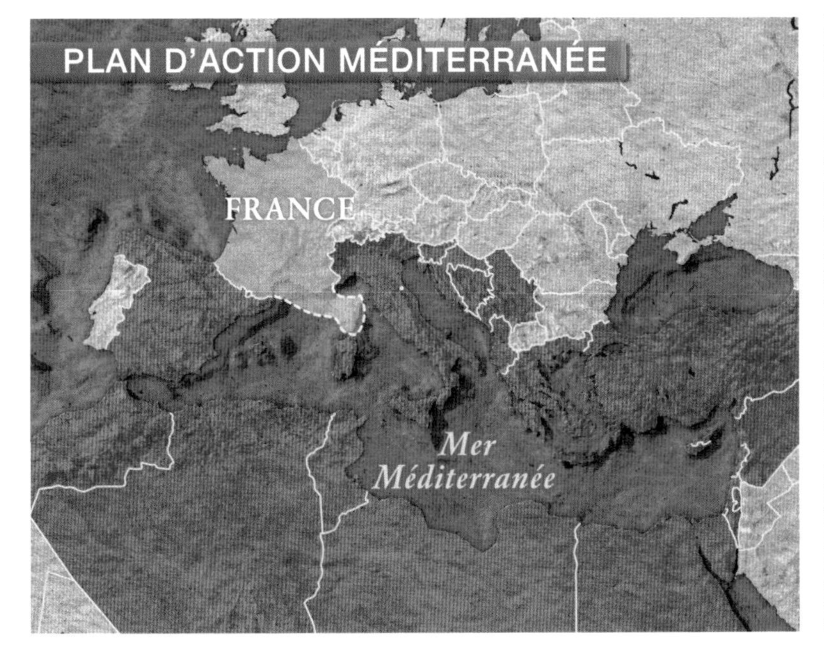

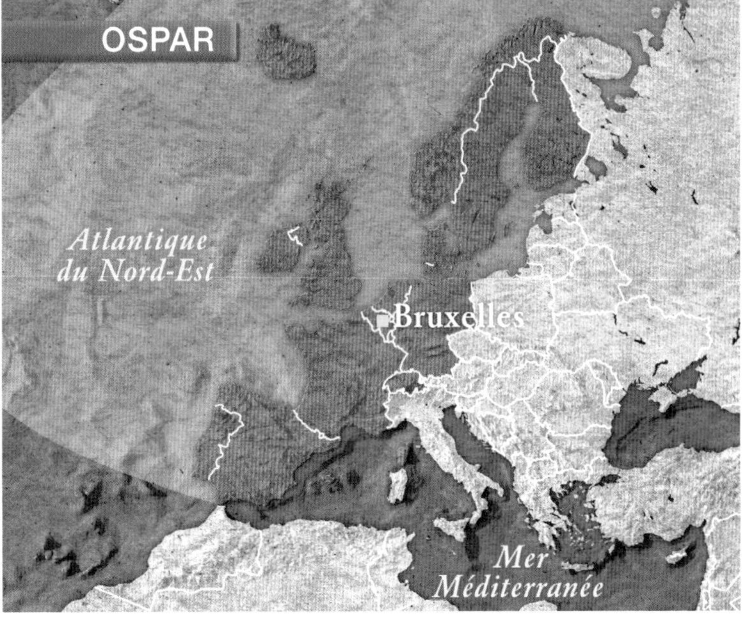

C'est en Turquie, dans les monts du Taurus, que le Tigre et l'Euphrate prennent leurs sources. Ces deux fleuves majeurs du Moyen-Orient offrent à la Turquie un fort potentiel en eau, qu'elle utilise pour favoriser le décollage économique de l'est du pays.

BARRAGES TURCS

Longtemps symboles de développement, les grands barrages sont maintenant critiqués pour les effets néfastes sur l'environnement, la santé, voire pour les tensions politiques qu'ils peuvent engendrer. Le projet de barrages turcs en Anatolie orientale en est un bon exemple.

Enjeu hydropolitique

Pour favoriser le décollage économique de l'est du pays, la Turquie a lancé en 1976 le GAP, le Projet de l'Anatolie du Sud-Est. Ce projet prévoit, d'ici à 2010, la construction de vingt-deux barrages et de dix-neuf centrales électriques sur les fleuves Tigre et Euphrate et leurs nombreux affluents. Son objectif est triple : il doit permettre de produire 30 milliards de kW/h d'électricité, d'irriguer 1,7 million d'hectares de terres arides, et ainsi contribuer à sortir du sous-développement cette région qui représente près de 10 % de la superficie de la Turquie.

Le projet GAP

Le projet GAP est un enjeu majeur pour la Turquie, car en contrôlant 28 % de son potentiel en eau, elle sera autosuffisante en 2010, tant sur le plan alimentaire qu'énergétique.

Les visées politiques sont également présentes. La Turquie compte en effet sur ces barrages pour régler la question kurde, en offrant aux Kurdes, majoritaires dans cette partie du pays, une hausse de leur niveau de vie et donc une meilleure intégration dans la société turque. D'autant qu'ils risquent de se retrouver à moyen terme « dilués » au sein d'une population à composante essentiellement turque, attirée par le potentiel d'emplois nouveaux qu'offrira la région.

Mais il y a aussi la face cachée du projet : depuis son lancement en 1976, quatre cents villages ont été totalement ou en partie engloutis par les eaux, provoquant le déplacement de près de 200 000 personnes. Les vestiges de la cité antique de Zeugma, fondée au IVe siècle av. J.-C., ont été totalement submergés. Seules des amphores, des statues et quelques mosaïques de cet autre « Pompéi » ont pu être sauvées. Cinq mille ans d'histoire pèsent peu face au projet le plus lourd jamais réalisé en Turquie : 32 milliards de dollars ont été investis dans la région entre 1976 et 1997 !

Les lacs de retenue des barrages font croître l'évaporation, ce qui contribue à l'augmentation des précipitations dans la région. Sans compter les effets sur les écosystèmes de l'Euphrate, comme les problèmes de sédimentation ou d'eutrophisation, c'est-à-dire la prolifération d'algues que connaissent la majorité des grands barrages.

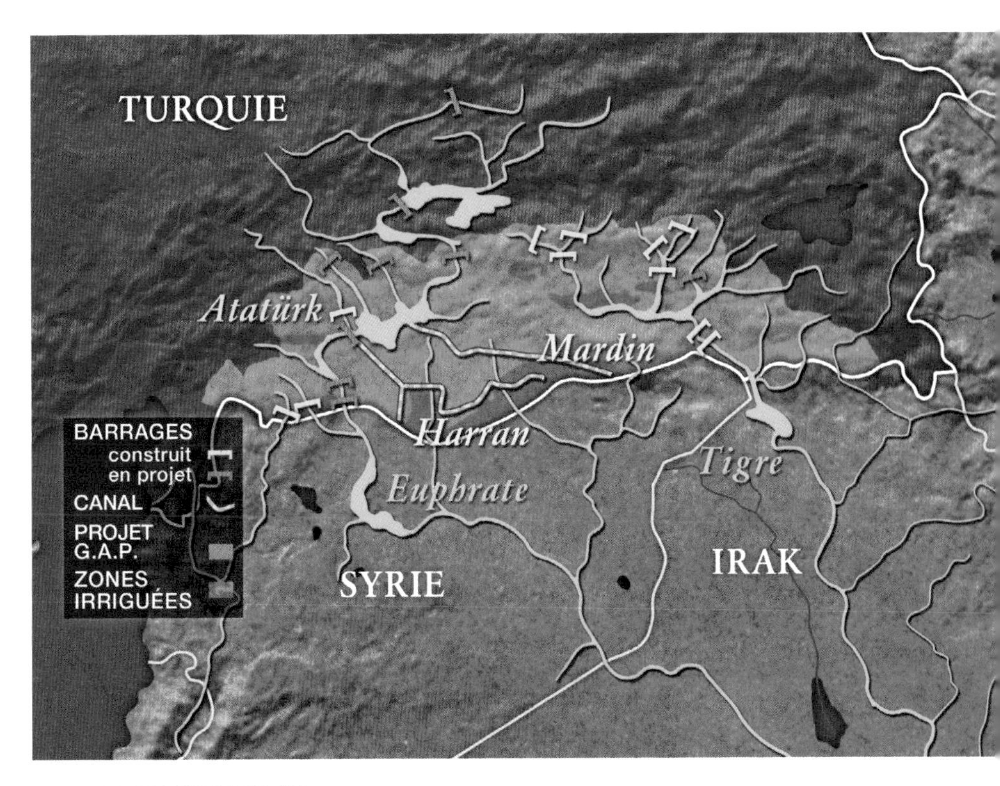

LES BARRAGES TURCS DU GAP

Sur les vingt-deux barrages prévus par le GAP, neuf ont déjà été construits. Le plus grand d'entre eux, le barrage « Atatürk », haut de 184 mètres, a été achevé en 1992. Grâce à ces neuf barrages, la Turquie a pu développer l'irrigation en Anatolie orientale. Un système de canaux depuis la retenue du lac Atatürk alimente en eau les plaines de Mardin et de Harran. Cette région, qui est à l'origine une zone aride, et par conséquent une des régions les plus pauvres de la Turquie, produit aujourd'hui deux récoltes par an de céréales, de coton, de légumes et de fruits.

Tensions sur l'Euphrate

Le projet turc du GAP engendre aussi des tensions avec les voisins de la Turquie, situés en aval : la Syrie et l'Irak. La Turquie peut en effet stocker derrière ses barrages plus d'une année de débit de l'Euphrate. Quand le GAP sera terminé, ce débit aura diminué de 11 milliards de m^3, et celui du Tigre de 6 milliards de m^3. En 1987, un accord bilatéral engageait la Turquie à fournir à la Syrie un débit minimum de

TENSIONS ENTRE AMONT ET AVAL

Le Tigre et l'Euphrate se partagent entre la Turquie et ses voisins syrien et irakien. Les fleuves en partage entre plusieurs États ne sont pas un cas unique. Il y a environ deux cents bassins fluviaux de ce type dans le monde, mais un tiers seulement de ces fleuves est géré par des traités, et seuls quelques-uns ont un statut international, comme notamment le Danube ; ce n'est cependant pas le cas de l'Euphrate. Le projet turc du GAP engendre donc des tensions avec les deux pays voisins de la Turquie, puisque le GAP réduit les débits d'eau en aval, c'est-à-dire en Syrie et en Irak.

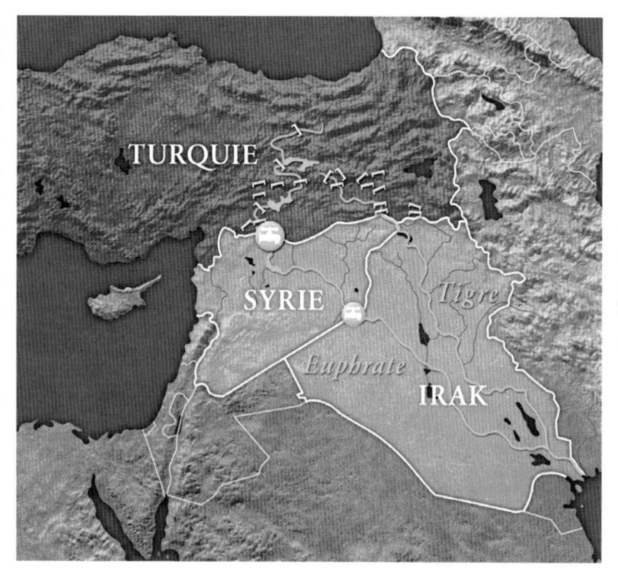

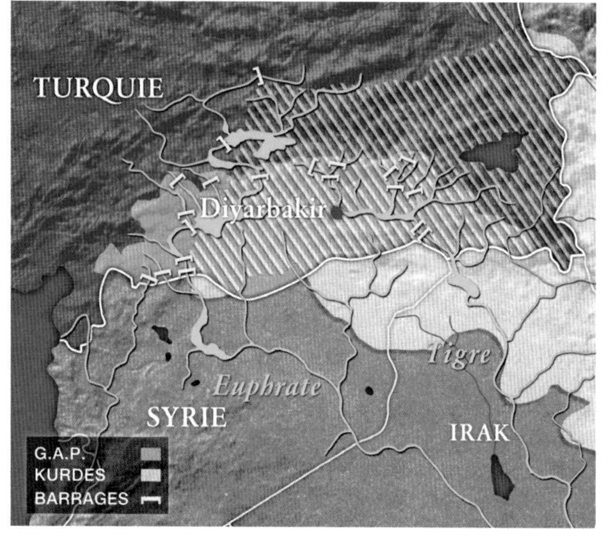

L'ENJEU KURDE

Cette région d'Anatolie orientale est la zone de peuplement kurde en Turquie. La ville de Diyarbakir est en effet considérée comme la capitale du Kurdistan turc. Elle a d'ailleurs été entre 1984 et 1999 le centre d'une lutte armée entre les combattants du PKK, le Parti des travailleurs du Kurdistan, et l'armée turque, qui a fait plus de 30 000 victimes.

500 m³ à la seconde, dont 58 % doivent être redistribués à l'Irak. Or ces deux pays jugent le débit garanti insuffisant pour leurs besoins d'irrigation, et la qualité des eaux fournies médiocre.

Selon Damas, le GAP aurait diminué de 40 % le débit de l'Euphrate en Syrie, alors que ses besoins en eau ne cessent d'augmenter. La population syrienne a plus que doublé entre 1970 et 2000, passant de 7 à 16 millions d'habitants. Un rapport des Nations unies estime que la Syrie pourrait connaître des pénuries d'eau d'ici 2025. Avec les barrages turcs et syriens, on estime que les Irakiens récupèrent environ 100 m³ d'eau à la seconde pour couvrir leurs besoins en eau potable et en irrigation, soit deux fois moins que ce qui avait été prévu par les accords bilatéraux. Cette eau est, de plus, de qualité médiocre, polluée par les engrais et les rejets industriels et urbains venant de l'amont. Elle est aussi très salée, d'où la dégradation des sols. La pollution de l'eau contribue enfin à l'augmentation du nombre de cas de fièvre typhoïde, qui en Irak seraient passés de 2 000 à 28 000 entre 1994 et 2000.

Vers une guerre de l'eau ?

Pour le pays d'amont qu'est la Turquie, l'eau est aujourd'hui une arme stratégique vis-à-vis de l'aval, c'est-à-dire la Syrie et l'Irak où le développement économique est dépendant de ressources hydrauliques. Ces deux pays cherchent donc à obtenir la reconnaissance du statut de *fleuve international* pour l'Euphrate, et une révision de l'accord de 1987 qui ne correspond plus à leurs besoins.

Or la Turquie s'est bien gardée de signer la convention des Nations unies de 1997 sur l'utilisation des fleuves internationaux, privant ainsi l'Irak et la Syrie de recours devant les juridictions internationales.

Pourtant, une « guerre de l'eau » semble peu probable au Moyen-Orient : l'eau est aujourd'hui devenue un outil de coopération. Et si les barrages suscitent des tensions sur l'environnement, ou entre les populations concernées, la question du partage de l'eau se révèle souvent être un contentieux « en plus » qui ne fait que masquer des contentieux historiques ou politiques.

L'EAU, UN ALIBI POUR LA SYRIE ?

La Syrie a également construit des barrages sur l'Euphrate : le barrage de Tabqa, qui produit 50 % de l'électricité du pays et permet l'agriculture irriguée, et Tichrin, pour assurer l'irrigation et fournir de l'eau aux grandes villes, dont Alep et Damas. Or comme la quasi-totalité de l'eau vient de Turquie située en amont, le problème du partage des eaux avec ce pays empêche le remplissage optimal du lac de retenue du barrage de Tabqa, et ralentit, en été, la production d'électricité, ce qui occasionne des coupures de courant, et le rationnement de l'eau dans les villes. Cependant, la Turquie n'est pas la seule cause des pénuries d'eau en Syrie. Le faible débit de l'Euphrate en Syrie est également dû aux forages sauvages, aux méthodes dépassées d'irrigation et au réseau de canalisations bien souvent obsolète. D'ailleurs, dans les relations entre la Syrie et la Turquie, l'eau est un contentieux récent qui en masque en réalité de plus anciens, comme cette vieille rivalité entre Turcs et Arabes. Il est vrai qu'au cours de la Première Guerre mondiale, les Turcs ont éprouvé un sentiment de trahison lorsque les Arabes, aidés par les Anglais, ont lancé une révolte contre les Ottomans qui les avaient toujours protégés. À cette rivalité s'ajoute le contentieux sur la région d'Iskenderun – ancien sandjak d'Alexandrette – cédée en 1939 par la France mandataire à la Turquie, et que la Syrie continue de revendiquer. Sans oublier la question kurde qui reste un sujet de tension entre les deux pays. En 1998, la Turquie n'a pas hésité à menacer la Syrie de lui « couper les eaux » de l'Euphrate, si elle n'expulsait pas Abdullah Öcalan, le chef du PKK, le mouvement autonomiste des Kurdes de Turquie, qui avait développé sa base arrière en territoire syrien avec la bienveillance de Damas.

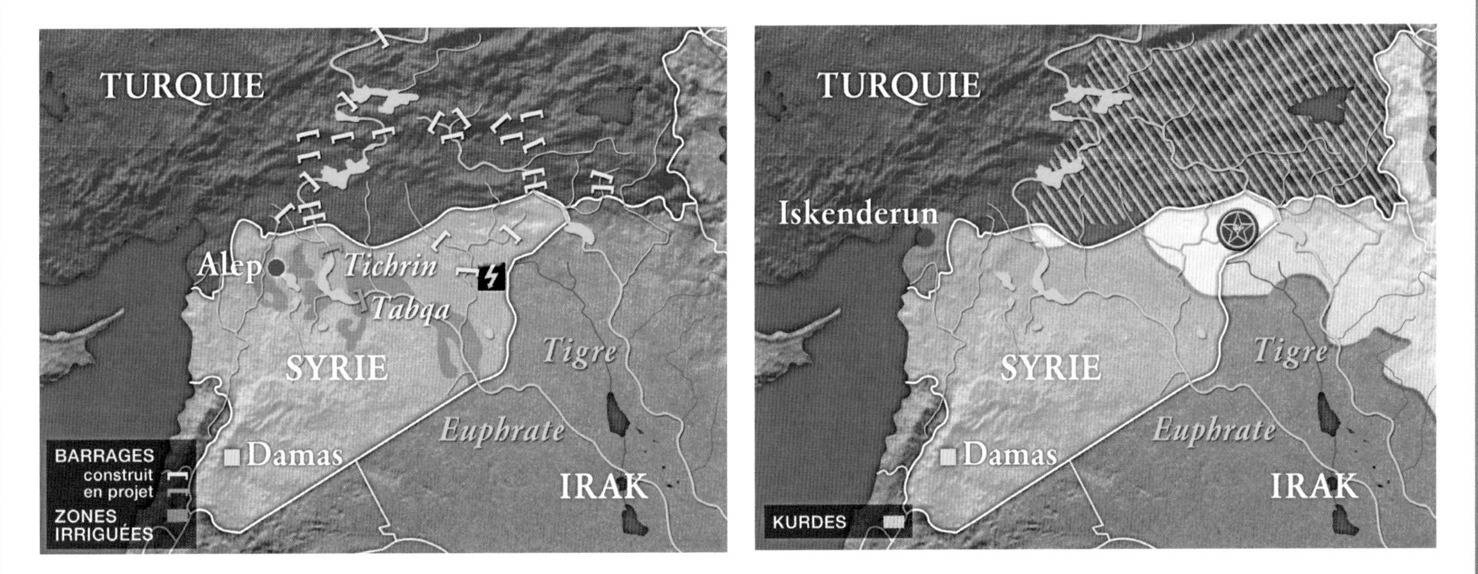

CALIFORNIE

CANADA
ÉTATS-UNIS
Sacramento
Océan Pacifique
MEXIQUE

Logée entre la sierra Nevada et l'océan Pacifique, la Californie est un État tout en longueur – 1 200 km de côtes. La capitale est Sacramento.

En richesse produite, la Californie serait la sixième économie mondiale. Mais le modèle de développement économique « réussi », gagé sur un ordre naturel radicalement modifié, est désormais face à une équation géographique dépassée.

Un état dans l'impasse

Avec 35 millions d'habitants, la Californie est le plus peuplé des cinquante États américains. C'est un État multiethnique :

– les Blancs – appelés « Caucasiens » aux États-Unis – représentent 47 % de la population, ce qui est beaucoup moins que la moyenne nationale qui est de 69 % ;

– les Latinos sont 32 % ;

– les Noirs – appelés « Afro-Américains » aux États-Unis – sont 12 % ;

– les Asiatiques sont 8 %.

Entre 1980 et 2000, la population de cet État s'est accrue de près de 10 millions de personnes. Sur le million d'immigrants arrivant légalement aux États-Unis en 2002, la Californie en accueille à elle seule près de 30 % ; ce qui représente la moitié des Mexicains, la moitié des Vietnamiens et des Philippins arrivant aux États-Unis. Los Angeles est un peu devenu la nouvelle « Ellis Island » des États-Unis.

Une équation économique idéale

Cette immigration est attirée par une forte activité économique, elle-même soutenue historiquement par... une forte immigration. L'économie californienne est importante dans trois secteurs : l'industrie avec le secteur militaro-industriel et aérospatial américain ; l'agriculture ; et les services avec le tourisme, les médias, l'informatique et le commerce facilité par le fait que le plus grand port américain est californien. Le complexe Los Angeles-Long Beach est le premier port des États-Unis, il a dépassé New York de trois fois par le tonnage ; Los Angeles est aussi la troisième porte d'entrée aérienne du pays, après Atlanta et Chicago.

La Californie est donc en position d'interface entre les États-Unis, le monde latino-américain, et les mondes de l'Asie et du Pacifique. C'est là l'une des explications de sa position tout à fait éminente aux États-Unis.

Si cette équation économique est idéale, l'équation géographique, elle, ne tient plus.

Une équation géographique dépassée

Ce développement souvent présenté comme « exemplaire » s'est fondé, depuis les années 1900, sur un bouleversement radical de l'ordre naturel. Car pour faire fonctionner villes, industries, agriculture, il a fallu aller chercher de l'eau très tôt et très loin.

Aujourd'hui, 20 millions de Californiens dépendent de ressources hydrauliques extérieures et les capacités de croissance future sont gagées, d'abord sur de grosses habitudes de consommation pour les villes, sur les besoins des agriculteurs et enfin sur des ressources situées derrière les grands barrages du Colorado. Tout cela ouvrant sur des conflits d'usage entre les compagnies des eaux, les écologistes, les agriculteurs, et le pouvoir fédéral qui doit arbitrer.

Par exemple, la prospérité de la filière agro-business repose sur une main-d'œuvre bon marché, et bien formée, d'origine mexicaine. Mais aussi sur l'eau bon marché, les travaux d'infrastructure étant financés par l'État californien ou l'État fédéral, soit dans les deux cas par le contribuable !

En résumé, voici un État suspendu aux chutes de neige dans la sierra Nevada, et au taux de remplissage des réservoirs du Colorado. La Californie a tiré sur le fleuve bien plus que son quota autorisé, simplement parce que l'Arizona et le Nevada

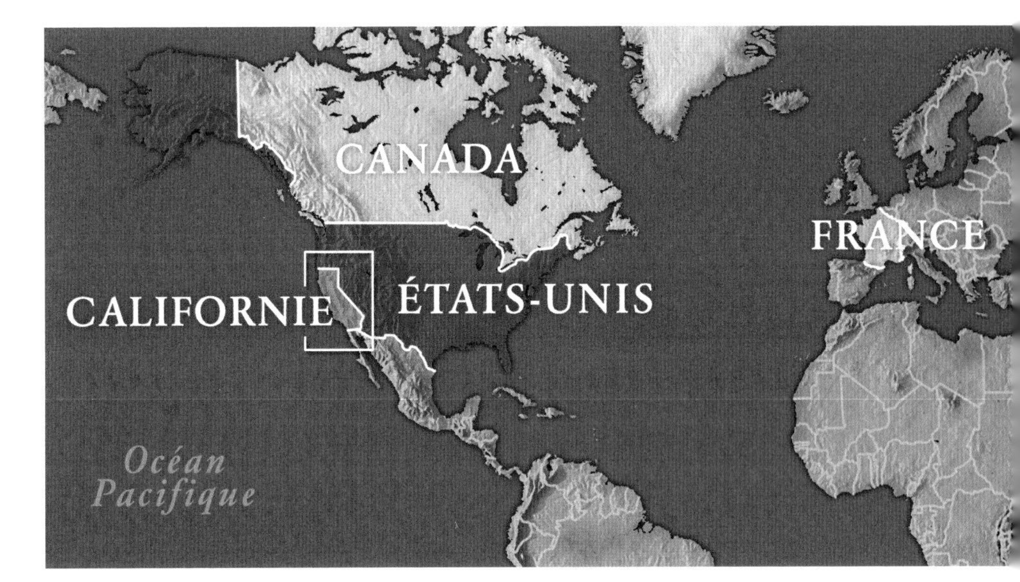

LA SIXIÈME PUISSANCE MONDIALE ?

La Californie est le premier État américain par la puissance économique, contribuant à elle seule à 14 % du PIB américain. Si elle faisait « sécession », la Californie serait la sixième puissance économique mondiale, au niveau du Canada ou de la France.

L'EXPRESSION DU RÊVE AMÉRICAIN

La conurbation formée par les agglomérations de Los Angeles et de San Diego compte 17 millions d'habitants ; et celle autour de la baie de San Francisco regroupe près de 8 millions d'habitants.
La Californie est une grande destination touristique, on y trouve le désert de la Vallée de la Mort, le parc naturel du Yosemite, l'industrie du cinéma – Hollywood et Beverly Hills –, les médias, l'informatique de pointe dans la Silicon Valley. C'est là que sont nés Apple, Hewlett Packard, les industries de biotechnologies.
Le secteur militaro-industriel et aérospatial américain (Douglas, Hughes Electronics, Rockwell), qui s'était rétracté pendant les années post-guerre froide – les commandes de l'État passant alors de 54 % à 41 % (des ventes totales) –, a retrouvé son dynamisme avec les commandes du Pentagone en 2001 pour les guerres en Afghanistan et en Irak. Un cinquième de toutes les dépenses tant privées que fédérales en recherche-développement vont à la Californie, qui s'appuie sur un système universitaire d'excellence. On connaît de réputation Berkeley et Stanford.
Enfin, aucun autre État américain n'a une production agricole aussi élevée : fruits et légumes, vins californiens de la Napa et de Sonoma Valley, coton, luzerne, élevages stabulés, c'est-à-dire les fameux feed lots, *qui sont de véritables usines à viande.*

n'utilisaient pas totalement leurs propres quotas. Or, ces « droits de tirages spéciaux » viennent à leur terme avec le développement de Tucson, de Phoenix, de Las Vegas, autant de villes qui consomment désormais tous leurs quotas sur le Colorado.
La question de l'eau en Californie voit s'affronter ou se coaliser trois familles d'acteurs :
– les agriculteurs, qui consomment 80 % du volume d'eau à eux seuls ;
– les villes et leurs compagnies des eaux, notamment la Metropolitan Water District de Los Angeles ;
– les écologistes, qui s'appuient sur les lois fédérales de protection de l'environnement et de la qualité de l'eau, car ils constatent qu'elles ne sont pas respectées dans l'État de Californie.

Donner raison aux écologistes ?

On note que l'État fédéral, pourtant proche du lobby de l'agro-business, a de plus en plus tendance à donner raison aux écologistes.
Est-ce parce que Washington est conscient d'une situation désormais en impasse ?
Parce que ce stress hydrique est désormais une limitation à la croissance ?
Si en 2003, Gray Davis a perdu les élections devant Arnold Schwarzenegger pour le poste de gouverneur, c'est bien à cause de l'électricité, c'est-à-dire de la crise de l'énergie.
Souvenons-nous que la situation de la Californie est en fait plus fragile qu'on ne le perçoit : panne électrique en 2003, énormes incendies non maîtrisés dans les parcs naturels, émeutes ethniques de 1992, tremblement de terre de 1994 à San Francisco, la Californie étant située juste sur la faille pacifique de San Andreas.
La Californie semble un concentré du rêve américain : elle illustre bien le modèle réussi de développement économique, les limites de ce modèle qui consomme plus que les ressources disponibles, sa remise en cause nécessaire. En somme, l'expression exacte de la puissance et de la vulnérabilité américaines.

Ce texte s'est appuyé sur les entretiens avec Gérard Dorel, professeur de géographie à Paris I, et inspecteur général de l'Éducation nationale, et sur ses travaux.

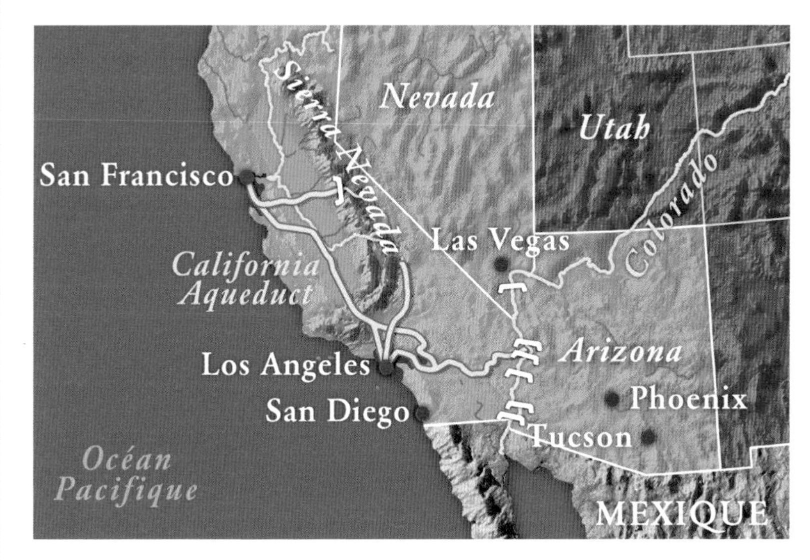

UNE EAU IMPORTÉE

Les fleuves venant de la sierra Nevada – on voit ici la Sacramento et la San Joaquin – ont été captés pour irriguer les terres du « Central Valley Project », pendant que les villes de la côte – Los Angeles, San Diego, San Francisco – rachetaient peu à peu les droits d'eau détenus par les fermiers et les éleveurs. Le lac Owens a été asséché au profit des habitants de Los Angeles. La vallée de la Hetch Hetchy River a été noyée en 1923 pour construire un barrage permettant d'alimenter San Francisco.

Le fleuve Colorado qui fait frontière entre Californie et Arizona a permis la construction du barrage Hoover en 1930, pour amener l'eau aux vallées Imperial et Coachella pour les exploitants agricoles des déserts du Sud californien. Un canal de plus de 250 km de long, construit dans les années 1940, amène l'eau du Colorado jusqu'à Los Angeles.

Dans les années 1960, l'État californien a construit le California Aqueduct qui permet le transfert des eaux du nord de la Californie jusqu'au sud. C'est un véritable fleuve artificiel qui passe par pompage sur 700 km de long au-dessus des montagnes Tehachapi pour arriver au nord de Los Angeles. Un peu comme si on transférait une partie de la Seine jusqu'au Languedoc en passant par-dessus… le Massif central.

GOLFE DE GUINÉE

Pétrole ou tortues ?

Si, dans le golfe de Guinée, en Afrique de l'Ouest, on rapproche différents paramètres de décision, on mesure les choix difficiles que les gouvernements des pays riverains sont amenés à faire.

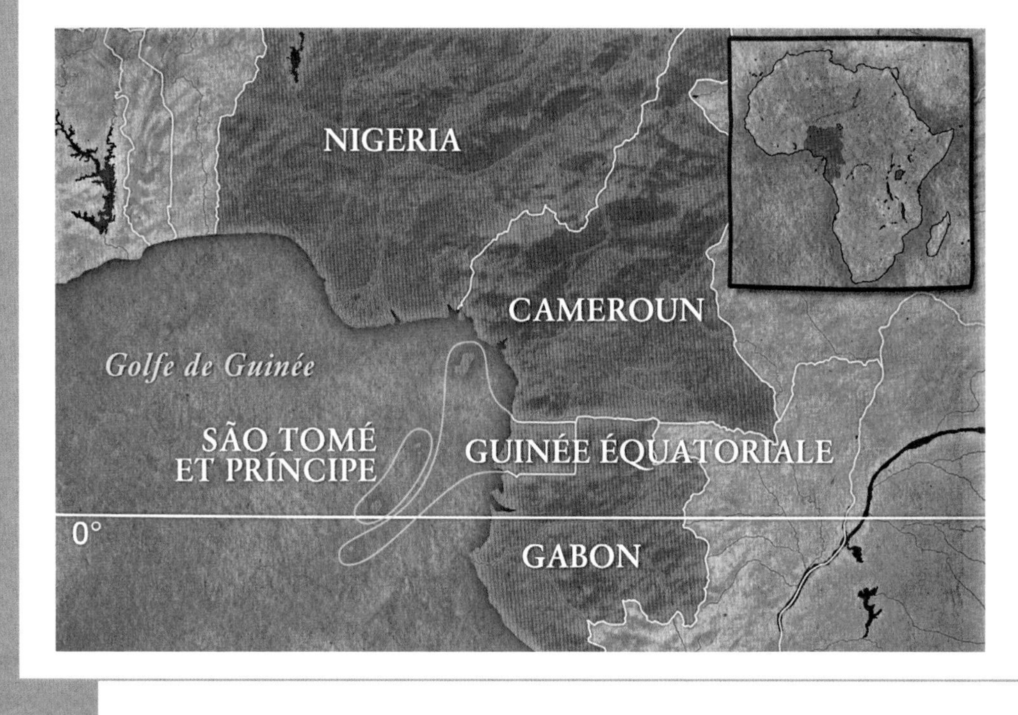

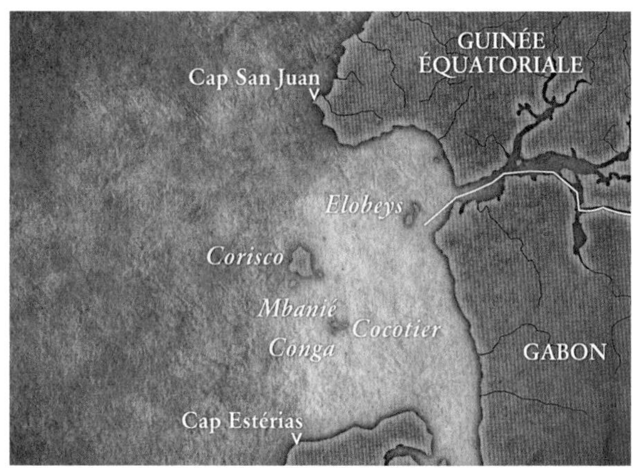

PREMIER PARAMÈTRE : LA PONTE DES TORTUES

Sur huit espèces de tortues marines dans le monde, cinq viennent se reproduire sur les côtes du golfe de Guinée. Ce golfe est donc un lieu de grande biodiversité marine, fragile et qui a besoin d'être protégé. La baie de Corisco est l'une des principales aires de reproduction au monde. Quatre des cinq espèces de tortue qui viennent pondre entre le cap San Juan en Guinée équatoriale et le cap Estérias au Gabon sont menacées :

– les femelles sont recherchées pour leur chair, leurs œufs qui auraient des vertus aphrodisiaques, et leur carapace utilisée dans l'artisanat local vendu aux touristes ;

– sur le littoral gabonais, les grumes d'okoumé échoués sur les plages empêchent la ponte ;

– au large, les déballastages des navires transitant par le golfe provoquent des marées noires sur les plages ;

– enfin, le prélèvement massif du sable pour la construction sur les côtes entraîne une érosion des plages.

Plusieurs États d'Afrique centrale ont mis sur pied un plan régional pour la conservation des tortues marines : le programme ECOFAC (Écosystèmes forestiers d'Afrique centrale), financé par l'Union européenne.

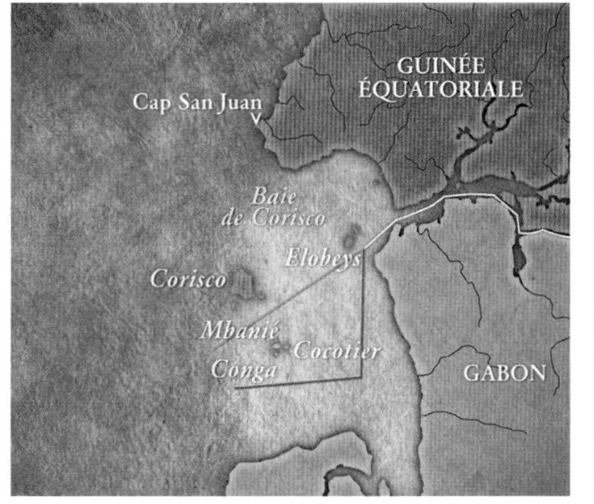

DEUXIÈME PARAMÈTRE :
LES CONTENTIEUX TERRITORIAUX DANS LA RÉGION

Plusieurs souverainetés nationales se partagent les zones de pontes. Le río Muni fait frontière entre la Guinée équatoriale et le Gabon, puis se jette dans la baie de Corisco, elle-même située à cheval sur ces deux États. L'espace maritime est très resserré dans la baie, la ligne de frontière médiane mutuellement admise prend fin dès l'embouchure du río Muni. Ensuite, il y a contentieux car il est difficile de délimiter de façon équitable les eaux territoriales de chacun de ces deux pays en se conformant au droit maritime international.

Pour le Gabon, la frontière maritime passe le long d'une ligne à peu près équidistante entre les archipels de Corisco et celui de Mbanié. Pour la Guinée équatoriale, la frontière inclut dans son territoire maritime les trois îlots de Mbanié, Cocotier et Conga. Ce contentieux frontalier s'explique sans doute par la volonté de chaque pays de protéger la reproduction des tortues et cet environnement exceptionnel appelé à devenir un potentiel pour l'écotourisme. Ce n'est pas là le vrai mobile.

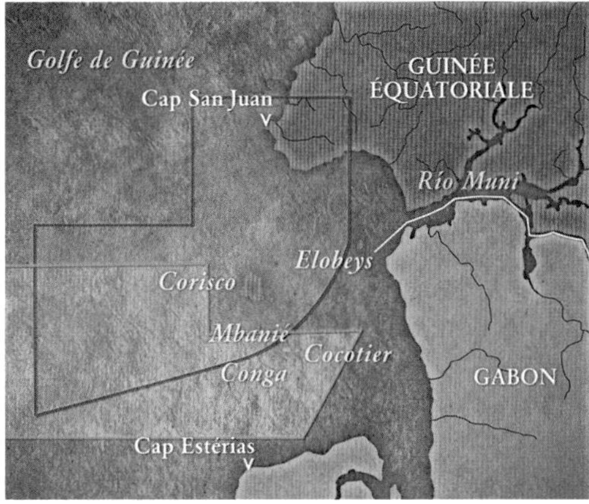

TROISIÈME PARAMÈTRE :
L'ATTRIBUTION DES CONCESSIONS PÉTROLIÈRES

Le golfe de Guinée, riche en hydrocarbures, est appelé à devenir une zone majeure dans la production pétrolière mondiale, la région pouvant à terme être perçue comme plus stable politiquement que le Moyen-Orient. De larges zones d'exploitations pétrolières en offshore ont été accordées : le Gabon a fourni des permis d'exploitation à Gulf Oil et à Royal Dutch Shell, et la Guinée équatoriale aux sociétés espagnoles Cepsa et Spanish Gulf Oil. La carte le montre très nettement, il y a conflit, les deux zones viennent se chevaucher au centre des champs pétrolifères. La question de la délimitation précise des eaux territoriales devient donc un enjeu économique et pas seulement une affaire de frontière maritime.

Ce texte a été rendu possible par les travaux de Jean Rieucau.

Biodiversité ou or noir ?

– Permettre la chasse aux tortues, puisqu'elles fournissent aux populations des protéines et des revenus ?
– Ou protéger la survie des tortues pour assurer la pérennité de la biodiversité, et le développement de l'écotourisme ?
Ce qui d'ailleurs pourrait assurer une source de revenus pour les peuples côtiers, sans modifier leur mode de vie séculaire, tout en protégeant les tortues.
Cependant, pour les populations – c'est évidemment un quatrième paramètre – la protection des tortues est plutôt considérée comme un obstacle aux habitudes et un frein au développement. Ce qui fait consensus est l'extension des champs pétrolifères : la pression nationale et privée est plus forte et le retour sur investissement jugé plus rapide. Pourtant, si les gouvernements choisissent d'étendre le pétrole en offshore, quelle garantie auront les populations d'une redistribution des revenus répondant à leurs besoins ?
Choisir le pétrole, c'est un choix classique, fournissant de façon sûre des devises au budget de l'État, et offrant des moyens pour un développement sur le modèle occidental. Mais c'est désormais une vision courte, en contradiction avec la nécessité de sortir des énergies fossiles.
Choisir la survie des tortues est évidemment moins sûr comme mode de développement, mais c'est aussi choisir la survie économique des populations dans une planète plus lente, plus réconciliée, où l'homme est peut-être moins arrogant, moins sûr de lui, plus soucieux des générations futures.
La protection des tortues est bien sûr une allégorie, pourtant, ce sont bien ces questions-là qui se posent dans la réalité.

Au nord du continent américain, un litige maritime oppose États-Unis et Canada.

PASSAGE

Une nouvelle route maritime

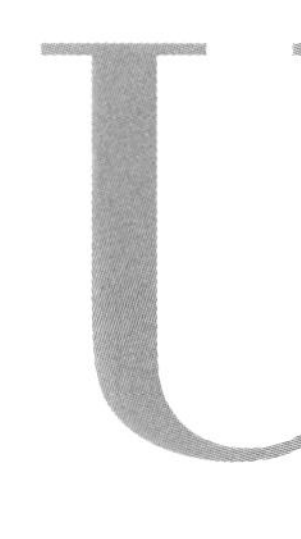

n nouveau « grand jeu » se noue au nord de l'hémisphère Nord, difficile à percevoir aujourd'hui. Un vaste puzzle géopolitique, économique et juridique.

Au nord du Canada, à sa limite avec l'océan Arctique, deux points de vue diplomatico-juridiques s'opposent. L'argument porte sur l'interprétation de la convention de Montego Bay, c'est-à-dire le droit de la mer, adoptée internationalement en 1983. Les États en litige : Canada et États-Unis.

Ottawa face à Washington

Pour Ottawa, les eaux à l'intérieur de la ligne de base relèvent des eaux internes du Canada, réglementées en vertu du droit de la mer. Ce n'est pas ici une affaire de prestige national, mais de prudence. Il s'agit d'un besoin de contrôle – des côtes nationales et d'un possible détroit international –, comme à Panamá ou dans le détroit des Dardanelles.

Côté américain, pas question que le Canada soit en droit de fermer la navigation en ce lieu : ces eaux relèvent du statut des détroits internationaux, au titre de l'article 37 de la convention sur le droit de la mer, qui assure à tout navire la liberté de navigation.

DU NORD-OUEST

Pour l'instant, le litige n'a pas été renvoyé à la Cour d'arbitrage internationale de La Haye, mais il se précise à mesure que se dessine l'hypothèse d'un renforcement du trafic maritime dans les années à venir. Car on assiste à une intensification des recherches dans le sous-sol, les ressources minières se révélant importantes. Si le potentiel minier de l'Arctique se confirme, il en résulterait un trafic maritime grandissant, pour la construction des ports comme pour leur logistique, les évacuations des minerais, le transport des pondéreux.
De nombreux indices viennent étayer cette hypothèse.

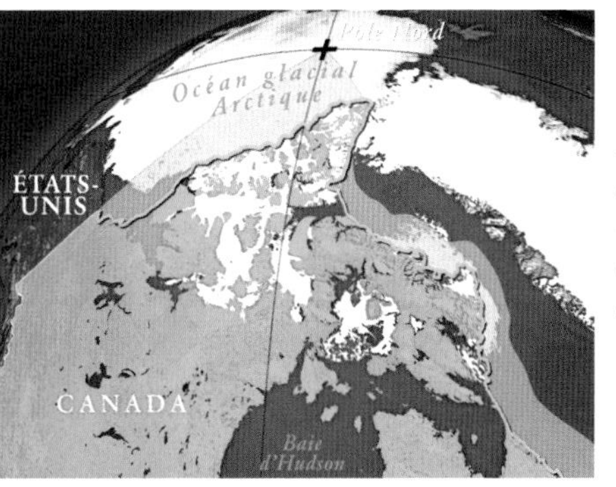

LA FRONTIÈRE MARITIME DU CANADA
On voit ici la ligne de base qui enserre l'archipel arctique, c'est-à-dire les 12 miles nautiques des eaux territoriales canadiennes, et la zone économique exclusive qui s'étend sur 200 miles nautiques.

De l'utilité économique du réchauffement climatique

Corrélons la conjoncture climatique de ce début de XXIe siècle, et la position sur le globe terrestre de ce passage maritime.

– La conjoncture climatique : au-delà du soixantième degré de latitude nord, les banquises – d'hiver comme d'été – bloquent le passage du Nord-Ouest. Or, depuis la fin de la décennie 1990, la banquise diminue en épaisseur, en superficie, et en durée. Soumis aux conséquences du réchauffement climatique, le passage du Nord-Ouest pourrait pour la première fois se trouver libéré dans les vingt ans qui viennent, et dès lors être utilisable par les cargos. Une telle fonte des glaces a deux conséquences économiques majeures : l'accès aux mines devient possible, une nouvelle route maritime internationale majeure peut être ouverte.

UNE RÉGION RICHE EN RESSOURCES NATURELLES
La mer de Beaufort recèlerait 1,5 milliard de barils de pétrole, et 360 milliards de m^3 de gaz. À travers le Nunavut et les Territoires du Nord-Ouest, on a une multiplication des indices géologiques de kimberlite, cette roche qui renferme souvent des filons diamantifères.

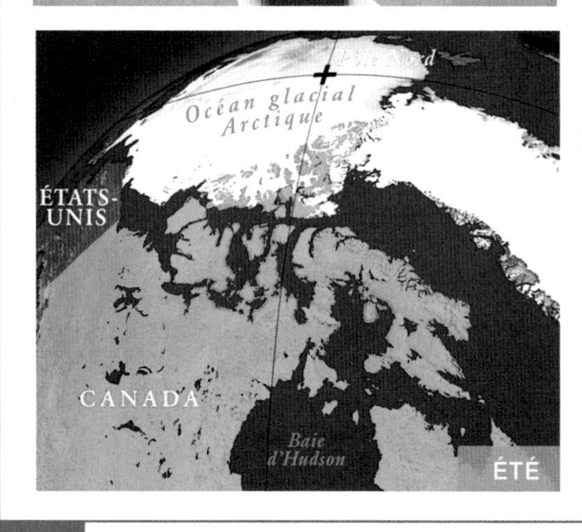

LA FONTE DE LA BANQUISE

L'hémisphère Nord est couvert de glace, mais le point géographique du pôle Nord n'est pas sur terre, il est sur l'océan glacial Arctique. Et la banquise arctique a des superficies différentes en été et en hiver.
En zone arctique, dans les quarante dernières années, la surface de la banquise a été réduite de 14 %, son épaisseur a diminué de 42 %. L'eau est plus chaude, moins salée, provoquant une embâcle plus tardive et une débâcle de printemps plus précoce d'environ trois semaines.

– C'est sur une carte en projection polaire, permettant la mesure de la rotondité de la terre, que l'on comprend ce qu'offre un tel passage maritime. Ce passage du Nord-Ouest est connu par les explorateurs et les navigateurs pour avoir été forcé plusieurs fois depuis le XVIe siècle. En quelque trois cents ans, on a assisté à de nombreuses tentatives… et à de nombreux échecs, provoqués précisément par la glace, hiver comme été. Avec l'ouverture d'un tel passage enfin libre de glace, le trajet entre Europe et Asie serait réduit à 6 000 km, contre 8 000 km avec les anciennes routes, via Suez et Panamá.

Une nouvelle route internationale ?

On mesure le gain en distance, donc en temps, donc en coût. De plus, une telle route polaire n'imposerait aucune limite de gabarit ni de tirant d'eau aux navires qui l'empruntent, contrairement à Panamá et Suez, qui sont des canaux en partie artificiels.
Des compagnies de navigation en escomptent déjà des gains en fioul, entraînant une baisse du coût des équipages et peut-être même une baisse des primes d'assurance.
Pourtant, compte tenu des conditions physiques propres à cette région, on y trouvera toujours hiver comme été de la banquise dérivante. Peut-être faudra-t-il alors utiliser des cargos à coque à double fond, ou à coque renforcée, ou des navires accompagnés de brise-glace afin de rassurer… les assureurs ?
En ce début de XXIe siècle, les études estiment que dans vingt-cinq ans, le trafic pourrait représenter plusieurs milliers de navires par an. Voilà pourquoi le Canada tient à définir les normes des navires qui accèderont aux eaux de l'archipel arctique. Il est, ici comme ailleurs, indispensable de tout prévoir pour éviter de graves accidents. On se souvient de la pollution majeure provoquée par le naufrage de l'*Exxon Valdez* en mars 1989, au large de l'Alaska. La fonte des glaces libérera en effet des icebergs immenses, compactés par les siècles, ce qui augmentera le risque de glace dérivante. Donc des risques de sauvetages complexes, coûteux, accompagnés de pollutions à longue rémanence.

Défendre le détroit

Dernier secteur où il faut appliquer la prévision : les questions militaires.
Si, dans une vingtaine d'années, le passage du Nord-Ouest devient effectivement un détroit international important, le Canada ne pourra assurer qu'une faible présence militaire. En 2004, ce pays disposait seulement d'un ou deux garde-côtes et de quelques Rangers dans les villages inuits. Or, un canal d'importance internationale devra forcément être assuré d'une présence militaire forte, pour éviter la piraterie maritime ou le terrorisme.

Ce type d'exercice démontre l'importance de corréler les questions de souveraineté, de climat, de transport, de pollution. La géopolitique requiert de croiser les données avec circonspection. Mais cela permet souvent de réfléchir loin.

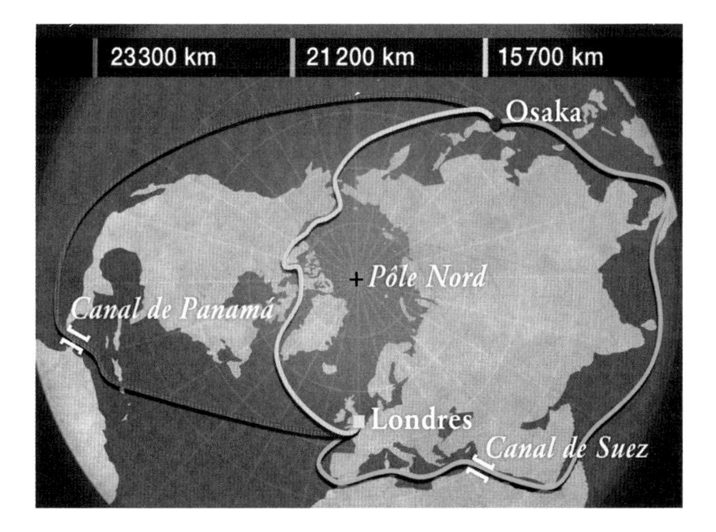

LE RACCOURCI DU NORD-OUEST

De l'Europe vers l'Asie, le trajet par cargo est de 23300 km en passant par Panamá, de 21200 km par Suez, mais il ne serait que de 15700 km par le passage du Nord-Ouest.

Ross River
Détroit de Franklin
Baie d'Hudson
Île de Baffin
Baie de Frobisher
Détroit de Davis

UNE ROUTE MYTHIQUE

Le « passage du Nord-Ouest » est bien connu des explorateurs, pour avoir été tenté plusieurs fois depuis le XVIe siècle. Pour Frobisher, Davis, Hudson, Baffin, Ross, Franklin, il s'agissait, au départ de l'Europe ou de l'Amérique, de trouver la route de l'Orient en contournant l'Amérique par le nord afin de déboucher sur les rives de l'Asie. Plusieurs d'entre eux ont laissé leurs noms à des territoires géographiques.

RÉCHAUFFEMENT

L'avenir par la glace ?

Au pôle Nord, il n'y a pas de continent comme en Antarctique, mais une mer, couverte de banquise : l'océan glacial Arctique. Les limites de la banquise, que nous voyons ici en été, doublent de surface en hiver.

Peut-on comprendre, voire anticiper le réchauffement actuel du climat ? Dominique Raynaud, directeur de recherche au CNRS, ayant participé à de nombreuses campagnes en Antarctique et au Groenland pour le Laboratoire de glaciologie et de géophysique de l'environnement de Grenoble, explique ici les techniques de recherches qui permettent au glaciologue d'apporter un éclairage sur cette question.

DU CLIMAT

Jean-Christophe Victor : Qu'est-ce que la glaciologie, et quels sont les outils du glaciologue ?

Dominique Raynaud : La glaciologie est l'étude des glaces naturelles. Le premier volet, passionnant, consiste à prélever des échantillons, sur le terrain, dans les régions polaires ou sur les glaciers. Ensuite, le travail scientifique de laboratoire peut commencer. Nous utilisons en effet la glace pour essayer de mieux comprendre notre système « terre » – en particulier, le climat et l'environnement.

Les carottes de glace sont pour nous l'outil essentiel. Au centre de l'Antarctique ou du Groenland, nous réalisons des forages de quelques kilomètres de profondeur afin d'extraire des carottes d'environ 10 cm de diamètre. Ces carottes contiennent des archives sur la composition de l'atmosphère : des myriades de petites bulles d'air, qui sont restées piégées durant des centaines de milliers d'années, ainsi que des poussières qui se sont déposées en surface et qui proviennent des continents, des océans, ou même de l'« extraterrestre ». Ainsi, nous pouvons remonter le cours du temps jusqu'à 400 000 ans. Et l'on espère pouvoir remonter encore plus loin dans le passé.

Une fois les carottes analysées, nous portons les résultats sur des courbes (graphique n° 1). On constate qu'au cours de son histoire, la terre a connu des températures fort différentes de la température actuelle, avec des périodes de chaud, et des périodes de froid moins fréquentes. On distingue en particulier une période chaude située à l'époque qui précède la disparition des dinosaures, il y a 65 millions d'années. Ce qui indique que notre machine climatique a été « forcée », comme disent les scientifiques, par des facteurs qui ont fait varier la température. Envisageons plusieurs de ces facteurs. Notre chauffage naturel le plus évident est

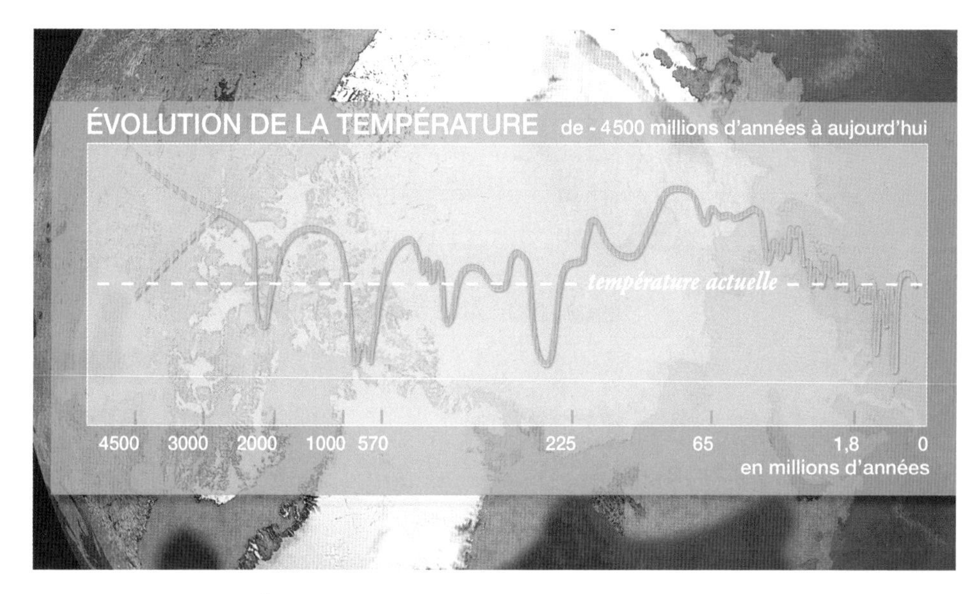

GRAPHIQUE 1 : LA TEMPÉRATURE DEPUIS LA NAISSANCE DE LA TERRE

Cette courbe représente l'histoire des températures de notre planète, depuis sa naissance il y a 4,5 milliards d'années jusqu'à aujourd'hui. La ligne en pointillés donne la température actuelle.

GRAPHIQUE 2 : LA TEMPÉRATURE DE L'AN 1000 À L'AN 2000

Entre l'an 1000 et 1850, on observe des variations dues à des phénomènes naturels, comme l'activité du soleil ou les volcans. Depuis 1850 environ, on note une augmentation très marquée de la température.

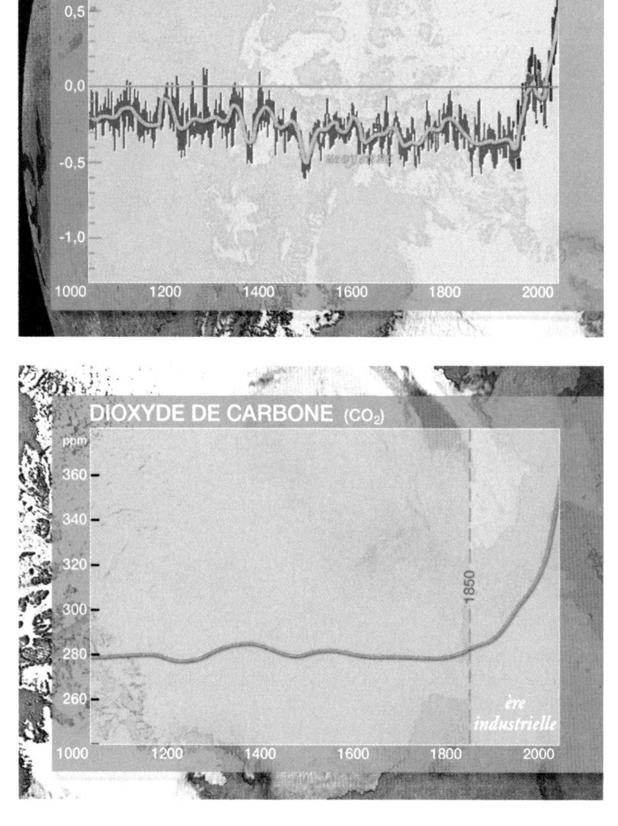

GRAPHIQUE 3 : TENEUR EN GAZ CARBONIQUE DE L'ATMOSPHÈRE TERRESTRE DEPUIS 1850

Depuis 1850, la proportion de CO_2 dans l'atmosphère a considérablement augmenté. Cela est dû à l'activité humaine qui, depuis le début de l'ère industrielle, en émet de grandes quantités. Ce gaz à effet de serre piège la chaleur réémise par la terre, qui se voit alors réchauffée en surface.

le soleil. La luminosité du soleil, depuis la naissance de la terre, a augmenté de 30 %. Cela a dû avoir une influence sur la température, tout comme les variations cycliques de la position de la terre par rapport au soleil.

Mais il n'y a pas uniquement le « forçage » solaire, externe à la planète. Il y a aussi la terre elle-même. La dérive des continents, par exemple, a une influence sur la circulation des océans, qui elle-même a une influence sur le climat. Notons également que des glaces disparaissent, que des végétations apparaissent ; des éléments qui jouent sur ce que l'on appelle l'« albédo » de la terre, c'est-à-dire la quantité d'énergie qui est réfléchie par la surface de la terre, et qui va soit refroidir, soit réchauffer notre atmosphère.

Jean-Christophe Victor : Comment lire ce schéma d'une période plus récente (graphique n° 2) ?

Dominique Raynaud : La question majeure est : quelle est la cause du réchauffement observé depuis 1850 ?

Depuis deux siècles, l'homme a clairement modifié l'atmosphère, comme le montre le graphique n° 3. L'utilisation des énergies fossiles (charbon, hydrocarbures) produit du gaz carbonique, et d'autres gaz à effet de serre sont liés à l'activité humaine. Par exemple, le méthane est lié au développement des rizières et à l'évolution des ruminants dont le nombre augmente avec l'accroissement de la population. Nous trouvons ainsi un certain nombre de facteurs qui peuvent être liés soit à l'agriculture, soit à l'activité industrielle, mais toujours à l'activité de l'homme, qui modifie l'atmosphère.

Jean-Christophe Victor : Voit-on un peu clair pour la période 2000 à 2100 ?
Dominique Raynaud : Savoir ce qui va se passer dans le futur est beaucoup plus compliqué, parce qu'il peut y avoir des variations naturelles, et parce que nous ne savons pas comment l'homme va réguler ses émissions. Les meilleurs modèles dont nous disposons aujourd'hui prévoient que la température aura augmenté de plusieurs degrés en 2100. Dans l'hypothèse basse, l'augmentation serait de 2° C ; dans l'hypothèse haute, de 6° C.
Rappelons qu'une augmentation de 5° C correspond à ce que la nature a fait en dix mille ans – d'un régime glaciaire où tout le Nord était englacé à notre époque actuelle. Or, nous savons que l'homme pourrait provoquer des changements de même ampleur... en seulement quelques centaines d'années !
Je souhaite insister sur un point : l'écart entre les deux prévisions, de 2° C à 6° C, est dû pour moitié aux incertitudes du modèle. Cependant, l'autre moitié est en notre pouvoir ; elle dépend, entre autres, de la façon dont nous régulerons nos émissions dans le futur proche.
Les conséquences, même de deux degrés, seront considérables. Dans le meilleur des cas, deux degrés d'augmentation, par rapport à six, est peut-être acceptable. Mais il y aura toujours des gagnants et des perdants, notamment en terme d'agriculture. Pensons en particulier à l'Afrique, dont l'aridité ira croissant. Envisageons également des déséquilibres entre les différents continents, entre le Nord et le Sud, ou encore de grands déplacements de populations suite à la montée des mers. C'est à ce niveau-là, à mon avis, que se poseront les problèmes les plus sérieux.

Jean-Christophe Victor : Et ce sont précisément des problèmes d'ordre géopolitique !

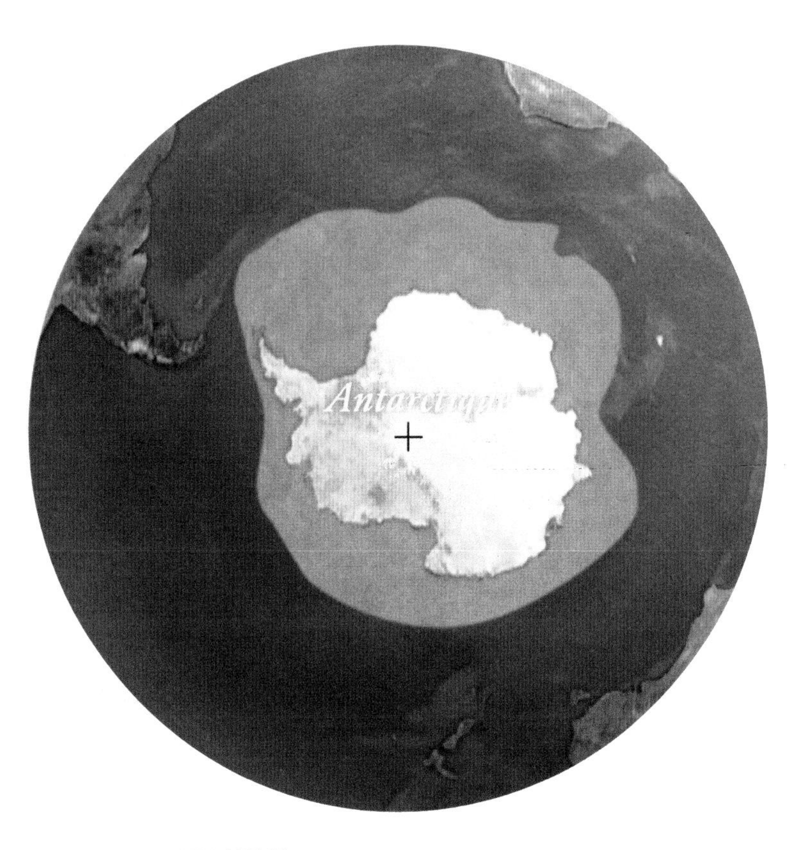

LE CONTINENT ANTARCTIQUE

Le continent antarctique situé au pôle Sud est recouvert à 98 % d'une couche de glace permanente de plusieurs mètres d'épaisseur, qui l'hiver s'étend sur la mer. Ce continent de 13 millions de km^2 *est dédié à la recherche depuis 1959 et compte trente-cinq stations scientifiques.*

les livres du Dessous des Cartes

ATLAS

Atlas de Peters, Paris, Larousse, 1992.

Atlas universel, édition du millénaire, Paris, *Le Monde*/Sélection du Reader's Digest, 2000.

Atlas universel, Paris, Bordas, 2002.

CHALIAND (Gérard), *Atlas du nouvel ordre mondial*, Paris, Robert Laffont, 2003.

CHALIAND (Gérard) et RAGEAU (Jean-Pierre), *Atlas des empires*, Paris, Payot, 1993.

—, *Atlas du millénaire : la mort des empires, 1900-2015*, Paris, Hachette, 1998.

—, *Atlas historique du monde méditerranéen*, Paris, Payot, 1995.

CHARLIER (Charles), dir., *Atlas du XXIe siècle*, Paris, Nathan, 2005.

DUBY (Georges), *Atlas historique*, Paris, Larousse, 1995.

DUMORTIER (Brigitte), *Atlas des religions*, Paris, Autrement, 2002.

DURAND (M.-F.), GIMENO (Roberto) *et alii*, *L'Espace mondial en cinquante cartes*, Paris, Presses de Sciences-Po, 2002.

JAN (Michel), CHALIAND (Gérard) et RAGEAU (Jean-Pierre), *Atlas de l'Asie orientale*, Paris, Seuil, 1997.

LAMAISON (Pierre), dir., *Généalogie de l'Europe*, Paris, Hachette, 1994.

SELLIER (Jean et André), *Atlas des peuples d'Afrique*, Paris, La Découverte, 2003.

—, *Atlas des peuples d'Asie*, Paris, La Découverte, 2002.

—, *Atlas des peuples d'Europe centrale*, Paris, La Découverte, 1998.

—, *Atlas des peuples d'Europe occidentale*, Paris, La Découverte, 2000.

—, *Atlas des peuples d'Orient*, Paris, La Découverte, 1993.

WIHTOL DE WENDEN (Catherine), *Atlas des migrations dans le monde*, Paris, Autrement, 2005.

OUVRAGES DE RÉFÉRENCE

BOORSTIN (Daniel), *Les Découvreurs*, Paris, Robert Laffont, coll. « Bouquins » (plusieurs rééditions).

BRAUDEL (Fernand), *Grammaire des civilisations*, Paris, Flammarion, 1993.

BRUNET (Roger), dir., *Géographie universelle*, Paris, Hachette et Belin, 1992-1996, en plusieurs tomes : France/Europe du Sud ; Mondes nouveaux ; Amérique latine ; Amérique du Nord ; Chine/Japon/Corée ; les Afriques au sud du Sahara ; Asie du Sud-Est/Océanie ; Europe du Nord/Europe médiane ; Europes orientales/ Russie/Asie centrale.

Encyclopaedia Universalis, Paris, 1994.

BALENCIE (Arnaud), sous la coord., *Les Nouveaux Mondes rebelles : conflits, terrorisme et contestations*, Paris, Michalon, 2005.

BRZEZINSKI (Zbigniew), *Le Grand Échiquier*, Paris, Bayard, 1997.

CHAUPRADE (Aymeric), *Géopolitique, constantes et changements dans l'histoire*, Paris, Ellipses, 2003.

CORDELIER (Serge), dir., *Dictionnaire historique et géopolitique du XXe siècle*, Paris, La découverte, 2005.

DUROSELLE (Jean-Baptiste), *Histoire diplomatique de 1919 à nos jours*, Paris, Dalloz, 1993.

FOUCHER (Michel), *Fronts et frontières*, Paris, Fayard, 1991.

—, dir., *Fragments d'Europe*, Paris, Fayard, 1993.

HAUSHOFER (Karl), *De la géopolitique*, Paris, Fayard, 1986.

KISSINGER (Henry), *Diplomatie*, Paris, Fayard, 1997.

LACOSTE (Yves), *Dictionnaire de géopolitique*, Paris, Flammarion, 1993.

—, *De la géopolitique aux paysages*, Paris, Armand Colin, 2003.

MOURRE (Michel), *Le Petit Mourre, dictionnaire de l'histoire*, Paris, Larousse, 2001.

RAFFFESTIN (Claude), *Géopolitique et histoire*, Paris, Payot, 1995.

RATZEL (Friedrich), *La Géographie politique*, Paris, Fayard, 1987.

ANNUAIRES

L'État du monde, mise à jour annuelle, Paris, La Découverte.

Ramsès, rapport annuel mondial sur le système économique et les stratégies, sous la direction de Thierry de MONTBRIAL, Institut français des relations internationales, Paris, Dunod.

L'Année stratégique, mise à jour annuelle, IRIS, Paris, Armand Colin.

Annuaire stratégique et militaire, Fondation pour la recherche stratégique, Paris, Odile Jacob.

Images économiques du monde, mise à jour annuelle, Paris, Armand Colin.

Amnesty international, rapport annuel.

REVUES

Hérodote, trimestriel, sous la direction d'Yves Lacoste, Paris, La Découverte.

Critique internationale, la revue du CERI, trimestriel, Paris, Presses de Sciences-Po.

Politique étrangère, trimestriel, Paris, IFRI

Politique internationale, trimestriel.

La revue internationale et stratégique, trimestriel, Paris, IRIS.

Critique internationale, trimestriel, Paris.

Questions internationales, bimestriel, CERI/Sciences-Po, Paris, La Documentation française.

Géoéconomie, trimestriel, Institut européen de géoéconomie.

Afrique Contemporaine, trimestriel, Paris, Agence française de développement.

Monde Arabe, Maghreb-Machrek, trimestriel, Paris, La Documentation française.

Courrier des pays de l'Est, mensuel, Paris, La Documentation française.

Problème d'Amérique latine, trimestriel, Paris, Institut Choiseul.

Les pays d'Europe occidentale, sous la direction d'Alfred Grosser, Paris, La Documentation française.

ITINÉRAIRES EUROPÉENS

BOUGAREL (Xavier), *Bosnie, anatomie d'un conflit*, Paris, La Découverte, 1996.

BRUNET (Roger), *La Russie, dictionnaire géographique*, Paris, Armand Colin, 2002, coll. « Dynamiques du territoire ».

CHANNON (John), *Atlas historique de la Russie*, Paris, Autrement, 1997.

CHICLET (Christophe), dir., « Kosovo », *Confluences méditerranée*, n° 30, Paris, L'Harmattan, 1999.

CHICLET (Christophe) et RAVENEL (Bernard), dir., *Kosovo : le piège*, Paris, L'Harmattan, 2000.

CHILLAUD (Matthieu), « Kaliningrad et l'ambiguïté de la dynamique des contraires », *Géoéconomie*, n° 27, automne 2003, pp. 153-176.

CHOMETTE (Guy-Pierre) et SAUTEREAU (Frédéric), *Lisières d'Europe : de la mer Égée à la mer de Barents. Voyage en frontières orientales*, Paris, Autrement, 2004, coll. « Frontières ».

« La Russie et les autres pays de la CEI », *Le Courrier des pays de l'Est*, n° 1030, Paris, La Documentation française, novembre-décembre 2002.

DUCASSE-ROGIER (Marianne), *À la recherche de la Bosnie-Herzégovine,* Paris, PUF, 2003.
FOUCHER (Michel), *La République européenne, entre histoires et géographies*, Paris, Belin, 1999, coll. « Frontières ».
GARAPON (Antoine) et MONGIN (Olivier), dir., *Kosovo, un drame annoncé*, Paris, Michalon, 1999.
GAUTIER (Xavier), *L'Europe à l'épreuve des Balkans*, Paris, Jacques Bertoin, 1992.
GLASSON DESCHAUMES (Ghislaine) et SLAPSAK (Svetlana), *Femmes des Balkans pour la paix : Itinéraires d'une action militante à travers les frontières* (*Balkan Women for Peace : Itineraries of crossborder Activism*), Transeuropéennes.
LEPESANT (Gilles), dir., *L'Ukraine dans la nouvelle Europe*, Paris, CNRS Éditions, 2005.
LEVESQUE (Jacques) *et alii*, *La Russie et son ex-empire*, Paris, Presses de Sciences-Po, 2003.
LORY (Bernard), *L'Europe balkanique de 1945 à nos jours*, Paris, Ellipses, 1995.
MAGOCSI (Paul-Robert), *Historical Atlas of central Europe*, Londres, Thames & Hudson, 2002.
NIES (Susanne), *Les États baltes, une longue dissidence*, Paris, Armand Colin, 2004.
POLITKOVSKAÏA (Anna), *La Russie selon Poutine*, Paris, Buchet-Chastel, 2003.
PREVELAKIS (Georges), *Les Balkans, cultures et géopolitique*, Paris, Nathan université, 1994.
RADVANYI (Jean), *La Nouvelle Russie*, Paris, Armand Colin, 2000.
—, dir., *Les États post-soviétiques*, Paris, Armand Colin, 2002.
RADVANYI (Jean) et BERELOWITCH (Alexis), *Les Cents portes de la Russie, de l'URSS à la CEI, les convulsions d'un géant*, Paris, Éditions de l'Atelier, 1999.
RIASANOVSKY, (Nicholas), *Histoire de la Russie, des origines à 1996*, Paris, Robert Laffont 1996, coll. « Bouquins ».
ROMER (Jean-Christophe), *Géopolitique de la Russie*, Paris, Economica, 1999.
—, *La Pensée stratégique russe au XXe siècle*, Paris, Institut de stratégie comparée et Economica, 1997.
ROVAN (Joseph), *Histoire de l'Allemagne des origines à nos jours*, Paris, Seuil, 1994.
« La Russie face à l'Europe », *Cahiers de Chaillot*, n° 60, Institut de sécurité européenne (anglais et français).
SAMSON (Ivan), *A new look at Kaliningrad*, 25 octobre 2002 (consultable sur le site de l'université Pierre-Mendes-France de Grenoble : www.upmf-grenoble.fr/gtd/rubrique.php3?id rubrique = 2)
TÉTART (Frank) et JEDIDI (Sonia), « Le Réseau aérien dans l'ex-espace soviétique : dépendances et influences après un très grand changement géopolitique », *Hérodote*, n° 114, 3e trimestre 2004, pp. 71-100.
TÉTART (Frank), « Kaliningrad, changer d'image », *Questions internationales*, n° 11, janvier-février 2005, Paris, La Documentation française, pp. 86-92.
TISSIER (Yves), *Dictionnaire d'histoire territoriale de l'Europe de 1789 à nos jours*, Paris, Vuibert, 2002.
TURUNC (Garip), *La Turquie aux marches de l'Union européenne*, Paris, L'Harmattan, 2001.
VERNET (Daniel), « La Russie de Vladimir Poutine, l'héritier du despotisme oriental se tourne vers l'Occident », *Les Notes de l'IFRI*, n° 45, octobre 2002, p. 66.
YERASIMOS (Stéphane), *Le Retour des Balkans, 1991-2001*, Paris, Autrement, 2002, coll. « Mémoires ».

ITINÉRAIRES AMÉRICAINS

ATHERTON (John), BERNHEIM (Nicole), BODY-GENDROT (Sophie) et BRUNET (François), *États-Unis, peuple et culture*, Paris, La Découverte, 2004.
BLANQUER (Jean-Michel), *Amérique latine*, Paris, La Documentation française, 2004, coll. « Les Études de la Documentation française ».
BOORSTIN (Daniel), *Histoire des Américains*, Paris, Robert Laffont, 1991, coll. « Bouquins ».
BRZEZINSKI (Zbigniew), *Le Vrai Choix, l'Amérique et le reste du monde*, Paris, Odile Jacob, 2004.
CLAVAL (Paul), *La Fabrication du Brésil : une grande puissance en devenir*, Paris, Belin, 2004.
COOLEY (John K.), *CIA et Jihad, 1950-2001, contre l'URSS, une désastreuse alliance*, Paris, Autrement, 2002.
Les Dessous de l'ALCA : zone de libre-échange des Amériques. Points de vue du sud, Paris, L'Harmattan/Centre tricontinental, 2003.
ENCEL (Frédéric) et GUEZ (Olivier), *La Grande Alliance, De la Tchétchénie à l'Irak : un nouvel ordre mondial*, Paris, Flammarion, 2003.
Les États-Unis à contre-courant. Critiques américaines à l'égard d'une politique étrangère unilatéraliste, Bruxelles, GRIP-Complexes, 2003.
« Europe/États-Unis : le face à face », *Questions internationales*, revue de la Documentation française, n° 9, septembre-octobre 2004.
FOLSOM (Ralph H.), *Accord de libre-échange nord-américain*, Paris, Éditions Pedone, 2004, coll. « Études internationales ».
« Géopolitique des États-Unis », *Revue française de géopolitique*, n° 1, Paris, Ellipses, 2003.
HASSNER (Pierre) et VAÏSSE (Justin), *Washington et le monde : ceux qui pensent la stratégie américaine*, Paris, Éditions CERI/Autrement, 2003.
HEIMERMANN (Benoît), *Suez et Panama, la fabuleuse épopée de Ferdinand de Lesseps*, Paris, Arthaud, 1996.
HOMBERGER (Éric), *Atlas historique de l'Amérique du Nord*, Paris, Autrement, 1996.
LEMARCHAND (Philippe), dir., *Atlas des États-Unis, les paradoxes de la puissance*, Paris, Éditions Atlande/Complexe, 1997.
McPHERSON (James M.), *La Guerre de Sécession (1861-1865)*, Paris, Robert Laffont, 1991, coll. « Bouquins ».
MELANDRI (Pierre) et VAÏSSE (Justin), *L'Empire du milieu, les États-Unis et le monde depuis la fin de la guerre froide*, Paris, Odile Jacob, 2001.
ORAISON (André), « Diego Garcia, enjeux de la présence américaine dans l'Océan Indien », *Afrique contemporaine*, n° 207, automne 2003, Paris, La Documentation française.
PICARD (Jacky), dir., *Le Brésil de Lula : les défis d'un socialisme démocratique à la périphérie du capitalisme*, Paris, Karthala, 2004, coll. « Lusotopie ».
« La Puissance américaine », *Questions internationales*, revue de la Documentation française, n° 3, septembre-octobre 2003.
ROGER (Philippe), *L'Ennemi américain, généalogie de l'antiaméricanisme français*, Paris, Seuil, 2002.
SOPPELSA (Jacques), *Les États-Unis, une histoire revisitée*, Paris, Éditions de la Martinière, 2004.
THERY (Hervé), *Le Brésil*, Paris, Armand Colin, 2000.
THERY (Hervé), *Atlas du Brésil*, *Neli Aparecida de Mello*, Paris, CNRS/GDR Libergéo/La Documentation française, 2004.
VINCENT (Bernard), dir., *Histoire des États-Unis*, Paris, Flammarion, 1997, coll. « Champs ».
ZIMMERMAN (Larry J.) et MOLYNEAUX (Brian Leigh), *Les Indiens d'Amérique du Nord : les croyances et les rites, les visionnaires, les saints et les mystificateurs, les esprits de la terre et du ciel*, Köln, Evergreen, 2002, coll. « Sagesses du monde ».

ITINÉRAIRES AFRICAINS

Atlas de l'Afrique, Jeune Afrique, Paris, Éditions du Jaguar, 2000.
Afrique 2025. Quels futurs possibles pour l'Afrique au sud du Sahara ?, Paris, Futurs africains/Karthala, 2003.
BACH (Daniel), *Régionalisations, mondialisation et fragmentation en Afrique sub-saharienne*, Paris, Karthala, 1998.
BAYART (Jean-François), *L'État en Afrique, la politique du ventre*, Paris, Fayard, 1989.
BEN HAMMOUDA (Hakim), KASSE (Mustapha), dir., *Le NEPAD et les enjeux du développement en Afrique*, Paris, Maisonneuve et Larose, 2002.
BENNAFLA (Karine), « La Fin des territoires nationaux ? État et commerce frontalier en Afrique centrale », *Politique africaine*, n° 73, pp. 181-198.
BOUSTANI (R), FARGUES (Philippe), *Atlas du monde arabe*, Bordas, Paris, 1990.
BRUNEL (Sylvie), *L'Afrique,* Editions Bréal, Paris, 2004.
COQUERY-VIDROVITCH (Catherine) et LACLAVIÈRE (Georges), dir., *Atlas historique de l'Afrique*, Paris, Éditions du Jaguar, 1992.
DEVEY (Muriel), *Le Sénégal*, Paris, Karthala, 2000.
DUBRESSON (Alain), RAISON (Jean-Pierre), *L'Afrique sub-saharienne, une géographie du changement*, Armand Colin, Paris, 2003.

GERVAIS-LAMBONY (Philippe), *L'Afrique du Sud et les États voisins*, Paris, Armand Colin, 1997.
ILIFFE (John), *Les Africains, histoire d'un continent*, Paris, Aubier, 1997.
LACOSTE (Yves), dir., « Tragédies africaines », *Hérodote*, Paris, La Découverte, 2003.
POURTIER (Roland), *Afriques noires*, Paris, Hachette, 2001.
SMITH (Stephen), *Atlas de l'Afrique*, Paris, Autrement, 2005.
SMITH (Stephen), *Négrologie, pourquoi l'Afrique meurt*, Paris, Calmann-Lévy, 2003.
VERSHAVE (François-Xavier), *Noir silence*, Paris, Les Arènes, 2000.

ITINÉRAIRES ORIENTAUX

L'Accord de Genève, un pari réaliste, version autorisée du texte intégral trad. et prés. par Alexis Keller, Genève, Labor et Fides, 2004.
Atlas historique d'Israël, 1948-1988, Paris, Autrement, 1998.
AYAD (Christophe), *Géopolitique de l'Égypte*, Bruxelles, Complexe, 2002.
BARENBOÏM (Daniel) et SAID (Edward), *Parallèles et paradoxes*, Paris, Le Serpent a plumes, 2002.
BENBASSA (Esther), *Israël, la terre et le sacré*, Paris, Flammarion, 2001.
BEN-AMI (Shlomo), *Quel avenir pour Israël ?*, Paris, PUF, 2001.
BISHARA (Marwan), *Palestine, Israël : la paix ou l'apartheid ?*, Paris, La Découverte, 2005.
CHARNAY (Jean-Paul), *Principes de stratégie arabe*, Paris, L'Herne, 1984.
CLERC (Jean-Pierre), *L'Afghanistan : otage de l'histoire*, Toulouse, Milan, 2002.
« Comprendre l'Islam, si loin, si proche », *Télérama*, hors-série, novembre 2001.
CORM (Georges), *Le Proche-Orient éclaté*, Paris, La Découverte, 1997.
DA LAGE (Olivier), *Géopolitique de l'Arabie Saoudite*, Bruxelles, Complexe, 1996.
DEBIE (Franck) et FOUET (Sylvie), *La Paix en miettes, Israël et Palestine (1993-2000)*, Paris, PUF, Paris, 2001, coll. « Que-sais-je ? ».
DE PLANHOL (Xavier), *Minorités en islam, géographie politique et sociale*, Paris, Flammarion, 1997.
—, *Les Nations du Prophète*, Paris, Fayard, 1993.
DEFAY (Alexandre), *Géopolitique du Proche-Orient*, Paris, PUF, 2003, coll. « Que sais-je ? ».
DE FOURNEL (Paul), *Poil de Cairote*, Paris, Seuil, 2004.
DIECKHOFF (Alain) et LEVEAU (Remy), dir., *Israéliens et Palestiniens : la guerre en partage*, Paris, Balland, 2003.
DIGARD (Jean-Pierre), HOURCADE (Bernard) et RICHARD (Yann), *L'Iran au XXe siècle*, Paris, Fayard, 1996.
DJALILI (Mohammad Reza), *Géopolitique de l'Iran*, Bruxelles, Complexe, 2005.
DORRONSORO (Gilles), « Les Kurdes de Turquie : revendications identitaires, espace national et globalisation », *Les Études du CERI*, n° 62, Paris, Fondation nationale des sciences politiques, 2001.
DUPAIGNE (Bernard), *Afghanistan : rêves de paix*, Paris, Buchet-Chastel, 2002.
L'Égypte dans le siècle, 1901-2000, n° 4-5, février 2000-janvier 2001, Bruxelles, Éditions Complexe, 2003.
ENCEL (Frédéric), *Géopolitique de Jérusalem*, Paris, Flammarion, 2003.
ENCEL (Frédéric) et THUAL (François), *Géopolitique d'Israël, dictionnaire pour sortir des fantasmes*, Paris, Seuil, 2004.
ENDERLIN (Charles), *Paix ou guerres, les secrets des négociations israélo-arabes 1917-1997*, Paris, Stock, 1997.
Les Études kurdes, Paris, Institut kurde de Paris/L'Harmattan.
FERRO (Marc), *Le Choc de l'islam : XVIIIe-XXIe siècle*, Paris, Odile Jacob, 2003.
FOURMONT (Guillaume), *Géopolitique de l'Arabie saoudite. La Guerre intérieure*, Paris, Ellipses, 2005.
GENTELLE (Pierre), *Traces d'eau*, Paris, Belin, 2003.
GRESH (Alain) et VIDAL (Dominique), *Les 100 portes du Proche-Orient*, Paris, Éditions de l'Atelier, 1996.
GRESH (Alain), *Israël, Palestine : vérité sur un conflit*, nouv. éd., Paris, Fayard, 2002.
GROSSMAN (David), *Chroniques d'une paix différée*, Paris, Seuil, 2003.
HOURCADE (Bernard), *Iran : nouvelles identités d'une république*, Paris, Belin/La Documentation française, 2002.
ISAAC (Jad), dir., *An atlas of Palestine*, Bethlehem, Apply Research Institut of Jerusalem (ARIJ), 2000.
KAREL (William) et RUCKER (Laurent), *Une terre deux fois promise : Israël, Palestine*, Paris, Éditions du Rocher, 1998.
LAURENS (Henry), *L'Orient arabe à l'heure américaine*, Paris, Armand Colin, 2004.
LUIZARD (Pierre-Jean), *La Question Irakienne*, Fayard, Paris, 2004.
MANLEY (Bill), *Atlas historique de l'Égypte ancienne*, Paris, Autrement, 1998.
MÉNORET (Pascal), *L'Énigme saoudienne : les Saoudiens et le monde, 1744-2003*, Paris, La Découverte, 2003.
PAILLARD (C.-A.), ZELENKO (P.) et DE LESTRANGE (C.), *Géopolitique du pétrole*, Paris, Éditions Technip, 2005.
PICAUDOU (Nadine), *Les Palestiniens, un siècle d'histoire*, Bruxelles, Complexe, 2003.
« Moyen-Orient », *Questions internationales*, revue de la Documentation française, n° 1, mai-juin 2003.
RACHET (Guy), *Dictionnaire des civilisations de l'Orient ancien*, Paris, Larousse, 1999, coll. « Les Référents ».
RAISSON (Virginie) et COUPRIE (Sonia), « Cahier cartographique du monde de l'islam, d'hier à aujourd'hui », *Histoire et patrimoine*, revue trimestrielle, Toulouse, Milan, 2004.
ROY (Olivier), *Généalogie de l'islamisme*, Paris, Hachette littératures, 2001.
SANLAVILLE (Paul), *Le Moyen-Orient arabe : le milieu et l'homme*, Paris, Armand Colin, 2000.

ITINÉRAIRES ASIATIQUES

« Asie du Nord-Est », *Hérodote*, n° 97, 3e trimestre 2000.
BOUVIER (Nicolas), *Chroniques japonaises*, Paris, Payot, 1991.
« Chine », *Futuribles*, dossier spécial, volume n° 296, 2004.
« La Chine », *Questions internationales*, revue de la Documentation française, n° 6, mars-avril 2004.
DUFOUR (Jean-François), *Géopolitique de la Chine*, Bruxelles, Complexe, 1999.
Écrits édifiants et curieux sur la Chine du XXIe siècle : voyage à travers la pensée chinoise contemporaine, Paris, Éditions de l'Aube, 2004.
ELIADE (Mircea), *L'Inde*, Paris, L'Herne, 1988.
FRÉDÉRIC (Louis), *Dictionnaire de la civilisation indienne*, Paris, Robert Laffont, 1997.
FOUCHER (Michel), dir., *Asies nouvelles*, Paris, Belin, 2002.
GENTELLE (Pierre), *Chine, un continent et au-delà ?*, Paris, La Documentation française, 2001.
GODEMENT (François), *Asie*, Paris, La Documentation Française/centre Asie IFRI, 2004.
GODEMENT (François), SERRA (Régine), dir., *Asie orientale*, Paris, Les Études de la Documentation française, 2003.
HOLZMAN (Marie) et YAN (Chen), dir., *La Chine en jeu(x). Penser avec la Chine*, La Tour-d'Aigues, Éditions de l'Aube, 2004, coll. « Monde en cours ».
HU (Ping), HOLZMAN (Marie), *Chine : à quand la démocratie ? Les illusions de la modernisation*, La Tour-d'Aigues, Éditions de l'Aube, 2004.
JAFFRELOT (Christophe), *L'Inde contemporaine* de *1950 à nos jours*, Paris, Fayard, 1997.
—, dir., *Le Pakistan*, Paris, Fayard, 2000.
LEVENSON (Claude B.), *La Chine envahit le Tibet*, Bruxelles, Complexe, 1995.
PELLETIER (Philippe), dir., *Identités territoriales en Asie orientale*, Paris, Les Indes savantes, 2004.
—, *La Japonésie*, Paris, CNRS Éditions, 1997.
RACINE (Jean-Luc), *Cachemire, au péril de la guerre*, Paris, CERI/Autrement, 2002.
TAILLARD (Christian), dir., *Intégrations régionales en Asie orientale*, Paris, Les Indes savantes, 2004.
ZINS (Max-Jean), *Inde, un destin démocratique*, Paris, La Documentation française, 1999.

LOGIQUES DE GUERRE

ARON (Raymond), *Paix et guerre entre les nations*, Paris, Calmann-Lévy, 1984.
BAUD (Jacques), *L'Encyclopédie des terrorismes et violences politiques*, Panazol, Éditions Lavauzelle, 2003.
BAYART (Jean-François) et GESCHIERE (Peter), dir., « J'étais là avant : problématiques politiques de l'autochtonie », *Critiques internationales*, n° 10, Presses de Science-Po, 2001.
BOUCHET-SAULNIER (Françoise), *Dictionnaire pratique du droit humanitaire*, Paris, La Découverte, 2000.
BOUQUET (Christian), *Géopolitique de la Côte d'Ivoire*, Paris, Armand Colin, 2005.
CHALIAND (Gérard) et BLIN (Arnaud), dir., *Histoire du terrorisme, de l'Antiquité à al-Qaïda*, Paris, Bayard, 2004.
CHALIAND (Gérard), *Anthologie mondiale de la stratégie*, Paris, Robert Laffont, 1990, coll. « Bouquins ».
« Colombie », *Problèmes d'Amérique latine*, n° 16, janvier-mars 1995, Paris, La Documentation française.
« Côte d'Ivoire, la tentation ethnonationaliste », *Politique africaine*, n° 78, Paris, Karthala, 2000.
GÈRE (François), *Pourquoi les guerres ? Un siècle de géopolitique*, Paris, Larousse, 2002.
HASSNER (Pierre), *La Terreur et l'empire*, Paris, Seuil, 2003.
—, *La Violence et la paix*, Paris, Seuil, 2000, coll. « Points ».
HOWARD (Michaël), *L'Invention de la paix et le retour de la guerre*, Paris, Payot, 2004.
HUNTINGTON (Samuel P.), *Le Choc des civilisations*, Paris, Odile Jacob, Paris, 1997.
KEEGAN (John), *Histoire de la guerre. Du néolithique à la guerre du Golfe*, Paris, Éditions Dagorno, 1996.
KEPEL (Gilles), *Fitna : guerre au cœur de l'islam*, Paris, Gallimard, 2004.
LACOSTE (Yves), *La Géographie, ça sert d'abord à faire la guerre*, Paris, La Découverte, 1985.
LONGUET MARX (Frédérique), *Tchétchénie : la guerre jusqu'au dernier*, Paris, Éditions des Mille et une nuits, Paris, 2003.
WEISSMAN (Fabrice), dir., *À l'ombre des guerres justes. L'ordre international cannibale et l'aide humanitaire*, Paris, Médecins sans frontières/Flammarion, 2003.
NAPOLEONI (Loretta), *Qui finance le terrorisme international ? IRA, ETA, AL Qaïda, les dollars de la terreur*, Paris, Autrement, 2005.
POLITKOVSKAÏA (Anna), *Le Déshonneur russe*, Paris, Buchet-Chastel, 2003.
« Les Terrorismes », *Questions internationales*, revue de la Documentation française, n° 8, 2004.

UN DÉVELOPPEMENT PEU DURABLE

BARLOW (Maude) et CLARKE (Tony), *L'Or bleu : l'eau, le grand enjeu du XXIe siècle*, Paris, Fayard, 2001.
BARTILLAT (Laurent) et RETALLACK (Simon), *Stop*, Paris, Seuil, 2003.
BELTRANO (Gérard) et CHEMERY (Laure), *Dictionnaire du climat*, Paris, Larousse, 1995, coll. « Références ».
BRUNEL (Sylvie), *Famines et politique*, Paris, Presses de Sciences-Po, 2002.
CARROUE (Laurent), *Géographie de la mondialisation*, Armand Colin, Paris, 2002.
DOLLFUS (Olivier), *La Mondialisation*, Presses de Sciences-Po, Paris, 1997.
DEMANGEOT (Jean) et BERNUS (E.), *Les Milieux désertiques*, Paris, Armand Colin, 2001.
DIOP (Salif) et REKACEWICZ (Philippe), *Atlas mondial de l'eau*, Paris, Autrement, 2004.
DROULERS (Martine), *L'Amazonie, vers un développement durable*, Paris, Armand Colin, 2004.
« Écologie et Géopolitique », *Hérodote*, n° 100, 1er trimestre 2001, Paris, La Découverte.
« Géopolitique de l'eau », *Hérodote*, n° 102, décembre 2001, Paris, La Découverte.
« Géopolitique de la mondialisation », *Hérodote*, n° 103, Paris, La Découverte.
JOUSSAUME (Sylvie), *Climats d'hier à demain*, Paris, CNRS Éditions, 1993.
LANDES (David S.), *Richesses et pauvreté des Nations*, Paris, Albin Michel, 2000.
LASSERRE (Frédéric), *L'Eau, enjeu mondial. Géopolitique du partage de l'eau*, Paris, Le Serpent à plumes, 2003.
« La Menace climatique », *Science et vie*, n° 1035, décembre 2003.
« Nature sauvage, nature sauvée, écologie et peuples autochtones », édité par *Peuples autochtones et développement*, vol. 24-25, 1999.
« L'Or bleu, l'eau pour tous », *Revue des Deux Mondes*, septembre 2000.
PAPON (Pierre), *Le Sixième Continent, une géopolitique des Océans*, Paris, Odile Jacob, 1996.
RAMADE (François), préf., *Dictionnaire de l'écologie*, Paris, Encyclopaedia Universalis, 1999.
RIEUCAU (Jean), « Biodiversité et écotourisme dans les pays du centre du golfe de Guinée », *Les Cahiers d'Outre-Mer*, n° 216, Bordeaux, IGER/université de Bordeaux, 2001.
« Le Risque climatique », *Les Dossiers de* La Recherche, n° 17, novembre-décembre 2004-janvier 2005.
ROGNON (Pierre), *Biographie d'un désert : le Sahara,* Paris, L'Harmattan, 1994.
SACQUET (Anne-Marie), *Atlas mondial du développement durable*, Paris, Autrement, 2003.
SMOUTS (Marie-Claude), *Forêts tropicales, jungle internationale. Les revers d'une écopolitique mondiale*, Paris, Presses de Sciences-Po, 2001.
TENIER (Jacques), *Intégrations régionales et mondialisation*, Paris, Études de la Documentation française, 2003.
VICTOR (Paul-Émile et Jean-Christophe), *Planète antarctique*, Paris, Robert Laffont, 1993.

QUELQUES SITES INTERNET

- Le site du magazine de géopolitique d'Arte *Le Dessous des Cartes* : www.arte-tv.com/ddc
- Centre d'études et de recherches internationales (CERI), unité mixte de recherche : www.ceri-sciencespo.com/
- Fondation pour la recherche stratégique : http://www.frstrategie.org/
- Institut français des relations internationales (IFRI) : www.ifri.org
- Le site officiel d'International Crisis Group, centre de recherches sur les conflits : www.crisisgroup.org
- Le site officiel de l'Union européenne : http://europa.eu
- Annuaire par pays de la CIA : http://www.cia.gov/cia/publications/factbook/
- Site portant sur l'aménagement linguistique et les langues dans le monde, université Laval du Québec : http://www.tlfq.ulaval.ca/axl/
- Le *Courrier des Balkans* : http://www.balkans.eu.org/moldavie.php3
- L'atelier de cartographie de Sciences-Po (propose des cartes thématiques et régionales ainsi que des fonds de cartes) : www.sciences-po.fr/cartographie/
- La cartothèque du monde diplomatique (cartes classées par thèmes et secteurs géographiques) : www.monde-diplomatique.fr/cartes/
- Site de la bibliothèque du Texas (plus de 5 000 cartes régionales et historiques) : www.lib.utexas.edu/maps/
- Ressources cartographiques et historiques (histoire du monde contemporain) : www.atlas-historique.net
- Société de cartographie thématique et d'illustration (propose un large choix de cartes) : www.intercarto.fr/
- Le Relief Web Map Center, site officiel du Bureau de la coordination des affaires humanitaires de l'ONU, propose 1 600 cartes : www.reliefweb.int/

index

Le Dessous des Cartes s'est fait aussi grâce à : Muriel ARCHAMBAUD ; Julien ARNOULT ; Stéphane AVENEAU ; Philippe BAILLON ; Martina BANGERT ; Catherine BIJON ; Philippe BOIG ; Jean-Claude BONFANTI ; Jérôme BONIFACE ; Tristan BOURLARD ; Sylvie BRUNEL ; Patrick CABOUAT ; Patrick CAMUS ; Laurence CAPITAINE ; Violaine CHAPONIK ; Jean-Christophe CHAUVEL ; Philippe CHAZAL ; Sébastien CHEVAL ; Claude CLORENNEC ; Liliane COLLIN ; Catherine COQUIO ; Muriel COULIN ; Philippe COUTANT ; Xavier CROMBÉ ; Anne CURY ; Cédric DE L'ESTRANGE ; Nicolas DE TORRENTE ; Isabelle DELÉPINE ; Emmanuel DESWARTE ; Sergio ESCORCIO ; Hélène FONT ; Guillaume FOURMONT ; Thierry GARCIN ; Julien GILLOT ; Sabine GLON ; Nicole GNESOTTO ; Jean-Louis GONNET ; Karl-Heinz GRIMM ; Anne GUIBERT ; Yann LALAU KERALY ; Laurence LALLIAS ; Arnaud LAMBORION ; Frédéric LASSERRE, pour *Le Passage du Nord-Ouest* ; Michel LE BAYON ; Caroline LECHAT ; Philippe LEFAURE ; Laurent LEFÈVRE ; Alexandre LEROY ; Danièle MAILLAU ; Yvon MARCIANO ; Cécile MARIN ; Gérard MARTIN ; Michel MICHAU ; Alain NADAUD ; Hervé NISIC ; Jean-François PAHUN ; Christophe-Alexandre PAILLARD ; Mathieu PANSARD ; François PÉCOSTE ; Marie-Laure PELOSSE ; Emmanuel PLUMECOCQ ; Anne PRADEL ; Philippe REKACEWICZ ; Olivier SALLES ; Guy SKORNIK ; Henriette SOUK ; Nicolas SOURDAY ; Gilles STASSART ; Nicolas STERN ; Laurent STOURDZÉ ; Mathias STROBEL ; Séverine THIBAUT ; Maxime TRABANT ; Denis TRIBALAT ; Philippe TRUFFAULT ; Françoise TSITSICHVILI ; Jean-Luc VERDIER ; Christian VION ; Maïa VIRGIN ; Pierre ZELENKO.

Recherches et écriture : V. Raisson (p. 90-93, 132-133, 160-171, 176-181, 208-213) ;
F. Tétart (p. 20-13, 30-45, 56-73, 82-89, 116-119, 148-155, 172-175, 182-189, 202-207, 214-229) ;
J.-C. Victor (p. 16-19, 24-29, 48-55, 74-75, 78-81, 94-109, 112-115, 120-125, 134-139, 142-147, 190-193, 198-201, 230-243).

Le Dessous des Cartes en DVD
www.arte-tv.com

Dépôt légal : avril 2006
ISBN : 2-84734-304-0
N° d'édition : 3107
Imprimé en Italie – Printed in Italy